ZYGM

Né à Varsovie en 1976, Zygmunt Miłoszewski est écrivain et scénariste. Ses romans sont traduits en dix-sept langues. En France, grâce à sa trilogie de romans policiers mettant en scène le procureur Teodore Szacki, il a été finaliste du Grand Prix des lectrices de *ELLE*, du Prix du polar à Cognac et du Prix du polar européen du *Point*. Après *Les Impliqués* (Mirobole, 2013) et *Un fond de vérité* (Mirobole, 2015), *La Rage* (Fleuve Éditions, 2016) a reçu le Prix *Transfuge* du meilleur polar étranger. Son dernier roman, *Inavouable*, a paru en 2017 chez le même éditeur. Tous ses livres sont repris chez Pocket.

INAVOUABLE

ZYGMUNT MIŁOSZEWSKI

INAVOUABLE

Traduit du polonais
par Kamil Barbarski

Titre original :
BEZCENNY

Pocket, une marque d'Univers Poche,
est un éditeur qui s'engage pour la préservation
de son environnement et qui utilise du papier fabriqué
à partir de bois provenant de forêts gérées
de manière responsable.

© 2013, Zygmunt Miłoszewski
© 2017, Fleuve Éditions, département d'Univers Poche,
pour la traduction française
ISBN : 978-2-266-28662-6
Dépôt légal : septembre 2018

Pour Marta

« *Je viens de te saccager l'Europe avant même que tu n'y aies posé le pied ! Qui sait si je ne t'ai pas aussi complètement dégoûté de l'art ? J'espère que non. Je ne vois pas comment on pourrait accuser les artistes de produire des œuvres qui, en général belles et pleines d'innocence, finissent toujours, Dieu sait pourquoi, par rendre les Européens encore plus malheureux et assoiffés de sang que jamais.* »

Kurt Vonnegut, *Barbe-Bleue*

Partie I

La bourrasque

Lendemain de Noël, 1944

De la neige. Rien que de la neige. Mais pas des flocons charmants, virevoltant avec légèreté. Pas des pétales printaniers et humides qui chuteraient lourdement pour se dissoudre sur les pelouses tièdes. Non, rien que la pire neige des Tatras, des cristaux de glace microscopiques portés par les rafales de vent, arrivant de partout, qui s'engouffraient sous les habits, tranchaient chaque surface de peau découverte comme des lames de rasoir, s'inséraient dans la bouche et dans les narines et gênaient les inspirations. Cette neige-là ne tombait pas, elle était simplement partout, occupait chaque espace, ôtait l'impression de réalité, annihilait tout sens de l'orientation. Cette neige transformait une marche nocturne en noyade dans une substance glaciale, désagréable, consciente et enragée.

L'homme emprisonné par la bourrasque était persuadé qu'il avançait constamment vers le haut, que chaque pas le rapprochait de la cime des Tatras de l'Ouest. Il se répétait que le temps était son allié, qu'il lui permettrait d'éviter les patrouilles allemandes et d'atteindre la Slovaquie. Une fois le sommet conquis, il comptait débouler dans la vallée, laisser la tempête loin derrière lui, s'abriter entre les sapins pour se reposer un peu, puis atteindre une ferme quelconque à l'aube.

Il sentait qu'il faiblissait, pourtant le devoir le poussait à grimper. Le devoir, mais aussi une peur animale. Dès le lever du jour, tout le monde découvrirait que l'un des employés de l'hôtel avait disparu, les Allemands feraient le lien avec les événements de la soirée et enverraient des avis de recherche aux quatre coins du monde. Se faufiler du côté slovaque et semer ses poursuivants était son unique chance de sauver sa peau et d'accomplir sa mission.

« Tu es notre seul espoir », lui avait-on dit avant de prendre la route. Lorsqu'il y songeait, une vague d'exultation patriotique le submergeait, une vague si forte qu'elle chassait l'espace d'un instant la sensation de froid. Il imaginait des scènes : Winston Churchill contemplant avec compassion le moignon de son doigt amputé (il était prêt à un tel sacrifice) qui lui demanderait tout bas si ça s'était passé précisément à ce moment-là. Ou le général Komorowski en train d'accrocher la médaille *Virtuti Militari* sur sa poitrine, grave et solennel, mais avec un sourire égaré sous sa moustache, qui lui adresserait un clin d'œil, laisserait entendre qu'aucune médaille ne récompenserait jamais assez ce qu'il avait fait pour son pays. Si un dieu existait, n'importe lequel, alors il devait le laisser passer jusqu'à la forêt slovaque. À cet instant précis, le sort de la planète dépendait trop de lui pour qu'il puisse échouer.

Ce voyageur, persuadé de grimper sans cesse, avait à peine vingt et un ans et cela pouvait expliquer ses élans patriotiques. Il s'appelait Roman Kłosowicz, était

14

originaire de Poznań et l'annonce de la guerre l'avait surpris en pleine formation d'alpiniste sur la face est du mont Kościelec, quand la nouvelle avait été hurlée par des touristes sur le sentier d'à côté. Il aurait dû rentrer à Poznań, mais l'oncle paternel qui l'élevait lui avait ordonné, dans un télégramme catégorique, de rester sur place, persuadé qu'une station de montagne serait un lieu plus sûr que la région de Grande-Pologne, frontalière de l'Allemagne, voïvodie que n'importe quel soldat désireux de se rendre plus à l'est devait traverser.

Dans un premier temps, son oncle et sa tante avaient eu raison mais, à y regarder de plus près, ils s'étaient trompés. Les Allemands avaient occupé Zakopane à la vitesse de l'éclair, ils avaient posté des gardes-frontières dans tous les refuges des environs et suspendu une croix gammée en bois sur la face est du mont Mnich. Ils dirigeaient la population locale d'une main de fer pour qu'aucune idée stupide ne leur vienne en tête. Le nouveau pouvoir plaisait à certains montagnards, beaucoup moins à d'autres ; Roman, de son côté, arrondissait ses fins de mois en tant que serveur et résistait à sa manière, tentant ainsi d'aider la Pologne.

Une Pologne qui, fidèle à ses habitudes, avait cessé d'exister une fois de plus. Les terres de l'Ouest, y compris Poznań, la ville natale de Roman, avaient été annexées par le Reich, les confins de l'Est étaient tombés sous le joug des Soviets, et le reste du pays, dont Varsovie et Cracovie, avait été transformé en une créature étrange appelée Gouvernement général. Un certain Hans Frank en était devenu le dirigeant. Chouchou de Hitler, docteur en droit, il aimait à se présenter en tant que roi de Pologne et s'acquittait avec ferveur de sa mission de résolution définitive de la question juive, ainsi que de la résolution efficace de la question polonaise, avec pour objectif de ne laisser à court terme du peuple polonais qu'une collectivité d'esclaves obtus.

Hans Frank, comme il sied à un roi de Pologne, avait pris ses quartiers dans le vieux château royal de Wawel, à Cracovie. Mais en découvrant Zakopane, situé aux pieds des montagnes, ville qui lui rappelait sa Schliersee bavaroise, il s'y était senti comme à la maison. Il avait rapidement ordonné qu'on rebaptise l'hôtel des Kalatówki – exceptionnel, car niché dans une clairière au cœur des montagnes et loin du reste de la station – en Berghaus Krakau ; il l'avait farci de SS et y avait établi une résidence de luxe où il passait presque tous ses week-ends. Il restait assis sur la terrasse, à contempler le mont Kasprowy et sirotait son thé préféré, diablement corsé et servi avec une goutte de lait par Roman Kłosowicz.

En ce lendemain de Noël 1944, Roman avait effectué des allers-retours entre la cuisine et l'appartement numéro 17 du premier étage jusqu'à tard dans la nuit. Personne ne s'y amusait, personne n'y faisait la fête et, exceptionnellement, on n'y voyait même aucune putain. Roman avait vu et entendu des choses qu'il n'aurait pas dû. Mais les occupants de l'appartement sentaient déjà sur leur nuque le souffle des soldats de l'Armée rouge, stationnés non plus à des centaines, mais à des dizaines de kilomètres de Cracovie et prêts à une nouvelle offensive ; c'était donc eux le problème, pas un serveur qui en savait trop.

À deux heures du matin, il tournait en rond dans sa chambrette sous les combles et n'arrivait pas à décider s'il devait se rendre chez Aniela ou si ce serait un acte précipité.

À deux heures et quart, il avait pris sa décision. On était en pays occupé, on pouvait mourir à tout instant, il irait donc chez elle et c'est précisément de cet argument qu'il userait pour plaider sa cause : il était là parce qu'on pouvait mourir à chaque instant. C'est alors que la porte s'était ouverte et qu'il avait vu non pas Aniela, mais un SS gracieux qu'il connaissait de vue, l'un des prétoriens préférés de Hans Frank.

Il songeait que s'il s'était rendu chez Aniela plus tôt, les Allemands l'auraient probablement retrouvé quand même mais, au moins, il n'aurait pas eu à mourir puceau.

— Écoute-moi bien, car je ne vais pas me répéter, déclara l'officier allemand dans un polonais impeccable en lui tendant un objet métallique. Tu dois partir sur-le-champ et fuir en Slovaquie, trop de montagnards jouent sur les deux tableaux par ici. Cache-toi, la guerre sera finie dans quelques mois. Je n'ai aucune idée de ce qui arrivera ensuite, mais quand c'en sera terminé, tu devras remettre ceci à Karol Estreicher, du gouvernement polonais en exil à Londres. Répète.

— Je devrai remettre ça à Karol Esterhaz.

— Estreicher. Répète.

— Estreicher.

— Bien. Et maintenant, dégage. Habille-toi chaudement, le temps se couvre.

— Mais…

— Dégage.

Roman contemplait encore l'objet qui ressemblait à un thermos ordinaire lorsque la tête du SS passa une nouvelle fois par la porte.

— Je ne devrais pas te le dire, mais tu tiens entre tes mains le plus grand secret de cette guerre. Alors, ne me déçois pas, mon garçon. Tu es notre seul espoir. Et maintenant, dégage.

Il s'était donc habillé et avait disparu dans la nuit, porté par un sentiment héroïque.

À trois heures du matin, un vent terrible soufflait déjà mais la neige commençait à peine à tomber, il avait même vu pendant un instant la loupiote de la station intermédiaire du téléphérique, celle du mont Myślenickie Turnie. Le sommet du mont Kasprowy était déjà submergé par la bourrasque qui descendait vers la vallée avec la fureur d'une avalanche.

À quatre heures du matin, la tempête avait atteint la vallée. Le premier impact du mur de neige l'avait jeté à terre et, depuis ce moment-là, il se sentait tel un morceau de viande dans un broyeur en compagnie d'une poignée de flocons de neige et de quelques cubes de glace. Un cocktail de chair humaine bien frais ? Mais bien sûr, Mein Herr, je vous le prépare sur-le-champ.

À cinq heures du matin, il songea pour la première fois à la mort. Non pas en tant que fin inévitable, mais sous la forme d'une horrible ironie du sort : voilà qui serait drôle, que le climat des Tatras le trucide, justement lui et à cet instant. Il commença à visualiser Aniela pour cesser de penser au nombre de doigts qu'on devrait lui amputer à la fin de cette aventure. Et il se sentit désolé d'avoir été si sage, d'avoir été un fils de bonne famille, incapable de se débrouiller avec une fille. N'importe quel montagnard l'aurait déjà retournée sens dessus dessous, tandis qu'il la courtisait depuis un an, minaudait, lui faisait des compliments, caressait sa tresse. Il ne manquerait plus qu'il meure puceau, ce serait le pompon.

À cinq heures et demie, il décida d'évaluer sa position à l'aide d'une simple opération mathématique. En été, la traversée depuis les Kalatówki jusqu'à la crête prenait environ deux heures, à condition de marcher d'un bon pas. En hiver, cela dépendait de la neige, mais sans peaux de phoque aux semelles, il fallait compter trois ou quatre heures même par temps favorable. Et lui ? Certes, il avait la sensation de grimper, mais ne savait même pas au fond s'il allait dans la bonne direction. Vu la configuration, le trajet devrait lui prendre six, voire sept heures. Cela voulait dire qu'il n'était même pas à mi-chemin. Il pouvait donc s'autoriser quelques minutes de repos, tenter de reprendre des forces.

Cela faisait longtemps qu'aucune décision ne lui avait apporté un tel soulagement. Il fit encore trois grandes enjambées dans cette neige friable qui lui arrivait jusqu'aux genoux et s'arrêta, haletant. Il se plia, appuya les mains sur ses cuisses, défit l'écharpe de son visage pour cracher et respirer un peu. Ce fut une erreur. Le vent lui cingla les joues, remplit sa bouche de cristaux et, au lieu de se reposer, il se mit à tousser et à s'étouffer comme un homme qui se noie. L'impression était si surréaliste que lorsque l'attaque fut passée, Roman se mit à rire hystériquement. Se noyer dans le blizzard, quelle bêtise. Il se voila à nouveau les lèvres de son écharpe, tenta de calmer ses poumons et son pouls.

Et là, il eut vraiment peur.

Tant qu'il marchait, il s'essoufflait et s'épuisait peut-être, il tremblait de froid et de fatigue, mais l'effort réchauffait son organisme. Dès qu'il s'arrêta, une minute ne s'était pas écoulée qu'il se sentit nu. Une rafale de vent suffit à chasser toute la chaleur de sous son blouson en fourrure et sa chemise en flanelle, la suivante transforma la couche de sueur en une compresse glaciale et douloureuse. Roman se mit à grelotter, un peu à cause du froid, un peu de terreur. Il ne savait pas où il se trouvait. Pour être franc, il ne savait pas non plus où il se rendait. Il savait simplement qu'il n'avait plus la force de continuer, mais qu'une halte signifierait une mort certaine.

Il reprit son chemin.

À six heures du matin, cela ne l'intéressait plus de savoir s'il grimpait ou non. Il avançait pour ne pas mourir de froid, le reste n'avait plus aucune importance. La volonté de survivre étouffait les autres émotions, dont ses exaltations patriotiques. Comment tout cela avait été organisé ? se demandait-il. Quel sens cela avait-il de savoir quelle langue on parlait et à quelle nation on appartenait ? Soit je vais vivre, câliner ma femme, jouer avec mes enfants sur la balançoire du jardin, soit je ne vivrai pas.

Il se mit à pleurer, car il venait de perdre l'espoir d'avoir un jour une femme, des enfants et une balançoire dans le jardin. Plié en deux, il déplaçait difficilement ses pieds, barbotait dans la neige tel un esquif au cœur d'une banquise qui fond. En pensée, il rejouait sans cesse la scène survenue deux jours plus tôt, quand il s'était retrouvé assis avec Aniela au petit matin dans le café silencieux et désert. Ils avaient discuté toute la nuit, ça ne valait plus la peine d'aller se coucher, car ils devaient prendre leur service à la cuisine une heure plus tard et commencer à préparer les petits-déjeuners. Ça avait été une nuit fabuleuse : au début, il avait soufflé la bougie pour qu'ils voient bien la séparation entre le ciel parsemé d'étoiles et le contour noir des montages. À la fin, le ciel s'était légèrement éclairci, puis la ligne de crêtes s'était mue en un trait fin et rougeoyant. Alors qu'ils observaient ce spectacle lumineux en silence, Aniela lui avait touché la main. Il lui aurait suffi de la saisir puis de conduire la jeune femme sous les combles pour qu'ils fassent l'amour, il lui aurait suffi de permettre à l'aube d'extraire leurs corps de la pénombre. Au lieu de quoi, il avait retiré sa main, incapable de se maîtriser, car il avait eu honte de son bras tremblant comme celui d'un vieil ivrogne. Le corps de Roman avait frémi, chacun de ses muscles hurlait sa crainte de la proximité.

Et maintenant il crèverait puceau dans une congère. Super.

Roman Kłosowicz était persuadé qu'il errait dans la bourrasque en haute montagne, alors qu'en réalité, il tournait en rond non loin de l'hôtel des Kalatówki, à quelques centaines de mètres à peine en ligne droite de l'endroit où il déposait d'ordinaire devant Hans Frank son thé diablement corsé avec une goutte de lait et où on lui avait confié la clé du plus grand secret de la Seconde Guerre mondiale. Il avait l'impression de grimper parce que se frayer un chemin dans une neige friable en pleine tempête est aussi difficile et exténuant que l'escalade d'une paroi verticale. En vérité, il marchait à plat, parfois même en légère descente, et sa tragédie personnelle de combattant mourant d'épuisement pour sa patrie se jouait sur une petite surface de forêt et de clairière entre les Kalatówki et l'alpage de la Hala Kondratowa, un endroit où, tant en été qu'en hiver, les familles jouent avec de jeunes enfants sans prendre cela pour de l'alpinisme.

À sept heures, l'aube commença à percer quelque part au-dessus des nuages gris et sombres, remplis de neige, bien qu'il restât encore trente minutes jusqu'à l'aurore. Deux jours plus tôt, une distance infime séparait Roman de l'amour ; la même distance le séparait à présent de la mort.

Il cria tout bas lorsque, en posant son pied, sa jambe droite traversa une saillie glacée, s'engouffra dans un trou et entraîna son corps à sa suite. Roman roula sur une pente courte mais raide et s'arrêta dans une congère, en bas, retrouvant difficilement sa respiration. La chute, le contrecoup de l'effroi et la dose d'adréna-line qui y était liée avaient chassé la fatigue l'espace d'un instant et il put réfléchir lucidement. Ce fut suf-fisant pour qu'il comprenne qu'il ne pouvait à aucun prix rester dans l'amas de neige. Il se leva, s'épousseta et s'appuya sur un tronc d'arbre pour maîtriser ses nausées. Il attendit que son rythme cardiaque ralentisse et que le bourdonnement cesse dans ses oreilles. S'il perdait connaissance, ce serait la fin.

L'instant d'après, son rythme cardiaque était passé de celui d'un sprinter à celui d'un marathonien, mais le vrombissement ne disparaissait pas. Roman fut d'abord saisi de panique avant de réaliser que cela ne provenait pas de sa tête mais d'ailleurs ; la rumeur était suffisam-ment puissante pour couvrir le battement de son pouls et le hurlement du vent. Il s'orienta dans la direction d'où semblait provenir le bruit et, pour garder l'équi-libre, avança en prenant appui sur les arbres densément plantés. Quelques pas plus loin, il atteignit une petite clairière.

Malheureusement, il connaissait cet endroit. C'était l'exsurgence de la rivière Bystra, le point où un ruisseau souterrain expulsait à la surface des milliers de litres d'eau qui s'écoulaient ensuite par la vallée vers Kuznice et jusqu'à la ville de Zakopane. En été, c'était un paysage de conte de fées, toujours frais, humide ; une légère bruine s'élevait ici dans les airs et les rayons de soleil qui perçaient les sapins l'ornaient d'un arc-en-ciel. En cette période de l'année, l'exsurgence n'était qu'un trou noir ceint de neige et de langues glacées. Mais quelque part sous la glace et sous les pierres, l'eau bruissait toujours.

Roman comprit que durant ces longues heures de marche, il ne s'était pas éloigné des Kalatówki de plus d'un kilomètre. Tous ses efforts avaient été vains.

Il ne savait plus quoi faire. Revenir à la résidence de Hans Frank signifiait la mort. Tenter de se faufiler vers la ville probablement aussi. Escalader une nouvelle fois les sommets, encore plus.

Il observa la sortie de la caverne noire comme la suie et se dit : pourquoi pas ? Jamais, au cours de sa vie, il n'avait visité de grottes, mais il se rappela des bribes d'informations. En hiver, l'endroit devenait plus sûr car au sec. Il y avait des couloirs. Des salles. Des goulots. Des siphons. Une température constante. Pourquoi pas ?

À quatre pattes, il pénétra dans la caverne, glissant sur les plaques de glace. Son mouvement ressemblait à un sacrifice volontaire dans la bouche d'un monstre mythique. Soudain, une de ses mains dérapa et sa bouche heurta la glace ; il sentit la douleur d'une incisive brisée et le goût métallique du sang. Il cracha et avança dans le noir complet. Après quelques mètres, la glace prit fin, tout comme la possibilité d'un déplacement confortable à quatre pattes, et il dut ramper sur des roches calcaires. Il haletait toujours, son cœur cognait avec rage et les fragments de son corps qui n'étaient pas encore totalement engourdis tremblaient de froid. En plus de ça, il gagna une nouvelle compagne : une panique sombre, gluante et odieuse qui le poussa d'emblée vers le fond à la recherche de cette température stable si désirée. Il rampait précipitamment, déchirait ses gants et son pantalon, se blessait sur les pierres. Manquant de lucidité quant à l'absurdité de son comportement, il s'enfonçait dans la grotte, sanglotait et se répétait en boucle : Non, non, je vous en prie, non. Il essayait d'éclairer sa route à l'aide d'un briquet à essence mais l'eau qui suintait de partout l'empêchait de maintenir la flamme.

Puis la panique le persuada qu'aucune température stable n'existait dans ce lieu et qu'il devait faire demi-tour. Il exécuta quelques mouvements désespérés et violents, se coupa au passage à la tête, fit sauter la dent brisée ainsi que deux autres. Il se disait seulement que tout valait mieux que cette noirceur glaciale et qu'il devait retourner aux Kalatówki, qu'après tout, la journée de travail n'avait pas encore commencé et qu'il se présenterait simplement à la cuisine comme si de rien n'était.

Au préalable, il devait simplement cacher le colis.

Il sortit le thermos d'en dessous son blouson. En sa qualité de résistant docile, qui ne posait aucune question inutile, il n'avait même pas regardé à l'intérieur.

Qu'est-ce qu'il y avait donc là-dedans ? Des documents ? Des clés ? Des photographies ?

Il secoua la boîte métallique. Quelque chose rebondit contre les parois.

La lutte entre la curiosité et le sens du devoir ne dura pas longtemps. De ses mains tremblantes, il dévissa le couvercle et fit tomber un objet qui, au toucher, ressemblait à un morceau de marbre lisse.

Il saisit son briquet, dut tourner le tambour une douzaine de fois avant de réussir à faire jaillir une étincelle. La mèche mouillée pétilla un instant puis s'embrasa. Roman approcha la modeste flamme de la pierre, qui s'avéra un considérable morceau d'ambre, luisant et fusiforme. La résine de pin, figée il y a des millions d'années, scintillait à la lumière du briquet en orange et en rouge. Quand, à l'intérieur de l'objet, il aperçut une forme familière, il frémit, persuadé qu'il s'agissait d'une hallucination. Mais non, au cœur de cet ambre si clair, des éléments plus sombres, d'un rouge marron, formaient vraiment le symbole d'une croix gammée.

La surprise de Roman Kłosowicz fut si grande que, durant quelques instants, il en oublia sa situation.

Il remit l'ambre à l'intérieur du thermos et cala ce dernier sous une roche, se promettant de revenir le chercher dès qu'il se serait reposé un peu, et il se sentit tout de suite mieux. Bien qu'en théorie, dans cette grotte pleine d'embranchements étroits, il fût hautement improbable de retrouver le chemin de la sortie, quelques minutes plus tard, il glissait passivement sur les langues de glace jusqu'à l'extérieur, tel un lambeau sanglant, vomi par le monstre qui n'aurait pas apprécié le goût de son offrande.

À huit heures, le jour s'était levé au-dessus des nuages mais, dans la forêt qui recouvrait les flancs de la vallée de la Bystra, la nuit régnait toujours en maître. Pleurant, haletant et crachant du sang, Roman avançait à quatre pattes contre la pente en direction des Kalatówki, nichés sur une haute moraine. Enfin, il quitta les bois, le vent souffla plus fort, poussant les tourbillons de neige sur les côtés, et la silhouette imposante de l'hôtel apparut sous ses yeux de marcheur. Les immenses fenêtres du restaurant et du café brillaient en jaune, signe que dans le Berghaus Krakau, la vie avait repris son cours.

Au lieu de crier de joie, Roman ne fit que pleurer davantage, de bonheur cette fois. Trop affaibli pour se relever, il jugea néanmoins qu'il était assez près pour ramper tranquillement jusqu'au bâtiment. Il cessa de trembler à tout va, cessa aussi d'éprouver la douleur et l'engourdissement, et ressentit même une sorte de chaleur, une somnolence agréable qui l'enveloppait.

Quelques dizaines de mètres à peine le séparaient de l'hôtel, il entendait déjà les casseroles s'entrechoquer dans la cuisine, lorsque ses mains s'enfoncèrent dans une congère profonde, amassée par le vent. Il n'avait plus la force de se redresser. Mais il se dit que ce n'était pas grave, qu'il pouvait se reposer un peu. Il était fier de se rappeler sa formation alpine au cours de laquelle il avait appris comment se comporter lorsqu'on avait été emporté par une avalanche. En l'occurrence, il fallait creuser un peu la neige autour de son visage afin d'avoir de quoi respirer en attendant les secours.

Il creusa donc une petite cavité autour de sa bouche, soupira d'aise à l'idée du devoir accompli et mourut.

Dehors, le temps changeait à une vitesse qu'on ne constate véritablement que dans les Tatras. La neige cessa de tomber, le vent chassa les nuages, le soleil éclaira le volume régulier du Berghaus Krakau, se réfléchissant à en brûler les yeux sur ce désert enneigé et virginal déposé par la bourrasque durant la nuit. Dans la vallée, on entendait les échos des automobiles qui s'approchaient de l'hôtel, les appels des domestiques polonais, les aboiements allemands entrecoupés par les rires de la garde personnelle de Hans Frank.

Après trois heures de sommeil, le gouverneur en personne se réveilla avec la langue pâteuse et le sentiment du devoir accompli. Comme chaque matin, sa première activité fut d'arranger les rares cheveux qui lui restaient. Peignés en arrière et recouverts de brillantine, ils ressemblaient encore à quelque chose ; pointant pitoyablement dans tous les sens au réveil, ils lui donnaient des allures de personnage satirique et sombre de chez Dickens ou Andersen. Une fois coiffé, il se posta devant la fenêtre de son appartement et admira le monde blanc au-dehors. C'était beau mais ses Alpes lui manquaient.

Par chance, si tout allait selon ses plans, il serait bientôt à la maison, et ses perspectives d'avenir ne le préoccupaient pas. Les Soviets l'auraient probablement fusillé sans attendre, il s'agissait après tout d'une imprévisible horde de Slaves, mais avec les Américains en Bavière, la conversation serait tout autre. Les Américains étaient des gens civilisés qui commenceraient par lui poser des questions. Or, il avait beaucoup à leur dire et énormément à leur offrir. Il possédait une carotte, mais avant tout, il disposait aussi d'un bâton à la vue duquel ils allaient se recroqueviller comme des chiens. L'une comme l'autre lui garantiraient aisément un avenir radieux. Quelque part en Amérique du Sud peut-être ? On disait que le climat était clément en Argentine. Cela vaudrait le coup d'y réchauffer ses vieux os.

Le gouverneur général Hans Frank ne se doutait pas que les Américains lui riraient au nez, qu'ils le condamneraient vite fait bien fait au cours d'un procès médiatisé pour crimes de guerre et que deux années ne se seraient pas écoulées avant qu'il soit pendu à Nuremberg, puis son corps brûlé et ses cendres dispersées « près d'une rivière sur le territoire allemand », selon le communiqué officiel américain.

Et tout cela à cause d'un homme qui, à ce même moment, regardait ce même paysage depuis sa chambre située un étage plus haut. Hans Frank était persuadé que Wilhelm était digne de confiance, il appréciait cet éminent spécialiste de l'histoire de l'art, un de ses complices dans son entreprise de pillage. Wilhelm cependant s'appelait en réalité Henryk Aszkenazy et, à son grand regret, il achevait à cet instant précis ce qui était sans conteste l'opération d'espionnage la plus téméraire de ces six dernières années. Cela faisait un quart d'heure qu'il observait tour à tour le paysage et le récipient en cuivre qu'il tenait à la main et qui contenait du cyanure de potassium. Il les observait et il pensait.

Il pensait que vraiment, il n'en avait pas, mais alors pas du tout envie.

Il pensait qu'il avait près de cinquante ans et une existence merveilleuse derrière lui, remplie de voyages, d'aventures, de temps passé auprès d'une femme fabuleuse, et qu'il venait d'accomplir un exploit qui empêcherait peut-être son pays de basculer dans un abîme. Des millions de ceux qui étaient morts il y a peu, qui mouraient encore, trop jeunes, par hasard et sans raison, auraient rêvé d'une telle vie et d'une telle mort.

Il pensait qu'il pourrait courir le risque, tromper l'ennemi encore un peu, s'enfuir, se faufiler jusque chez Olga.

Et il se répondait que l'avidité était un péché et qu'il savait fort bien de quoi les gens étaient capables. S'il se faisait prendre, il n'y avait aucune chance pour qu'il ne craque pas.

Il pensait que ce n'était peut-être pas encore la fin de sa mission, qu'il devrait peut-être faire quelque chose de plus. Mais quoi ? Il avait envoyé un message chez Karol, il avait envoyé un message chez Robert, il avait laissé un message ici.

Il porta le récipient devant son œil : celui-ci avait la taille d'une douille de pistolet. Il remarqua une trace de peinture à l'huile entre ses doigts, rémanence de son travail nocturne. Au cas où, il retourna à la salle de bains et rinça la tache. Il se lava et s'essuya très scrupuleusement les mains.

Il soupira.

Il s'approcha de son bureau, déboucha son stylo-plume, écrivit sur une feuille en allemand *La vie sans le Reich millénaire n'a pas de sens*, boutonna son uniforme noir, murmura en polonais : « Putain de bordel de merde », ferma les yeux et dès qu'il vit l'image de son Olga souriante sous ses paupières, il sourit également et croqua la capsule de cyanure.

Au rez-de-chaussée, les domestiques polonais du Berghaus Krakau dressaient les couverts pour le petit-déjeuner. Aniela préparait la table à l'angle de la véranda. Elle le faisait mécaniquement, sans penser aux assiettes, aux tasses, sans remarquer l'activité des collègues, sans sentir l'odeur du café ou l'embarras dans lequel la plongeait d'ordinaire l'immense croix gammée peinte au mur. Elle était furieuse que Roman lui ait posé un lapin une nouvelle fois. Avant-hier, il avait eu la trouille, d'accord, admettons, on sait bien comment sont les hommes, surtout ceux de la ville. Elle avait été persuadée que vingt-quatre heures lui suffiraient pour retrouver ses esprits. Eh bien non : cette fois, il avait disparu pour de bon. Et elle avait l'impression que jamais personne n'avait autant souffert d'être vierge qu'elle en ce moment. On était, semblait-il, sous l'occupation, et tout le monde pouvait mourir à tout instant, mais quand il fallait passer aux actes, les garçons se planquaient dans leurs chambres. Toutes les filles du service ne parlaient que de ça, elles avaient soit des amants dans le coin, soit elles allaient leur rendre visite en ville, elle seule se bornait à se laisser caresser les cheveux.

Elle se redressa, lissa machinalement sa natte, se perdit un instant dans ses pensées en regardant les roches calcaires du mont Giewont saupoudrées de neige et le couloir montagneux Suchy Żleb d'où sortait une famille de biches galopant vers la clairière qui s'étalait devant l'hôtel, blanche comme le glaçage d'un gâteau de mariage.

C'est elle qui aperçut le cadavre en premier.

FÊTE DU TRAVAIL, 1946

Un an après la fin de la guerre et un an et demi après ce jour d'hiver au cours duquel, simultanément, les domestiques de l'hôtel des Kalatówki tentèrent en vain de réanimer leur ami découvert dans la neige et les officiers allemands essayèrent de faire de même, tout aussi vainement, avec leur collègue qui avait fait usage de sa ration de cyanure, l'auberge des Kalatówki était redevenue le théâtre d'événements dramatiques.

Timothy Beagley occupait précisément la place d'où la jeune montagnarde Aniela avait aperçu le corps de son quasi-amant. Contrairement à elle, Beagley n'admirait pas le paysage derrière la fenêtre. D'abord, parce que c'était le milieu de la nuit et que la seule chose qu'on pouvait apercevoir à travers les vitres, c'était le reflet des lumières jaunes qui peinaient à éclairer l'intérieur du café. Ensuite, parce qu'il avait des choses plus importantes à regarder : le canon d'un Enfield britannique pointé vers lui par exemple, ou une main fine qui tenait le revolver et quelques chiffres d'un tatouage des camps visible sous une manche de pull en laine épaisse.

— Je vous le répète, dit-il lentement en anglais, je m'appelle Timothy Beagley, je suis un simple soldat de l'armée américaine, compagnie Baker, cinq cent sixième régiment d'infanterie, brigade cent un...

L'homme qui brandissait le pistolet soupira.

— Vous savez, répondit-il avec un accent britannique impeccable, je ne suis resté dans les camps qu'un an, ma famille a réussi à me faire sortir. Mais depuis cette époque, je considère le temps différemment. Je profite de chaque instant, je m'efforce de l'exploiter, de l'apprécier, de le goûter au cas où il serait mon dernier. Et vous avez l'insolence de gâcher mes instants. Vous vous appelez en effet Timothy Beagley et vous êtes américain. Mais vous n'êtes un simple soldat d'aucune brigade, vous êtes plutôt un officier du Service des opérations secrètes du Bureau des services stratégiques, avec le grade de lieutenant, à en croire mes sources. À les en croire encore davantage, vous n'êtes pas non plus n'importe quel officier, mais le bras droit de M. Shepardson en personne, le chef de la branche Secret Intelligence de l'armée. En un mot, vous n'êtes pas n'importe quel espion, mais un gros poisson parmi les agents secrets. Un super-espion.

Beagley se demanda un instant s'il devait continuer à prétendre le contraire. Il ne savait pas si, à part lui, les Polonais avaient également réussi à attraper ses deux acolytes. Si ce n'était pas le cas, alors, en exploitant habilement l'effet de surprise, ses partenaires devraient venir à bout de ce Polonais sorti des camps, binoclard et maigrelet, ainsi que de sa garde composée de trois barbus mornes qui avaient l'air d'avoir passé les dernières années de leur vie dans une forêt.

Il décida de gagner du temps.

— Vos informations sont exactes, dit-il. Je suis, en effet, l'un des officiers venus escorter les œuvres d'art que nous avons récupérées pour vous des mains des Boches. Vingt-six wagons remplis jusqu'au toit de vos trésors nationaux. Leonard de Vinci, Rembrandt, le retable de Cracovie de Veit Stoss. Est-ce que c'est pour vous une raison de me tenir en joue ?

L'homme frémit.

— Je me demande ce que vous vous êtes dit, lieutenant Beagley, en traversant la Pologne dans votre train rempli de trésors ?

Il s'était dit que c'était dommage pour tous ces gens si sympathiques. C'était dommage qu'ils soient nés dans ce pays qui n'avait jamais eu de bol. Vraiment, on avait de la peine à croire qu'ils avaient vécu ici toutes ces années en compagnie des Juifs. Les deux peuples les plus malchanceux du monde côte à côte, comme dans une putain de réserve naturelle de perdants. Si Dieu existait, son sens de l'humour manquait de finesse.

— Je me suis dit que c'était une bonne chose que la guerre soit finie. Ce pays a assez souffert.

L'homme partit d'un gros rire.

— Finie ? Souffert ? Je comprends que je puisse faire des fautes de concordance des temps en anglais, mais vous ? Un Américain de naissance ? Ce pays n'a pas tant souffert qu'il souffrira encore. Durant six années, nous nous sommes battus à vos côtés sur tous les fronts, durant six années, on nous a égorgés comme des moutons, on nous a poussés dans des chambres à gaz. Et pour finir, vous nous cédez à Staline. Aussi simplement que ça. Vous nous mettez entre les mains d'un assassin pire que Hitler, un assassin qui, par caprice, a fait mourir de faim huit millions d'Ukrainiens en un an.

— Ce n'est pas moi qui ai partagé le monde à Yalta, répondit Beagley en haussant les épaules.

— Bien sûr, personne n'est responsable de la grande politique. Au bout du compte, nous ne sommes que les minuscules rouages de l'Histoire qui se déroule d'elle-même. Comme c'est pratique.

— Comportez-vous en adulte.

Au lieu de répondre, le Polonais le fixa sans un mot.

— Où est-ce ? demanda-t-il enfin.

— Pardon ?

L'étonnement de Beagley était si sincère que le Polonais dut le prendre pour le jeu grossier et stupide d'un Américain en cours d'interrogatoire.

— Où est-ce ?

— Minute, vous voulez dire que vous ne savez pas…

— Je n'ai pas le temps pour ça, dit le Polonais, le coupant en pleine phrase, et il fit signe aux hommes des bois.

Ils s'empressèrent d'agripper l'espion et de l'étendre sans ménagement sur une longue table de restaurant qui lui évoqua un plateau d'autopsie.

— C'est absurde…

— N'insultez ni mon intelligence ni la vôtre, reprit le Polonais. Je suis sûr que vous avez été formé et vous savez qu'à la fin, tout le monde parle.

Ils ne gâchèrent pas leurs munitions. L'un des barbus lui plaqua la main sur la bouche, un autre l'attrapa par le mollet et retourna son pied à quatre-vingt-dix degrés. Quelque chose y craqua.

— Mon lieutenant, poursuivit le Polonais quand Beagley cessa de se débattre, vous êtes un homme intelligent, éduqué. Vous savez que nous devons l'avoir. Pas vous, pas les Britanniques et surtout pas les Rouges. Nous devons l'avoir parce que, pour ma nation, c'est l'unique chance de sortir de ce trou noir de l'Histoire où vous vous efforcez de nous enfoncer.

— Mais…

— Chaque « mais » va vous coûter une autre articulation. Où est-ce ?

Il comprit que sa situation était désespérée. Ce cinglé de Polonais ne voudrait jamais croire qu'il était venu ici lui poser la même question. Il allait le torturer sans fin. Il fit défiler en pensée la liste de ses articulations, depuis la cheville jusqu'à la clavicule ; il frémit particulièrement à l'idée des coudes et pensa que, peut-être, il conviendrait de tenter quelque chose pour mériter une mort rapide.

C'est alors que les vitres se brisèrent sous l'impact des balles et qu'un vent de montagne, encore assez frais à cette période de l'année, s'engouffra à l'intérieur de la pièce en compagnie des deux assassins de l'OSS affectés à la protection de Beagley. L'instant d'après, les trois barbus étaient étendus par terre, morts, et le binoclard s'agenouillait, un Welrod muni d'un silencieux appuyé contre la tempe, tandis que l'espion américain s'efforçait de se mettre debout sans vomir de douleur. Cela dura un instant.

— Monsieur…

— Lorentz. Robert Lorentz.

— Monsieur Lorentz… Je devrais vous demander : « Où est-ce ? », mais ça n'aurait pas grand sens, n'est-ce pas ?

Le Polonais ne fit rien, à part le regarder. Sans haine. Mais avec la résignation tranquille d'un homme qui, au cours de ces dernières années, avait si souvent échappé à la mort que lorsqu'elle l'atteignait enfin, cela ne lui faisait plus ni chaud ni froid.

Timothy Beagley chercha durant quelques secondes une bonne excuse pour ne pas condamner à mort un homme avec un numéro tatoué sur l'avant-bras. Mais il n'en trouva pas. Le seul fait que cet homme sût quoi chercher constituait une menace pour le nouvel ordre.

La raison d'État l'exigeait.

Partie II

Le Jeune homme

Chapitre 1

Les Tatras, septembre

1

Anatol Gmitruk était suspendu à quelques dizaines de mètres au-dessus du sol, le visage blotti contre les rochers chauds, tentant de maintenir son équilibre sur une saillie de granit large d'un centimètre. L'une de ses mains s'enfonçait dans une fissure, l'autre s'efforçait d'y introduire un coinceur mécanique pour s'assurer. Lorsqu'il estima que la saloperie tenait assez bien en place, il y accrocha une corde d'une couleur furieusement orange reliée à son partenaire posté huit mètres plus bas. Il soupira. Si son pied glissait maintenant, il s'arrêterait grâce au coinceur et non sur la tête de son ami.

— Fastoche ! cria-t-il, et il recommença à grimper.

Cela faisait vingt ans qu'il pratiquait l'escalade, en amateur plutôt qu'à haut niveau, et, au cours de ce séjour, il avait été peiné de remarquer qu'il se réveillait dans le refuge le matin avec l'espoir qu'il fasse mauvais.

Un soleil de plomb impliquait d'être debout aux aurores, de traîner un gros sac jusqu'à la paroi, de fournir un effort physique considérable et d'avoir peur. Il avait honte de l'admettre, mais à chaque nouvelle saison qui passait, il était de plus en plus terrifié. Comme tout quadragénaire lambda, il tenait à la santé et à la vie davantage qu'un gars de vingt ans. Être suspendu à une cordelette de nylon accrochée à un morceau de métal encastré dans un bloc de roche recouvert de mousse, tout en ayant sous les pieds des dizaines de mètres d'air – comment dire, il y avait des situations qui illustraient mieux l'intérêt pour la santé et pour la vie.

Trois mètres plus haut, il enfonça un nouveau coinceur dans une fissure et reprit l'ascension. La paroi semblait plus facile, il parcourut rapidement les mètres suivants et atteignit une plaque solide, aussi lisse qu'un sol de travertin dans la résidence de nouveaux riches.

D'en bas, Olaf lui cria quelque chose.

— Quoi ?

— Ne-tom-be-pas !

Merci pour le conseil – comme s'il rêvait de voltiger, de se cogner la tête sur les rochers et de tester la résistance de l'équipement. Il s'écarta à distance de bras pour hurler une remarque désagréable à son compagnon ; il regarda en bas et n'aima pas du tout ce qu'il vit. Les deux coinceurs qu'il s'était pourtant appliqué à placer avaient sauté des fissures et glissé jusqu'à Olaf le long de la corde, ballottant maintenant à ses poignets telles des décorations indiennes. Le lien pendait librement, secoué par la brise.

Il jura en pensée de la pire des manières possibles. Il ne pestait jamais en cours d'escalade, l'écho pouvait porter loin les insultes et le savoir-vivre de haute montagne était le seul qu'il respectait.

La situation n'était pas brillante. Entre Olaf et lui, il y avait quinze mètres de corde. Cela signifiait que s'il décrochait, il dévalerait cette distance sans entraves. S'il n'avait pas de chance, il atterrirait sur le crâne de son ami, les tuant tous les deux sur le coup. S'il avait de la chance, il filerait à côté de lui et continuerait sa chute sur quinze mètres de plus, soit une hauteur totale d'un immeuble de dix étages, avant que la corde ne l'arrête. Ou pas.

Malgré ça, Anatol estima que descendre n'avait pas de sens. Il n'y avait qu'un seul chemin. Moins de quatre mètres de difficultés le séparaient d'une fente horizontale à laquelle il pourrait s'agripper comme à un barreau d'échelle.

— Fastoche ! hurla-t-il. Je continue !

Il fit trois petits pas, s'efforçant de ne pas songer au fait qu'il ne pouvait se permettre aucune erreur.

— Comment ça se présente ? Ça passe ? entendit-il en provenance d'en bas.

Il ne répondit pas. Une goutte de sueur coula sur son nez, resta suspendue un instant et tomba sur la roche. Il eut la certitude absurde que les gouttes finiraient par former une flaque sur laquelle il glisserait.

Il restait un mètre cinquante jusqu'à la fissure. Sa crainte devenait furieuse, sa jambe gauche commença à frémir telle une aiguille de télégraphe. À cause de la peur et de la tension, ses muscles se mettaient à trembler de manière incontrôlée. À plusieurs reprises, il contracta et relâcha ses mollets. Les frémissements cessèrent.

Au même moment, le téléphone suspendu à sa ceinture se mit à sonner et à vibrer. C'était la chanson sifflotée du film *Le Pont de la rivière Kwaï*. Fiu-fiu, fiu-fiu-fiu-fi-fi-fi.

— Ne décroche pas !

Le cri désespéré d'Olaf signifiait que celui-ci se rendait bien compte de la gravité de la situation et de la possibilité qu'un obus de quatre-vingts kilos puisse à tout instant s'abattre sur son crâne, lancé à une vitesse de cinquante kilomètres-heure.

Encore quelques petits pas. Le maudit portable vibrait comme un fou, rebondissant précisément sur cette jambe qui avait refusé de lui obéir quelques instants plus tôt.

Fiu-fiu, fiu-fiu-fiu-fi-fi-fi.

Son mollet recommença à trembler mais, cette fois, les spasmes ne furent pas si faciles à maîtriser. Que dire : quand y'a du risque, y'a d' la joie.

— Fastoche ! hurla Anatol en sautant les cinquante derniers centimètres pour planter ses deux mains dans la fissure qui, en effet, était aussi confortable qu'un barreau d'échelle.

Il accrocha un mousqueton à un crochet laissé là par les pères de l'alpinisme et répondit à ce putain d'appel téléphonique.

Le téléphérique menant au mont Kasprowy Wierch était en réalité composé de deux télécabines distinctes. La première prélevait une petite bouchée de la foule qui s'agitait au pied des montagnes et l'emportait dans un voyage paisible au-dessus des sapins jusqu'à la gare de transfert. Là, les voyageurs devaient passer dans la cabine suivante qui, il est vrai, commençait doucement son trajet, mais grimpait ensuite le long d'une crête déchiquetée et très pentue. Malgré ses modestes deux kilomètres de hauteur, le sommet situé à l'arrivée était le centre touristique des Tatras, la porte de la haute montagne, le paradis des skieurs, mais avant tout, c'était un lieu où l'on vendait des bières à douze zlotys le demi et l'accès aux toilettes à coups de deux zlotys.

Depuis quelques heures, un équipement supplémentaire était venu s'ajouter au mécanisme du téléphérique, sous la forme de caméras de la firme russe Polus-ST, connue pour ses systèmes de sécurité transportables et sans fil. Elles étaient installées de sorte à observer sans interruption les cabines et les quais du téléphérique. La plus importante, montée tout en haut, montrait le mur dans lequel disparaissaient les câbles porteurs – deux par cabine – ainsi qu'un câble de traction plus fin. Cette caméra permettait également de voir des anneaux noirs accrochés aux câbles, semblables à des bouées en gomme. En réalité, il s'agissait de récipients contenant de la nanothermite, une variante de l'aluminothermique améliorée en laboratoire, mélange d'oxyde de fer et d'aluminium qui entre en combustion à trois mille degrés Celsius. La charge contenue dans ces bagues discrètes était amplement suffisante pour ronger la corde d'acier de quarante-cinq millimètres d'épaisseur en quelques secondes.

Assis sur une roche près d'un sentier touristique, l'homme qui se présentait ces temps-ci sous le nom de Jasper Leong vérifia sur sa tablette les images lui parvenant de toutes les caméras. L'ensemble fonctionnait à merveille. La cabine qui filait vers le bas était vide – par un temps pareil, les gens s'attardaient sur le sommet –, celle qui montait donnait l'impression d'avoir les vitres tapissées de portraits humains, car d'innombrables enfants et adultes pressaient leur visage contre les fenêtres.

Il rangea sa tablette, ajusta son sac à dos et se mit à descendre d'un pas vif en direction des habitations. Aucune des personnes qui le croisaient sur le chemin ne soupçonnait qu'il pût être quelqu'un d'autre qu'un simple touriste, vraisemblablement étranger, car les Polonais de près de cinquante ans possédaient rarement une silhouette aussi svelte, des cheveux aussi drus et noirs récemment passés entre les mains du coiffeur, des dents d'un blanc immaculé et des yeux si intensément verts que les femmes qui le dévisageaient le suspectaient d'user de lentilles de couleur.

Certains promeneurs le saluaient et il leur répondait d'un « hello » cordial. Voilà un touriste étranger tombé amoureux de la Pologne et de ses montagnes. Il s'appelait Jasper Leong, citoyen de Hong Kong, ce qui pouvait expliquer les traces d'un accent étrange dans son anglais par ailleurs impeccable. Il travaillait dans le domaine des télécommunications : oui, les smartphones et les tablettes étaient l'avenir de la civilisation.

Peu de gens connaissaient son véritable nom de famille, ses véritables origines et son histoire. Même ses partenaires en affaires étaient persuadés que Hermod était l'appellation d'une organisation. Il leur semblait impossible qu'un seul homme fût capable d'accomplir des missions parfois si raffinées. C'est pourquoi ses commanditaires se racontaient des fables au sujet d'un cartel criminel qui agirait selon le modèle d'une multinationale, aurait des filiales dans les plus grandes capitales du monde, disposerait d'un réseau d'agents et de bases secrètes dans des sous-marins à double coque de verre.

En réalité, Hermod opérait toujours seul.

3

Olaf avait parcouru la portion de paroi qui le séparait d'Anatol rapidement et avec agilité, rejoignant son ami en quelques minutes.

Il regarda vers le haut.

— Les difficultés sont derrière nous, dit-il. Mais je passe devant pour la dernière montée. J'ai eu assez de frayeurs pour tout le séjour. Ça fait trente minutes que j'imagine ton vieux cul de retraité en train d'atterrir sur mon front. J'ai failli me pisser dessus.

— Parle pas de retraité.

— Je suis désolé, mon vieux, mais ce n'est pas moi qui pars à la retraite dans trois semaines. Oui, je sais, tu n'as pas encore quarante ans, c'est une retraite militaire, tu as devant toi une existence pleine de défis professionnels de troufion vétéran. Tu pourras facilement devenir agent de sécurité dans un supermarché ou gardien de parking par exemple. On pourrait dire que la vraie vie ne fait que commencer pour monsieur le major.

— J'ai promis de partir après vingt ans de service, alors je pars.

— Et à qui tu l'as promis ? À elle ? Je te rappelle qu'elle aussi t'a beaucoup promis. Qu'elle ne t'abandonnerait pas jusqu'à la mort par exemple. Alors, on peut peut-être considérer que puisqu'elle s'est dispensée de certaines promesses, tu peux te libérer des tiennes, non ?

La remarque tomba à plat et Olaf n'insista pas. Il comprenait que le sujet était toujours sensible. Il mit un moment avant de remarquer qu'Anatol ne se préparait pas pour la suite de l'ascension, mais qu'il rangeait ses affaires dans son sac à dos.

— T'as perdu les pédales ?

Le regard de son compagnon ne contenait ni regret ni excuses, rien que la concentration d'un soldat professionnel.

— Non. J'ai reçu un coup de fil. Nous devons descendre. Immédiatement.

— Mais il ne reste qu'une montée et après, on pourra descendre par le sentier. On va peut-être croiser de jolies touristes ?

— Immédiatement.

— Tu plaisantes.

— Non.

Olaf soupira et commença à ranger son équipement. Il chercha des yeux une prise pour installer le matériel de descente.

— Peux-tu au moins me dire de quoi il s'agit ?

Gmitruk fit non de la tête.

— Si tu me le dis, tu devras me tuer d'une balle dans la tête ?

— Non. Inutile de gâcher des munitions. J'utiliserai la technique secrète des forces armées polonaises.

Ils faisaient de l'escalade depuis tant d'années qu'ils n'avaient pas à décider qui devait faire quoi. En quelques minutes, tout était emballé, et ils furent prêts. Ils préparèrent la corde, jetèrent les deux bouts dans le vide. Le serpent orange se balançait dans le vent qui forcissait ; un changement de temps était dans l'air.

Olaf accrocha l'appareil pour la descente en rappel à la corde.

— La technique secrète des forces armées polonaises. Ça s'appelle la cirrhose du foie, je crois.

— Descends.

Olaf repoussa la paroi de ses deux pieds et glissa jusqu'en bas. L'instant d'après, Gmitruk couvrit en quatre bonds la distance qui lui avait récemment coûté tant d'efforts.

— Quel sera au final le montant de ta retraite, après ces vingt ans ? Une misère, non ?

— J'ai des suppléments.

— Lesquels ?

Anatol soupira comme un parent dont les enfants en bas âge posent une dizaine de fois la question « c'est encore loin ? » dès le début d'un trajet. Il décoinça

47

la corde sans un mot et la prépara pour la descente suivante. Trois autres sections similaires les séparaient encore de la base de la paroi.

— Si tu me le dis, tu devras me tuer après ?

Au lieu de répondre, Anatol fit un geste de la main.

— Arrête avec ces mystères. C'est un décret qui définit ces suppléments, non ? Pas le règlement secret de l'OTAN imprimé en cinq exemplaires numérotés.

— Si je te le dis, tu descendras sagement ?

Olaf acquiesça. Il accrocha l'appareil.

— Deux pour cent du salaire de base pour chaque année passée à combattre physiquement le terrorisme, et un pour cent pour chaque année dans le renseignement à l'étranger. Ça fera un joli paquet de fric, au bout du compte.

Olaf sourit, aux anges.

— Mon Dieu, si tu balances ça à des touristes au refuge, on va baiser sans interruption durant une semaine.

— Descends.

4

Le temps se gâtait, mais Jan Hauptmann s'en fichait. En haut du mont Kasprowy, il regardait les sommets dont il ne connaissait pas les noms et ça lui était bien égal.

Il n'avait jamais aimé les montagnes et pourtant, son destin liait sans cesse son sort à ces tas de pierres stupides. C'est à la montagne qu'il avait rencontré sa future épouse Izabella. C'est de la montagne qu'était originaire Maciej, l'étudiant qui lui avait piqué cette dernière. C'est à la montagne que l'avait mené sa carrière de professeur de géologie, spécialiste des phénomènes karstiques. Et c'est encore à la montagne qu'il avait récemment rencontré une femme. La première depuis Izabella. À sa grande surprise, leur relation s'était transformée en flirt assez intense et l'avait entraîné sur la terrasse d'observation de ce sommet épouvantablement bondé, avec sa bière à douze zlotys et son urinoir à deux zlotys. Il préférait encore crever de soif ou se pisser dessus que de verser de telles sommes à des voleurs.

Il vérifia sa montre. Deux heures avaient passé depuis le rendez-vous convenu. Le vent soufflait de plus en plus fort, il faisait de plus en plus froid et un épais nuage gris s'approchait rapidement, effaçant du paysage les rangées successives de sommets. Pour couronner le tout, sa vessie était pleine. Il était temps d'admettre qu'on lui avait posé un lapin et de rentrer.

Il acheta un billet et monta dans la cabine. Selon toute apparence, le reste des touristes ne se préoccupait pas de la détérioration prochaine de la météo car, en dehors de l'opérateur, la cabine était complètement vide. Jan Hauptmann prit place sur un banc étroit et s'efforça de ne pas regarder le précipice.

Au niveau de la gare intermédiaire, une soixantaine de touristes attendait patiemment que les portillons automatiques leur donnent accès à la cabine qui les transporterait jusqu'au sommet. La plupart d'entre eux étaient ici pour la première fois, c'est pourquoi tout le groupe observait avec avidité le mont Kasprowy et les câbles qui grimpaient le long de cette pente très raide. Ce moyen de transport n'était peut-être pas aussi contraire à la nature que les avions de ligne, mais l'idée de confier sa vie à une chose qui ressemblait à un fil de pêche étiré entre deux rochers provoquait chez bon nombre d'entre eux un certain malaise.

Ce n'était pas le cas de Joanna Banaszek, elle avait d'autres soucis. Après avoir élevé seule ses deux fils durant cinq ans, elle avait enfin rencontré un homme suffisamment sympa pour qu'elle se décide à le présenter à ses enfants lors d'un séjour commun à la montagne.

Quelle erreur ! Leurs vacances avaient débuté par des crises d'hystérie et s'achevaient dans une hostilité à peine voilée.

Le portillon s'ouvrit, libérant le passage vers l'intérieur. Et tant mieux car Joanna commençait à avoir froid, le vent s'étant levé. Le temps de la montagne était changeant, il n'y avait pas à dire. Elle s'avança d'un pas décidé en direction de la cabine mais la pointe de son long parapluie resta coincée dans le caillebotis du quai ; les gens la contournaient en grognant ou en se raclant ostensiblement la gorge.

Son nouveau petit ami l'aida à débloquer le parapluie et la poussa délicatement dans la cabine, les portes se refermèrent derrière eux. C'est alors que son fils aîné arracha le parapluie des mains de l'usurpateur, en grimaçant comme s'il le reprenait à un mendiant lépreux. Puis, tout sourire, il rendit l'objet à sa maman.

Elle jeta un coup d'œil au sommet rocheux et se dit que, là-haut, quelque chose devrait se débloquer. Soit l'un d'entre eux en précipiterait un autre dans l'abîme, soit ils trouveraient un terrain d'entente. En tout cas, elle n'imaginait pas faire le voyage en sens inverse dans pareille atmosphère.

6

L'ambiance estivale régnait tout autour de lui et l'homme temporairement connu sous le nom de Jasper Leong réprima avec difficulté l'envie de siffler une pinte de bière. Assis devant son deuxième coca dans le coin le plus éloigné du bar Yurta, juste à côté de la station basse du téléphérique, il faisait l'effet de l'un de ces citadins incapables de lâcher leur portable.

En réalité, Hermod passait en revue les images de ses caméras russes, ne voulant surtout pas rater le moment crucial. Le mauvais temps le préoccupait un peu. Premièrement, le nuage en approche impliquait du brouillard et un manque de visibilité ; deuxièmement, il pouvait apporter de la pluie, qui pourrait à son tour perturber la communication avec les caméras et les détonateurs.

Il fallait se dépêcher.

Sur son écran, un homme avec des lunettes démodées faisait les cent pas, comme s'il avait furieusement envie d'uriner, avant de devenir l'unique passager de la cabine en haut du téléphérique.

Puis durant un instant Hermod suivit des yeux une jolie trentenaire apprêtée, mais visiblement très stressée, qui se débattait avec son parapluie sur le quai de la cabine du bas, mais réussit au dernier moment à monter dedans, se calant avec peine au milieu de la horde de touristes.

Il reposa sa tablette et saisit son téléphone.

7

Le major Anatol Gmitruk abandonna son attirail à Olaf, exception faite d'un petit bidon d'eau qu'il cala dans la poche latérale de son pantalon, et envoya son ami au refuge avec l'ordre de l'attendre et de faire attention à ce que les touristes ne sifflent pas toute la bière disponible. De son côté, il se dirigea vers le mont Kasprowy à un rythme soutenu mais régulier. Pour le moment, il courait sur du plat, sans sac à dos et rafraîchi par la brise de la montagne ; le parcours aurait presque pu être agréable, si ça n'avait été cette tension si familière qui l'accompagnait toujours au début des missions. Il avait parlé une nouvelle fois à son commandant, il avait une nouvelle fois eu confirmation qu'il ne s'agissait pas d'un exercice.

Arrivant au pied du mont Kasprowy, devant un versant qui, en hiver, servait de magnifique piste de ski, il réduisit son allure pour passer à une marche rapide. Si quelqu'un observait les environs, un homme courant vers le sommet parmi des touristes qui traînaient des pieds aurait pu éveiller ses soupçons.

8

Le conducteur de la cabine en descente fredonnait un stupide tube de l'été qui suintait des haut-parleurs : « Ton souffle est mon oxygène, qui possède sa place en moi. » Jan Hauptmann soupira et ferma les yeux pour ne pas avoir à contempler le panorama qui s'étalait devant lui. Il souffrait de vertige depuis l'enfance et cette portion du trajet était pour lui la pire. La télécabine quitta le quai, comme recrachée par un géant, plana vers le bas en s'éloignant de la paroi à une vitesse régulière, oscillant à près de deux cents mètres au-dessus du sol. Le vide entourait Hauptmann de toute part et la conscience de cet état devait influer sur son diaphragme, car il avait du mal à reprendre sa respiration.

Quelques minutes, il devait tenir le coup encore quelques minutes. Ils filaient en direction de la station, suspendus très haut au-dessus des éboulis. Jan Hauptmann fut ravi d'apercevoir la télécabine qui avançait dans l'autre sens.

Lorsqu'il la croiserait, cela voudrait dire que la moitié du chemin était derrière lui.

9

Joanna Banaszek ressentait douloureusement ce contraste. D'un côté, la beauté brute de la montagne, un espace illimité et une impression de liberté. De l'autre, serrée au milieu des touristes comme dans un wagon à bestiaux, elle devait supporter les haleines parfumées à l'oscypek, un fromage de brebis fumé de la région, ou d'autres odeurs tout aussi incommodantes ; elle entendait une musique pitoyable dont les paroles étaient tellement stupides qu'elles avaient probablement été tapées à la machine par un singe : « Je remplis l'espace d'oxygène ordinaire, à la recherche d'un bonheur arbitraire. » Elle soupira, elle avait hâte que l'espace autour d'elle se remplisse d'oxygène ordinaire. En cet instant précis, cela aurait suffi à son bonheur.

Elle essuya la vitre légèrement embuée pour jeter un œil d'en haut sur son coin préféré des Tatras, le refuge des Kalatówki. De loin, ce bâtiment anguleux, construit au cœur d'une vaste clairière, donnait l'impression d'être en contradiction totale avec leur situation présente. Ici, tout était léger, éthéré, fait de bric et de broc, un petit coffret de tôle suspendu à quelques fils. Là-bas, les murs de granit s'ancraient solidement sur la moraine, la bâtisse incarnait la stabilité et la sécurité. Dîner dans un endroit pareil serait certainement très agréable ; qui sait, les hommes de sa vie daigneraient peut-être s'adresser la parole.

— Maman, regarde, regarde !

Son plus jeune fils commença par lui tirer la manche, avant de pointer du doigt quelque chose derrière la fenêtre à l'autre bout du compartiment.

La seconde cabine filait vers eux : vue d'ici, elle semblait flotter dans les airs.

— Elle vient droit sur nous ! gémit son fils aîné. On va se rentrer dedans !

Le plus jeune se blottit immédiatement contre sa jambe.

— Je ne veux pas !

Elle se sentit vieille et fatiguée. Elle aurait préféré être déjà là-haut. Elle adorait les grands espaces, les télécabines, le téléphérique, les voyages en avion, mais seulement lorsqu'elle était seule, libre. Avec ses enfants, elle ressentait toujours un malaise. Elle préférait les savoir sur la terre ferme, loin des dangers. Des pensées stupides lui venaient en tête ; dans les avions, elle se rappelait les catastrophes, ces nuées d'oiseaux pris dans les turbines, ces sondes de vitesse qui gelaient. Maintenant, elle se rappelait Cavalese et l'avion de chasse qui avait coupé les câbles d'un téléphérique. D'après ses souvenirs, les passagers n'avaient pas été tués par la chute mais par la fixation de la cabine, lourde de trois tonnes, qui l'avait aplatie ainsi que les passagers coincés à l'intérieur.

Elle fut ravie qu'ils arrivent à mi-chemin.

Dans la cabine d'en face, elle ne distingua que l'opérateur et un bonhomme rigolo avec de vieilles lunettes à monture de fil de fer.

« Je dois sortir de l'obscurité pour à nouveau m'apaiser », hurla la chanson dans les haut-parleurs et le téléphérique s'immobilisa brutalement. Surpris, les gens s'agrippèrent les uns aux autres, marmonnant des mots d'excuse.

Durant quelques instants, les deux cabines se balancèrent côte à côte.

10

Il venait de parcourir la moitié du chemin jusqu'au sommet et distinguait déjà assez nettement les personnes installées sur la terrasse d'observation lorsque son téléphone sonna. Il inspira profondément pour ne pas haleter durant la conversation, puis décrocha.

— Tu ne peux pas entrer par la porte de devant. Ça se présente mal.

— À quel point ?

— Il a pris contact avec nous et nous a demandé d'immobiliser les deux cabines de la section du haut. Il nous menace de faire un carnage si on ne cède pas à ses exigences ou si nous tentons quelque chose de stupide, comme envoyer un hélico, des militaires ou tenter d'évacuer les passagers.

— Combien ?

— Deux personnes qui descendent, soixante et une qui montent. Beaucoup d'enfants.

— Quelle est la probabilité qu'il bluffe ?

— Aucune. On installe en ce moment un télescope pour observer les cabines, on en saura plus à ce moment-là. Qu'est-ce que tu en penses ?

Anatol réfléchit un instant, tentant de se mettre dans la peau d'un terroriste.

— Les pylônes, non, trop solides. Et puis le sentier serpente autour d'eux, des gens l'auraient vu faire. À mon avis, les charges explosives se trouvent sur les câbles, ce sont les éléments les plus fragiles. Et plutôt en haut, la station du bas est en pleine forêt, elle serait difficile à surveiller.

— J'ai la même analyse. Des idées ?

— Une seule. Je vais essayer par la porte de derrière.

— On t'informera au fur et à mesure.

Puis il entendit le bip de fin de communication. Pas de bon courage, de merci, ni de nous sommes avec toi. C'est pour ça qu'il tenait l'armée en haute estime. Il serait bien resté encore un peu, mais une promesse est une promesse. Vingt ans, puis la retraite. Il avait vu de ses propres yeux en quelles épaves humaines s'étaient transformés ceux pour qui le service était devenu une addiction.

11

— Hors de question.

Le conducteur venait de répéter ces mots avec lenteur et sur un ton très catégorique.

— Mais je ne tiendrai pas, répondit Jan Hauptmann, usant d'un registre identique.

— Monsieur, ne faites pas l'enfant.

La phrase avait sonné comme une mise en garde, mais le passager possédait une vessie trop petite pour prendre peur.

— Je vais pisser dans un coin, menaça-t-il.

Un silence de plomb s'installa dans la cabine. À l'exception d'un nouveau tube musical dont les gratifia le poste de radio.

« Tu m'avais dit que j'attirais ton courroux, que tu te moquais de mon innocence », fredonna une chanteuse lambda.

— D'accord, dit le conducteur en soupirant. Au fond, je sais ce que c'est.

Il tourna sa clé dans la console et s'approcha de la porte. Il entrouvrit les battants de quelques centimètres.

— Mais faites vite.

Hauptmann s'approcha de l'interstice avec vue sur le mont Giewont d'où arrivait une brise glaciale, s'y colla, ferma les yeux pour ne pas regarder le vide et commença ce qui était sans conteste la plus longue miction dont il avait jamais été capable.

« Tu me regardais tomber dans un puits sans fond », continua la chanteuse.

12

Hermod haussa les sourcils en remarquant que la porte de l'une des cabines s'ouvrait. Il ne s'attendait pas à ce que les Polonais tentent des choses aussi rapidement.

Sur son téléphone portable, il composa le numéro du détonateur, suspendit le pouce au-dessus du combiné vert et attendit. Passer à l'acte si tôt changerait ses plans mais, objectivement, pas de façon significative.

Cependant, les battants ne s'étaient écartés que de quelques centimètres. Pas assez pour qu'un homme puisse passer. Qu'est-ce qu'ils foutaient, ces maudits Polaks ?

L'un d'entre eux glissa un doigt dans la fente. L'instant d'après, de l'eau jaillit de ce doigt. Hermod fixa l'écran, ébahi, avant de comprendre ce qui se passait. Il soupira pesamment et annula le code en pressant le symbole du combiné rouge.

13

Toute la cabine éclata de rire, en découvrant la scène chez les voisins – réaction hystérique à la tension qui grimpait. Seul Tomasz ne riait pas et tentait d'obtenir des informations de la part du conducteur. Cependant, celui-ci semblait désorienté.

— Cher monsieur, j'ignore pourquoi on stoppe, expliqua-t-il, mais je vous assure que nous sommes à cent pour cent en sécurité. Le temps est beau, le téléphérique possède un moteur de secours, au pire, on va nous transporter avec un chariot spécial jusqu'au prochain pylône et nous y descendrons par l'échelle. Mais je vous le répète, ce serait le pire des scénarios, je n'ai jamais été confronté à un tel cas de figure durant toutes ces années. Et je bosse dans cette boîte depuis treize ans. De courtes coupures, ça arrive, à cause des rafales de vent par exemple, mais elles ne durent jamais plus d'un quart d'heure. Je vous demande un peu de patience.

— Je comprends. Ce que je ne comprends pas en revanche, c'est que vous ne soyez au courant de rien. Vous avez une radio, votre téléphone, vous pouvez joindre vos collègues. Essayez de savoir pourquoi on est bloqués.

— Je vous en prie, patientez une dizaine de minutes. S'il vous plaît.

Des notes suppliantes perçaient dans la voix de l'opérateur. L'homme tentait de masquer son inquiétude. Bien sûr, des coupures de service et des arrêts arrivaient souvent, mais d'ordinaire, elles se déroulaient sur fond de plaisanteries avec les amis à l'autre bout du fil. Cette fois, il n'avait entendu de leur part qu'une demande d'attente laconique et froide. Pas un mot de plus. Et il n'aimait pas ça.

14

En évoquant la porte de derrière, Anatol Gmitruk n'avait pas à l'esprit un passage par l'arrière-boutique, ni par un local technique, ni par les fenêtres de la cuisine. Cela aurait été trop risqué : l'accès au perron via le bâtiment principal était certainement surveillé par les terroristes. Il avait plutôt en tête l'unique voie qu'il n'aurait pas mise sous surveillance vidéo à leur place : la paroi rocheuse qui s'étendait sous le quai du téléphérique, un escarpement très raide que personne n'empruntait ni n'escaladait jamais.

Il passa sous les bancs d'un télésiège inactif durant l'été et atteignit l'une des crêtes du mont Kasprowy. Derrière lui se trouvait un alpage et des sentiers de randonnée, devant lui, un précipice. En bas, au loin, s'étalait la ville de Zakopane. La cité était nimbée de soleil, mais ici, les nuages avaient déjà recouvert le ciel : le changement de météo arrivait à grands pas. Quelques centaines de mètres plus loin, un kilomètre tout au plus, les deux cabines du téléphérique se balançaient, suspendues dans les airs.

Anatol enleva sa veste rouge et l'enfonça sous un rocher. Il allait avoir froid, mais dans son T-shirt gris et son pantalon sombre, il serait moins repérable. Même si les terroristes avaient installé des caméras sur les cabines, il devait s'agir d'un matériel miniature alimenté par des piles, sans capacité de rotation ni de changement de mise au point, un équipement qui transmettait des images en noir et blanc de faible résolution. La probabilité qu'il se fasse remarquer par les passagers était faible, la probabilité d'être vu par des caméras, proche de zéro.

Il bascula par-dessus l'arête et entama l'escalade de biais en direction de la station d'arrivée du téléphérique, nichée cent mètres plus haut et deux cents mètres sur sa droite. Au début, ce fut loin d'être un défi : il traversa une tablette, une cheminée assez simple, une fissure confortable et une dalle peu pentue. C'était un bref tronçon qui ressemblait davantage à un chemin pour touristes qu'à un mur d'escalade. Le problème, c'était que personne ne passait jamais par ici. Sur des itinéraires plus fréquentés, il n'y avait pas de pierres mobiles ou de surprises du type « équipement électro-ménager », c'est-à-dire des blocs de roche de la taille d'un frigo qui tenaient à peine en place et ne deman-daient pas mieux que de dévaler la pente au moindre contact, entraînant si possible le grimpeur dans sa chute.

Un quart d'heure plus tard, il se trouvait sous les quais. Au-dessus de lui, il voyait les caillebottis des perrons et les câbles qui supportaient les cabines.

Encore soixante-dix mètres d'escalade et il serait arrivé. Il avait déjà une certaine idée de la suite. Et bien qu'il tremblât de froid, il fut ravi de l'approche du premier nuage qui s'accumulait sur la crête, gris et déchiqueté comme de la barbe à papa tombée dans la boue.

15

Les émotions de Hermod étaient toujours profondé-ment enfouies et ne le dérangeaient jamais dans son travail. Mais bien qu'il n'ait ni cligné des yeux, ni hésité, ni retardé sa décision, ce qu'il s'apprêtait à faire n'était quand même pas agréable.

Il composa le code à dix chiffres sur son téléphone et appuya sur le combiné vert.

16

L'ascension était plus difficile que ce qu'il avait tout d'abord cru. Des mousses humides remplissaient les fissures, une pierre sur deux lui restait dans les mains, le vent soufflait de plus en plus fort et ses doigts s'engourdissaient progressivement. Et le fait qu'il n'ait ni équipement, ni corde, ni partenaire n'améliorait pas vraiment son confort. A priori, le parcours n'était pas exigeant, mais une seule petite erreur ou surprise désagréable et il finirait sous la forme d'un tas d'os brisés cent mètres plus bas.

En trois mouvements rapides, il vint à bout d'un tronçon moins raide et posa le pied sur un rocher qui ressemblait à un très gros morceau de Lego collé à la paroi. La formation s'écartait du mur et disposait de prises bien définies, on la parcourait comme un escalier étroit qui mènerait vers des combles. Soudain, il crut percevoir un manque de stabilité du cube. Il se figea un instant, s'attendant à une nouvelle secousse, mais non, il avait dû prendre un coup de vent pour un mouvement de la pierre. Au cas où, il exécuta ses mouvements suivants avec moins d'entrain.

Puis, il y eut un éclair. Quelque part, au loin, il entendit le tonnerre gronder. Il regarda vers le haut et s'aperçut que ce n'était pas le ciel qui tonnait mais le quai du téléphérique. On aurait dit que quelqu'un venait de déclencher un flash à l'intérieur du bâtiment. Une lumière blanche et vive jaillit hors de l'immeuble, creusant dans la brume une sorte de prisme laiteux.

Avant qu'il ait pu comprendre ce que cela signifiait, il entendit un sifflement épouvantable, fort, grésillant, comme si la pluie tombait sur une poêle de la taille d'un parking.

Puis, tout alla très vite.

Deux câbles de l'une des cabines frémirent – dans un premier temps, Anatol avait même cru que c'était le téléphérique qui se remettait en branle – et se mirent à tomber, prenant de la vitesse. Tranchés par les charges explosives, les bouts cognèrent le treillis métallique du perron, glissèrent dessus avec un grincement désagréable et, une fraction de seconde plus tard, Gmitruk vit une chose à laquelle il n'était pas du tout préparé. Les extrémités des câbles s'étaient transformées en deux boules d'acier bouillant. Elles chutèrent du caillebotis et commencèrent à frotter la roche, filant dans sa direction, se tortillant et crachant de toute part des gerbes de métal en fusion. Il s'aplatit contre le bloc rocheux et rentra la tête dans les épaules, espérant que les fouets ne l'atteindraient pas. Du coin de l'œil, il vit les deux câbles danser sur la paroi, sautiller entre les pierres.

Il s'écarta un peu sur la gauche et ce fut la meilleure décision qu'il prit ce jour-là. L'un des bouts ardents s'aplatit en grésillant cinquante centimètres plus loin, l'aveuglant de sa lumière blanche qui rappelait l'éclat de la poudre flash. Le deuxième tapa précisément à l'endroit où, une seconde plus tôt, il avait posé sa tête.

Une goutte d'acier en fusion rebondit sur la roche et tomba sur la main d'Anatol au niveau des tissus mous situés entre le pouce et l'index, rongeant la peau et le muscle. Le cerveau de Gmitruk reçut simultanément deux signaux. Tout d'abord, l'incroyable information transmise par l'œil qui lui indiquait un trou dans son corps percé de part en part. Le second signal fut une douleur paralysante, véhiculée par ses terminaisons nerveuses brûlées et massacrées.

La douleur rafla la mise, son impact fut tel qu'Anatol hurla et se mit à secouer sa main, perdant par conséquent l'équilibre. Il s'écarta de la paroi telle une porte sur ses gonds. Son pied gauche était encore sur la marche, la main gauche tenait toujours sa prise, mais ses membres droits s'ébattaient dans le vide. Couplé à l'impact d'une épaisse corde d'acier, c'en fut trop pour la résistance du bloc rocheux, rendu instable : il frémit et, progressivement, commença à se décrocher du mur.

Tout en combattant une rafale de nausées, Anatol comprit le danger. Par un mouvement de balancier, il revint sur la paroi et réussit à l'attraper de sa main droite en piteux état, ce qui n'améliora pas de beaucoup la situation. Il s'agrippait à présent à un bloc rocheux de la taille d'une camionnette, stable jusqu'à peu, mais qui chavirait maintenant sur le mur à un angle de dix degrés. Des poussières et des éclats filèrent vers l'abîme et Gmitruk, ne souhaitant pas suivre leur exemple, bascula sur le côté gauche de la pierre et enjamba son rebord. Devant lui, le bloc qui tombait ; à sa droite, le vide ; et à sa gauche, le flanc du mont Kasprowy qui s'éloignait de plus en plus vite.

Il n'avait pas une seconde à perdre. Il puisa dans ses réserves de forces et bondit vers le mur, distant à cet instant précis de près de deux mètres.

L'initiative ne marcha pas. Anatol frôla des pierres du bout des doigts, s'arrachant au passage quelques ongles, et la pesanteur le tira vers le bas.

C'est la fin, se dit-il.

Mais ce ne fut pas la fin. La paroi se couchait délicatement à cet endroit, si bien qu'au lieu de chuter sur l'amoncellement de rochers, il se cogna le torse contre la dalle et commença à glisser, dans une sorte de course-poursuite avec le bloc rocheux qui, à ce moment-là, dégringolait de plus en plus vite.

Durant quelques secondes, ils chutèrent à la même allure, Gmitruk et l'immense pierre, deux rivaux, après quoi Anatol buta soudainement sur une saillie recouverte de mousse, tandis que le rocher rebondissait dessus et, ne rencontrant plus aucune autre résistance que celle de l'air, chargea bien plus loin à la rencontre de l'éboulis. Anatol le vit heurter le sol. Le bruit assourdissant de l'explosion rocailleuse l'atteignit avec un court décalage.

17

Deux hommes reprenaient leur équilibre dans la cabine en train d'osciller, tout en observant les câbles du téléphérique qui, au lieu de les tirer vers le sommet, pendouillaient sur les côtés comme une moustache. Les extrémités incandescentes brillaient toujours au milieu des décombres pierreux, cent mètres plus bas.

— Pourquoi on ne tombe pas, demanda Jan.

— On tient par le câble de traction.

— Quoi ?

— La cabine roule sur deux câbles immobiles comme sur des rails. Mais elle se déplace parce qu'un troisième câble la tire vers le bas ou vers le haut. C'est lui qui nous maintient encore.

— Il tiendra ?

L'opérateur l'observa, impuissant. Comment savoir ?

18

Anatol Gmitruk haletait, blotti entre les rochers. L'adrénaline tendait chacun de ses muscles, son cœur cognait à tout rompre, des vagues de bile montaient dans sa gorge et des taches blanches et noires virevoltaient devant ses yeux. « Ne t'évanouis pas, se chuchotait-il. Si tu t'évanouis, tu meurs. »

Après quelques instants, il se calma assez pour estimer les dégâts. L'apparence de sa main et la souffrance étaient cauchemardesques mais, au moins, le trou ne saignait pas ; l'acier bouillant avait cautérisé la plaie. Ses ongles étaient cassés, certains hideusement arrachés, mais ses doigts étaient entiers. Une pointe douloureuse se faisait sentir à chaque inspiration ; il avait probablement des côtes cassées. Il remua doucement les pieds, vérifia que rien n'avait craqué au cours du choc contre la saillie. Son genou droit le tiraillait un peu, mais l'ensemble avait l'air de fonctionner. Il n'y avait pas à dire, son passage à la retraite se faisait en grande pompe.

Il tourna la tête pour regarder les cabines. L'une d'elles pendait normalement, l'autre était descendue de quelques mètres. Les restes de câbles bringuebalaient de part et d'autre comme les fils d'un pull-over déchiré. La cabine n'était plus suspendue qu'au troisième filin, celui qui servait à mouvoir le téléphérique.

Anatol n'eut pas le temps de se demander s'il allait tenir le coup : le son larmoyant d'une corde de guitare qui se rompt parvint à ses oreilles.

19

Elle n'arrivait pas à articuler le moindre mot mais, par bonheur, Tomasz gardait son sang-froid.

— Ce câble ne tiendra pas. Vite, faisons une corde avec nos vêtements. Ce ne sont que deux personnes, on va les hisser jusqu'à nous. Vite, vite !

Certains émergèrent immédiatement de leur torpeur, commencèrent à enlever leurs vestes et à nouer leurs manches. Joanna, paralysée, berçait dans ses bras son plus jeune fils et fixait la cabine qui, l'instant d'avant, semblait à portée de main, et qui oscillait à présent plusieurs mètres plus bas.

— Joanna ! Réveille-toi et crie-leur qu'on va les sortir de là ! Qu'ils grimpent sur le toit.

Elle revint à elle, remarquant avec étonnement et fierté que son fils aîné avait quitté ses habits et les tendait à Tomasz.

Elle entrouvrit le vasistas, le souffle d'air froid l'aida à reprendre ses esprits. Elle inspira et approcha sa bouche de la fenêtre afin d'exposer aux passagers de l'autre cabine ce qu'ils comptaient faire. Mais elle n'en eut pas le temps. Au moment où le conducteur d'en face entrebâillait la porte, remarquant qu'on voulait lui dire quelque chose, la cabine chuta.

Joanna la vit tomber parfaitement droit, presque majestueusement, pour heurter le sol quelques secondes plus tard. Sous le poids de l'attache, la cabine se tassa comme une boîte en carton, écrasant ses passagers.

Au moins, ils n'ont pas souffert, se dit-elle.

20

Fiu-fiu, fiu-fiu-fiu-fi-fi-fi.

Gmitruk décrocha, le cœur lourd.

— Des enfants ? demanda-t-il.

— Non. C'était la cabine presque vide. Il y a des charges thermiques sur tous les câbles porteurs. Deux ont déjà explosé, deux attendent le signal. Nous avons aperçu une caméra sur le mur près des câbles, elle regarde dans ta direction.

— Il doit y en avoir une autre qui observe les charges.

— C'est sûr, mais nous ne l'avons pas encore trouvée.

Durant un instant, le silence régna entre eux.

— Tu nous as dit que tu avais une idée. On te suggère de la mettre en application au plus vite.

— À vos ordres.

Il raccrocha, rangea le portable dans sa poche et
reprit son ascension. Ce n'était peut-être qu'une illusion, mais il avait l'impression de l'accomplir beaucoup, beaucoup plus vite.

21

La catastrophe brisa le dynamisme de Tomasz.
Il s'assit dans un coin de la cabine et ne prit pas part
à la dispute et à l'hystérie qui s'empara des autres passagers. Les hommes hurlaient, les femmes gémissaient,
les enfants pleuraient. Personne ne voulait mourir,
personne ne savait quoi faire. La colère s'abattit sur
le conducteur désespéré et les formules de politesse
n'étaient plus de rigueur :

— Mais putain, t'avais parlé d'un chariot de secours.
Qu'ils nous l'envoient et nous sortent d'ici ! Ou alors
qu'ils nous tractent manuellement jusqu'au prochain
pylône, bordel, qu'ils envoient un hélico, n'importe quoi,
ou qu'ils placent un de ces coussins géants par terre,
pour qu'on saute. Pourquoi vous faites rien, merde ?

— Je n'en sais rien, ils ne veulent plus me parler,
je suis désolé, répétait l'opérateur en boucle d'un ton
larmoyant.

Il ne comprenait pas lui-même pourquoi personne
ne lui parlait ni ne lui donnait d'instructions.

Joanna s'accroupit à côté de Tomasz.

— Le petit s'est pissé dessus. Et il fait de plus en plus froid…

Il lui lança un regard vide, battit des paupières à plusieurs reprises. Le retour à la réalité lui demanda un véritable effort.

— Attends, on va trouver quelque chose.

Il se frotta le visage, fixa le garçonnet en larmes et lui fit un clin d'œil.

— Déshabille-le. On va lui mettre mon pantalon en retroussant les jambes. Au moins, il sera au sec.

— T'es sûr ?

— Oui, je suis sûr. On est en septembre, pas au milieu de l'hiver. Ma fierté en prendra un coup et j'aurai l'air d'un demeuré, mais à part ça, ça ira.

Elle lui sourit.

— N'exagère pas, tu auras l'air sexy.

— Je porte un slip avec des canards.

— OK, tu auras l'air d'un demeuré.

22

Par chance, le dernier tronçon était le plus simple. Ce n'était plus tellement de l'escalade mais une ascension sur un pâturage très pentu parsemé de gros cailloux. Anatol atteignit le bord de l'immeuble et se plaqua contre le mur en granit. Trois mouvements le séparaient du perron. Il lui suffirait de sortir de sa cachette, d'agripper la construction métallique et de se hisser dessus. Ces trois mouvements le séparaient aussi du champ de vision de la caméra contrôlée par le fou furieux qui tenait le doigt sur la gâchette et qui, à tout instant, pouvait précipiter soixante et une personnes dans le néant.

La conscience qu'aucune erreur ne lui était permise lui permettait, en quelque sorte, de garder son calme. Il saisit son téléphone et appela.

— Une caméra sur la cabine ? demanda-t-il.

— Oui. Même système. Tournée vers le toit.

— Vous devez le distraire. Contactez les gens à l'intérieur, qu'ils fassent du foin. Qu'ils ouvrent la trappe dans le plafond, commencent à regarder autour, fassent des signes. Il faut qu'il regarde ailleurs durant quelques secondes.

— Ça suffira ?

— Pas le choix. Prévenez-moi quand ça débutera.

Il raccrocha et commença à composer dans sa tête la séquence de ses mouvements. Basculer de l'autre côté du mur, sauter sur le quai. Trois pas vers l'échelle, quatre pas vers le haut jusqu'aux câbles. Un seul coup d'œil aux charges.

Il s'appliqua à calmer sa respiration et à préparer ses muscles à l'effort. Il fixa longuement le trou dans sa main, ses bords brûlés. Il devait s'habituer à cette vision pour qu'elle ne le distraie pas lorsqu'il manipulerait les explosifs.

Fiu-fiu – il décrocha immédiatement.

— Vas-y.

Il inspira profondément et bondit de derrière le mur, craignant à tout instant de voir un flash blanc, signe que l'astuce n'avait pas fonctionné et que soixante et une personnes faisaient leurs adieux à la vie. Mais rien de tel ne se produisit. Il courut à travers le quai, sauta sur l'échelle et, la seconde d'après, il atteignait l'étroite passerelle qui servait aux inspections des câbles porteurs et de traction. Les anneaux noirs avec les charges étaient en céramique, de fines antennes en dépassaient pour capter le signal de mise à feu. Il les arracha en premier, conscient que ça n'empêcherait probablement pas la réception de l'appel.

Auparavant, il avait réfléchi au fait que les terroristes ne pouvaient pas avoir disposé de beaucoup de temps pour accrocher les bombes. Leurs éléments devaient être encastrés ou réunis à l'aide d'un dispositif simple mais résistant, suffisamment robuste pour ne pas se désagréger dès le début de la combustion.

Un examen visuel rapide confirma ses suppositions. Les demi-anneaux étaient réunis à l'aide d'une épaisse vis en céramique à tête cruciforme. C'était un bon système : les éléments en céramique résistaient aux fortes chaleurs et garantissaient l'efficacité de l'allumage.

Si seulement il avait eu de quoi les dévisser. Il essaya du bout de l'ongle, mais ça ne fonctionna pas. De sa poche, il sortit de la petite monnaie et dénicha une pièce d'un grosz. Elle mordait à peine les sillons de la vis. Il essaya de la mouvoir, en tenant la pièce entre l'index et le pouce de sa main droite, mais ses muscles meurtris refusèrent d'obtempérer : la pièce échappa à ses doigts, rebondit sur le quai et fila vers l'abîme.

Hermod commençait à s'impatienter. Son donneur d'ordre gardait le silence, or, il était certain qu'après la première catastrophe, les Polonais s'agiteraient sous l'emprise de la panique et qu'il faudrait soit réagir, soit disparaître. Il aurait préféré que le commanditaire prenne cette décision à sa place.

Il observait le quai, mais tout y était parfaitement calme.

Il bascula sur l'image de la caméra accrochée sur la cabine et plissa le front. Ici, en revanche, il se passait des choses. La trappe du toit frémit, puis bascula, dévoilant les gens entassés à l'intérieur. Les visages tournés vers le haut regardaient l'objectif de leurs yeux bovins, si caractéristiques de la vaste majorité des humains. La mort dans une catastrophe spectaculaire aurait probablement été le moment le plus notable de la vie de tous ces gens. Les familles donneraient des interviews, des portraits en noir et blanc seraient publiés dans les journaux. Pour finir, on graverait leurs noms sur un monument en marbre et leurs compatriotes viendraient en pèlerinage pour y allumer des cierges et alimenter la théorie du complot. Quelques secondes séparaient ces passagers de l'unique immortalité potentielle qui leur serait offerte un jour.

Il n'avait pas le temps de paniquer. Anatol reprit en main la poignée de petite monnaie qui, comme par malice, n'était pas du tout petite : il n'y avait là que des pièces épaisses de cinq et de deux zlotys, aucune piécette d'un grosz.

Impuissant, il regarda tout autour de lui. Il savait qu'à partir du moment où le terroriste le verrait sur son écran, il se passerait tout au plus une seconde avant qu'il ne fasse sauter les charges.

25

La foule sous la trappe remua, on y accrocha une échelle et un homme sortit lentement sur le toit : il ne portait qu'un slip.

Hermod soupira et se promit de ne plus jamais accepter de missions qui touchaient de près ou de loin à l'un de ces étranges pays d'Europe de l'Est. De longues années devraient probablement s'écouler avant qu'un progrès de civilisation ne les prépare à du terrorisme de haut niveau.

Une fois sorti de la télécabine, le touriste avança avec précaution sur le toit, s'appuya sur le poteau d'attache aux câbles et commença à gesticuler en direction de la caméra. Dans un premier temps, Hermod tenta de comprendre la scène mais il se reprocha rapidement de se laisser distraire par cet étrange spectacle au lieu de rester concentré.

Il bascula sur les images des autres caméras et finit par voir un homme en train de tripatouiller ses charges d'allumage.

Son téléphone sonna au même instant.

Le commanditaire confirma son ordre.

26

L'une des propriétés de la thermite est de se consumer à une très haute température, mais elle a également besoin d'une forte température pour s'allumer. Si la nanothermite utilisée sur le téléphérique du mont Kasprowy en avait besoin d'une plus faible, on parlait néanmoins de plusieurs centaines de degrés, ce qui, pour une charge de petite dimension, était une contrainte assez forte. Dans ce cas précis, le signal radio enclenchait un détonateur électrique qui, d'une étincelle, allumait une étroite bande de poudre de magnésium qui fournissait à son tour une flamme suffisamment chaude pour transmettre la réaction à la thermite. Celle-ci aurait préféré se consumer en une immense flamme blanche mais, contenue dans le carcan d'un boîtier en céramique, elle n'avait d'autre choix que de dévorer le câble en portant l'acier à ébullition.

Tout tendrait à démontrer que, dans le contexte d'un métal fondu et de l'une des réactions thermiques les plus brutales connues des chimistes, ce que faisait Anatol Gmitruk n'avait absolument aucun sens. En l'occurrence, par un fin filet d'eau, il versait le contenu de son bidon d'escalade sur l'un des deux anneaux noirs. En apparence, c'était aussi dénué de fondement que de jeter un verre d'eau sur une grange en flammes, mais en apparence seulement. Le major s'était rappelé une leçon dispensée durant l'une de ses formations à l'OTAN : la réaction de la thermite n'aurait pas lieu si la substance était mouillée ou seulement humide.

Malheureusement, il oublia une autre information : si on ajoutait de l'eau à une réaction en cours, une explosion se produisait.

Et c'est exactement ce qui arriva lorsque le signal radio envoyé de l'auberge de Kuźnice parvint aux détonateurs.

Une étincelle jaillit des anneaux des deux côtés, le magnésium brilla d'une lumière aveuglante et alluma la thermite. Puis l'une des deux charges commença à dévorer la corde d'acier et l'autre explosa, faisant voler en éclats l'étui en céramique, abîmant le câble porteur et précipitant Anatol sur le quai comme une poupée de chiffon. Gmitruk dégringola jusqu'au bord du caillebottis, passa par-dessus et, sur le point de tomber dans le vide, saisit avec sa main blessée l'arrête en aluminium.

La douleur traversa tout son corps. Il eut l'impression que chaque muscle et chaque tendon de son avantbras cédaient, mais il réussit à maintenir sa prise.

C'était sans conteste la plus remarquable réussite de sa carrière de grimpeur. Il agrippa le rebord de l'autre main pile au moment où le câble tranché par la flamme tombait sur le quai, tiré par le poids de ses vingt-huit tonnes.

Le câble glissa, secoua toute la structure du perron, manqua de peu d'envoyer Anatol dans le gouffre et fila vers les pierriers, frottant le mur rocheux comme ses prédécesseurs, traînant dans son sillage la terminaison d'acier brûlant qui répandait aux alentours des gouttes prêtes à percer les chairs humaines comme la flamme d'un briquet consume du papier cigarette.

Après un instant qui sembla durer des années, Gmitruk eut le courage d'ouvrir les yeux. D'abord, il regarda en direction de la montagne : la cabine pendait toujours à sa place. Puis il observa les câbles. L'un avait disparu. L'autre tenait bon mais était abîmé et incandescent à l'endroit où la thermite avait explosé. Les fils métalliques qui composaient le cordage craquaient sous ses yeux et pointaient dans toutes les directions. Ping, ping, ping – on aurait dit un enfant qui jouait sur une guitare désaccordée.

En gémissant de douleur, Anatol hissa son corps meurtri et grimpa tant bien que mal sur le caillebottis du quai.

Arrête de fixer le paysage, agis ! se hurla-t-il en pensée. Il disposait tout au plus de quelques dizaines de secondes pour tenter une action avant que la cabine ne chute avec tous ses passagers dedans.

Il regarda le câble, la cabine et se précipita dans la salle des machines.

— Faites-les descendre ! cria-t-il au mécanicien terrifié. Tirez vers le bas le plus vite possible !

Le quinquagénaire à moustache l'observait d'un air ébahi.

— Vers le bas, bordel, ou ils vont tous mourir !

L'homme émergea de sa stupeur, tourna la clé et poussa le levier adéquat ; le moteur électrique se mit en branle en crissant ; le câble porteur frémit et commença à sortir du mur.

À cause des vibrations liées à la mise en mouvement de la télécabine, les fils de la corde qui maintenait en vie soixante et une existences se mirent à craquer de plus en plus vite. Ping, ping, ping.

27

Tomasz ne comprenait pas ce qui se passait. Debout sur le toit de la cabine, il faisait des grimaces en direction de la petite caméra, suivant en cela les ordres d'un mystérieux militaire qui, à la surprise générale, avait appelé le conducteur. Tomasz espérait que son slip à canards attirerait l'attention de qui il fallait.

Il était en train de gesticuler vers l'œil de verre lorsqu'il entendit des cris à l'intérieur de la cabine. Il se retourna et vit des flammes blanches virevolter devant la gare du téléphérique. À peu de chose près, cela aurait pu être le moment où sa vie défilerait devant ses yeux, car il savait ce que ces flammes avaient signifié plus tôt pour les deux hommes de la cabine d'à côté, laquelle, à présent, n'était plus qu'une pelote de tôle froissée. À peu de chose près, car le moment exact n'arriva que deux secondes plus tard, lorsque l'un des câbles se rompit. La cabine fut brutalement secouée et Tomasz n'évita la chute qu'en s'agrippant au bras qui reliait la cabine au chariot. Pourtant, quand la corde métallique heurta le sol, son poids fit tanguer la structure si durement qu'il ne réussit pas à garder l'équilibre ; il tomba sur le toit en criant et glissa sur le côté. Au dernier moment, il réussit à attraper une anse d'acier disposée au-dessus des fenêtres. Il se retrouva suspendu, les jambes dans le vide, frottant son slip à canards contre la vitre derrière laquelle hurlaient les autres passagers.

Et puis, la cabine entama une lente descente vers la gare du bas et tout le monde se mit à crier de joie, car chaque seconde les rapprochait du salut. Tout le monde, à part Tomasz, qui sentait ses forces faiblir. Mais au moment où il comprit qu'il n'arriverait pas à se hisser sur le toit, la porte de la cabine s'ouvrit et plusieurs bras – dont ceux de son amante et de ses deux enfants qui, soudain, lui parurent fort sympathiques – le tirèrent à l'intérieur.

Il se dit qu'il serait con d'avoir survécu à une cascade digne d'un film d'action seulement pour mourir écrasé quelques secondes plus tard.

Au fond de l'engin, le conducteur parlait via son téléphone portable et les gens observaient le pylône de plus en plus proche comme s'ils pouvaient y transporter la cabine par la seule force de la pensée.

28

Ping, ping, ping – les fils de la corde métallique craquaient de plus en plus vite ; des quarante-quatre millimètres initiaux d'épaisseur, il n'en restait pas plus de vingt.

— Quand je crierai, coupez le moteur et que le conducteur enclenche les freins, dit Anatol au mécanicien à moustache, ne quittant pas le câble des yeux. Mais seulement quand je crierai. Minute, minute...

Ping, ping – deux des fils se brisèrent si vite l'un après l'autre que les sons qu'ils firent se fondirent en un seul. Puis, ils cessèrent de craquer et Anatol crut que le câble tiendrait finalement le coup. Cependant, celui-ci grinça, se rompit totalement et s'envola dans le précipice.

— Maintenant !

29

Le conducteur de la cabine entendit le cri d'Anatol à travers l'écouteur avant même que le machiniste ne répète la commande. Il pressa rapidement le bouton qui serra les plaquettes des freins sur les deux câbles. Cinq mètres les séparaient encore du pylône. Ce n'était pas beaucoup, mais ça pouvait encore être trop.

— Agrippez-vous ! hurla-t-il et il ferma les yeux.

Au début, aucun des passagers ne remarqua que la situation avait changé. Durant une fraction de seconde, ils crurent qu'ils se balançaient, la suivante, ils se sentirent comme dans un ascenseur qui descend, puis ils comprirent qu'ils tombaient et se mirent à hurler hystériquement, anticipant l'impact et l'inévitable mort.

Anatol vit la cabine filer vers le sol et il serra fort les poings. Il se dit qu'après tout ce qu'il venait de traverser, il serait injuste que cette histoire n'ait pas une fin heureuse.

Cela n'avait pas de sens d'espérer que cette cabine remplie de gens soit maintenue comme la précédente sur le fin câble de traction. En effet, celui-ci cassa sur le coup, tel l'élastique d'un caleçon, et n'empêcha en rien la catastrophe.

La cabine chutait en prenant de la vitesse mais, à la différence de sa sœur jumelle, elle n'arriva pas jusqu'au sol, car elle était trop près du pylône. Elle tomba, retenue par ses freins à deux câbles qui, d'un côté, étaient couchés sur les pierriers, mais de l'autre étaient toujours fixés aux tambours de la gare du bas. Elle descendit encore de quelques mètres, puis les cordes se tendirent et la cabine se transforma en un immense balancier.

Cependant, la structure du pylône n'était pas prévue pour supporter une telle charge. Quand la cabine oscilla dans les deux sens, on entendit gémir les barres métalliques en train de se déformer partout dans la vallée. La colonne se plia comme si elle était faite en pâte à modeler, les câbles sautèrent des disques et des glissières, demeurant fixés par endroits sans aucune garantie. Le va-et-vient de la cabine s'amortit peu à peu, accompagné par les crissements du métal en souffrance, pour finalement cesser tout à fait.

Durant quelques instants, ils avaient eu peur de respirer.

Tomasz était toujours couché sur le sol en tôle, vêtu de son slip à canards. Et autant les autres passagers, portant polaires ou pantalons ridicules, pouvaient au moins faire semblant d'être restés intrépides, lui n'était pas en mesure de cacher qu'il s'était tout bonnement pissé dessus.

Joanna, pétrifiée, ses deux fils blottis contre elle, ressemblait au sujet du cliché gagnant du concours de la World Press Photo.

Les autres touristes étaient figés dans des poses qui prouvaient que nous mourons peut-être toujours seuls, mais rarement isolés. Les amants ou les amis fusionnaient, les parents enlaçaient leurs enfants, des étrangers se tenaient par la main. L'unique personne sans connexion était le conducteur et c'est peut-être pour cela qu'il réagit en premier.

Il tourna une clé sur sa console, s'approcha de la porte et l'ouvrit en grand. Il s'assit sur le seuil puis sauta sur le sol en pente douce recouvert de four-rés deux mètres plus bas. Il vérifia les environs, se retourna et tendit les bras pour aider les passagers à sortir un à un.

Ensuite seulement, ils poussèrent des vivats.

Chapitre 2

Varsovie, novembre

1

Il y a un certain type de femmes que les hommes n'abordent jamais dans les bars pour leur offrir un verre et pimenter leur soirée. Même lorsqu'elles sont en talons aiguilles et robe rouge décolletée, même lorsqu'ils sont suffisamment éméchés pour se sentir beaux, drôles, virils et éloquents auprès de n'importe quelle autre femme, ils ne s'approcheront pas de celles-là. De la même manière qu'il ne viendrait à l'idée d'aucun élève de primaire de s'appuyer sur le bureau de la maîtresse pour lancer nonchalamment : « Alors, princesse, comment s'est passée ta soirée ? » Certaines choses ne se font tout simplement pas.

Le docteur Zofia Lorentz était de ces femmes-là. Personne ne l'appelait jamais « chérie », on lui donnait rarement du « madame Lorentz », car « docteur » s'articulait tout simplement mieux dans n'importe quelle bouche.

De loin, elle n'avait rien de particulier : c'était une blonde menue à la silhouette ordinaire, avec un visage rond et une chevelure miel coupée au bol – un classique de la Mitteleuropa. De près, ses yeux noirs comme ceux des Asiatiques surprenaient, ses iris et ses pupilles se fondaient en disques si sombres qu'il était impossible de deviner si elle vous regardait avec compassion, reproche ou réprobation. Après une courte conversation, on s'apercevait que le docteur Lorentz était une personne querelleuse, intransigeante, dotée d'une intelligence pernicieuse et incapable de compromis. Le tout réuni incitait à surveiller son langage en sa présence, à éviter les blagues sexistes et à ne pas l'imaginer sous les traits d'une femme qui, le dimanche matin, vous préparait des œufs brouillés avec un sourire d'ange en s'affairant dans un peignoir léger au cœur d'une cuisine baignée de soleil.

À l'âge de trente-quatre ans, le docteur Zofia Lorentz était célibataire, sans enfants et modérément heureuse. Elle avait appris à investir son énergie dans les activités qu'elle trouvait bénéfiques, à savoir les langues étrangères, le travail scientifique, l'équitation, le ski et les courses de demi-fond (elle avait couru des marathons mais estimait à présent que cela faisait perdre de la féminité à sa silhouette). Dix ans plus tôt, fraîchement diplômée en droit international et en histoire de l'art, elle avait atterri au département de recouvrement de biens culturels rattaché au ministère des Affaires étrangères. Elle était à présent à la tête de cette petite structure, qui ne comptait à vrai dire qu'une seule personne, dont la tâche était de chercher et de récupérer le patrimoine perdu par la République à différents moments de son histoire.

Les ambassadeurs de Pologne avaient pour elle admiration et respect, les directeurs de musées la portaient aux nues, les collectionneurs tentaient de la cajoler, juste au cas où, tandis que les plus célèbres antiquaires d'Europe, naviguant toujours à la limite du recel, tout comme les propriétaires des maisons de vente d'ailleurs, l'auraient volontiers noyée s'ils avaient pu.

Elle appartenait à cette classe de fonctionnaires d'État de niveau intermédiaire impossibles à licencier et elle s'en rendait parfaitement compte. Elle pourrait exercer sa fonction aussi longtemps qu'elle le souhaitait et voyait les noms des ministres et des vice-ministres des Affaires étrangères défiler sur les plaques en laiton fixées aux portes des bureaux. Ils savaient tous qu'ils ne pouvaient se débarrasser de la personne qui rapatriait d'inestimables œuvres d'art dans les musées polonais. Ils ne lui mettaient pas de bâtons dans les roues, en échange de quoi, elle leur permettait de temps à autre de se faire photographier avec un trésor retrouvé en compagnie d'un directeur de musée ému aux larmes.

Vêtue d'une jupe assortie à sa veste noire, Zofia traversa le corridor de son lieu de travail, ses bottes martelant le sol, aux côtés de son ministre de tutelle actuel.

— Je préférerais connaître les raisons de notre convocation, dit-elle. Je perds mon temps quand je ne suis pas préparée.

— Docteur, le Premier ministre Donald Tusk en personne m'a téléphoné et a demandé qu'on vienne le voir à son bureau. On ne discute pas ce genre de requêtes.

Elle le toisa sans ralentir le pas. Il ne savait pas si elle l'avait fait avec compassion, reproche ou réprobation, on ne pouvait décidément rien lire dans ses satanés yeux noirs.

— C'est le Premier ministre, il a certainement quelque chose de concret et d'important à nous dire, précisa son supérieur, s'enfonçant inutilement dans ses explications.

— J'en suis honorée.

Le ministre des Affaires étrangères ne savait jamais si le docteur Zofia Lorentz plaisantait ou pas, il n'arrivait donc pas à décider ce qui le discréditerait davantage : un silence suggérant qu'il n'avait pas compris la blague ou un gloussement démontrant qu'il n'avait pas saisi la gravité de la réplique. Dans le doute, il optait toujours pour le silence.

Ils dépassèrent la conciergerie, enfilèrent leurs manteaux et s'enfoncèrent dans l'allée Szucha. Cette année, l'hiver était arrivé en avance : le mois de décembre n'était pas encore là qu'il neigeait déjà à Varsovie depuis une semaine. C'était pareil partout en Europe : les scientifiques à la télé faisaient leur possible pour démontrer que c'était l'une des conséquences du réchauffement climatique.

Cinq minutes plus tard, ils passaient le portillon de la chancellerie ; dix minutes plus tard, Zofia signait au secrétariat du Premier ministre une déclaration sur l'honneur par laquelle elle certifiait savoir que la discussion à venir aurait trait à des informations classifiées, déclarées « secret d'État » et dont la divulgation était passible de huit ans d'emprisonnement.

— Le Premier ministre vous attend dans le cube, déclara la secrétaire après avoir récupéré les documents.

Lorentz avait déjà entendu parler du cube, c'est-à-dire de la chambre des conseils secrets, équipée de matériel anti-écoute, construite après l'adhésion de la Pologne à l'OTAN. En compagnie d'un officier du service de protection du gouvernement, ils montèrent à l'étage où, arrivés au milieu du couloir, ils s'arrêtèrent devant une porte à l'allure banale. La plaque informait qu'il s'agissait de la *Salle de conférences 4.15*. Derrière la porte, en lieu et place d'une salle de conférences, se trouvait en fait un sas exigu où Zofia Lorentz dut passer devant un détecteur de métaux, endurer une fouille et laisser dans un casier ressemblant à une petite consigne de gare tout ce qui n'était pas un vêtement, c'est-à-dire son sac à main, son téléphone, ses clés, son argent et ses bijoux. Malheureusement, on lui ordonna également d'ôter ses bottes. Elle se sentait donc petite, nue et irritée.

— Le Premier ministre se balade en chaussettes lui aussi ? demanda-t-elle à un jeune officier du service de protection du gouvernement.

L'agent n'exécuta qu'un vague mouvement d'épaule et appuya sur un bouton qui ouvrit la porte suivante.

Ils pénétrèrent dans une autre pièce. C'était une vaste salle totalement vide, de quelque cent cinquante, peut-être deux cents mètres carrés. Les murs, le plancher et le plafond avaient été recouverts d'un matériau semblable à du lino, blanc immaculé, les surfaces se coulaient harmonieusement les unes dans les autres, sans angles ni coins, de nombreux halogènes avaient été incrustés dans le plafond.

Il était impossible d'y dissimuler ne serait-ce qu'une tête d'épingle.

Au milieu de la salle, il y avait le fameux cube – une cellule transparente aux murs épais de cinq mètres de côté environ. Deux hommes en costume, se ressemblant comme des clones, y étaient assis devant une table. L'un d'eux n'était autre que le Premier ministre, Donald Tusk, et il était le seul à avoir gardé ses chaussures. Elle ne connaissait pas le second, même de vue.

Elle les salua d'un mouvement de tête et prit place sur l'une des chaises vides.

Le Premier ministre patienta jusqu'à ce que le voyant installé au milieu de la table de conférence passe du rouge au vert – signe que tous les appareils anti-espionnage avaient été branchés – et lui adressa directement la parole.

— Docteur Lorentz, je vous présente le général Marek Gagatek, directeur de l'Agence des renseignements extérieurs. Monsieur le général, le docteur Zofia Lorentz dirige le groupe de recouvrement des objets d'arts au sein du ministère des Affaires étrangères.

Par respect pour le plus haut pouvoir de l'État, Zofia ravala son envie de préciser que ce « groupe » avait peut-être existé sous un autre gouvernement, mais que maintenant, il ne s'agissait que d'une cellule unipersonnelle. Elle fit un léger signe de tête au général, qui ne ressemblait ni à un général, ni à un militaire. Ce quinquagénaire soigné répandait autour de lui un parfum d'entreprise privée, de salle de sport, de squash et de voiture à un demi-million.

— Madame Zofia…, commença-t-il en souriant.

— Docteur Lorentz, le corrigea-t-elle.

— Docteur Lorentz, poursuivit le général en cessant de sourire. Quelle serait d'après vous l'œuvre la plus importante jamais perdue par notre pays ?

Elle haussa les épaules.

— Tout bien considéré, nous n'avons vraiment possédé que deux tableaux en Pologne. Du point de vue de l'art mondial, je veux dire. Je ne parle pas ici de la valeur sentimentale des œuvres nationales, de tout ce fracas d'armures et de ces destriers haletants. Les deux peintures en question ont toujours été accrochées côte à côte, à Cracovie. *La Dame à l'hermine* de Léonard de Vinci s'y trouve toujours, tandis que du *Portrait de jeune homme* de Raphaël ne reste qu'un cadre vide. Il ne s'agit pas seulement de l'œuvre d'art la plus importante volée à la Pologne durant la guerre, c'est tout simplement le tableau le plus important et le plus précieux jamais perdu et recherché dans le monde. Je ne crains pas de le qualifier de version masculine de la Joconde.

— À combien est-il estimé ?

— Il n'a pas de prix et est invendable en dehors des circuits parallèles mais, en se basant sur d'autres transactions, on pourrait l'évaluer à cent millions de dollars au minimum. Et maintenant, messieurs, je voudrais savoir pourquoi vous m'avez conviée dans ce cercueil de verre ?

Sans un mot, Gagatek lui tendit une chemise de documents. Elle l'ouvrit. À l'intérieur, il y avait une quinzaine de photographies au format A4. Elle les parcourut du regard en les étalant sur la table. Toutes représentaient la peinture qu'elle connaissait si bien à partir de reproductions. Un jeune homme aux traits délicats et féminins observait le spectateur de la même manière que la Joconde observait les visiteurs du Louvre. Une tête présentée de trois-quarts, des pupilles noires plongées dans celles de son vis-à-vis, un léger sourire égaré sur les lèvres. La journée devait avoir été fraîche, car le sujet avait jeté par-dessus sa chemise blanche une fourrure marron. Ses bouclettes sombres et rebelles, qui lui tombaient librement sur le torse, avaient été recouvertes d'un bonnet.

Zofia Lorentz fixait les yeux noirs de ce jeune homme de la Renaissance immortalisé par Raphaël et luttait contre l'afflux d'émotions. Elle connaissait toutes les photographies d'avant-guerre de ce tableau, y compris les rares en couleur. Elle en connaissait chaque détail, depuis le dessin délicat des ongles jusqu'aux tours du village blotti contre une douce colline, quelque part au loin derrière la fenêtre. Elle connaissait ce sourire espiègle qui semblait dire : « Vous ne me retrouverez pas » et qui – même si elle ne l'avait jamais avoué à personne – était le défi pour lequel elle avait sacrifié toutes ses autres opportunités de carrière. Elle aurait pu devenir experte dans une société internationale de vente aux enchères, elle aurait pu être marchande d'art, elle aurait pu conseiller les riches de ce monde lors de leurs achats et investissements, elle aurait pu se dorer la pilule sur son yacht privé amarré dans les environs de Gênes au lieu de s'inquiéter de ne pas profiter du soleil avant le mois d'avril. Elle aurait pu, mais chaque fois que les doutes l'assaillaient, elle regardait ce sourire espiègle au milieu du fond d'écran de son ordinateur et se disait : Je te retrouverai, salopard.

Les photographies qu'elle regardait à ce moment précis étaient sans conteste récentes. D'abord, parce qu'elle connaissait toutes les images d'archives. Ensuite, car bien que la photo fût un peu floue, comme prise en cachette, sa qualité ne laissait guère de doute. Enfin parce que, sur l'unique image qui présentait un plan d'ensemble, le Jeune homme était suspendu à côté d'une grande télévision LCD.

— Des questions ? demanda Donald Tusk, n'arrivant pas à supporter son silence.

Il s'attendait probablement à une réaction émotionnelle de bonne femme, avec cris et évanouissement à la clé.

— Deux. Vous avez vérifié ?

— Dans deux laboratoires de criminologie, indépendants l'un de l'autre, confirma Gagatek. Les experts s'accordent à dire qu'il s'agit du même tableau que celui photographié avant-guerre. Il n'y a aucune chance pour que ce soit une copie. C'est la même peinture.

Lorentz tapota la table du bout des ongles. C'était un meuble bas de gamme en contreplaqué.

— Et la deuxième ? demanda le Premier ministre, n'y tenant plus une nouvelle fois.

— Quelle... misérable créature a accroché un Raphaël à côté d'une télé ?

M. Tusk soupira et s'appuya sur le dossier de sa chaise.

— Et c'est là que nous touchons au cœur de notre rencontre. En l'occurrence, nous avons réussi, nous, c'est-à-dire la République, à recueillir des informations qui prouvent que le tableau n'a pas été détruit durant la guerre et qu'il se trouve aujourd'hui entre des mains privées. Comme vous pouvez le constater, nous avons également réussi à confirmer l'existence du tableau. En d'autres termes, nous savons qu'il existe, nous savons également où il se trouve. Et nous sommes aussi sûrs à cent pour cent qu'il n'y a aucune chance pour que nous puissions le récupérer de manière légale. Si nous faisons le moindre mouvement en ce sens, le Raphaël disparaîtra pour de bon avant même que notre mail crypté ne finisse de traverser les fibres optiques.

— D'accord. Mais qui l'a ? Où le gardent-ils ?

Le Premier ministre se pencha vers elle.

— Chère madame, veuillez m'écouter très attentivement, car je vais vous faire une proposition impossible à refuser. Je connais l'histoire de votre famille. Et je sais pourquoi, malgré toutes vos qualités, vous restez coincée dans cette cage à une rue d'ici. Vous savez certainement ce que ça signifierait, pour nous, de nous faire photographier avec ce trésor reconquis peu avant les élections. Bien sûr, il y a aussi l'intérêt national, proche de notre cœur, les cars d'enfants souriants en visite au musée, et cætera.

Zofia haussa un sourcil. Ça devenait intéressant.

— Comme je vous le disais, nous ne pouvons pas le récupérer légalement. Mais l'État polonais est prêt à vous aider avec joie, dans la limite de ses capacités, à le récupérer, comment dire, comme ça, *simplement*.

— Illégalement ?

— Si vous voulez.

— Il faut que je devienne une voleuse ?

— À quoi bon utiliser des termes pareils ? Parfois, nous devons nous aussi récupérer quelque chose, comme ça, simplement, en puisant pour une cause juste dans la poche du contribuable. Et personne ne nous traite de voleurs.

Zofia soutint le regard du Premier ministre avec un air impassible, se disant que ne pas pouffer de rire à ce moment précis était le plus grand défi de sa carrière professionnelle.

— Vous deviendrez officiellement une conquératrice... une récupératrice..., enchaîna Tusk, regardant Zofia d'un air impuissant. Comment dit-on, déjà ?

— Je n'en ai aucune idée, répondit-elle.

— Quoi qu'il en soit, vous iriez récupérer au nom de la patrie quelque chose qui devrait revenir à la patrie. Vous allez libérer le dernier prisonnier de la Seconde Guerre mondiale et le ramener à la maison.

Lorentz ne pipait mot.

— Et si j'échoue ? demanda-t-elle enfin.

— Le Raphaël est important pour nous, vous êtes très importante pour nous, mais la raison d'État prévaut.

— Donc le succès sera à tous, l'échec seulement mien.

Le Premier ministre grimaça.

— On pourrait le formuler ainsi, si vous aimez les simplifications inélégantes.

Immobile en apparence, le docteur Lorentz frottait nerveusement un pied contre l'autre, essayant tant bien que mal de repousser l'idée entêtante que sans ses hauts talons, ses mollets avaient toujours l'air trop épais. Par chance, dans l'espace blanc qui entourait le cube antiespionnage, il n'y avait personne qui pût le remarquer.

— Où se trouve-t-il ?

— Oui ou non ? Il me faut une réponse claire.

Les trois hommes suspendirent leurs regards sur elle. Ils savaient qu'elle était la seule personne capable de

récupérer ce tableau et ils se demandaient certainement si, dans sa tête, la patriote et amatrice d'art luttait
maintenant contre la fillette sage qui respectait scrupuleusement la loi. Pourtant, elle n'hésitait pas. La place
des fillettes sages était dans les romans pour jeunes
filles ; la place du Raphaël volé était à Cracovie, pas
à côté d'une télé. Et puis, elle se devait de le regarder
droit dans les yeux. Qu'il sache qui l'avait retrouvé et
ramené à la maison.

— Oui. Où se trouve-t-il ?

— Chez un allié, répliqua Donald Tusk. Le général
Gagatek vous expliquera les détails et vous présentera
l'équipe avec laquelle vous allez travailler.

— Pour l'équipe, je dois encore y réfléchir.

— Ce n'est pas la peine, intervint aussitôt le général. Tout le monde a déjà été choisi, nous n'attendions
que votre décision pour les faire venir. Il n'y a nulle
place dans cette mission pour des personnes sélection-
nées au hasard.

Il dut remarquer un frémissement menaçant dans sa
mimique car, avant même qu'elle puisse riposter, il
ajouta :

— Passée cette étape, toutes les décisions vous
appartiendront. Nous comprenons que cent pour cent
de responsabilité signifie également cent pour cent de
liberté. Nous avons commencé à agir parce que nous
n'avons pas plusieurs mois à perdre en préparatifs.
La moindre fuite et le tableau disparaitrait à jamais,
nous en sommes persuadés.

Durant un instant, ils se jaugèrent, puis elle se tourna
vers le Premier ministre. Celui-ci supportait mal les
silences, il suffisait de quelques secondes d'attente pour

qu'il s'agite sur son siège et commence à tapoter la table du bout des doigts.

A contrario, elle avait besoin de ces quelques secondes.

Elles lui étaient nécessaires pour fermer les yeux et se rappeler une scène de son enfance. Elle se plaisait à penser que c'était son premier souvenir, mais les vieux souvenirs peuvent être douteux. Nous ne savons jamais si nous nous en rappelons réellement ou si nous avons tellement entendu parler d'une histoire, racontée mille fois par la famille, que nous l'avons intégrée dans nos souvenirs. Dans cette anecdote particulière, une fillette de quatre ans avec des yeux très noirs et les cheveux noués en deux tresses tient par la main son père et observe un cadre vide suspendu dans un musée. Son père lui demande si elle sait pourquoi il n'y a pas de tableau dans le cadre, et elle lui répond, avec la certitude inébranlable d'une élève de maternelle : « Parce que tout le monde peut en peindre un, il suffit d'avoir des crayons. »

Et puis, pendant de longues années autour de la table familiale, chacun avait raconté à sa façon comment la petite Zofia voulait peindre un Raphaël avec ses crayons de couleurs.

Et voilà, son rêve de gamine devenait réalité, le Premier ministre lui fourrait des crayons dans la main et lui disait : « Vas-y, mon enfant, peins. » La question était de savoir ce qu'il lui cachait. Une démission ? La prison ? Des dangers ? La mort ? Que risquait-elle vraiment dans cette aventure ?

— Cent pour cent de liberté ? demanda-t-elle, directement à Donald Tusk.

— Et cent pour cent de responsabilité. C'est exact. Sans oublier une grande rapidité, j'ai envie d'une photo avec ce petit Rapha avant Noël.

Il lui restait quelques semaines.

— Alors, qui fait partie de mon équipe ? demanda-t-elle.

Le général Gagatek donna trois noms et, à l'énoncé de chacun d'entre eux, ses yeux noirs s'écarquillèrent.

— Ça ressemble à une mauvaise blague, finit-elle par lâcher, incapable de cacher ses émotions.

2

Quelqu'un klaxonna dans la file de voitures derrière lui. Il l'avait fait à l'allemande, délicatement, cela sonnait comme un : « Excusez-moi, cher monsieur, mais je crois que vous n'avez pas remarqué que le feu est passé au vert », et non comme la version polonaise : « Bouge ton gros cul, connard, ou je viens te chercher. » Il démarra et tendit la main par la fenêtre pour s'excuser.

Il était à mi-chemin entre le centre de Berlin et Potsdam et, à en croire son GPS, quelques centaines de mètres seulement le séparaient du but de son voyage.

— C'est joli, par ici, remarqua l'homme assis sur le siège passager.

— Berlin Ouest, c'est bien comme il faut. Aucun café de gauchos, aucun club gay, aucun kebab.

Rien que des retraités en veston qui promènent leurs chiens, ce genre d'ambiance.

— C'est encore loin ?

— Pas le prochain carrefour, le suivant.

Il dépassa une station essence et un croisement derrière lequel la Berliner Strasse se transformait en Potsdamer Strasse. Connaissant les Allemands, c'était probablement à cet endroit qu'on se trouvait à égale distance des deux centres-villes, calculée au mètre près. Un peu plus loin, il entra dans le lotissement et, après avoir traversé un parc attrayant, recouvert de neige, il tourna dans une rue pavée, la Querstrasse. Le passager grimaça à la vue du revêtement de la chaussée et caressa avec tendresse le tableau de bord de la voiture.

Il ne commenta pas, habitué à ce que son véhicule éveille de fortes émotions chez tout le monde à part lui. Il roulait au pas. Au numéro vingt-deux, il vit une délicieuse villa, de celles qu'on ne peut trouver en Pologne qu'aux plus belles adresses de Sopot, de Gdańsk ou de Wrocław. C'était un bâtiment de trois étages en brique rouge avec des finitions peintes en blanc, dont les dormants des portes, les cadres des fenêtres cintrées, les bossages et les rives des façades. Ses oriels évoquaient des tours octogonales de châteaux médiévaux. C'était une splendide architecture bourgeoise, peut-être un tantinet trop ostentatoire.

Karol Boznański coupa le moteur, sortit de son véhicule, ajusta les manchettes de sa chemise et boutonna le haut de sa veste.

Il était prêt au combat.

Le professeur Dagobert Frey entendit ses invités bien avant de voir la voiture s'immobiliser sous le châtaignier au bout de son jardin, prodigieusement blanc ces jours-ci. Auparavant, il s'était renseigné à propos de ce jeune marchand polonais, et certains de ses contacts avaient évoqué son véhicule bizarroïde. Comme le lui avait dit son cousin Stefen, de Dortmund, « ce dingue de Polonais conduit la voiture de sport la plus dingue du monde ». Alors, après avoir tourné en rond dans sa cuisine en les attendant, Frey se colla discrètement au rideau dès qu'il entendit le tintamarre du moteur. Il était impatient de découvrir ce qui arrivait de la Fisherhüttenstrasse. Il tendit l'oreille et écouta la rumeur grave qui évoquait le chuintement d'un tank traversant un tunnel tapissé de coton. En apparence, le vrombissement était étouffé. En apparence, il était masqué de façon élégante. En réalité, il était assez prononcé pour faire s'entrechoquer les verres en cristal.

Au bout du compte, l'automobile émergea de derrière la villa voisine et s'immobilisa devant le portillon de Dagobert Frey. L'hôte fronça les sourcils ; il s'attendait à découvrir soit une monstruosité de la taille d'un immeuble, soit un bolide de sport qui dépasserait à peine le trottoir. Dans les faits, la voiture ressemblait à une berline japonaise, de la précédente génération plutôt, à ceci près qu'elle disposait d'un long capot dont s'échappait une sorte de gargouillis métallique : le véhicule semblait vexé qu'on ne lui permette pas de rugir.

Accentuée par Berlin sous la neige, sa peinture argentée lui donnait des allures de plaisanterie à la Kasimir Malevitch : au lieu du blanc sur du blanc, on voyait de l'argent sur de l'argent.

Un homme élancé sortit du côté conducteur ; de loin, il ne pouvait apercevoir que sa tignasse noire et un costume anthracite. Du côté passager, il vit apparaître un homme corpulent au front dégarni, engoncé dans une veste noire.

Le professeur lissa ses cheveux gris, ajusta son foulard en cachemire et boutonna le haut de sa veste.

Il était prêt au combat.

4

L'homme n'eut pas le temps de sonner, Frey ouvrit la porte en premier. Il salua l'antiquaire par des mots qu'il s'était exercé à prononcer la veille à l'hôtel. L'allemand de Karol était presque parfait ; il s'autorisait une petite erreur de temps en temps, mais tenait à soigner le bon accent *Hochdeutsch*, afin que sa prononciation ne pue pas l'immigrant, mais respire au contraire le respect pour la civilisation allemande. Dès le seuil, il présenta son compagnon, Jerzy Majewski de la direction du PKN Orlen, le consortium pétrolier polonais.

Frey les invita à entrer. Habitués aux demeures de collectionneurs, les yeux de Karol enregistraient tous les détails caractéristiques. Deux caméras à l'extérieur du bâtiment, des portes anti-cambriolage, des détecteurs de mouvement dans le vestibule et une petite caméra dans un coin, ainsi que le panneau central de l'alarme. Mais ce qui l'intriguait avant tout, c'était de découvrir ce que leur hôte avait accroché dans son couloir. En général, c'était précisément le corridor des passionnés d'art qui constituait la carte de visite du propriétaire. On l'organisait sous forme de message : « Je ne garde ici aucun trésor, mais il est tout de même annonciateur de mon goût et c'est le portail vers mon royaume, alors déchiffre ça correctement. »

Personne dans le milieu ne savait que le couloir de l'appartement de Karol à Varsovie ne contenait qu'une étagère en contreplaqué remplie de romans policiers, à côté de laquelle il avait accroché une série de photos des seules vacances qu'il avait passées avec une femme qui lui semblait, à l'époque en tout cas, très importante. C'est pourquoi il n'invitait jamais ses contacts à la maison, habitude qui s'était bien entendu transformée en légende partout en Europe. Une fois, un inconnu qui ne savait visiblement pas à qui il s'adressait lui avait confié l'histoire d'un marchand d'art de Varsovie qui possédait des estampes japonaises si cochonnes qu'on n'en trouvait pas de pareilles sur Internet. Enfin… d'un autre côté, une bonne légende générait de belles affaires.

Dans le couloir de Dagobert Frey, il grimaça. Soit le goût du professeur laissait à désirer, soit il l'avait sacrifié sur l'autel de ses clients, suspendant à ses murs un échantillon des marchandises les plus populaires. Karol appelait de tels tableaux des « Hitler » parce qu'ils correspondaient parfaitement aux goûts bourgeois du Führer. À savoir une peinture réaliste, presque naturaliste du XIXᵉ siècle et du début du XXᵉ, des paysages ou des nus, sans thématique religieuse. Ces tableaux étaient du meilleur effet dans des villas comme celle-ci lorsque le feu virevoltait dans la cheminée et miroitait sur le vernis des toiles le soir venu. Pour tout professionnel, le couloir était une sorte de test, c'est pourquoi Karol s'arrêta devant la seule œuvre digne d'intérêt par ici : un dessin de Caspar David Friedrich, dont Adolf, il est vrai, était aussi fan, même s'il n'aurait probablement pas fait grand cas de cette esquisse délavée. Assis sur une dune, un voyageur solitaire admirait la mer avec un télescope, alors que des falaises blanches s'étageaient derrière lui. C'était très romantique, comme toujours chez Friedrich, mais également si délicat que tout semblait à peine ébauché dans la brume. Une image exceptionnellement poétique pour un peintre excellent, quoique très littéral d'ordinaire. D'après ses souvenirs, le dessin avait été vendu un an plus tôt chez Christie's pour plus de trois cent mille livres sterling. Il le soupçonnait d'avoir atterri en Allemagne mais ne s'attendait pas à le voir ici.

— Félicitations, c'est un bel achat, dit-il. Ça reste dans votre collection ?

L'Allemand sourit délicatement.

— Je voudrais bien, mais je crains de ne pas en avoir les moyens. Je vais réjouir mon œil un temps, puis je vais chercher le bon acquéreur. C'est le lot de nous autres marchands, n'est-ce pas ?

Karol approuva, se nappant tout entier de compréhension professionnelle. Frey, comme le reste de la planète, n'avait pas à savoir que le célèbre Karol

Boznański ne gardait dans son appartement aucune peinture. Enfin, presque aucune. Dans son bureau, il avait accroché un portrait de la même femme qui souriait sur une serviette de plage sur les photographies du couloir. Un Fangor, vraiment excellent.

Ils passèrent dans un salon bourgeois pour l'inévitable conversation autour d'un café. Celle-ci basculait rituellement dans une litanie de plaintes : le mauvais goût des clients, les impôts et les commissions des maisons de vente aux enchères, les spéculateurs qui manipulaient les cours du marché, les transactions bidon et les effets de mode qui mettaient à mal les stratégies de longue durée. En d'autres termes, ils faisaient semblant de ne pas être ces receleurs cupides et combinards qu'ils étaient en réalité. Karol déclamait ces banalités dans un allemand impeccable, évaluant simultanément son hôte. Celui-ci avait un peu moins de soixante-dix ans, portait des bottines à élastique noires, un épais pantalon en velours côtelé gris, une chemise en coton couleur jean délavé et un foulard en cachemire sombre. En plus de ça, ses cheveux mi-longs étaient attachés en queue-de-cheval et il portait des lunettes rondes à monture rouge. Allure étrange, mais pour un marchand d'art, Frey réussissait presque à paraître sympathique.

— Vous avez un nom de famille magnifique, dit l'Allemand.

Il fit un clin d'œil à Karol et reversa encore du café à la ronde.

Jerzy Majewski avait été désigné pour venir à Berlin seulement parce qu'il parlait la langue du pays. Dans le temps, il avait supervisé l'expansion d'Orlen sur le territoire de l'ex-RDA, opération peu fructueuse, malheureusement. Il n'y connaissait rien en art mais, visiblement, le nom de la peintre Olga Boznańska était déjà parvenu à ses oreilles, car il fut ravi de pouvoir briller par sa culture :

— C'est vrai, je me demandais même si c'était votre arrière-grand-mère ou une arrière-grand-tante, dit-il. Ça expliquerait vos centres d'intérêt.

— Ça aurait été charmant, mais c'est peu probable, répondit Frey à la place de Karol, chassant des miettes de gâteau de ses mains, parce que Mme Boznańska est morte vieille fille à un âge fort respectable. Avant cela, par malheur pour elle, mais par bonheur pour l'histoire de l'art, elle s'était tellement consacrée à la peinture qu'elle avait laissé passer l'âge de fonder une famille. Son unique sœur en revanche, l'autre potentielle arrière-grand-mère de M. Karol, était une aliénée alcoolique et sans enfants qui a fini par se suicider.

Le vice-président Majewski hocha la tête, penaud, tentant de se cacher derrière sa tasse en porcelaine.

— Bien, montons à l'étage pour parler affaires, proposa Frey.

Dissimulée à l'abri d'une porte blindée et équipée d'une serrure à combinaison, la pièce d'en haut devait donner l'impression d'un temple magique de l'art, bien qu'elle ne contînt rien de meilleur ou de plus précieux que le Friedrich du couloir. De plus, les rares originaux étaient mélangés à des copies de grands maîtres pour accroître l'effet. Le papier peint de velours, les caméras discrètement distribuées, l'atmosphère et l'éclairage d'ambiance, tout cela promettait au pauvre pigeon nouveau riche qui allait y laisser un chèque la possibilité d'emporter, avec l'un des « Hitler » qui parsemaient généreusement les murs, un souvenir de son passage dans un monde élitiste. D'un œil expert, Karol passa en revue cet intérieur et comprit soudainement qu'il venait de gagner les négociations avant même qu'elles ne commencent.

— Messieurs, voici ce pourquoi vous êtes venus.

L'Allemand pointa du doigt un chevalet simple sur lequel était disposé un tableau éclairé par un projecteur.

Le portrait, huile sur toile, avait à peu de chose près la taille d'une feuille A4 et, s'il n'était pas magnifique, il était néanmoins très beau. Il représentait un buste de femme aux boucles noires étourdissantes et sensuelles, elle observait le spectateur coquettement, comme pour dire qu'il suffirait d'un léger courant d'air ou d'un geste délicat de sa main pour faire tomber le morceau de tulle qui cachait à peine ses seins et lui servait d'unique vêtement. Ou pour dire qu'en vérité, elle ne s'opposait pas à ce que quelqu'un d'autre fasse ce geste à sa place. C'était la personnification même de la séduction, le peintre ayant de plus caché ses yeux dans l'ombre afin d'augmenter le mystère. Une jolie chose ; bien des hommes auraient envie qu'une beauté à la chevelure si ondulée les suive du regard depuis le mur de leur cabinet.

— Puisque l'occasion m'en est offerte, permettez-moi d'exprimer ma profonde considération, dit Frey en s'adressant au vice-président. Les grandes entreprises sont plutôt connues pour garder scrupuleusement chaque pfennig, je veux dire chaque centime d'euro, elles préfèrent l'investir, payer des dividendes, les verser sur des comptes dans des paradis fiscaux.

Le fait que vous souhaitiez acquérir ce splendide portrait et l'offrir à un musée est digne de louanges.

Majewski exécuta en retour une légère courbette.

— Il est cependant un peu humiliant que nous
ayons à racheter à un antiquaire allemand une œuvre
volée durant la guerre dans un musée polonais, remarqua Karol sur un ton léger en se laissant choir sur le
canapé. Je ne sais pas, monsieur le vice-président, à
quel point vous connaissez l'itinéraire de ce portrait,
alors je vais vous l'exposer. Au début de l'occupation,
il avait atterri, comme bon nombre d'autres œuvres
d'art polonaises, au musée national de Varsovie. Les
pauvres, ils croyaient que les collections y seraient en
sécurité ! Bien évidemment, les meilleures pièces ont
vite été subtilisées, le reste, comme ce portrait, a été
pillé petit à petit. Le pire a eu lieu à la fin de la guerre.
Les Allemands perdaient toute mesure, ils entraient au
musée comme dans une boutique de souvenirs gratuits.
Cette beauté a des traits résolument sémites, mais à ce
moment-là, cela ne dérangeait visiblement plus personne.

Le professeur Dagobert Frey ne bougea pas d'un
pouce et resta planté à côté du portrait.

— Oui, la guerre a été terrible pour l'art, dit-il,
ne relevant pas le ton ironique de Boznański. Les
nazis volaient les peuples conquis, les Alliés volaient
l'Allemagne vaincue, les Russes volaient tout le
monde, sans parler du saccage à une échelle inouïe
et, au milieu de tout ça, les marchands français qui
avaient décidé de vendre tout ce qu'il était possible de
vendre, exploitant pour cela le chaos régnant partout en
Europe. C'était une époque étrange, heureusement, elle

est derrière nous. Par chance, tout n'a pas été détruit. Des tableaux refont sans cesse surface et peuvent revenir à leurs propriétaires légitimes.

— À condition que ces propriétaires versent cinquante mille euros.

— À un marchand qui n'a ni volé ni hérité de l'œuvre, mais l'a achetée en toute légalité lors d'une vente aux enchères.

— Parce que le gouvernement polonais n'a pas eu le temps de déclarer ses prétentions, le tableau ayant été présenté à la vente dans un patelin paumé. Auparavant, on a pris grand soin d'effacer les tampons du musée et la signature du peintre.

— Je suis marchand, pas expert. J'ai acquis ce tableau en me disant qu'il s'agissait d'un portrait de jeune femme par un peintre inconnu, probablement du XIXe siècle. Et, je le souligne, j'aurais pu le vendre à n'importe qui. Or, j'ai donné la priorité à une transaction qui permettra à cette œuvre de retrouver son musée légitime.

— Et qui vous permettra au passage de faire une marge de trente-cinq mille euros.

— Que dire, je n'ai jamais affirmé que j'allais le faire par charité. À part ça, vous savez très bien que si je l'avais placé aux enchères en Pologne, j'aurais gagné bien plus et le tableau aurait atterri dans une collection privée. Puis-je préparer les documents ou avez-vous encore des questions ?

— Une seule…

Boznański s'installa de manière encore plus confortable, croisa les bras sur son ventre, une montre Audemars Piguet de la série Royal Oak Offshore brillait à son poignet. Frey la reconnut et, en dépit de l'atmosphère qui s'épaississait, Karol remarqua de l'estime dans ses yeux.

— ... que faisait votre père durant la guerre ?

— Il a eu la chance de ne pas avoir été envoyé au front, répondit le vieux marchand. Il a servi dans une compagnie de réserve de la Wehrmacht, près de Hanovre. En cuisine.

— Comme tout le monde, répliqua Boznański.

— C'était une cuisine particulièrement grande dans une compagnie particulièrement nombreuse.

— Oui. Cela fait tant d'années que je parcours l'Allemagne et je n'ai encore jamais rencontré de descendants de SS ayant servi à Varsovie, ceux-là mêmes qui ont commencé par massacrer deux cent mille personnes en quelques semaines, puis ont mis le feu à la ville, avant d'emporter en souvenir des portraits comme celui-ci afin que, plusieurs décennies plus tard, leurs petits-enfants puissent effacer la signature de l'auteur et profiter de l'aide d'un expert tel que vous pour arrondir leurs fins de mois et s'offrir des vacances en Thaïlande.

Devenu pâle et immobile, Majewski était à présent persuadé que la seule chose qu'il ramènerait de ce voyage serait sa note de frais.

Le professeur Dagobert Frey s'approcha du bureau placé près de la fenêtre et sortit d'un tiroir un ensemble de feuilles.

— J'avais laissé quelques rubriques en blanc, comme le prix par exemple. Je pensais que nous allions négocier. Je voudrais vous informer qu'à moins que vous vouliez repartir d'ici les mains vides, le prix vient de monter à soixante-quinze mille euros.

Majewski soupira et Frey jeta les documents sur une table décorative devant le canapé.

— Vous vous trompez, dit Karol.

Pas un de ses muscles n'avait frémi. Il avait l'air las.

— Le prix vient de tomber à un euro symbolique. Veuillez préparer le tableau au transport et joindre la facture. M. Majewski s'assurera que la PKN Orlen vous paye dans les plus brefs délais.

Frey pouffa de rire.

— Vous êtes fou.

— Pas le moins du monde. Par contre, veuillez m'écouter très attentivement. Trafiquer des œuvres polonaises volées par les Allemands suffirait à ce que je pousse les médias à faire de vous un receleur des SS. Bien évidemment, vous n'en avez rien à foutre car, dans notre métier, nous sommes tous plus ou moins des receleurs des SS. En revanche, je ne sais pas si vous savez sur quoi vous venez de jeter les contrats.

Désorienté, Frey observa plus attentivement la table ornementale.

— Je ne connais pas sa provenance. Je l'ai achetée il y a quelques années chez un antiquaire, répondit-il avec précaution.

Il n'était pas sûr de savoir où ce Polonais voulait en venir.

Karol, de son côté, conscient de la portée dramatique d'une pause, ajusta ses manchettes afin qu'elles dépassent de sa veste de la même longueur des deux côtés.

— Pouchkine a écrit un jour que la patrie des Russes, c'était le Tsarskoïe Selo. D'ailleurs, pas besoin de connaître Pouchkine pour savoir que les Russes sont

dingues de ces résidences de tzars. C'est leur sain-
teté nationale, plus sacrée encore que le Kremlin, plus
sacrée même que le mausolée de Lénine. Dans ces
palais se reflètent la fierté, la puissance et la gloire
de la Grande Russie. Ils y ont reconstitué la Chambre
d'ambre, ils reconstruisent sans arrêt les salles, les
pièces de musée. Bien entendu, retrouver les œuvres
d'art chipées au Tsarskoïe Selo par l'un de vos ancêtres
sorti brièvement de sa cuisine près de Hanovre est pour
les fonctionnaires responsables de la culture russe la
priorité numéro un.

Le regard de Frey prouvait qu'il était à la fois
curieux et pas désireux d'entendre la suite de cette
histoire.

— Cette table Louis XVI est un original de la fin du
XVIIIe siècle, fabriquée en Russie à partir de dessins de
Charles Cameron en personne, l'architecte de la cour
de l'impératrice Catherine II et l'un des principaux
concepteurs des palais du Tsarskoïe Selo. Jusqu'en
1941, elle faisait partie de l'ameublement du palais
Catherine. De la chambre bleue, si ma mémoire est
bonne.

— Vous connaissez la Russie si bien que ça ?
demanda Majewski avec étonnement.

— Non, mais je connais assez bien le catalogue de
leurs principales pertes de guerre édité par le ministère
de la Culture russe. Et, détail curieux qui ne figure
pas dans le catalogue, il se trouve que le plus grand
admirateur de Cameron et de l'ensemble de ses œuvres
réalisées autour de Saint-Pétersbourg n'est autre que
Sergueï Lavrov, l'actuel ministre des Affaires étrangères de la Russie.

Majewski et Frey observaient Karol et attendaient la touche finale.

— Cet homme arrive à Berlin dans exactement deux jours pour nouer des liens encore plus étroits entre vos deux pays, c'est-à-dire probablement promettre à vos hommes politiques de haut rang des retraites dorées dans une des compagnies de gaz russes. Et c'est là que vous intervenez, professeur. Vous pouvez soit gagner un euro sur ce portrait de Wyczółkowski, mais en même temps obtenir la gratitude éternelle de votre gouvernement en lui offrant la possibilité de faire un cadeau à Lavrov. Ou alors, vous pouvez gagner soixante-quinze mille euros en vendant ce tableau, pour nous, au fond, ce n'est pas une grande dépense, mais quand ce cher Sergueï foulera votre sol, il lira dans tous les journaux l'histoire d'un receleur de Berlin qui, à quelques kilomètres du Reichstag à peine, garde prisonniers, au nez et à la barbe des Russes, des biens volés par les nazis, dont un des Cameron adorés de son sacro-saint Tsarskoïe Selo.

Le professeur Dagobert Frey avait déjà les pieds saisis dans du béton et sombrait au fond du fleuve, mais il tenta encore de battre des mains.

— Ne vous comportez pas en novice, dit-il. Un numéro pareil et vous perdrez toute crédibilité dans le métier.

Karol partit d'un rire sincère.

— Vous, ne vous comportez pas en novice. Tant que j'aurai de bonnes pièces à vendre, aucun numéro ne me causera jamais de tort.

L'automobile que le professeur Dagobert Frey, désormais plus riche d'un euro, avait prise dans un premier temps pour une vieille berline japonaise, filait sur l'autoroute numéro 12 en direction de la frontière avec la Pologne. Karol Boznański et Jerzy Majewski, le très satisfait vice-président de la PKN Orlen, étaient assis devant ; la beauté provocante aux boucles sensuelles et aux traits sémites voyageait à l'arrière, dans une caisse spéciale attachée avec des ceintures, protégée par du papier bulle et du polystyrène. Elle regrettait certainement de ne pas pouvoir regarder par la fenêtre et voir à quel point le monde avait changé depuis 1884.

Karol enleva sa montre et la tendit à Majewski.

— Pourriez-vous jeter ça dans la boîte à gants ? demanda-t-il, se frottant le poignet.

Il détestait porter des montres.

— C'est une véritable Audemars ?

— Oui. L'art, ce n'est pas comme la politique, où on peut parader en contrefaçons. Le style a son importance.

Majewski tira le rabat sur lequel se déversèrent des CD, des tournevis et des paquets de chewing-gum. Il fouilla un peu.

— Je ne trouve pas le coffret, dit-il.

— Je sais, il n'y en a pas. Fourrez-la quelque part au milieu.

— Mais... mais c'est une véritable Audemars.

Karol lui jeta un coup d'œil éloquent, au point que le vice-président finit par mettre la montre dans la boîte à gants, mais avec tant de simagrées qu'on aurait juré qu'il venait d'enfoncer un œuf de Fabergé dans du fumier.

Ils dépassèrent le panneau leur signifiant l'entrée sur le territoire de la République polonaise. Leur retour à la patrie commença par un délit : l'aiguille du compteur de vitesse demeurait coincée à cent quatre-vingt kilomètres-heure, bien que, depuis qu'ils avaient passé le pont sur la Odra, elle n'aurait pas dû dépasser les cent trente kilomètres-heure.

— Vous avez envie de déjeuner ? demanda Karol. Je connais un chouette endroit après Torzym.

— Quelle question. Je dis oui à l'aveugle à tout endroit que vous jugez digne d'être conseillé. Ça va vous paraître bizarre, mais jamais encore je n'ai rencontré un homme de votre, comment dire, de votre classe. Vraiment. (Karol hocha la tête en signe de remerciement.) C'est quoi comme cuisine ?

— Internationale.

Trois quarts d'heure plus tard, ils étaient assis, harnachés dans leurs manteaux, leurs bonnets et leurs écharpes, sur un tronc d'arbre au milieu d'un pré devant le lac Lagowski, partiellement blanc, tandis que la voiture argentée était restée dans une clairière, entourée de sapins recouverts de neige. Dans ce cadre, elle ressemblait à une image sortie d'un dépliant publicitaire.

— Café ? demanda Karol, tendant le thermos en direction du vice-président rougi par le froid.

— Bien sûr. Il reste du poulet ?

— Attendez, je vais vérifier.

Il jeta un coup d'œil dans son panier à pique-nique, mais le papier aluminium qui contenait jadis des bouts de poulet rôti était vide.

— Non, il n'y en a plus. Je peux vous proposer des saucisses kabanos ou des œufs durs.

— Oh ! Alors je veux bien un kabanos et encore une tomate. Où est-ce que vous avez acheté des tomates aussi délicieuses ?

— Je les ai cultivées. J'ai une ferme près de Mszczonów. Un hectare d'arbres fruitiers, une serre. C'est peu, mais assez pour mes propres besoins, ce qui m'évite d'avaler ce qu'on appelle à tort nourriture dans les magasins. Quand je ne suis pas là, mon oncle et ma tante s'en occupent.

Karol saupoudra de poivre son œuf dur (obtenu de ses propres poules, fort heureuses, soit dit en passant) et le mordit à pleines dents. Il faisait semblant de ne pas remarquer le regard du vice-président qui le fixait la bouche entrouverte et qui, sur ce pré, dans son costume, ses chaussures sur mesure et son manteau en cachemire au prix indécent, une tomate entamée dans une main et, dans l'autre, du fin saucisson kabanos se pliant au vent comme un roseau, avait l'air assez comique.

Long et étroit, le lac s'étendait au second plan, devant la forêt dont dépassait la tour rouge du château des chevaliers de l'Ordre de Malte. Karol observait le paysage enneigé, baigné par les ultimes rayons du soleil, et se disait qu'il ne connaissait presque pas la Pologne. Parfois, on faisait des allers-retours dans le monde, on pensait découvrir de nouveaux endroits, alors qu'en réalité, on se réveillait sans savoir où on se trouvait ; tous ces hôtels de luxe se ressemblaient, ils puaient la climatisation que ce soit à Dubaï, à Vancouver ou à Honolulu. Alors que deux voïvodies plus loin, on découvrait des endroits aussi exceptionnels. Récemment, sa mère lui avait demandé si, à courir ainsi partout, il cherchait vraiment quelque chose ou si, au fond, il fuyait le monde comme un dingue. Après quoi, elle lui avait demandé si, à l'inverse d'elle, il possédait la preuve de la réincarnation, et qu'en conséquence il avait décidé de galvauder sa vie pour ne se mettre au boulot que durant la suivante.

Il chassa les miettes de ses mains et se leva. Il était temps de repartir.

Éclairée par la lumière déclinante du coucher, la voiture semblait briller de sa propre lueur interne.

— Quelle merveilleuse machine, dit Majewski. Je ne pensais pas que cette marque avait fabriqué une berline.

— Heureusement. Dans un coupé, je n'aurais même pas pu faire tenir un cageot de pommes.

6

Le major Anatol Gmitruk et le capitaine Clifton Patridge avaient pris place au café de l'hôtel des Kalatówki, inconscients de reproduire un schéma vieux de soixante-dix ans, quand deux officiers du renseignement polonais et américain s'étaient rencontrés au même endroit et qu'un seul d'entre eux en était sorti vivant. Cette fois-ci, cependant, personne ne tenait en joue personne, les menaces et les coups de feu avaient été remplacés par une atmosphère cordiale, le plaisir d'une dernière bière et la possibilité de faire évoluer une relation officielle entre alliés en une amitié authentique, si tant est que celle-ci fût possible entre espions.

— Mes meilleurs vœux pour ta retraite, dit l'Américain, cognant sa pinte contre celle d'Anatol.

Gmitruk le remercia, faisant semblant de ne pas percevoir la moquerie. Il n'avait pas envie d'aborder le sujet et d'expliquer pourquoi sa décision était irrévocable.

— Je ne comprends toujours pas pourquoi tu ne veux pas sortir de l'ombre, maintenant que tu quittes le service. Tu ne crois pas que les gens auraient besoin d'un tel symbole ? D'un véritable héros, d'un ange gardien qui a veillé sur leur tranquillité ? Tu pourrais agir dans une fondation, entrer en politique ou faire le tour des écoles pour conseiller aux enfants de se comporter décemment. Tu ne crois pas que ça pourrait avoir plus de valeur que cette modestie teintée de crainte ?

Spontanément, il eut envie de lui jeter à la figure que puisqu'il n'avait personne à la maison pour qui être un héros, alors il n'avait pas envie d'être un héros pour le reste du monde, mais ça aurait été trop personnel. Après ces quelques semaines passées ensemble à la montagne, il s'était mis à apprécier Clifton, mais il gardait toujours à l'esprit qui ils étaient et quel était leur métier. Et aussi, qu'ils en savaient beaucoup plus l'un sur l'autre que ce qu'ils pouvaient admettre. Et enfin que chacun d'entre eux possédait des mobiles cachés.

Depuis six semaines, Clifton supervisait l'équipe de spécialistes américains, composée de civils et de militaires, qui aidaient les Polonais dans l'enquête sur le premier attentat terroriste de l'histoire de leur pays. Il arborait son immense sourire américain, s'efforçait d'être un soutien, étalait son amitié et ses bons « *how are you doing today ?* », vraiment, tout le monde l'appréciait, mais au fond, il n'en pouvait plus. Il devait diriger une mission qui réunissait des experts de diverses agences, afin de prélever avec les Polonais les indices qui permettraient de résoudre le mystère de la catastrophe. Cette partie du travail était encore relativement simple, surtout qu'il était le seul à savoir que l'enquête n'était en fait qu'une vaste fumisterie. Les autres trimaient à la sueur de leurs fronts et en toute bonne foi.

Là où ça se corsait, c'est qu'il devait tenir les gens du cru à une distance respectable de sa véritable mission. En son temps, il avait passé quelques mois en Iraq en compagnie de Polonais et avait découvert que ces gars portaient en eux une sorte de gène de la menace qui les rendait perpétuellement vigilants. Un Américain moyen prenait tout pour argent comptant, dans un premier temps du moins. Un Polonais moyen était d'emblée persuadé que tout le monde voulait lui faire des crasses, l'arnaquer, lui planter un couteau dans le dos et lui déclarer la guerre. C'est pourquoi les Polonais n'entraient jamais en mode « veille ». Cette caractéristique était très utile au front mais devenait pénible lorsqu'il fallait conduire une opération secrète sous leur nez et à leur insu.

Pour finir, il était censé accomplir une tâche individuelle, qui aurait dû être simple, mais qui s'était avérée absolument infaisable. Après six semaines, Washington avait considéré qu'il fallait interrompre les recherches et espérer que, puisqu'ils n'avaient pas réussi à les mener à bien, personne n'y arriverait.

Il était éreinté et ravi que cette aventure touche à son terme.

De son côté, Anatol était officiellement un agent de liaison entre les Américains et les Polonais mais, dans les faits, il avait ordre de surveiller leurs chers alliés, car il y avait de fortes raisons de penser que les Yankees ne leur disaient pas tout. Les Ricains devaient considérer que l'affaire était sérieuse, vu qu'ils leur avaient envoyé le capitaine Patridge, commandant de la soixante-sixième brigade de renseignement militaire, la plus importante unité d'espionnage américaine déployée en Europe.

Par conséquent, Anatol était lui aussi éreinté et ravi que cette aventure touche à son terme.

— Nous sommes dans un pays étrange, déclara-t-il enfin. Le premier jour, j'aurais été un héros et on aurait voulu donner mon nom à des rues. Le deuxième jour, quelqu'un aurait remarqué l'étrange coïncidence qui, pile au moment d'une attaque sans précédent sur le pays, avait fait passer un officier des services secrets par la montagne d'à côté, comme par hasard. Le troisième, j'aurais été un personnage important peut-être, mais au centre de diverses théories du complot, faisant de moi un élément d'une entente secrète entre notre gouvernement et les Russes. Le quatrième jour, si on m'avait invité dans une école primaire de n'importe quel patelin, deux manifestations s'y seraient déroulées avant mon arrivée, une qui aurait soutenu le héros et une autre qui aurait insulté le traître. Non, merci.

Il saisit son verre avec sa main valide, se leva et s'approcha de la fenêtre, observant le versant désert saupoudré de neige. Il se dit que jamais plus, à l'instar de ce moment, il n'aurait les Tatras pour lui tout seul. Depuis l'attaque terroriste sur le téléphérique du mont Kasprowy, les environs étaient fermés au public, seul le groupe très restreint d'enquêteurs polonais et américains était autorisé sur les lieux. Même les sauveteurs de haute montagne et le personnel du parc national étaient interdits de séjour, le terrain était surveillé par des sentinelles. Anatol en profitait pour effectuer de longues promenades solitaires, vraiment solitaires, en dehors des sentiers battus. Il errait en forêt, grimpait sur des rochers, observait des animaux qui, ayant senti l'absence des hommes, gambadaient plus librement de jour en jour.

Une expérience de la sorte n'allait pas se répéter, il le savait. C'était le bon moment pour clore le chapitre montagnard de sa vie. Une fois à la retraite, il comptait apprendre à faire de la voile, changer d'environnement et se tenir aussi loin que possible de ce tas de cailloux où il avait échappé de peu à la grande faucheuse.

7

Une semaine plus tard, au lieu d'attendre tranquillement un vol qui l'amènerait dans un pays ensoleillé à cette période de l'année, le major Anatol Gmitruk, fraîchement retraité de l'armée polonaise, avait atterri dans une salle qu'il connaissait bien dans un immeuble de Varsovie, plus précisément au siège du Service du renseignement militaire, et il insultait en pensée la planète entière. S'il n'avait pas pris sa retraite, il ne serait pas ici. Mais puisqu'il l'avait prise, on l'avait prestement affecté à une mission si secrète que, pour des raisons politiques, aucun officier en activité ne pouvait y participer.

Il sourit cordialement à l'inconnue assise de l'autre côté de la table, une femme aux yeux tellement noirs qu'on les aurait jurés obtenus par manipulation génétique.

Toute sa carrière durant, il avait eu des supérieurs masculins ; dès qu'il était redevenu civil, on lui avait affecté une femme pour chef. Preuve, s'il en fallait, que la vie de l'autre côté de la muraille était régie par des règles bien différentes.

8

Incroyable, se dit le docteur Zofia Lorentz, cet homme a l'air d'un fonctionnaire du Trésor public, du genre résigné, de ceux qui acceptent d'être pour toujours des fonctionnaires du Trésor public. Un de ceux qui avaient cru, au début, que ce poste ne serait que temporaire, qu'ils bifurqueraient vers le privé, mais qui, cinq ans plus tard, relativisaient le manque de progression de leur parcours professionnel en se promettant d'être de bons fonctionnaires au service du citoyen, car il fallait bien que quelqu'un serve la République. Dix ans plus tard, ils ne rêvaient que d'une promotion au sein de leur propre service et, quinze ans plus tard, que quelqu'un leur propose enfin un pot-de-vin. L'homme svelte, assis devant elle dans un costume trop grand et mal assorti, ressemblait précisément à quelqu'un qui avait accepté son sort et s'était dit : « Que faire, d'autres sont moins bien lotis. » Il arborait un sourire doux et désolé, des cheveux blonds clairsemés et un gros nez, pas très noble, typique des habitants de la Pologne centrale. Rien ne l'aurait distingué du commun des mortels, si ça n'avait été ses petites oreilles décollées qui n'en faisaient peut-être pas un bel homme, mais qui le rendaient intéressant et lui donnaient des allures de baroudeur.

Ou peut-être qu'elle était la seule à le visualiser ainsi ? Peut-être qu'elle n'aurait jamais remarqué cet homme aux oreilles décollées si le général Gagatek n'avait pas d'abord pris le temps, durant deux heures, de la persuader qu'Anatol Gmitruk était absolument indispensable à son équipe. Il lui avait assuré qu'il ne s'agissait pas d'un fou de la gâchette qui transformait une opération discrète en film de baston. Premièrement, c'était un spécialiste de l'espionnage de haut niveau et il avait passé de nombreuses années à l'étranger. Il connaissait le pays allié où ils devaient se rendre et les méthodes de travail qui y avaient cours : cette connaissance pouvait s'avérer inestimable aux moments clés. Deuxièmement, ils avaient besoin de quelqu'un qui, comme il l'avait formulé avec euphémisme, savait manier autre chose qu'une agrafeuse. Troisièmement, et, au moment de préciser ce point, Gagatek s'était penché vers elle dans une attitude de complot, tandis que Zofia Lorentz se disait que tous ces gradés militaires avaient une araignée au plafond, troisièmement donc, c'était lui le « mystérieux sauveteur du mont Kasprowy ».

Au fond, ça l'avait impressionnée. Cela faisait deux mois que la catastrophe du mont Kasprowy – qui s'était soldée par deux morts et avait terrifié la société dans son ensemble, puisqu'elle constituait la première véritable attaque terroriste en Pologne – ne quittait pas la une de tous les journaux. Et le Sauveteur mystérieux avec elle. Un homme surgi de nulle part, tel Batman, qui aurait sauvé toutes les personnes enfermées dans la seconde cabine avant de disparaître. Et la seule chose que les pouvoirs daignaient dévoiler à leurs citoyens, c'était une information laconique selon laquelle il s'agissait d'« un officier souhaitant garder l'anonymat » de l'une des institutions d'État qui veillaient à la sécurité de la République.

Toute la Pologne, Zofia compris, ne parlait que de ces événements, admirait le Sauveteur et l'imaginait sous les traits d'un Bruce Willis qui, dans son célèbre maillot de corps et assis à califourchon sur les câbles du remonte-pente, désamorcerait avec un couteau suisse les charges explosives, sifflant au passage la mélodie américaine de *Piège de Cristal* : « *When Johnny comes marching home again. Hourrah, hourrah !* »

Bref, dans ses fantasmes, le Sauveteur ne ressemblait pas à un fonctionnaire des impôts avec les oreilles décollées. Mais lorsque le général lui avait confié que le héros pouvait faire partie de son équipe, elle n'était pas restée insensible à la force du mythe naissant. Sur le coup, elle eut envie de partager avec lui toutes ces pensées, puis elle jugea inopportun d'exprimer son admiration à une personne qui devait devenir son subordonné.

— Attendons encore un peu les autres, ils ne devraient pas tarder, proposa Zofia Lorentz sur un ton glacial, plantant dans ceux d'Anatol Gmitruk ses yeux noirs qui ne trahissaient, comme d'ordinaire, aucune émotion.

Anatol hocha la tête sans joie, tel un fonctionnaire qui confirmerait que oui, nous avons bien choisi le formulaire adéquat.

La porte s'ouvrit l'instant d'après. Lorentz et Gmitruk se levèrent.

— Messieurs, veuillez faire connaissance, dit Zofia. Major Anatol Gmitruk du Service du renseignement militaire, voici Karol Boznański, négociant international et expert du marché de l'art. Je propose qu'on commence immédiatement à se tutoyer, ça sera plus simple.

— Vraiment ? Je n'aurai pas à t'appeler « docteur Lorentz » ? demanda Karol en souriant.

Il avait gardé tout son charme. Mais elle ne daigna pas répondre.

— Encore un peu de patience, je vous prie, dit Zofia (le « vous » sonna de manière très officielle). Le général Gagatek, l'homme qui répond de l'opération directement devant le Premier ministre, va nous amener une autre personne, et il nous donnera quelques informations complémentaires. Si vous acceptez de collaborer, nous passerons ensemble le reste de la soirée.

Elle redoutait que la rencontre avec le dernier membre de son équipe soit pour elle la plus pénible. Conscient de ses réticences, le général avait passé encore plus de temps à faire la promotion de cette ultime candidate. Lisa Tolgfors était la plus vieille d'entre eux, elle approchait la cinquantaine, bien que nulle personne saine d'esprit ne lui aurait donné cet âge, surtout à en juger par les photographies contenues dans son dossier.

« Une véritable aristocrate, disait d'elle Gagatek. Et je ne parle pas seulement de son style. C'est une princesse apparentée aux Habsbourg, fille de l'une des plus remarquables lignées de Suède, des industriels du grand Nord. Bien sûr, ils l'ont reniée, mais la famille, c'est la famille. Une véritable dame : elle manie à la perfection sept langues et a bénéficié d'une solide éducation. Peu de gens le savent, mais en son temps, on lui avait proposé une chaire à l'université d'Uppsala. Et à l'époque elle n'avait même pas trente ans ! Elle l'avait refusée, cela va sans dire. D'abord, elle n'en avait pas l'utilité, ensuite, comme on le sait, ses passions et ses centres d'intérêt ne sont pas vraiment compatibles avec le monde académique. Je comprends que, pour des raisons évidentes, vous ne soyez pas une de ses admiratrices, mais voyons la vérité en face : une telle personne vous est indispensable. Vous devez en convenir. Dans ce cas, la fin justifie les moyens. »

Que dire, le docteur Zofia Lorentz jugea en effet qu'il avait raison. Bien que, si elle avait dû dresser la liste des personnes auxquelles elle n'aurait jamais voulu avoir affaire, la célèbre « Ronya » aurait occupé la deuxième place. Juste derrière Karol Boznański.

Et voilà, quelle surprise, que ces deux personnes très précisément allaient l'accompagner au cours du plus grand défi de sa vie. Ça paraissait improbable.

Le général fit entrer Lisa Tolgfors dans la salle. Cette femme ne douta pas une seconde de l'identité de la chef d'équipe. Elle s'approcha de Lorentz d'un pas assuré, telle une avocate de firme internationale qui initie les négociations, et non telle une personne qui vivait aux crochets du contribuable polonais. Elle lui tendit la main.

— Je mouille de plaisir, dit-elle presque sans accent, mais avec un sourire amical.

Véritable aristocrate suédoise, connue sous le pseudonyme de Ronya et jouissant de la réputation de cambrioleuse d'œuvres d'art la plus inventive de l'Histoire, Lisa Tolgfors venait de passer huit mois à la prison pour femmes de Grudziądz, y purgeant une peine pour le vol d'un Monet au musée national de Poznań. C'était probablement pourquoi, parmi toutes les langues que Ronya maniait, le polonais était la seule dont elle ne se servait pas de manière académique.

9

Zofia craignait la visite de ce lieu. Bien évidemment, le choix s'était imposé de lui-même. Pour agir, le mieux était de choisir un local privé appartenant à l'un d'entre eux. Alors, où devaient-ils se rencontrer ? De son côté, elle ne disposait que de deux chambres jonchées de livres. Le Sauveteur mystérieux habitait en banlieue. La dernière adresse de la Suédoise, c'était une prison pour femmes. Tandis que Karol – premier dans toutes les catégories, comme d'habitude, maudit soit-il – possédait un gigantesque appartement vide dans un immeuble moderne de la rue Wiejska, en plein centre-ville.

Pourtant, elle secoua la tête d'étonnement en sortant de l'ascenseur lorsqu'elle aperçut une plaque en laiton gravée de caractères décoratifs : *Karol Z. Boznański – marchand d'art*. Quel kitch.

Elle frappa à la porte, espérant que les autres fussent déjà là. Comme par hasard, elle était la première arrivée.

Elle sourit avec désinvolture à la vue de son hôte et pénétra à l'intérieur, si tendue que chacun de ses muscles lui faisait mal. Elle se souvint du jour où elle avait traversé ce couloir pour la dernière fois, couloir décoré seulement par des étagères remplies de romans policiers et de photos de leurs vacances en France. Elle avait claqué la porte si fort que le numéro de l'appartement s'était décroché (la plaque en laiton n'était à l'époque pas là), elle avait descendu les escaliers en courant et ne l'avait pas revu jusqu'à aujourd'hui. C'était quatre ans plus tôt. Presque : le jour de l'Épiphanie, ça ferait quatre ans pile.

Ça ne la regardait pas, mais elle avait peur de découvrir sur ce mur la photographie d'une autre femme prise au cours d'un autre voyage, vision qui pourrait lui être pénible.

Cependant, les murs du couloir étaient vides. Seules les étagères de romans policiers n'avaient pas bougé d'un pouce.

— Félicitations pour avoir récupéré le Wyczółkowski, dit-elle, tendant son manteau à Karol. J'ai entendu parler de ce Frey, c'est une sacrée canaille, même pour un marchand. Je n'aime pas les clichés, mais il paraît qu'il aurait tranquillement fait le tour de l'Europe occupée, une liste d'œuvres à « sécuriser » en main. Il vous l'a vraiment donné ? Comme ça, de bon cœur ?

— Je crains un peu de t'en parler. Je sais que tu n'aimes pas le rachat des pertes.

— Tu plaisantes ?

Ses sourcils froncés s'unirent au-dessus de ses yeux en un seul trait épais.

— Ne me dis pas que vous l'avez payé ! Tu sais parfaitement ce que ça implique, mais tu t'en fiches, n'est-ce pas ? Tant que tu touches ta commission.

Elle recommençait à lui faire des reproches comme si ces quatre années n'avaient pas existé.

— Il ne faut pas payer pour ce qui a été dérobé ! Nous devrions récupérer ces œuvres devant les tribunaux, même si cela dure plus longtemps et demeure moins spectaculaire. Quelques milliers d'euros ou quelques dizaines de milliers, tu trouveras toujours quelqu'un pour te les payer. Mais que se passera-t-il si quelque chose de vraiment précieux refait surface ? Le Coffret Royal par exemple ? Ou le Bordone ? Un Cranach ? Un Poussin ? Un Rubens ? Quelle société va débourser un million ? Ou même quelques millions ?

— Un euro, dit-il.

— En euros, en dollars ou en livres sterling, on s'en fiche. Personne ne les donnera. Et sans ça, ils ne voudront même pas commencer à discuter, parce que, à cause d'idiots réfléchissant à court terme tels que...

— Un euro ! J'ai payé un euro. Ou si tu préfères, cent centimes d'euro. Quatre virgule vingt-trois zlotys. Viens !

Il la prit par la main et l'entraîna au fond de l'appartement. Elle se mordit la lèvre, car une vague d'agréables souvenirs la submergea en un clin d'œil. Il s'impatientait toujours de la sorte. Dans les boutiques, dans les musées, dans les galeries. Dans les chambres à coucher. Viens, et ça y est, il te tirait par la main, parce qu'il avait hâte, parce qu'il s'irritait, parce que expliquer eût été une perte de temps et qu'il voulait montrer de quoi il s'agissait.

Ils pénétrèrent dans le salon sombre, dont tout un mur était constitué de vitres derrière lesquelles s'étendaient les toits de la ville, suivis par le nouveau centre de Varsovie, une sorte de Manhattan du pauvre, typique de l'Europe centrale. Une poignée de gratte-ciel en verre y entourait le si soviétique Palais de la culture et de la science qui dominait toujours le panorama de la capitale.

— Regarde, dit-il et il alluma la lumière.

Elle vit un tableau accroché sur un mur vide. La beauté, composée principalement de longues boucles noires, semblait satisfaite de son nouveau lieu de résidence. Si satisfaite qu'elle se laisserait volontiers débarrasser de sa couverture en tulle.

Lorentz s'approcha. C'était un portrait correct. Pas une merveille, mais il était correct. Zofia songea avec une certaine satisfaction que son propre portrait, peint par Fangor et accroché jadis à cette même place, avait une bien plus grande valeur artistique.

— Quelle barbarie, ils ont découpé la signature de Wyczółkowski et la date. Quels salopards cupides. Et puis, qu'est-ce que ça fait ici ? Sa place est dans un musée.

— Nous sommes revenus de Berlin hier, la cérémonie de restitution au musée national n'aura lieu que lundi… À quoi bon la laisser dans sa caisse ? Une si belle fille. Je ne sais pas pourquoi, mais j'ai toujours eu l'impression qu'elle était mal baisée.

Zofia rit de bon cœur.

— Dis donc, tu insultes le maître Wyczółkowski en parlant de la sorte. D'après ce que je sais, si des dames souffrant d'insatisfaction sexuelle se présentaient à son atelier, leurs maux ne duraient pas bien longtemps. C'est incroyable de la voir en couleur.

Elle ne mentait pas. Le catalogue des pertes administré par le docteur Lorentz était au fond assez morose, constitué de petites photographies d'avant-guerre en noir et blanc, et dans certains cas seulement de descriptions. Après des années de travail, il était facile d'oublier que derrière ces images grises se cachaient des toiles colorées parfois immenses. Elle connaissait bien la photo de la beauté brune de Wyczółkowski, elle avait vu une reproduction en couleur dans un journal lorsque l'affaire de la vente aux enchères en Allemagne avait éclaté, mais ce n'est qu'en se tenant devant lui qu'elle mesurait la force de ce portrait. Ce qui, sur les photos, ressemblait à un regard de séduction, devenait en réalité un défi. Allez, vas-y, touche-moi si tu l'oses.

Elle admirait ce Wyczółkowski avec plaisir, mais quelque part, au fond de sa tête, elle se demandait si Karol observait le portrait ou sa propre silhouette.

Elle se retourna brusquement pour le surprendre, mais il lui tournait le dos et regardait par la fenêtre. Elle voyait sa posture ; au second plan, son visage se réfléchissait dans la vitre, puis elle, puis le modèle du peintre. Ils se regardaient tous les trois dans ces reflets flous perturbés par les feux de la ville pleine de vie de l'autre côté du miroir. Elle avait envie de dire quelque chose, mais ne savait pas quoi. Elle contemplait sa vieille chemise bleu ciel en coton épais, suspendue à ses épaules maigres, et pensa que ce serait vraiment horrible si, au cours de cette aventure, il s'avérait qu'elle n'avait toujours pas tourné la page.

— C'est toi qui m'avais offert cette chemise, tu t'en souviens ?

Elle gloussa désagréablement.

— J'imagine que ça devrait me flatter d'une manière ou d'une autre, mais… Je suis vraiment censée me rappeler tout ce qui garnissait tes armoires ? Franchement, les mecs, qu'est-ce que vous avez dans la tête ? Tu ferais mieux de me servir de l'eau.

— Comme tu l'aimes ? Avec du citron vert et un glaçon ?

— S'il te plaît, Karol, donne-moi simplement un verre d'eau. Nous ne sommes pas à une soirée pour célébrer le bon vieux temps et nous n'en organiserons jamais.

La sonnerie qui retentit à la porte les sauva de la suite de cette conversation.

Un quart d'heure plus tard, ils étaient assis tous les quatre autour de la table de la salle à manger. Karol luttait pour raccorder l'ordinateur de Zofia à son projecteur.

— Tu comprends tout en polonais ? demanda Anatol à Lisa.

— Oui, je connais russe et c'est facile choisir mots. Parler, c'est plus hardcore, le polonais est grave affreux.

Lorentz s'était toujours imaginé cette aristocrate suédoise de manière très différente. Elle la voyait altière, de forte constitution, avec une large mâchoire, de longs cheveux clairs, une poitrine généreuse et des yeux de la couleur du ciel sur les aquarelles pour touristes. Lisa Tolgfors avait en effet une apparence nordique, mais d'un autre type : trapue à la garçonne, elle était sportive et personne ne la qualifierait jamais de délicate. Du cou jusqu'aux pieds, c'était une habitante des contrées scandinaves rompue à la lutte. Au-dessus du cou cependant, ses gènes aristocratiques reprenaient le dessus parce que le visage de Lisa Tolgfors, et Lorentz ne l'avait pas remarqué sans une pointe de jalousie, était magnifique. Ses yeux étaient bridés à la lapone, mais précisément de la couleur de cet azur des aquarelles. Combinés à sa bouche splendidement dessinée, cela lui donnait l'apparence d'une princesse elfique, d'une représentante d'une autre race qui aurait quitté la Terre du milieu pour voir à quoi ressemblait le pays des hommes. Quelque chose dans ses traits pourtant classiques ne permettait pas d'en détourner son regard, ce dont elle se rendait probablement compte, c'est pourquoi elle équilibrait cet effet par des cheveux coupés court, négligemment coiffés, bouclés et noirs.

Elle ressemblait – il fallait bien l'admettre – à la version adulte de Ronya, on l'aurait jurée sortie des illustrations classiques d'Ilon Wikland.

— Tu as vraiment peint ça en un jour ? demanda Anatol, poursuivant le sujet du vol qui avait envoyé la Suédoise dans une prison polonaise. Comment tu as fait exactement ?

Lisa interrogea Zofia du regard.

— Bon, il est de notoriété publique que nous ne sommes pas du même côté de la barricade, dit le docteur Lorentz, et que les récits détaillés de la façon dont on prive les musées polonais, déjà pauvres et pillés, de leurs pièces les plus précieuses, ne me passionnent pas. Et j'espère sincèrement que tous les cambrioleurs aux pattes trop collantes dans ton genre finiront derrière les barreaux, et ce, pour de nombreuses années. Mais ce qui m'importe maintenant, c'est qu'on fasse vite et bien ce que nous avons à faire. Est-ce clair ?

Lisa interpréta cette tirade comme une autorisation.

— Je vais au musée chaque jour dans déguisement différent, tu piges ? Je regarde lézards le soir et tous les lézards se cassent toujours dix minutes avant quille pour rentrer maison. Aucun lézard n'est là à fermeture et c'est seule sécurité musée. Puis j'écris fax au directeur sur faux papier université Uppsala pour dire que je suis docteur belle art et que je fais copie aquarelle pour mon étude scientifique. Tu piges ?

Anatol hocha la tête et Zofia se dit que, l'un dans l'autre, un titre tel que « docteur belle art » aurait pu trouver une plus mauvaise personnification.

— Bien, j'ajoute photo ma face et il donne accord. Toute la journée je reste musée et je fais copie, mais en acrylique. Lézards passent et admirent quelle jolie génie. Puis ils disent au revoir, moi aussi. En dix minutes,

132

je bouge mon Claude Monet... et je mets ma copie dans cadre. Et je sors.

Elle avait vraiment dit « mon » Claude Monet et, ce faisant, sa voix était devenue molle comme si elle parlait d'un amant.

Lorentz espérait que la Suédoise n'aborderait pas le sujet suivant, particulièrement pénible, puisque, deux semaines durant, ni les employés du musée, ni les visiteurs, ni les guides n'avaient remarqué qu'une copie malhabile avait remplacé l'original. Dans ce paysage de bord de mer, seuls les contours de la plage et les couleurs diluées correspondaient à peu près à l'œuvre première. Qui sait combien de temps encore ce bout de carton fixé à l'aide d'un adhésif double face serait resté là, de longues années peut-être, jusqu'à la prochaine restauration, si le hasard ne s'en était pas mêlé.

À Gdańsk, on avait cambriolé la voiture de Lisa et, comme son coffre contenait un peu d'art-déco subtilisé chez les antiquaires de la ville, les voleurs l'avaient pris pour de véritables trésors : au lieu de céder la marchandise à leur receleur habituel, ils l'avaient proposée à un antiquaire pas trop regardant. L'homme en question était peut-être peu scrupuleux, mais lorsqu'il découvrit un Monet découpé de son cadre, il eut peur d'une grande affaire et appela la police tel le brave citoyen qu'il n'était pas. Au petit matin, en lieu et place du personnel qui lui apportait d'ordinaire son petit-déjeuner dans sa chambre d'hôtel du Holland House, c'est un flic accompagné d'une traductrice mal réveillée qui vinrent frapper à la porte de Lisa.

— Maintenant, plus savoir moi-même pourquoi j'y allais voler. Mon Claude si beau qu'il m'a affecté cervelle. Dans ruche, j'ai peint un autre, sorti de ma caboche, mais lézards l'ont pris, dit-elle en suspendant tristement la voix. Lézards n'y bitent rien.

Entendant cette dernière phrase, Lorentz tourna vers elle ses yeux étonnés.

— Les matons n'y comprennent rien, traduisit Gmitruk tout bas.

La Suédoise, pensive, se gratta discrètement le mollet et lorsqu'elle releva le bas de son pantalon, Zofia remarqua quelque chose qui ressemblait à une montre sans cadran près de sa cheville. Un bracelet électronique. Le général lui avait expliqué qu'ils ne pouvaient pas quitter Ronya des yeux. Elle se dit alors qu'il devait être très optimiste s'il croyait retenir la célèbre voleuse avec un morceau de plastique.

En théorie, elle n'était qu'une Suédoise prise la main dans le sac durant sa tentative de faire quitter le pays au Monet de Poznań. Au procureur, elle avait simplement expliqué qu'elle adorait les impressionnistes, mais que, en dépit des ressources de sa famille, elle ne pouvait pas s'en offrir, car c'étaient eux qui atteignaient les prix les plus élevés lors des ventes aux enchères, et celui qui se trouvait en Pologne était le plus près de chez elle et le moins bien gardé. C'était la pure vérité : certaines cabanes à la campagne étaient mieux sécurisées que les collections publiques polonaises.

Ce n'est qu'après coup que Lorentz avait appris que Lisa Tolgfors pouvait en réalité être Ronya, le Fantômas en jupons, la mystérieuse voleuse soupçonnée des larcins les plus audacieux de ces dernières années. Elle avait gagné son surnom à la suite de son premier fait d'arme : dans le cadre vide laissé par un

Cézanne dans le Ashmolean Museum d'Oxford, elle avait collé une illustration du livre *Ronya, fille de brigand* d'Astrid Lindgren. Sur l'image, une fillette marchait à travers une forêt obscure, traînant sur son dos un petit balluchon. Qu'est-ce que cela pouvait vouloir dire ? Personne ne le savait, mais cela avait suffi pour baptiser l'énigmatique cambrioleuse.

On parlait là d'un casse très inventif, commis dans la nuit de la Saint-Sylvestre, le 31 décembre 1999. Tout le monde fêtait l'arrivée de l'an 2000, personne n'avait la surveillance en tête, l'océan de feux d'artifice au-dessus d'Oxford étouffait efficacement les bruits inhabituels. En une telle nuit, personne ne semble suspect ; si on apercevait une femme masquée, on pouvait tout au plus lui offrir du champagne, et cela même si elle portait un Cézanne sous le bras.

Au cours du larcin de Rio de Janeiro, personne n'avait laissé d'illustration, mais le mode opératoire était sensiblement le même. C'était au mois de février 2006 et, cette fois, on avait exploité le tumulte provoqué par le carnaval pour sortir du musée brésilien des chefs-d'œuvre exceptionnels, valant plusieurs dizaines de millions de dollars. Encore une fois, il s'agissait d'impressionnistes : Monet et Matisse. Plus un Picasso et un Dali. Le défilé du carnaval passait sous les fenêtres du musée, le voleur ou les voleurs auraient très bien pu sauter directement sur les chars et agiter les toiles comme des éventails, personne n'y aurait fait attention.

Puis il y avait eu Zurich, en 2008, à la fondation E.G. Bührle : encore un Cézanne, encore un Monet, et un Degas.

Puis Paris en 2010, au musée d'art moderne : Matisse et Braque.

Puis Rotterdam en 2011, au Kunsthal : encore un Monet, un Matisse, sans oublier un Gauguin.

Et enfin Poznań. Et encore un Monet. « Mon Claude », et puis la tuile. Et une question : était-ce bien une Suédoise pourrie gâtée à qui un tableautin dans un musée polonais avait tapé dans l'œil, qui avait fini dans leurs filets ? Ou était-ce la reine des voleuses d'art qui, au cours de la dernière décennie, avait dérobé dans divers musées des impressionnistes valant en tout près d'un milliard de dollars ?

Le général Gagatek pariait sur la deuxième option. Du point de vue de Lorentz, c'était une bonne nouvelle. Elle n'aurait qu'à indiquer à la Suédoise l'endroit où le Raphaël était gardé et à attendre dans le café le plus proche que la fameuse Ronya revienne avec le colis.

Il se faisait tard, ils avaient fini le gâteau au chocolat de chez Wedel. Toutes les lampes étaient éteintes et l'unique source de lumière qui éclairait encore chichement les visages des quatre personnes assises autour de la table dans l'obscurité était un jeune homme projeté sur le mur, nonchalamment recouvert d'une fourrure. Personne n'avait remarqué qu'il regardait par-dessus leurs têtes la beauté de Wyczółkowki, la tentatrice, et lui souriait presque.

— Nous avons tous vu le film *Il faut sauver le soldat Ryan*, l'expédition désespérée pour sauver l'unique membre rescapé d'une fratrie, n'est-ce pas ?

Après une telle entrée en matière, les autres membres de l'équipe regardèrent Zofia avec méfiance.

— Je visualise notre entreprise de façon semblable. Tout le monde n'a pas à approuver notre mission, ni la manière dont nous allons l'exécuter, je sais aussi que certains d'entre vous ne se seraient pas portés volontaires, poursuivit-elle avec sévérité. Mais je voudrais que vous sachiez au nom de quoi nous le faisons. Croyez-moi, ce tableau, ce ne sont pas que des taches sur un bout de bois. Ce jeune homme a vu bien plus que ce qu'il aurait dû, il a été témoin d'événements dramatiques, il est le dépositaire de secrets, l'ami des grands et le prisonnier des abjects. Nous ne secourons pas des traces de pigments sur une vulgaire planche. Nous allons libérer le dernier prisonnier du XXe siècle, un spectateur privilégié de l'Histoire. Vous me comprenez ?

10

La docteur Zofia Lorentz aurait ravalé ses paroles si elle avait su à quel point elles rendaient compte de la situation, à quel point la métaphore du gardien de grands mystères et du témoin privilégié de l'Histoire était juste. À l'instant précis où elle s'évertuait, plissant ses grands yeux noirs humides, à leur raconter le destin inhabituel de cette toile, de l'autre côté de la planète, un homme venait de prendre une grave décision. On ne pouvait à aucun prix se permettre que soit retrouvé le témoin privilégié, ni découvert son terrible secret. Du point de vue de cet homme, des scandales diplomatiques, des crises internationales et des remous sur les marchés mondiaux seraient un lourd tribut à payer. Et il fallait s'en préoccuper. La vie de quatre personnes qui complotaient dans une métropole d'Europe centrale n'était pas un tribut pour lui, ni même un obstacle. Tout plus une péripétie.

Cet homme venait de regarder sa montre. Il était treize heures.

Il devait encore rencontrer l'autre militaire et s'il réglait ça vite fait bien fait, il aurait le temps de manger son déjeuner avant quatorze heures, ce qui lui permettrait de ne pas altérer le rythme nutritif de sa journée. Il en prenait grand soin. À son âge et avec ses obligations, manger n'importe quoi, n'importe comment et à n'importe quelle heure était le plus sûr chemin vers un ulcère ou une maladie coronarienne.

A priori, le rendez-vous avec le capitaine Clifton Patridge ne devrait pas s'éterniser. De quoi pourraient-ils bien discuter ? L'armée avait une fois de plus prouvé que c'était encore dans les films d'Hollywood ou lors de défilés qu'elle faisait le meilleur effet. Soyons honnêtes : la dernière fois qu'elle avait vraiment servi à quelque chose, c'était durant la Seconde Guerre mondiale, après quoi, les soixante-dix années suivantes n'avaient été qu'une longue suite de querelles, de conflits débiles et de flicages sans queue ni tête qui débouchaient la plupart du temps sur des emmerdements encore plus graves.

L'armée avait fière allure mais elle faisait tout trop bruyamment, inefficacement et laissait derrière elle un bordel sans nom dont il fallait ensuite se justifier durant des décennies. Il suffisait de songer au Vietnam ou à l'Irak.

Son unité à lui se composait peut-être de fonctionnaires ennuyeux et absolument pas spectaculaires, mais ils réglaient toujours tout en silence, efficacement, sans traces et une bonne fois pour toutes.

C'est pourquoi la diplomatie sera toujours la reine de la politique, se dit-il.

Au même instant, sa secrétaire lui annonça l'arrivée de son invité.

11

Début du XVIᵉ siècle, probablement aux environs de l'an 1510 : c'est à ce moment-là que le Jeune voit le jour à Rome, au sein d'une famille en tous points exceptionnelle. Son père est Raffaello Sanzio, vingt-sept ans, sa mère n'est autre que l'esprit de la Renaissance, et ses parrains sont les deux autres génies de cette époque-là en ce lieu : Léonard de Vinci et Michel-Ange Buonarroti. Quand le Jeune sent encore la peinture fraîche et s'habitue à peine à sa vie sur une planche de bois de soixante-quinze centimètres sur cinquante-neuf, la Joconde a déjà quelques années. Ce n'est pas par hasard que je l'évoque. Les deux tableaux relèvent de la même technique, ont le même support, des dimensions quasi identiques, le même buste tourné vers la gauche et un sourire mystérieux égaré sur les lèvres. La Joconde et le Jeune sont des parents spirituels ; ce sont les deux plus grands portraits de l'histoire de la peinture.

Que s'est-il passé après sa naissance ? Son père a vendu le tableau vite fait bien fait et s'est consacré à des commandes plus rémunératrices pour le pape. Il est mort peu après, n'atteignant pas l'âge de quarante ans. Et le Jeune a occupé dès lors les murs de divers *palazzo*, vivant dans l'opulence, visitant Rome, Gênes, Mantoue, Modène, avant d'atterrir à Venise dans la famille Giustiniani. Et c'est alors qu'a eu lieu un tournant qui allait changer sa vie à tout jamais. Un homme est apparu dans le salon des Giustiniani, un homme très beau, très ennuyé et furieux, le prince Adam Czartoryski, ambassadeur de l'impératrice de Russie auprès du roi de Sardaigne.

Pourquoi était-il si ennuyé et furieux ? La tzarine l'y avait envoyé en exil pour avoir glissé la main dans la culotte de la femme de son petit-fils Alexandre, futur tzar par ailleurs. Une fois en Italie, le prince égayait son temps en cherchant des cadeaux pour sa mère, qui avait décidé de fonder le premier musée de Pologne au cœur de son propre palais. Il lui a ramené d'Italie des présents fort respectables : *La Dame à l'hermine* de Léonard de Vinci et le *Portrait de jeune homme*, lequel, en ce temps, était considéré comme un autoportrait de Raphaël. C'était au tout début du XIXe siècle.

Le Jeune se plaignait peut-être du climat d'Europe centrale, mais quitte à avoir froid, autant le faire en excellente compagnie. Et il en avait une : d'un côté, une *bella ragazza* italienne fort charmante, de l'autre, un *Bon Samaritain* peint par Rembrandt en personne. Au cours des cent cinquante ans qui ont suivi, cette trinité, connue en tant que LRR (Leonard, Raphaël, Rembrandt), a été inséparable et considérée comme le plus grand trésor de la peinture mondiale en Pologne. Nous n'avons jamais rien possédé de plus précieux.

Pourrais-je avoir de l'eau ? Merci. Non, sans citron vert ni glace.

Bien, comme on peut l'imaginer, son déménagement en Pologne a sonné le glas de la dolce vita et ont alors commencé les véritables aventures. Des guerres avec les Russes, des insurrections, des révoltes, les guerres napoléoniennes, des rébellions paysannes, une querelle après l'autre, comme d'habitude vers chez nous. Les tableaux ont atterri rapidement dans des caisses et à la cave, puis finalement le prince a décidé de les évacuer au milieu du XIXe siècle vers un palais fraîchement acquis à Paris, l'hôtel Lambert sur l'île Saint-Louis.

Je crois que pour le Jeune, il devait s'agir d'une période fascinante, car la résidence parisienne du prince était le cœur de la diaspora polonaise, le centre intellectuel et artistique d'une nation privée de pays. C'était également un salon de la bohème parisienne. Chopin et George Sand, Delacroix, Mickiewicz, Berlioz, Liszt, Balzac... tout le monde passait chez Czartoryski.

La vie mondaine de LRR n'a pas duré longtemps. Le prince Adam est mort. Quelques années plus tard, les communards ont entamé leur révolution parisienne et transformé l'hôtel Lambert en forteresse, tandis que les œuvres d'art ont été rapatriées en Pologne où, par miracle, le calme régnait alors.

Notre trio a atterri à Cracovie, sur les murs du musée Czartoryski flambant neuf et le Jeune a commencé à y mener une existence de pièce de musée admirée par les visiteurs. Est-ce que cela lui plaisait ? J'imagine que oui, bien qu'à sa place, j'aurais ressenti un pincement au cœur à l'idée des aventures parisiennes et des bals pour lesquels Chopin composait ses polonaises.

On va manger un bout ? Une pizza, oui, pourquoi pas. Sans champignons, fruits de mer ni ananas pour moi, s'il vous plaît.

12

Le capitaine Clifton Patridge était né et avait grandi dans une famille de militaires, il avait passé toute sa carrière professionnelle dans l'armée, mais il n'était pas de ces soldats qui considèrent que seule une hiérarchie figée et l'uniforme garantissent le droit, l'ordre et la sécurité, tandis que les civils ne sont que des sots qu'il faut préserver d'eux-mêmes. C'était peut-être parce qu'il avait une femme hippie et anarchiste qui savait toujours guérir efficacement, et dès les premiers symptômes, une maladie qu'elle décrivait comme suit : « Un manche à balai bien raide sort de ton cul de capitaine ! *Yessir* ! *Thankyousir* ! »

Malgré cela, le capitaine Patridge éprouvait des difficultés avec les personnes exerçant « une supervision civile de l'armée ». Le président était certes le commandant en chef des forces armées, mais en dessous de lui n'auraient dû se trouver que des généraux, suivis d'une hiérarchie militaire lisible et claire.

Malheureusement, plus long était son service, plus haut il grimpait dans les échelons, et plus des civils persuadés d'être ses supérieurs apparaissaient dans son entourage. Des fonctionnaires de l'OTAN, des fonctionnaires du département de la Défense, des pontes de la CIA, des employés de la Maison-Blanche – et maintenant, il fallait en plus se farcir ce département d'État, si pompeux et sourcilleux, surnommé malicieusement, mais non sans raison le *Foggy Bottom* de Washington, d'après le quartier où était situé son siège. Le « fond brumeux », vraiment, ça lui seyait à merveille.

— Tout est consigné dans le rapport, monsieur, répondit-il à la question du bureaucrate arrogant auquel, dans sa hiérarchie interne des bureaucrates arrogants, Patridge avait accordé le grade de connard quatre étoiles.

— Mon capitaine, vous comprenez que nous devons l'avoir. Nous, pas les Polonais, à aucun prix les Allemands, et sûrement pas les Russes ou les Chinetoques. Ils en feraient une scie, et avec cette scie, ils nous scieraient les couilles que nous avons si soigneusement fait croître depuis la Déclaration d'indépendance.

— Je sais, mais nous ne l'avons pas trouvé. Tout comme nous n'avons trouvé aucune cachette, aucun trésor de légende ni aucune toile. Et veuillez me croire, nous avons regardé sous chaque caillou, nous avons fouillé chaque baraque et chaque cabane de ces montagnes, par chance pas bien grandes. Et deux des nôtres ont payé de leur vie l'exploration des cavernes.

— Je sais, j'ai lu le rapport, ne me faites pas perdre mon temps, capitaine. Dites-moi seulement quelle est la probabilité pour que nos chers alliés du tiers-monde mettent la main dessus, si nous, nous n'avons pas réussi.

Patridge songea à Anatol Gmitruk, à leur ultime soirée au café des Kalatówki, à la bière fraîche et au gant noir sur sa main brûlée au cours d'une intervention héroïque, à ses rêves de vie nouvelle et de retraite. Pouvait-il lui causer du tort en répondant ? À l'armée, les choses étaient simples : de notre côté, il y avait de bons alliés, en face, il y avait de mauvais ennemis. Dans le monde des connards quatre étoiles, tout le monde était l'ennemi de tout le monde, ce n'était pas l'analyse tactique qui fondait leurs décisions mais la paranoïa, l'arrogance et la lutte pour des bureaux en acajou.

Le major polonais avait sauvé la vie de soixante et un civils. Tous ceux qui enfilent un uniforme un jour rêvent d'un acte héroïque, mais rares sont ceux qui obtiennent la chance de mettre leurs rêves à exécution. Dans le meilleur des cas, on passe sa vie en formation ; dans le pire, on est envoyé quelque part pour assassiner de pauvres gens, non pas au nom de la patrie, mais au nom d'intérêts économiques et politiques. Gmitruk avait eu sa chance et il l'avait saisie à cent pour cent.

Mais Gmitruk était loin. Tandis que sa propre patrie, songeait Patridge, était assise en face de lui et ses fausses dents scintillaient en un sourire artificiel. Il répéta la question pour gagner du temps :

— Est-ce que les Polonais sont capables de le retrouver ? Il me serait plus facile de répondre si quelqu'un me disait enfin ce que l'on cherche. Je ne voudrais pas paraître malicieux, mais si je l'avais su en Pologne, peut-être que nous ne serions pas revenus les mains vides.

144

— Vous préférez être informé ou en vie, capitaine ? Parce que si je vous disais ce que l'on cherche, vous ne vivriez pas assez longtemps pour goûter à votre bière de ce soir. Question de sécurité nationale. Et maintenant, répondez à ma question.

Patridge estima que le sujet de ces informations secrètes était une impasse et qu'il était inutile de s'entêter.

— D'après ce que je sais, ils ne cherchent rien. Mais si quelqu'un doit le retrouver un jour, ce sera eux. C'est leur terrain, leur secret et, faute d'autres mots, leur trésor. Ils possèdent la motivation, la connaissance et des agents assez bien formés. Très honnêtement, je ne vois pas comment nous pourrions le leur interdire ou les en dissuader. Leur offrir quelques F-16 supplémentaires ? Abolir les visas ? Leur promettre des missiles une fois de plus ?

— N'encombrez pas votre caboche de militaire avec ces questions, capitaine. À partir de cet instant, cela cesse d'être une opération de l'armée. Rompez.

Romps-toi le cul toi-même en rampant dans ton trou, sale rat, se dit Patridge en quittant le cabinet, sans même se donner la peine de lui serrer la main ou de le saluer.

13

Ne croyez pas que le Jeune ait atteint l'année 1939 en tant que pièce de musée un peu lasse sur son mur. Il a passé la Première Guerre mondiale caché à Dresde ; durant la Seconde, il était censé séjourner à la campagne, mais deux semaines à peine après les premiers combats, il avait déjà été « sécurisé » par les Allemands. Ceux-ci s'étaient parfaitement préparés au pillage : avant la guerre, leurs historiens avaient fait des reconnaissances pour choisir les plus beaux morceaux. Les LRR étaient bien évidemment en haut de leur liste. Le trio devait finir au musée fondé par le Führer dans la ville de Linz en Autriche, en compagnie d'autres perles de l'art mondial réquisitionnées ou achetées partout en Europe.

Le Jeune est donc allé à Berlin.

Et maintenant, première surprise : tout le trio est très vite revenu à Cracovie. À ceci près qu'il n'est pas revenu au musée mais à la résidence de Hans Frank, nouveau souverain de la Pologne, rebaptisée pour l'occasion Gouvernement général. Frank, un voleur et un criminel de guerre, se prenait pour un grand amateur d'art ; pour preuve, il avait ordonné d'aménager sa demeure au château royal du Wawel et y avait réuni une imposante collection d'œuvres spoliées.

À vrai dire, on ne sait pas, jusqu'à aujourd'hui, comment ce dirigeant peu apprécié des autorités du Reich avait réussi à se faire remettre des pièces de cette qualité. Il y tenait certainement beaucoup, car il considérait tous les monuments du territoire polonais comme les siens, mais Hitler et son musée avaient l'absolue priorité. On dit qu'il s'agirait d'un cadeau offert par le Führer à un serviteur fidèle ; après tout, celui-ci mettait en œuvre avec zèle la politique du parti, transformant l'ancienne Pologne en réservoir d'esclaves. Ou peut-être que Hans Frank tenait un haut fonctionnaire à sa merci et que cela avait suffi ?

Quoi qu'il en soit, tout le trio s'est retrouvé accroché au palais de Wawel. Et c'est là que commencent les énigmes et les mystères.

Oh, je crois que la pizza est arrivée.

14

La salade de mousse d'avocat, de poulet braisé et d'échalotes marinées dans du vinaigre balsamique était fabuleuse, à tel point que le haut fonctionnaire du département d'État, surnommé par certains « connard quatre étoiles », eut le loisir de mettre de l'ordre dans ses idées en mangeant. Il ne faisait jamais confiance aux gens du Pentagone, empêtrés dans leurs épaulettes, leurs devises, leurs serments, leur mythologie hystérique, leurs amitiés de caserne à la vie à la mort doublées d'homosexualité. Leurs uniformes étaient comme des maillots de bain permettant de barboter dans une obscure idéologie patriotique, alors que parfois, il fallait simplement être efficace.

Le diplomate, absorbé par son repas si sain, appartenait à cette catégorie d'hommes qui emploient un avocat même si leur femme dirige un cabinet de juristes de haut niveau, ou qui payent trop cher la construction de leur maison par des inconnus, même si leur propre frère possède une entreprise de bâtiment. Il ne croyait pas aux services rendus, que ce soit par les connaissances, les amis ou la famille. Il était persuadé qu'on ne pouvait obtenir un bon service ou une marchandise de qualité que lorsqu'on dégotait le meilleur spécialiste du domaine, qu'on mettait un paquet d'argent sur la table, négociait un bon contrat et surveillait sa réalisation avec une intransigeance sans faille.

Et c'est ainsi qu'il comptait procéder dans le cas présent. Si tout allait bien, deux semaines plus tard l'affaire serait réglée en silence, efficacement, sans traces et une bonne fois pour toutes.

Et si un jour, on se retrouvait malgré tout obligés de réécrire les livres d'Histoire, ce ne serait plus son problème.

15

Où en étais-je ? Ah oui, les énigmes et les mystères. Le Jeune reste accroché avec la Dame et le Samaritain chez Hans Frank et il tend l'oreille. D'abord, il entend parler des triomphes, de l'armée invincible, de la marche des Allemands sur l'URSS, de leur avancée jusqu'aux portes de Stalingrad. Et puis, avec les nouvelles du front de l'Est et du débarquement des Alliés en Normandie, notre Jeune homme se retrouve de plus en plus seul. Parce que Frank perd bien vite la foi en le Reich millénaire et estime que, au lieu de répandre l'idéologie nazie, il ferait mieux d'organiser son existence d'après-guerre. C'est pourquoi il commence très tôt, dès 1942, à envoyer ses œuvres spoliées, pardon, sécurisées, vers ses propriétés bavaroises. Les ouvriers ont par la suite parlé de mystérieuses caisses métalliques dont personne ne devait s'approcher ; on a écrit des tonnes de théories du complot autour de ces chargements, mais ce n'est pas le sujet qui nous préoccupe aujourd'hui.

Ce qui nous importe, c'est que Frank a gardé ses plus grands trésors auprès de lui jusqu'à la fin.

À l'été 1944, l'entourage de Hans Frank identifie un lieu où évacuer ses plus précieuses collections : le palais de Manfred von Richthofen à Seichau, lieu devenu aujourd'hui un petit village polonais, rebaptisé Sichów. Ces naïfs croyaient qu'il suffirait de placer les œuvres sur le territoire allemand pour les mettre en sécurité.

Les complications commencent après. Fuyant les Soviétiques, les Allemands tentent de voler le plus de choses possible, mais doivent réviser leurs plans de jour en jour. Ils troquent leurs trains pleins de trésors contre des camions, puis les camions contre des voitures, pour ne garder au final que ce qui tient dans une valise. La logique voudrait qu'à l'époque, au tournant de l'année 1944 et 1945, les LRR ne quittent plus Hans Frank, que le gouverneur ait choisi ses prises les plus précieuses comme ultime police d'assurance. Frank et ses acolytes quittent Cracovie le 17 janvier 1945, ils passent une semaine chez Richthofen à Sichów, ils trient leurs trésors et les envoient plus loin.

Et maintenant, attention. J'ai discuté un jour avec la fille de Richthofen, qui n'était qu'une enfant à l'époque. Elle n'avait peut-être que quelques années, mais a bien mémorisé ces dernières journées, probablement à cause de l'atmosphère de crainte, de la menace qui planait et de l'artillerie russe qu'on entendait gronder au loin.

Elle m'a raconté qu'un matin, sa mère l'avait sortie du lit et lui avait ordonné de se vêtir. Puis elles étaient descendues « à la grande salle », comme elle l'a appelée, parce que sa mère voulait lui montrer des peintures si splendides qu'elle n'en verrait plus jamais de pareilles.

Qu'a-t-elle vu ? De ses descriptions, on peut déduire qu'il y avait là un Rubens, toujours pas retrouvé d'ailleurs, et *La Dame à l'hermine* de Léonard. Le *Portrait de jeune homme* n'y était pas, je lui ai montré les photos, elle jure n'avoir jamais vu ce tableau.

De Sichów, nos héros passent en Bavière où, le 4 mars, Hans Frank est fait prisonnier par les Américains qui découvrent le Léonard et le Rembrandt sans délais. Mais où est le Raphaël ? Où est le Jeune ?

Il a disparu, purement et simplement : les rapports postérieurs à son sujet ne sont au mieux que des rumeurs sans fondement.

L'un des fils de Hans Frank, Niklas, soutient dans ses mémoires qu'à la fin de la guerre, le Jeune aurait été laissé dans leur villa de Fischhausen et, comme il le décrit de façon désinvolte, « il s'est égaré ou se trouve probablement aujourd'hui dans une maison de paysans, après que ma mère l'a échangé contre un peu de beurre ». L'option de la maison de paysans est peu probable, ce qui l'est davantage, c'est que – si le Raphaël a vraiment été laissé à Fischhausen – les Américains l'aient mis sous le manteau. Ceux-ci aiment se vanter d'avoir sauvé bon nombre d'œuvres volées, mais n'apprécient pas qu'on leur rappelle qu'ils ne revenaient pas toujours à la maison les mains vides.

Les quelques membres de la garde rapprochée de Frank qui auraient pu savoir quelque chose ont été renvoyés en Pologne comme criminels de guerre. Lors de leurs interrogatoires, ils souffraient peut-être d'amnésie, mais ont quand même été pendus vite fait bien fait. Détail intéressant, l'une de ces personnes n'a pas été condamnée pour crimes de guerre, mais justement pour avoir pillé des œuvres d'art sur le territoire polonais. Cet homme aurait pu devenir une source d'information précieuse mais, une fois le verdict prononcé, il n'a pas vécu plus de deux mois en cellule. Vous n'allez pas le croire, mais la version officielle répandue alors par les Rouges affirmait qu'il avait été tué en prison par un espion américain. D'où celui-ci sortait-il ? Une fois de plus, vous n'allez pas le croire : il serait venu en Pologne avec l'escorte du train qui ramenait chez nous les trésors volés par les Allemands, trésors réunis par les Américains dans leur zone d'occupation. Je dois avouer que même pour les standards de la propagande stalinienne, la vision d'espions impérialistes venus assassiner des criminels nazis dans les prisons polonaises, c'est trop.

Hans Frank a été pendu en 1946. Un an et demi ne s'était pas écoulé depuis la fin de la guerre que tous les témoins du plus grand pillage de l'histoire européenne mangeaient les pissenlits par la racine.

Quoi qu'il en soit, le plus probable selon moi est que le Raphaël a été volé par les Américains ou que l'un des acolytes de Frank a eu le temps de le vendre au marché noir. Je ne crois pas aux autres hypothèses, selon lesquelles il se serait égaré durant la fuite du gouverneur, serait resté caché en Basse-Silésie, aurait été mangé par les souris ou brûlé par les Russes. Les Allemands pouvaient peut-être abandonner en rase campagne des peintures polonaises qu'ils jugeaient de second ordre, mais un Raphaël ? Hors de question.

La probabilité que le Jeune ait fini sur le marché noir est presque de cent pour cent. Il est tout aussi certain qu'il a changé de propriétaire durant les soixante-dix dernières années. Ça pourrait avoir été le cas dans les années 1970, au cours desquelles les rumeurs de résurgence du Jeune étaient étonnamment nombreuses. L'une d'entre elles menait en RDA. C'est aussi à ce moment-là que fait son apparition « un mystérieux Américain à l'accent texan pour lequel l'argent n'était pas un obstacle » qui cherchait un scientifique capable d'entreprendre secrètement l'authentification d'un tableau. Il l'a cherché à Varsovie, il l'a cherché à New York, il suggérait que l'accord pour entamer l'expertise impliquerait un voyage jusqu'en Australie. Nous ne savons rien de plus.

Je me suis très souvent posé la question du sort du Jeune au cours des dernières décennies. Languissait-il d'ennui en songeant à la Dame et au Samaritain ? Fixait-il, des années durant, les parois molletonnées d'un coffre-fort ? Ou était-il accroché en compagnie d'autres œuvres disparues dans un cabinet secret, témoin de réunions entre son propriétaire et ses amis les plus proches au cours desquelles ils planifiaient le destin du monde ? Ou pâlissait-il à cause d'un soleil trop vif sur le mur de la chambre à coucher d'un cheik, admirant sans cesse de nouvelles beautés qui dormaient à ses côtés ?

Oui, je me suis imaginé bien des choses, mais jamais qu'une créature minable l'accrocherait à côté d'une télévision. Regardez. Voilà la photo la plus récente du Jeune, elle prouve que notre héros est toujours en activité, qu'il observe toujours l'histoire du monde et qu'il sourit toujours avec ironie. Il orne un mur, peint en orange, dans une résidence de banlieue d'un certain homme d'affaires américain proéminent et étroitement lié au Parti démocrate. Je vous en dirai plus de l'autre côté de l'océan.

Karol et moi nous y rendrons la semaine prochaine. La raison officielle de notre voyage et de notre collaboration est une peinture apparue chez un antiquaire de Manhattan et remarquée par un diplomate polonais. D'après sa description, elle ressemblerait à un tableau de Brandt qui figure sur la liste des pertes. La toile n'est pas signée, mais le diplomate y a fait attention parce qu'une seule nation au monde se complaît dans les représentations de cavalerie lasse et sale, pataugeant dans la neige, et c'est la nôtre.

Anatol s'y rendra par les canaux de l'OTAN.

Lisa restera sous la responsabilité de l'État jusqu'à son départ, puis elle s'envolera comme citoyenne polonaise avec un banal visa touristique. Un passeport l'attend déjà et ne me demandez pas comment il est possible que la République s'occupe de falsifier des documents.

Karol va nous trouver un appartement, profitant du réseau de ses connaissances qui ont d'autres connaissances. Sur place, nous ne pourrons compter que sur nous-mêmes car, une fois la frontière passée, notre opération devient une entreprise totalement privée. On nous reniera avant même que quelqu'un ait le temps de poser la première question.

16

Zofia attendait au milieu du salon sombre que Lisa revienne des toilettes ; elle observait la photographie projetée sur le mur et secouait imperceptiblement la tête chaque fois qu'elle remarquait la télé. C'était à peine croyable, seul un Américain pouvait créer une composition pareille : voici ma télé, voici mon Raphaël et voilà mon gamin en train de jouer au baseball. Enfin, elle ne savait pas si c'était un enfant et s'il jouait au baseball, mais, à côté du Jeune, on voyait un bout de sous-verre avec une image qui représentait un peu de verdure et un morceau de bois arrondi, ressemblant justement à l'extrémité d'une batte de baseball.

— Quel ensemble, n'est-ce pas ? commenta Karol. Il n'y a qu'aux États-Unis qu'une chose comme celle-là est possible.

Elle ressentit une soudaine pointe d'inquiétude. Était-ce parce que Karol avait verbalisé ses pensées ? Ou venait-elle simplement de réaliser qu'elle s'apprêtait à se rendre dans un pays étranger pour y commettre un vol audacieux, et avait-elle peur de finir avec un verdict à l'américaine : quatre peines de prison à perpétuité et cent quatre-vingt-trois ans de travaux forcés ?

Non, il s'agissait d'autre chose, d'un détail sur l'image. Quelque chose ne tournait pas rond, mais quoi ? Quelque chose lui échappait. Ce sentiment qui l'accompagnait toujours lorsqu'elle observait des œuvres retrouvées. Bordel, elle l'avait au bout des synapses, mais une pensée la fuyait, une pensée importante. C'était une émotion, mais laquelle ?

Elle ne vit pas Karol s'approcher d'elle.

— Tu pourrais peut-être rester ? demanda-t-il. On se préparerait pour le voyage.

Elle ne le regarda même pas. Elle secoua simplement la tête avec incrédulité et sortit. Quelle qu'ait été l'idée qui l'avait traversée, elle avait disparu sous un nuage d'irritation.

17

Il fouilla les boîtes vides et trouva le dernier morceau de pizza froide. Il prit une bière dans le frigo et se dit qu'il allait encore regretter de s'être fourré dans cette galère. Au moment de commander la pizza, il avait eu droit à un avant-goût de ce à quoi ressemblerait cette aventure. Zofia n'avait pas voulu de champignons, de fruits de mer, ni d'ananas. Lisa la voulait sans charogne, argot qu'il avait déchiffré, probablement à raison, comme une déclaration de végétarisme. Anatol s'en fichait, mais s'il fallait vraiment choisir, il n'était pas un grand fan de maïs ou d'artichauts. Un vrai commando, il n'y avait pas à dire. Pour finir, Karol avait choisi trois grandes margheritas avec double portion de fromage et avait passé un certain temps à expliquer aux cuistots que non, il ne voulait pas d'autres garnitures. De la sauce tomate et du fromage. Double dose.

Ça avait été une brillante décision : une pizza froide avec beaucoup de fromage était malgré tout meilleure qu'une pizza froide avec une dose de fromage standard. Il hésita durant un instant à fourrer la dernière part au micro-ondes, puis se ravisa.

Il s'assit par terre et observa les deux tableaux : le Jeune, comme l'appelait Zofia, et la beauté hirsute de Wyczółkowski. Ils se regardaient comme s'ils attendaient que l'un d'entre eux demande enfin : chez toi ou chez moi ?

Il pensa avec amertume que depuis quatre ans, il n'avait pas créé de situation où une telle question pourrait lui être posée. Cette tchatcheuse – comme l'aurait sans doute qualifiée Lisa dans son argot des bas-fonds – lui avait méchamment ripé la caboche. En plus, il devait maintenant travailler avec elle et si quelque chose tournait mal, ils atterriraient pour de nombreuses années dans deux prisons différentes.

Et tant mieux. Il serait enfin libre.

Il bâilla, termina sa bière. Avant d'éteindre la lumière, son regard s'orienta machinalement vers le portrait de Zofia. Pendant une fraction de seconde, il fut étonné que quelqu'un l'ait remplacée ; après tout, elle avait toujours été accrochée à cet endroit.

Puis il se rappela qu'il l'avait enlevée lui-même le matin pour y suspendre le Wyczółkowski et ne pas offrir de satisfaction à la tchatcheuse.

Le docteur Zofia Lorentz émergea de son taxi devant le terminal de l'aéroport Chopin de Varsovie et courut toute recroquevillée jusqu'à la porte coulissante. La neige tombait rageusement, un vent terrible soufflait, elle espérait que l'hiver du millénaire, comme l'avaient baptisé les médias de l'Europe entière, la dérangeait peut-être elle, mais que les avions et leurs pilotes s'en moquaient.

Auparavant, elle avait estimé qu'elle devrait passer toute seule les dix heures que durerait leur vol. Elle souhaitait éviter les têtes sur les épaules durant les siestes, la proximité provoquée par les dimensions des sièges de l'avion, les contorsions l'un par-dessus l'autre pour se rendre aux toilettes. Et puis, de quoi pourraient-ils bien parler ? Il leur était impossible de discuter de l'affaire, ils n'auraient pas envie de parler d'autre chose et une banale conversation au sujet des lectures ou de la politique serait dans leur cas si risible qu'elle mourrait de rire avant même qu'ils aient survolé Poznań.

Voilà pourquoi Zofia était venue plus tôt et s'approchait maintenant de la borne d'enregistrement. Elle tapa son nom et le numéro de vol, puis fut priée de choisir sa place. Elle choisit la 30C, à l'arrière et côté couloir, comme toujours. La vue par le hublot la lassait au bout d'une heure, tandis qu'au milieu, elle aurait la possibilité d'étendre au moins une jambe et n'aurait pas à se tortiller entre d'autres passagers sur le chemin des toilettes.

Elle saisit sa carte d'embarquement, vérifia les données et fila déposer son bagage.

Elle aimait voyager.

Tandis qu'elle traînait sa valise à roulettes en direction des tapis roulants, Zofia Lorentz ne fit pas attention à l'homme placé derrière elle. Voûté à côté de son sac, celui-ci avait l'air d'un voyageur lambda, éreinté par l'attente, qui tuait le temps en jouant sur son téléphone. L'homme attendit que Zofia disparaisse au coin d'une rangée de guichets et s'approcha de l'automate d'enregistrement qu'elle venait d'utiliser.

Portable en main, il semblait vérifier le numéro de sa réservation. Or, l'homme composa son numéro de mémoire et se servit de son téléphone pour agrandir une photographie prise une minute plus tôt. Si quelqu'un avait regardé par-dessus son épaule, il aurait pensé que ce gars devait vraiment s'emmerder durant son voyage, car son écran affichait le cul bien dessiné du docteur Lorentz, élément d'anatomie que ses rivales malveillantes estimaient bien trop généreux par rapport au reste de sa mince silhouette. Cependant, ce n'était pas le contenu de ce jean qui intéressait le passager. Il fit défiler l'image du pouce et agrandit encore plus le bout de papier qu'elle tenait à la main. La photo était floue, mais pas au point de ne pouvoir lire les grosses lettres.

Il rangea son téléphone et, lorsque la machine le lui demanda, choisit le siège 30A sur le Boeing 787 à destination de New York.

Lui, en revanche, aimait s'asseoir côté fenêtre.

Les moteurs hurlèrent et la force de l'accélération la plaqua dans son fauteuil. Quand l'avion commença à prendre de la vitesse sur la piste de décollage, et tandis que les gouttes de pluie mêlée de neige se déplaçaient de plus en plus vite sur le hublot ovale en direction de la queue de l'appareil, elle se dit qu'elle quittait sans regrets cette Varsovie hivernale. Elle eut la certitude absurde qu'elle devait faire un vœu avant que les roues ne décollent du sol.

Que ça réussisse, et si ça ne réussit pas, qu'au moins je n'aille pas en prison, se dit-elle, et elle sentit l'avion quitter la terre ferme précisément à cet instant-là. L'inscription « Varsovie », illuminée de rouge mais brouillée par les intempéries, glissa vers le bas comme si ce n'était pas Zofia qui montait, mais la capitale qui s'enfonçait dans l'abîme.

La seconde d'après, l'avion perça les nuages et se coucha sur le flanc, projeté en plein soleil, pour tourner vers l'ouest et les gens assis de ce côté de l'avion se collèrent aux vitres et commencèrent à se montrer quelque chose. Intriguée, Zofia lança un sourire d'excuses à son voisin et regarda par la fenêtre. La vue était vraiment inhabituelle. Les épais nuages devaient être très bas, car de cette mer de coton blanc qu'ils avaient laissée en dessous d'eux émergeaient les plus hauts bâtiments de Varsovie. Elle découvrit la pointe du Palais de la Culture, entourée par les sommets des gratte-ciel environnants ; elle vit une grue auprès de l'un d'entre eux et de longues ombres projetées par ces constructions sur les vagues de brouillard. En dehors de ça, aussi loin que le regard puisse porter, un océan de blancheur s'étendait. La cheminée d'une centrale électrique perçait à un autre endroit, expulsant ses bouffées de fumée vers l'azur.

— C'est exceptionnel, lui dit son voisin en anglais. Je prends plusieurs dizaines de vols par an et je n'ai encore jamais vu de spectacle pareil.

Il lui sourit délicatement.

— Je n'ai jamais considéré Varsovie comme une jolie ville, mais la voilà devenue l'héroïne de l'un des phénomènes les plus poétiques qu'il m'ait été donné de voir... À partir d'aujourd'hui, je vais m'efforcer de formuler mes jugements avec plus de précautions.

Elle lui renvoya son sourire, car les paroles de l'inconnu lui plaisaient. Ce passager maniait l'anglais avec un léger accent difficile à identifier et était fort bel homme. Grand, brun, quinquagénaire, naturellement hâlé avec des yeux verts, il faisait penser à un marin ou à un montagnard. Impression curieuse, si on considérait qu'il était très probablement l'un de ces managers tout juste sortis d'une séance de musculation, un de ces businessmen qui remplissaient si densément les vols transatlantiques. Habillé de manière désinvolte, mais avec une élégance sportive et haut de gamme, il portait une eau de Cologne de qualité au parfum aussi éloigné de l'Old spice que de ces parfums modernes et douceâtres dont s'aspergeaient les hommes en chemise rose propriétaires de Ford Focus.

Le docteur Zofia Lorentz se dit qu'elle avait de la chance de tomber sur un tel voisin. À condition qu'il ne s'avère pas trop bavard.

Comme s'il lisait dans ses pensées, l'inconnu plongea la main dans son sac et en sortit un livre. Voyez-vous ça, songea Zofia. Puis elle frémit en découvrant le titre.

Son voisin chaussa des lunettes et ouvrit un roman de Christopher Brookmyre, *The Sacred Art of Stealing*.

Après avoir lu deux cents pages de nouvelles d'Alice Munro, Zofia Lorentz regrettait d'avoir décidé de rattraper ses retards d'intello, au lieu d'emporter Tess Gerritsen et de faire en sorte que, un thriller médical en main, le voyage au-dessus de l'Atlantique passe à la vitesse de trois stations de tramway. Munro écrivait peut-être bien, mais elle se forçait, et Zofia avait sans cesse l'impression qu'au lieu de ses personnages, elle voyait la personnalité de l'auteur ; et celle-ci fournissait de grands efforts pour produire une prose profonde et soignée. La même impression la saisissait en lisant du Cormac ou du Roth : de la prétention et rien de plus.

Karol avait décidé de l'ignorer ostensiblement depuis qu'à son SMS du matin, « Alors, où est-ce qu'on se retrouve ? », elle avait répondu par un « NYC » lapidaire. Il était assis au milieu de l'appareil, près d'une Américaine qu'il charmait avec son accent britannique, s'amusant à imiter Hugh Grant. L'Américaine était enchantée. En passant près d'eux pour se rendre aux toilettes, Zofia surprit des bribes de leur dialogue.

— Non, ce n'est pas possible... Tu travailles certainement pour une firme. On ne peut pas être un Indiana Jones professionnel. Tu me racontes des bobards, Charlie, méchant Charlie...

En entendant ce « Charlie » si américain et si coquet, prononcé comme si cette femme commandait un dessert très sucré, Zofia fut saisie de nausée et dut retourner à sa place au plus vite.

— Roman ou manuel ? demanda-t-elle à son voisin, en indiquant la couverture.

— Manuel, bien sûr, répondit-il en ôtant ses lunettes. Nous, les voleurs professionnels, devons sans cesse parfaire notre éducation. Par chance, depuis que ces livres sont disponibles, tout est beaucoup plus simple. Et vous, de quoi vous occupez-vous ?

Elle rit.

— Vous n'allez pas me croire, mais mon travail consiste justement à chercher des œuvres d'art volées à la Pologne.

— Ah, alors, puisque je ne vole que des bijoux, je peux me sentir en sécurité ?

— Seulement si ces bijoux ne sont pas anciens.

Il plia le coin de la page qu'il était en train de lire et rangea le livre.

— Vous exercez réellement ce métier ? demanda-t-il.

— Eh oui. Mais ça a l'air plus romantique que ça ne l'est. Je suis simplement employée dans un ministère.

— Dans un ministère ? Dans un commissariat plutôt.

— Non, en Pologne, c'est un peu plus compliqué que ça. Bien sûr, la police cherche les œuvres volées, je me concentre davantage sur celles disparues durant la guerre.

L'inconnu semblait réellement intéressé et elle se rendit compte qu'elle minaudait. Pourquoi tenait-elle tant à faire bonne impression à ce gars ? Entamait-elle un concours de séduction avec Karol ?

— Il ne doit pas en rester beaucoup. J'ai vu un documentaire au sujet d'une unité spéciale américaine qui a tout retrouvé et tout restitué.

— Oui, les Monuments Men.

— Oh ! Exactement.

— En effet, les Alliés ont trouvé des mines entières remplies d'œuvres d'art, des dizaines de kilomètres de corridors pleins de caisses avec des peintures, des sculptures, de l'or, avec les plus grands trésors de tous les pays conquis. Parfois, je me dis que les Allemands ont passé plus de temps à voler et à acheter des œuvres qu'à faire la guerre.

— Comment ça, acheter ? Je croyais qu'ils avaient simplement tout réquisitionné ?

Son intérêt la flattait.

— Les Allemands divisaient les nations en deux catégories : les meilleures et les pires. En Pologne par exemple, pays de sous-hommes et d'esclaves, ils pillaient tout sans états d'âme. Enfin, ils ne faisaient pas tant piller que « sécuriser » l'héritage de la culture européenne, le protégeant de ces peuples slaves si sauvages. Mais en France et aux Pays-Bas, les choses étaient différentes. Au début, ils ont « sécurisé » les collections juives, mais après, ils se sont retenus, car à l'Ouest, les Allemands voulaient passer pour des seigneurs éclairés et non pour des bouchers. Ils ont donc mis le cap sur les boutiques d'antiquités où ils ont dépensé des milliards de deutschemarks en peintures. Pour les marchands d'art d'Amsterdam et de Paris, ce fut la meilleure période de l'histoire. Quand les Américains ont chassé les Allemands, tout le monde les pleurait à grosses larmes.

— Vous plaisantez ?

— Pas le moins du monde. Après tout, c'est à cette époque-là qu'avaient été créés les célèbres faux Vermeer, si bons qu'ils sont considérés aujourd'hui comme des œuvres d'art à part entière. Le maréchal Göring avait une telle obsession pour ce peintre qu'on savait qu'il achèterait n'importe quel Vermeer, quel que soit le prix. Les nazis les plus gradés cherchaient des pièces de choix pour eux-mêmes, via des intermédiaires, les nazis moins en vue en achetaient pour offrir des pots-de-vin aux plus influents. Jamais les affaires n'avaient été aussi florissantes. Les Allemands fermaient même les yeux sur les origines juives de certains marchands, à condition qu'ils leur fournissent de belles pièces.

— D'accord, les œuvres polonaises ont été volées, transportées en Allemagne, mais après, les Américains vous les ont rendues.

— En résumé. Mais il manque encore soixante mille pièces. Elles valent, au bas mot, environ vingt milliards de dollars.

— Pardon ? Mais comment ? Où est-ce que tout ça peut bien être ?

— Partout. Les Allemands ont certainement réussi à en cacher certaines. Une partie a été détruite exprès ou par hasard durant la guerre. Les Alliés en ont emporté un peu, les Soviets en ont emporté beaucoup, une partie a été volée à la faveur de la confusion par les populations des différents pays d'Europe. Pas mal de ces pièces refont encore surface de temps en temps, chez des antiquaires ou lors de ventes aux enchères, mais les œuvres les plus importantes naviguent sur le marché noir.

— Quelle histoire étonnante. Et vous dirigez le bureau qui s'en occupe ou vous y travaillez ?

— L'un et l'autre.

— Comment ça ?

— C'est une cellule unipersonnelle du ministère des Affaires étrangères.

L'inconnu secoua la tête avec incrédulité. Le sujet lui avait visiblement plu, car il décida de briller par sa culture :

— Au passage, vous trouverez peut-être tous ces continents disparus que cherchaient les nazis. Vous savez, le Shambhala, l'Hyperborée, Thulé.

Elle grimaça.

— Je traque des œuvres, pas des sujets de romans à suspense.

— Je croyais que les nazis avaient été en quête de civilisations disparues jusqu'au Tibet.

— Effectivement, ils avaient créé une organisation qui s'en occupait, l'*Ahnenerbe*, ce qui veut dire héritage ancestral. Himmler traquait les traces de l'antique puissance germanique partout dans le monde, jusqu'au Tibet, c'est vrai. Même Hitler se moquait de lui.

— Pourquoi ?

— Parce que, d'un certain point de vue, c'était risible. Himmler et son *Ahnenerbe* s'excitaient lorsqu'on découvrait une hachette de pierre quelque part, argumentant qu'il s'agissait là d'une preuve de la suprématie des peuples du Nord. Le problème, c'est que n'importe quelle personne modérément éduquée sait que, à l'époque où le Nord produisait des hachettes de pierre, tout autour de la Méditerranée fleurissaient des civilisations fabuleuses et développées. Littérature, philosophie, droit, arts. Et là-haut, des hachettes. Sur cet aspect, Himmler n'était pas d'une grande aide à la cause. Mais il avait d'autres qualités.

— Par exemple ?

— C'était un meurtrier de masse efficace et très méticuleux.

— Un fou ?

— Le pire d'entre tous. Les autres faisaient ça pour le pouvoir et l'argent, ils voulaient devenir les maîtres d'un monde nouveau. Himmler croyait réellement que la race aryenne régnait jadis sur la planète et que les Juifs s'étaient mis en travers du chemin de leur royaume mondial. À côté de lui, Hitler était un dirigeant à peu près normal, un dictateur comme il y en a eu d'autres, un homme qui s'est fait construire trop de tanks et a perdu toute mesure. Himmler, c'était le mal incarné. Si j'étais croyante, je dirais que c'était l'antimessie, l'incarnation de Lucifer.

— Vous y allez fort.

— Peut-être que je connais trop bien l'Histoire ? Parfois, un tel savoir est une malédiction. Je le formulerais ainsi : si j'avais une machine à remonter le temps et que je me retrouvais au-dessus du berceau d'Hitler, je conseillerais à ses parents de lui payer un bon professeur de peinture, sans quoi il deviendrait malheureux et vache. Si je me retrouvais au-dessus du berceau d'Himmler, j'attendrais que les parents sortent, puis j'étoufferais le nouveau-né de mes propres mains. Et je ne frémirais pas d'un cil.

— J'ai vraiment dit que vous y alliez fort avant ça ?

L'inconnu fit une mine tellement terrifiée et comique que Lorentz pouffa de rire. Elle se dit qu'il était séduisant, très séduisant même, de cette façon si classiquement masculine, rugueuse, qui n'avait besoin ni d'un bon tailleur, ni d'un coiffeur adroit, ni d'esthéticienne. Il suffisait d'un peu de savon, d'un jean et d'une chemise en lin pour que la majorité des femmes ressente une chaleur agréable sous le sternum en sa compagnie. Il possédait la beauté d'un chasseur de grands espaces, et non celle de ces mâles pâles aux chemises transparentes qui souffraient de névroses et d'inquiétudes tant qu'on ne les connectait pas à une perfusion de café latte.

Elle se dit que Karol représentait exactement le même type d'hommes.

— Et vous, qui avez-vous dévalisé dernièrement ? demanda-t-elle en changeant de sujet. Si ce n'est pas un secret, bien sûr.

— Honnêtement ?

— Uh-hum.

— L'une de vos compagnies de télécommunication.

— Ça n'a pas dû lui faire grand tort. Comment avez-vous fait ?

— J'ai négocié un contrat pour l'un de mes clients, constructeur de téléphones portables. Ça n'a pas été très difficile. Dans cette partie de l'Europe, tout le monde est impatient et concentré sur le court terme, les politiciens et les directeurs ne sont pas intéressés par ce qui dépasse l'horizon de leurs mandats. Alors, il suffit de mettre sur la table un bénéfice immédiat et spectaculaire pour remporter l'appel d'offres. Là d'où je viens, les gens pensent différemment, à l'horizon d'une quinzaine d'années au moins. Seriez-vous d'accord pour acheter obligatoirement des chaussures d'une même marque durant dix ans, sans égard pour leur qualité et leur prix, juste parce que je vous offre une paire gratuite aujourd'hui ?

— Bien sûr que non.

— Alors, en tant que citoyenne d'Europe centrale et de l'Est, vous faites partie d'une minorité. J'ai l'impression que vous avez tendance à vous fourrer dans divers problèmes et conflits uniquement parce que vous ne remarquez pas les terribles conséquences à venir. Vous cherchez quelque chose pour soutenir la table, et vous ôtez pour cela une brique du mur, suite à quoi, c'est toute votre maison qui s'écroule.

La dernière phrase avait été prononcée par l'inconnu sur un ton si sérieux que cela sonna comme une menace.

— Les généralisations sont toujours un mensonge, tout comme les sagesses populaires, répliqua-t-elle. D'où venez-vous ? J'ai l'impression que l'anglais est votre langue maternelle, et pourtant, j'entends un accent que je n'arrive pas à situer. Pardon, ne répondez pas si ça vous semble impoli.

— Mais pas du tout.

Le bel inconnu mit la main à la poche de son blouson et en sortit un porte-cartes très élégant.

Zofia saisit le carton entre ses doigts et lut : *Jasper Leong. Negotiating Consultant. 1 Austin Road West, Kowloon, Hong Kong.*

CHAPITRE 3

NEW ROCHELLE

1

Karol avait accompli des miracles. Il leur avait déniché un appartement dans un immeuble ancien de cinq étages, sur Mercer Street, dans le Lower Manhattan, tout près de Houston. Le bâtiment ressemblait à un décor des films d'Al Capone : une façade de briques rouges enlaidie par un escalier externe, d'immenses fenêtres et des parements en fonte si caractéristiques de l'ère industrielle du XIXe siècle. Quelques décennies plus tôt, on y entendait probablement la rumeur des métiers à tisser, remplacés depuis par une boutique de fringues et un café de hipsters où, sur les tables, les produits Apple livraient une bataille sans fin à des muffins et des tasses de café latte. Au-dessus de ce local, il y avait d'immenses lofts valant des millions de dollars et c'est précisément dans l'un d'entre eux que Zofia et consorts avaient établi leur quartier général.

Le logement appartenait à un peintre très en vogue, parti faire la fête en Europe avec sa femme. Avec cinq mètres de hauteur sous plafond, le logement devait occuper près de quatre cents mètres carrés. L'ossature métallique rendait inutiles des murs porteurs, remplacés par de simples piliers étroits, ce qui offrait une grande liberté dans l'aménagement de l'intérieur. Les propriétaires l'avaient arrangé de façon à ouvrir une grande pièce sur près de la moitié de la surface, à la fois atelier de peinture, salon, cuisine et bibliothèque, et malgré cela, il leur restait encore assez de place pour y organiser des courses de vélo. Deux immenses baies vitrées du sol au plafond rendaient la pièce à vivre très lumineuse.

Plus loin, au fond du loft, deux salles de bains et quatre chambres se répartissaient sur deux niveaux. On avait exploité le volume sous la voûte de sorte à entasser les pièces les unes sur les autres, deux en haut, deux en bas : on accédait à l'étage par de petits escaliers. Leur mobilier était simple, quasi spartiate, mais convenait à ces chambres d'amis peu utilisées. Les propriétaires préféraient en effet dormir dans la pièce principale, espace qu'ils appelaient *artectory*, mélange de mots anglais signifiant art et réfectoire.

Après deux jours, Karol avait enfin cerné le fonctionnement de la machine à café, une étrange relique chromée des années 1950, et c'est pourquoi ils sirotaient maintenant tous les quatre leur breuvage assis autour de la table de la salle à manger.

— Avant de commencer, dit Zofia Lorentz sur un ton exceptionnellement sérieux, je voudrais vous demander une dernière fois si vous comprenez tous dans quel pétrin nous allons nous fourrer et si vous êtes toujours d'accord. À partir de cet instant, tous nos agissements peuvent être considérés par les autorités américaines comme une tentative de commettre un délit. En cas de problème, les nôtres ne bougeront pas le petit doigt, de peur d'offenser un allié. Donc, si quelqu'un veut renoncer, c'est le moment ou jamais.

— On peut pas toutes disparaître en claquant doigts, dit Lisa.

— Et si quelqu'un prévoit un sale coup susceptible de mettre en danger les autres, je préférerais aussi le savoir maintenant, répondit Zofia en fixant la Suédoise.

— C'est à moi que tu causes ?

Lisa se leva et s'étira de façon très peu aristocratique.

— Choix fastoche. Je carotte vite ce qu'il y a à carotter et j'me barre, faut juste que j'rende passeport polak. C'est le deal. Si je foire, alors j'ai internationale arrestation messa... un message ? *Damn... an international arrest warrant* aux fesses. Et l'allumeur me fout béton pour longtemps. Alors, y aura pas problème, cheftaine. Marre de taule. Ah oui, j'oubliais, reprends ta laisse, sale keuf.

En prononçant ces dernières paroles, elle lança son bracelet électronique à Gmitruk. Anatol l'attrapa au vol, son visage se durcit et, l'espace d'un instant, Lorentz vit en lui un militaire aguerri au combat et non un homme trapu aux oreilles décollées.

— Je ne suis pas ton maton, voleuse, grogna-t-il. Surveille tes paroles.

— Mon polonais..., commença-t-elle.

— *Din polska är mycket bättre än vad du vill att vi ska tro*, la coupa Gmitruk, tandis que Zofia et Karol

171

échangeaient des coups d'œil étonnés. *Så jävlas inte med mig. Förstått ?*

Durant un instant, le commando d'élite et la criminelle se toisèrent.

— On ne peut pas enlever ça sans un outil spécial, dit enfin Anatol. Comment t'as fait ?

Lisa ne fit que hausser les épaules.

Gmitruk laissa filer, ouvrit sa serviette et en sortit un sac rempli de téléphones portables, tous identiques.

— À partir de maintenant, vos téléphones personnels doivent se trouver dans les coffres de vos hôtels. Ne les apportez pas ici et ne les prenez surtout pas en mission. Le soir, vous pouvez appeler votre famille et discuter de toutes les conneries que vous voulez, c'est même indiqué. Chacun d'entre nous va maintenant recevoir un nouvel appareil, les numéros des autres y sont préenregistrés. Nous les remplacerons par des neufs demain soir et ainsi de suite. Durant nos conversations, nous n'utiliserons pas de mots communément connus pour être liés aux activités criminelles, surtout en anglais. Nous ne parlerons pas du portrait autrement qu'en tant que « Jeune ». Est-ce que c'est clair ?

Ils hochèrent la tête.

Zofia Lorentz alluma l'ordinateur, connecta une clé USB à l'un des ports et demanda à Gmitruk de faire de même. Seul ce double branchement, couplé à leurs deux mots de passe, permettait de déchiffrer les données codées. Ils observèrent un long moment les barres de progression, puis Zofia ouvrit un dossier.

Elle leur montra la photographie d'un homme d'à peu près soixante-dix ans qu'on aurait juré prise pour un journal. L'homme posait devant une bibliothèque, entouré d'un groupe de personnes. Corpulent, ventru, des cheveux laiteux rabattus sur sa calvitie et un sourire américain plaqué entre les joues. On aurait un peu dit John McCain, mais en bien plus imposant.

— Voici M. Darren Richmond, dit Zofia Lorentz, l'actuel propriétaire du Jeune. Il ressemble à un homme politique, mais n'est en fait qu'étroitement lié à des politiciens, comme souvent dans les hautes sphères du business. C'est un proche ami de l'actuel vice-président, ils sont tous deux originaires de Pennsylvanie, ils ont étudié ensemble à l'université de Newark où ils ont probablement davantage fait la fête ou du sport qu'étudié, mais ils appartiennent à de riches familles, donc ils s'en sont sortis, leurs papas y ont veillé.

— Il traficote dans quoi ? demanda Karol.

— L'industrie du bois. Il possède des scieries dans le coin et au Canada. Il a eu des ennuis avec la justice après avoir rasé quelques hectares d'un parc national protégé, mais il en est sorti indemne. C'est un philanthrope. Il s'est mis en tête que puisqu'il travaillait dans le bois, il allait financer différentes initiatives liées au monde des livres. Il dirige une fondation qui accorde des bourses littéraires et finance des bibliothèques et des programmes de promotion de la lecture. Il paraît qu'il est un grand lecteur lui-même et qu'il collectionne les premières éditions.

— Des livres anciens ?

— Des premières éditions. Quoi que, du point de vue des Américains, la première édition de *Tom Sawyer* est un livre ancien.

— Alors, d'où lui vient le Jeune ?

— Officiellement, cet homme s'intéresse aux livres. En Pennsylvanie, il a même ouvert au public quelque chose qui ressemble à un musée de la littérature. Mais il sait aussi comment faire de bons placements. Son nom est apparu plusieurs fois, il y a une dizaine d'années, lors de ventes aux enchères, avant de disparaître. Il achète peut-être toujours, mais par le biais d'intermédiaires. Des impressionnistes américains, des peintres européens du XIXe siècle de second ordre. Mais rien parmi les maîtres de la Renaissance. Le Jeune était peut-être un cadeau ? Ou peut-être qu'il en a hérité ? Le père de Richmond était officier de l'armée et a pris part à l'opération « Market Garden » en Europe. Je n'ai trouvé aucune preuve de sa présence en Allemagne ou d'un lien quelconque avec les Monuments Men, mais qui sait ? Il l'a peut-être acheté pour investir ? Au fond, ça n'a aucune importance. Nous ne sommes pas venus ici combler les trous dans son pedigree, mais pour... sécuriser notre cher et jeune ami.

— Et où notre ami se trouve-t-il ? demanda Lisa.

— Richmond possède plusieurs maisons et apparte-ments, dont une résidence de famille en Pennsylvanie et un appartement à Washington, bien qu'il passe le plus clair de son temps dans ses scieries ou dans son jet privé Gulfstream. Cependant, ce qui nous intéresse le plus, c'est son refuge préféré, appelons-le son cocon de solitude, une propriété à New Rochelle à environ cinquante kilomètres de New York.

— Solitude, c'est OK, commenta Lisa. C'est mieux que piaule pour tailler pipes ou baraque avec laide et cinq marmots.

Anatol soupira pesamment mais ne répondit rien.

— Quoi, j'ai pas raison ? demanda la Suédoise.

— Si, bien sûr que tu as raison. Simplement, ton choix de vocabulaire est parfois assez… surprenant, dit Zofia en songeant, comme Karol avant elle, que l'entente au sein de leur quatuor pourrait être le maillon le plus fragile de leur entreprise.

— La propriété de Richmond se situe à Rochelle Heights, reprit-elle. C'est un lieu assez exceptionnel, l'un des premiers quartiers de résidences secondaires de qualité aux États-Unis, construit entre la fin du XIXe et le début du XXe siècle. Il comprend des parcs, de grandes parcelles et de spacieuses maisons victoriennes ou coloniales. Pour les gens du coin, c'est un site de monuments historiques de première catégorie, un peu l'équivalent des environs des palais de la Renaissance en Europe. Voici de quoi ça a l'air.

Elle leur montra des clichés de diverses propriétés, vues aériennes ou prises depuis la rue. En effet, Rochelle Heights était constitué soit de maisons de trois étages en brique rouge avec de longues cheminées, un peu dans le style de certains villages anglais, soit de vastes résidences aux bardages peints en blanc et vérandas à colonnades. Toutes étaient entourées par de vieux arbres magnifiques.

— Quel nom étrange, New Rochelle, murmura Karol.

— Ça vient de La Rochelle, en France. Vous vous souvenez de Dumas ? Leurs protestants devaient fuir les catholiques et ils se sont réfugiés dans le nouveau monde. D'où le nom.

— *Gated community* ? demanda Lisa.

— Non. C'est vrai que ça peut faire penser à un quartier fermé, mais la protection des monuments historiques ne permet pas à ces gens fortunés de se planquer derrière de hauts murs ou des palissades. C'est, bien sûr, une bonne nouvelle. La mauvaise, c'est qu'ils disposent de nombreux agents de sécurité privés qui patrouillent régulièrement dans les environs. Regardez, voici à quoi ressemble, ces jours-ci, le lieu de séjour du Jeune.

La maison n'était pas immense, mais elle était ancienne et vraiment belle. Lorentz comprenait pourquoi Richmond la préférait à une de ces villas pour nouveaux riches au bord de l'océan, avec piscine couverte et court de tennis. Elle aussi aurait préféré cette demeure modeste mais spacieuse, cachée derrière de grands érables, faite de pierres grises, recouverte d'ardoise d'une couleur similaire qui entrait joliment en contraste avec les volets verts et une cheminée massive envahie de vigne sauvage. La maison était carrée et son volume très simple, avec de nombreuses fenêtres dont trois à mansardes. Sur le côté, il y avait quelque chose qui ressemblait à un jardin d'hiver. Dans les environs, ce style était appelé le *Tudor revival*. Elle imagina des parquets sombres à l'intérieur, ainsi qu'un escalier en colimaçon d'où descendaient jadis des dames en longues robes de soirée avec de hauts cols.

— Je ne comprends pas, entendit-elle de la bouche de Karol, pratiquement au-dessus de son épaule et cette proximité faussement fortuite irrita Zofia. Le gars est un Américain richissime. En théorie, il devrait se faire construire un palais sur son île privée, avec parcours de golf et une équipe de surveillance qui survolerait ses hectares en hélicoptère vingt-quatre heures sur vingt-quatre. Mais le type a du goût et emménage donc dans

176

un Tudor en Nouvelle-Angleterre. Après quoi, il y peint les murs en orange et accroche dessus l'un des deux portraits Renaissance les plus célèbres de l'Histoire. À côté d'une télé qui plus est. Un dingue.

— Aucune importance, dit Lisa, basculant visiblement en mode acquisition d'objectifs. Quelle adresse ?

— 12, The Serpentine, New Rochelle.

— Cette merveille espion polonais a Internet ? demanda-t-elle en indiquant le téléphone portable qu'on venait de lui offrir.

— On est au XXIe siècle, répondit Gmitruk avec une mine impassible, mais il avait du mal à cacher le fait que la Suédoise lui tapait sur les nerfs.

— Je vais chercher carré libre, dit-elle, en cliquant sur l'écran.

— Tu as rendez-vous demain avec une agente immobilière afin de visiter une propriété située trois parcelles plus loin, lança Zofia. La maison de l'annonce t'a énormément plu et, avec votre mari, vous voudriez la visiter. Ton mari est britannique, vous avez habité en Europe ces dernières années, mais comptez déménager dans le coin prochainement. C'est pour ça que ce taudis vous plaît autant. C'est un peu comme habiter encore en Angleterre, mais en banlieue proche de New York. On te filera de l'argent pour une voiture, des fringues haut de gamme et tout le tralala.

Lisa rangea son téléphone et contempla Zofia avec respect pour la première fois.

— Anatol sera ton mari. Vous allez faire une reconnaissance du terrain ensemble.

— Je préfère mari Karol. Anatol mieux, mais lézard ne regarde pas tel mon mari.

Ils quittèrent le Bronx et empruntèrent l'autoroute I-95 qui traversait toute la côte Est des États-Unis, depuis la Floride jusqu'à la frontière avec le Canada dans le Maine.

— Ça ne m'a pas l'air d'un quartier luxueux, marmonna Lisa en anglais.

Il approuva d'un mouvement du menton. Ils parcouraient une zone de barres d'immeubles lugubres, d'immenses parkings, de friches industrielles, de déchèteries à métaux et de panneaux publicitaires disposés sur des poteaux gigantesques et, le moins que l'on pût dire, c'est que ça ne ressemblait pas à la banlieue chic de la capitale du monde. Mais lorsqu'ils passèrent la rivière Hutchinson, les environs se firent plus jolis et une forêt surgit des deux côtés de la route.

Au premier abord, New Rochelle n'avait pas non plus une apparence avenante. Il y avait là des maisons sans étages, de gros Noirs en jogging assis sur des bancs devant des gargotes de bouffe indienne, un salon de beauté Olga et son enseigne lumineuse, ainsi qu'une laverie automatique. Puis soudain, tout devenait mignon. La cinquième avenue était sympa, la Hamilton avenue était déjà adorable, quant à The Serpentine, sinuant entre les résidences cachées au milieu de petits parcs, elle était fabuleuse. Rien d'étonnant donc à ce que la maison qu'ils devaient visiter – bien qu'en pleine crise économique et assez petite selon les standards européens, sans parler des rénovations nécessaires – coûtât un million et demi de dollars.

Karol gara sa Suburban de location à côté d'une pancarte d'agence immobilière avec le slogan *New York – New Home – New Life*. Lisa lui donna un petit coup de coude et indiqua le fond de la rue. Cent mètres plus loin, entre les arbres, on voyait la résidence de Richmond. Il n'eut pas le temps de commenter car, au même moment, sa portière s'ouvrit en grand. Il s'étonna : il n'y avait personne à l'extérieur.

— Toi, tu dois être Charlie ! J'adore l'accent britannique, il est si charmant !

Il baissa la tête. À côté de sa Suburban, il y avait une naine, pas plus haute qu'un mètre trente, si radieusement souriante qu'on aurait juré qu'elle était l'unique dépositaire de l'éternelle joie de vivre de la nation américaine, peuple dont chaque représentant demande avec un entrain sans cesse renouvelé : « Comment ça va ? » à toute personne nouvellement rencontrée.

— Et toi, tu es Rachel ! s'extasia la naine.

Elle dut pratiquement bondir pour apercevoir Lisa, assise de l'autre côté de l'immense auto.

— Je suis Bridget. Comment ça va ? Tout se passe comme vous voulez ?

— Tout va parfaitement bien, trésor ! Et toi, comment vas-tu ? J'espère que tu as déjà vendu un palais à un cheikh beau gosse aujourd'hui ! lui répondit la Suédoise avec une emphase toute américaine.

Bridget pouffa de rire comme si elle n'avait jamais entendu meilleure blague de sa vie. Et Karol se sentit mal à l'aise, assis derrière le volant et toisant d'en haut cette femme minuscule. Il sortit du véhicule et se présenta en tant que Charlie Walters, imitant avec aisance l'accent britannique. Bridget applaudit théâtralement et le regarda avec une telle dose de coquetterie qu'il ne put s'abstenir de rire à son tour. Plus d'une fois, il avait entendu des gens critiquer la fausse cordialité des Américains. Mais il préférait sans conteste un monde de cordialité feinte à la frustration authentique nichée au plus profond de l'âme des Européens.

Caquetant sans discontinuer comme de juste pour une professionnelle en transactions immobilières, Bridget les conduisit à la propriété. En chemin, elle leur parla des défauts de la maison comme s'ils étaient des qualités et Karol se sentit un client vraiment exceptionnel.

— Je suis un peu inquiète quant à la vente de cette villa, leur confia-t-elle, parce qu'elle ne ressemble pas à une maison américaine classique. Le salon, on dirait une salle de bal avec cheminée, les fenêtres sont hautes comme dans une église et autour, au lieu d'un simple jardin, il y a un vieux parc. Or d'habitude, les gens préfèrent les choses normales : une véranda, un jardin, un salon avec cuisine, un bar au milieu, et là... Enfin, vous verrez par vous-mêmes.

Ils pénétrèrent à l'intérieur et commencèrent la visite. C'était une demeure assez agréable dans le style colonial du début du XXe siècle, nécessitant un coup de frais, certes, mais avec une atmosphère d'ores et déjà sympathique. Elle évoquait à Karol les maisons hantées des films d'épouvante hollywoodiens.

— Quel superbe parc, dit-il, se plaçant face à la fenêtre du jardin. Je ne pensais pas voir quelque chose de la sorte ailleurs qu'en Angleterre. Maintenant, il suffit d'entretenir la pelouse durant cinq cents ans et elle sera aussi parfaite qu'à la maison.

— Oh, s'il te plaît, n'arrête pas de parler !

Bridget rit une fois de plus, et il se rendit soudainement compte qu'il voulait à tout prix lui faire bonne impression, car cette femme qui lui arrivait au nombril, âgée de moins de trente ans à vue de nez, était le plus attirant des réservoirs de sexualité joyeuse qu'il lui ait été donné de voir. Elle se tourna vers lui et il comprit qu'elle savait à quoi il pensait. Elle appuya son épaule contre le bord de la fenêtre, croisa ses jambes plantées sur d'immenses talons et le regarda avec grâce.

Lisa s'approcha et se colla à lui.

— Je sais, je sais, il m'a séduite pareil. Ces Britanniques, que veux-tu ? Combien y a-t-il de salles de bains ?

— Trois en tout. Une en bas, une en haut et une dans la suite parentale. Il y a aussi trois cheminées. Une au salon, une dans la salle à manger et une dans la chambre principale.

— Qu'est-ce que tu en penses ? demanda Lisa à Karol.

— Qu'il serait facile d'éteindre un incendie dans la chambre principale.

Il s'écarta des deux femmes et fit le tour de la pièce.

— Bridget, est-ce que je peux te demander un service ? demanda-t-il.

— Tes désirs sont des ordres, répondit-elle d'une voix si basse qu'il dut déglutir.

— On ne prend pas une décision de ce type à la légère, vite fait, après une visite de cinq minutes. Il est aussi possible de louer cette maison, n'est-ce pas ?

— Oui. Mais les propriétaires ne feront pas de travaux, donc c'est à prendre en l'état.

— Bien sûr. Je pense que nous allons la louer, mais... je sais que c'est une requête inhabituelle... pourrions-nous rester ici jusqu'à demain ? Nous comprendrions que tu refuses, après tout, tu ne nous connais pas, mais on a toujours fonctionné comme ça. Il faut passer une nuit quelque part pour tester un lieu.

De joyeuses étincelles virevoltèrent dans les pupilles de la naine.

— Eh ! Vous, les Européens, quels polissons ! Je vous comprends, bien sûr, mais nous n'avons pas l'habitude d'autoriser ce genre de pratiques...

En sa qualité de fils impénitent d'un peuple slave, Karol savait ce qui lui restait à faire.

— Nous nous rendons compte que nous te demandons beaucoup. C'est pourquoi nous serions ravis de signer un papier qui nous engage à...

Il fit le tour de la pièce du regard.

— ... à ne pas emporter l'une des trois cheminées. Et nous payerons pour ce service le montant que ton agence trouvera approprié.

Il prit son portefeuille et se gratta le crâne.

— Est-ce que trois cents dollars seraient assez ? demanda-t-il.

D'un geste élégant, Bridget prit les billets et les rangea dans sa serviette parmi ses documents.

— Je ne vous laisse pas les clés et l'un de vous deux doit toujours rester sur place, d'accord ? On se voit demain à huit heures.

Elle leur fit un clin d'œil et sortit en dandinant du fessier.

Quand la porte claqua, Karol se tourna vers Lisa. La Suédoise croisa les bras sur son ventre et le dévisagea avec un air de reproche.

— Vraiment, Charlie ?

Il haussa les épaules.

— Ne t'emballe pas autant la prochaine fois, dit-elle. Quand tu t'excites, tu perds ton accent. Heureusement, tu as masqué tes défauts de prononciation avec tes dollars.

Ils se baladèrent dans les environs avant que la nuit ne tombe, faisant des grimaces devant leur appareil photo. N'importe quel promeneur les aurait pris pour un couple d'amoureux vivant une seconde jeunesse. Lisa fut suffisamment culottée pour demander à une patrouille de gardiens de les prendre en photo devant la résidence Richmond.

— C'est une si belle maison et un si beau quartier. Mon Dieu, je voudrais vraiment habiter ici !

Par la même occasion, ils échangèrent quelques mots avec les agents de sécurité. C'étaient des Latinos trapus, armés, très pragmatiques et visiblement vifs d'esprit. Ils avaient tous environ quarante ans ; ces hommes avaient probablement quitté l'armée ou la police pour des emplois mieux rémunérés dans une PMC (*Private Military Company*). Les armées de mercenaires, cachées derrière des façades d'agences de sécurité, étaient puissantes aux États-Unis, au point qu'on confiait à certaines d'entre elles des tâches aussi significatives que la protection de l'ambassade américaine à Bagdad. La rumeur disait aussi que le gouvernement utilisait les PMC pour des missions si sensibles qu'il ne pouvait risquer que les militaires américains soient pris la main dans le sac en les exécutant.

Ces hommes-ci, en l'occurrence, arboraient des badges « Raven » et des logos noir et rouge sur les manches, et ressemblaient moins à des mercenaires qu'à des versions améliorées de gardiens de supermarchés. Mais à des versions vraiment améliorées. Leurs uniformes étaient à la bonne taille, eux-mêmes donnaient l'impression d'individus très alertes physiquement, et au niveau de leurs ceintures, en plus des menottes, on distinguait des pistolets qui ne paraissaient pas factices. Karol et Lisa les définirent simplement comme des pistolets, Anatol aurait tout de suite compris qu'il ne s'agissait pas de n'importe quelle arme à feu à canon court, mais de semi-automatiques Heckler & Koch, des MK23. Depuis le milieu des années 1990, c'était l'arme de prédilection de toutes les forces spéciales américaines supervisées par la SOCOM, dont les célèbres troupes Delta et SEAL. Elle faisait également partie de l'équipement du groupe d'intervention d'élite polonais GROM. Anatol se serait certainement demandé pourquoi un tel pistolet, agrémenté d'un système de visée laser de la marque Insight Technology, remplissait les étuis de ces gardiens de parking de banlieue.

Malheureusement, Anatol était resté à New York parce que, selon Lisa, il ne « regardait pas » assez bien pour être son mari. Enfermé dans sa chambre d'hôtel, il retranscrivait et rédigeait en boucle des lettres à son épouse et, pour être honnête, il ne consacrait pas une seule pensée à ce qui pouvait se passer à New Rochelle.

— Ça m'inquiète un peu qu'il n'y ait pas de clôtures par ici, gazouilla Lisa, s'accrochant au bras de Karol. Avant d'arriver ici, nous sommes passés par des zones très suspectes.

Domingo Chavez dodelinait d'avant en arrière sur ses pieds largement écartés.

— Chère madame, veuillez me croire, cette portion des États-Unis est aussi sûre que la pelouse de la Maison-Blanche, annonça-t-il. Quand vous emménagerez, nous vous présenterons nos offres en détail, mais notre société est spécialisée dans la surveillance discrète. Nous sommes au XXIe siècle, nous avons un monitoring efficace et une réaction rapide est plus importante qu'un mur. Un mur fonctionne dans les deux sens. Il est difficile d'accéder à la résidence, mais tout aussi difficile d'en échapper. Vous ne voudriez pas vous apercevoir que votre fille n'a pas pu fuir un violeur parce que, sur le chemin de sa liberté, se dressait un mur que vous avez auparavant fait construire pour sa protection. Pas vrai, madame ?

— C'est vrai, confirma Lisa, surprise par sa clairvoyance.

— Vous préféreriez que quelqu'un surgisse, perce un troisième œil au milieu du front du maniaque, arrange la robe de la petite et la ramène indemne à la maison. Pas vrai, madame ?

Chavez caressa le manche de son pistolet. Cette fois, Lisa ne fit qu'acquiescer.

— Pardon si je parle de manière trop imagée, mais je déteste les violeurs. Ce sont des ordures. Vous n'êtes pas avocats, n'est-ce pas ?

— Non. Mon mari est banquier.

— Ah, un banquier…, dit Chavez comme si toutes les victimes de la crise mondiale défilaient sous ses paupières à moitié fermées. C'est mieux qu'avocat. Pas de bol que je sois obligé de faire deux boulots pour rembourser mon prêt immobilier, mais enfin, c'est la période qui veut ça. Quoi qu'il en soit, une belle après-midi à vous, m'sieur dame. Vous avez l'air d'un couple sympa. Et ne vous inquiétez pas, on s'occupera bien de vous.

— C'est un malade, dit Karol tandis que Chavez disparaissait au coin de la rue, non sans l'avoir auparavant salué de la main. Je ne veux pas habiter par ici. Pas question.

— Mais tu n'as pas à habiter ici, Charlie. Tu dois juste commettre un vol par effraction très audacieux.

— Ah ? Alors ça va.

À la nuit tombée, ils s'installèrent dans la chambre à coucher principale. Ils laissèrent une lampe allumée au rez-de-chaussée, au cas où Bridget passerait en catimini pour vérifier qu'ils n'étaient pas en train d'organiser une fiesta de trois cents personnes à un dollar l'entrée pour rentrer dans leurs frais. Dans la chambre, l'unique source de lumière était la frontale de Lisa qui lui permettait d'installer son matériel : un appareil photo reflex, plusieurs téléobjectifs, dont un de la taille d'un seau et un autre avec des câbles d'alimentation pour une vision nocturne, une caméra thermique de la forme d'un radar mobile ainsi qu'un télescope qui aurait probablement permis d'observer la surface de la lune. Le tout connecté par un Hub USB à un netbook de taille modeste.

— Qu'est-ce qu'on cherche ? demanda Karol à une Lisa fort affairée.

Depuis leur départ de New York, ils parlaient anglais ; ils avaient convenu que ce serait plus facile pour Lisa.

— Des erreurs, répondit-elle, des erreurs qui existent dans n'importe quel système d'alarme à cause de compromis. Et il faut en faire, si on veut posséder une maison à la fois sûre et normale. Une maison qui ne ressemble pas à un bunker en béton. Une maison qui n'alerte pas une armée de gardiens dès qu'une feuille morte glisse par une fenêtre entrouverte et qui ne fait pas hurler ses sirènes parce que tu es allé te désaltérer à la cuisine en pleine nuit. Tous les collectionneurs d'art sont paranos. Certains construisent des châteaux, des coffres-forts et des herses, emploient des équipes de surveillance vingt-quatre heures sur vingt-quatre. D'autres se transforment en écureuils.

— En écureuils ?

— Un écureuil, ça attrape une noisette, ça l'amène dans un trou d'arbre et ça se tient tranquille, pour que personne ne sache que ça a des réserves. Attitude très fréquente chez les collectionneurs. Ils n'assurent pas leurs lots, parce que alors, ils devraient déclarer aux assureurs ce qu'ils possèdent. Ils n'installent pas de barreaux, parce que cela montrerait qu'ils disposent de pièces précieuses. Ils n'aménagent pas de systèmes d'alarme non plus, car les installateurs connaîtraient l'accès à leurs trésors. Ils ne font confiance à personne. Ce sont des cinglés, mais ils sont efficaces. On ne peut pas voler une chose dont personne ne connaît l'existence.

— Et c'est le cas ici ?

Lisa quitta l'écran d'ordinateur des yeux et lui lança un regard empreint de pitié.

— Les propriétaires d'œuvres volées entrent dans une autre catégorie. Pourquoi, selon toi ?

Karol observa un instant la résidence plongée dans le noir, de l'autre côté de la rue. Elle était placée sur une colline de taille modeste, joliment éclairée par des projecteurs qui mettaient en valeur les éléments les plus intéressants de son architecture ; elle ressemblait davantage à un château français qu'à une demeure américaine, et pourtant, elle était située à quelques encablures d'un quartier habité par des gens si obèses qu'ils devaient se déplacer en fauteuil roulant dans les centres commerciaux.

Une voiturette électrique d'agents de sécurité fila sur la chaussée, pratiquement sans bruit. Alors, il comprit ce que Lisa lui demandait.

— Parce qu'ils ne peuvent pas se permettre de laisser la police entrer chez eux, répondit-il.

— Voilà. Dans le cas de collections illégales, les systèmes d'alarme ont pour vocation d'empêcher les voleurs d'approcher de la résidence. D'ordinaire, cela implique une muraille conséquente, des hectares de pelouse garnie de capteurs, des caméras partout où c'est possible. Dans le quartier, on ne peut pas appliquer ces solutions à cause de la protection des monuments historiques. Ce qui ne veut pas dire qu'ils n'ont pas essayé. Regarde.

Lisa tourna l'écran vers lui. L'image ressemblait à de l'art moderne : des taches multicolores ne formaient rien de connu, la grisaille générale était entrecoupée par plusieurs traits bleus, sans oublier quelques points verdâtres.

— C'est de la vision thermique, expliqua Lisa, elle traite les infrarouges émis par les objets dont la température est au-dessus du zéro absolu. Ça veut dire que tu n'as pas besoin d'une once de lumière pour l'utiliser. C'est très pratique, c'est mieux que la vision de nuit, qui ne fait qu'amplifier une lumière préexistante et, par conséquent, n'est d'aucune utilité dans le noir complet, comme à l'intérieur d'un coffre. J'ai réglé la caméra pour qu'elle nous montre tout ce qui dépasse les quinze degrés. Plus l'objet se rapproche de cette température, et plus il sera représenté en teintes froides, plus il s'en éloigne, plus les tons seront chauds.

— Pigé. Et pourquoi y a-t-il des lignes de chaleur dans la maison de Richmond ? C'est un système d'alarme ?

— Pfff… franchement…

— Les tuyaux du chauffage central ! répliqua immédiatement Karol avec l'impression d'être un élève en plein interrogatoire au tableau.

— Tout espoir n'est pas perdu. Le thermostat est probablement réglé pour maintenir seize, dix-sept degrés en l'absence du propriétaire. La température extérieure vient de chuter, le chauffage s'est probablement mis en route il y a peu, c'est pourquoi nous ne voyons que les tracés des tuyaux d'eau chaude. D'ici peu, nous pourrons distinguer les radiateurs et, dans deux heures, nous verrons les arcs thermiques près des cadres des fenêtres.

— Et les points de chaleur dans les arbres, ce sont des oiseaux ? demanda-t-il, indiquant les taches vertes au milieu des branches.

— Tu plaisantes, là ?

Il rit.

— Les moteurs des caméras ?

— Bingo ! Encore une vingtaine d'années de travail et qui sait, nous ferons peut-être de toi un véritable cambrioleur. Ce sont des moteurs de caméras simples, équipées peut-être de la vision nocturne, mais des modèles standards. En terrain découvert, les détecteurs de mouvement n'ont aucun sens, les capteurs thermiques idem, car la température extérieure varie trop brutalement pour qu'on puisse les calibrer. Les alarmes se déclencheraient toutes les cinq minutes. Et voilà, on tient la première erreur de Richmond.

Karol interrogea Lisa du regard ; elle dégageait l'aura d'un sportif qui se prépare pour une compétition. Elle était calme, efficace, retenue, mais les étincelles dans ses yeux trahissaient un niveau d'adrénaline croissant. Était-ce pour cela qu'elle faisait ce qu'elle faisait ? Est-ce qu'elle considérait son activité comme un sport où chaque maison, chaque musée et chaque collection constitue une nouvelle épreuve assortie de records à battre ?

— Laquelle ?

— Il doit vraiment tenir à sa demeure. Au fond, ça ne m'étonne pas, elle est vraiment belle. C'est pourquoi, il a jugé qu'une sécurité renforcée, sous forme de patrouilles et d'un monitoring en temps réel remplacerait un mur et une ligne de barbelés sous tension. Et c'était une grave erreur, car le facteur humain est toujours le maillon faible.

Karol l'observa d'un air sceptique.

— En attendant, des balourds se baladent sans arrêt dans le coin ou visionnent leurs écrans de surveillance. Ils n'espèrent qu'une chose, que quelqu'un leur donne un prétexte pour sortir leur flingue. N'est-ce pas, chère madame ?

Il avait posé cette dernière question en écartant les pointes de ses chaussures à l'instar de Domingo Chavez.

— Il suffit de détourner leur attention. Fastoche, grogna Lisa, déjà occupée ailleurs.

Elle cliqua prestement sur de nouvelles fenêtres ; dans l'une d'entre elles figurait quelque chose qui ressemblait au bureau d'un autre ordinateur ; les noms des dossiers étaient indiqués en suédois. Aucun des programmes qu'elle ouvrait ne ressemblaient à des applications intuitives et conviviales. Leurs interfaces n'étaient qu'une suite de lettres blanches sur fond noir, de chiffres et de commandes composées de sigles que Karol ne connaissait pas.

— Bien, ça va prendre un peu de temps, dit Lisa en détachant les mains du clavier.

Elle s'étira.

— Quoi donc ?

— Casser l'algorithme. Mais si j'ai raison, ça va nous simplifier la tâche.

Karol se rappela tous les films d'action qu'il avait vus au cinéma et qui parlaient de pirates informatiques.

— Et ils ne vont pas nous localiser ?

— Pardon ? s'ébroua Lisa, le regardant tel un vendeur itinérant qui dérange.

— Bah, tu sais... Internet... les services secrets...

Il sentait qu'il s'enfonçait, mais ne savait pas comment s'en sortir. Elle ne s'abaissa pas à lui répondre.

— Le plus jeune va chercher de la bouffe chinoise, dit-elle. Pendant ce temps, je vais profiter des trois salles de bains. Ça me changera des douches de la taule polonaise.

Elle saisit un téléphone avant même que la porte ne se referme sur Karol. Un téléphone différent de celui reçu la veille des mains d'Anatol. Il ne manquerait plus qu'un lézard polonais contrôle chacun de ses mouvements ! Elle était persuadée que c'était l'unique raison pour laquelle on leur avait affecté ces numéros spéciaux.

3

Vassili Topilin regarda d'abord l'écran de son téléphone portable, puis les yeux de Vladimir Poutine, sincères, si canins, qui lui suggéraient en silence d'être un bon Russe et qu'alors, pour le reste, tout irait bien. Vassili aimait ces yeux. C'est pourquoi, à côté de son ordinateur, entre sa tasse de yerba maté et les biscuits diététiques au riz, il gardait dans un cadre ordinaire la photographie de son président. Chaque fois qu'au cours de sa vie il rencontrait un obstacle, chaque fois qu'un choix moral difficile s'offrait à lui, il se posait invariablement la même question : que ferait Vladimir Poutine à ma place ?

Vassili était employé à la direction administrative du Service fédéral de sécurité, et plus précisément, il était le directeur du département téléinformatique numéro 2. En tout cas, c'est ce qu'indiquaient ses cartes de visite, c'est pourquoi les filles dans les clubs moscovites sursautaient d'abord de crainte à la vue du logo de la FSB, avant de le moquer, en l'imaginant à quatre pattes sous un bureau du siège, à la Loubianka, en train de déployer des câbles réseau, bouffant de la poussière à longueur de journée, tandis que ses jeans bon marché lui descendaient à mi-fesses.

En réalité, Vassili ne plongeait pas à quatre pattes sous les bureaux, il possédait un doctorat en mathématiques, un autre en techniques de l'information, et son département téléinformatique numéro 2 était en fait un groupe de hackers très performants qui espionnait au nom de la Fédération de Russie. Cela avait une résonance romantique, mais tous les subordonnés de Vassili s'accordaient à dire qu'il s'agissait au fond du pire travail au monde, parce qu'en dépit de leurs espoirs initiaux, les grandes puissances ne gardaient pas de secrets spectaculaires entre elles et n'œuvraient pas en coulisses pour le contrôle de la planète. Elles s'efforçaient peut-être de donner cette impression mais, au bout du compte, elles finissaient toujours par produire des tonnes de paperasse inutile et ennuyeuse.

Néanmoins, la Fédération leur versait un salaire décent et fermait les yeux sur tout ce qu'ils faisaient en dehors de leurs missions officielles, partant de l'idée que, tout comme un bon chirurgien ne peut pas opérer seulement des appendicites, leurs champions de l'informatique devaient entretenir leur savoir-faire afin de servir correctement la mère Russie.

Enfin, elle fermait les yeux presque sur tout. C'est pourquoi, avant de répondre, Vassili se demanda ce que Vladimir Poutine ferait à sa place, répondit à cette question en pensée et plaça affectueusement la photo du président face contre le bureau.

— C'est comment dans ta taule en Pologne ? demanda-t-il. T'en as pas marre de bouffer du chou pourri ?

— Y a de jolies détenues, je suis devenue la reine des lesbiennes.

— Cool. Tu m'enverrais une photo ou deux ?

— À toi ? Mais tu as accès à tout le porno de la planète !

— Je sais, mais une connaissance, tu vois, c'est jamais pareil.

— Tu éplucherais une adresse pour moi ?

— Bien sûr. Et tu me rendras visite, un jour ?

— Dès que je passe par Saint-P., je ferai un saut. J'ai entendu dire qu'il y aurait encore pas mal d'œuvres officiellement disparues dans les réserves de l'Hermitage.

— Arrête, ce sont des trésors nationaux.

— D'une nation de magasiniers alors. Raconte pas de conneries et note l'adresse.

4

Il se mentait à lui-même en se disant qu'il se dépêchait par principe. En réalité, depuis qu'il s'était installé au volant du SUV et avait démarré en trombe, faisant crisser les pneus, une vision le hantait : il se voyait entrant dans la maison vide avec des boîtes qui sentaient la sauce soja et le glutamate monosodique et, au même moment, Lisa sortait de la salle de bains, les cheveux mouillés et le corps dégoulinant d'eau. Est-ce qu'il avait envie d'elle ? Il n'en était pas sûr.

Mais, au cas où, il s'arrêta dès la première gargote Red Ruby rencontrée sur North Avenue. Celui-ci occupait un pavillon sordide qu'il partageait avec une sandwicherie et ne ressemblait pas à un endroit où une aristocrate pourrait se nourrir. Pire, il ne ressemblait pas à un endroit où quiconque pourrait se nourrir. Et, a priori, ce n'était pas ici que la diaspora chinoise se réunissait chez des compatriotes. À l'intérieur, un Arabe fumait une chicha et un autre hurlait dans un téléphone, tentant de couvrir le bruit de la musique qui sonnait comme une sorte de disco du Moyen-Orient.

L'Arabe cessa de crier un instant mais ne décolla pas son téléphone de l'oreille. Il interrogea Karol du regard.

— Deux plats sans viande qui ne prennent pas trop de temps à préparer, dit celui-ci en sortant de sa poche une poignée de dollars.

— Mec, on est dans un fast-food, rien ne prend du temps ici, répliqua l'Arabe avant d'articuler quelque chose d'incompréhensible par-dessus son épaule et de reprendre sa conversation téléphonique.

De l'huile grésilla dans l'arrière-boutique et, cinq minutes plus tard, Karol reçut en échange de onze dollars deux boîtes de nourriture chinoise. Elles sentaient la vieille friture et les crevettes cocktail décongelées. Karol devait avoir très faim, car l'odeur le mit en appétit.

Juste au cas où – car, après une discussion en tête à tête avec lui-même, il estima qu'il n'avait pas envie de faire l'amour, et certainement pas avec une Suédoise arrogante à l'âge indéterminé –, il s'arrêta près d'une pharmacie pour acheter un paquet de préservatifs. En garant la voiture près de leur villa mal éclairée, il se demandait si Lisa avait déjà atteint la ménopause. Peut-être que les capotes n'étaient pas nécessaires, au final.

Assise en tailleur devant son ordinateur, enroulée dans un drap, Lisa Tolgfors n'avait visiblement pas trouvé de serviette. L'eau gouttait de ses cheveux et le tissu humide lui collait aux épaules. C'est à peu près comme cela que Karol se l'était imaginée en partant chercher la nourriture.

— Est-ce qu'on va faire l'amour ? demanda-t-elle.

— Pardon ?

Lisa se leva. D'une main, elle maintint négligemment sa toge improvisée et posa l'autre sur sa hanche. Elle avait un corps d'homme, trapu, avec de petits seins, mais des muscles très marqués au niveau des épaules. Son visage de reine Arwen mature contrastait fortement avec cette silhouette.

Le parfum de crevettes frites se répandit dans la maison, créant pour cette scène un décor olfactif absurde.

— Je demande si on va faire l'amour, parce que si c'est non, il faut que je m'habille. Et si c'est oui, je préférerais qu'on le fasse tout de suite, avant que la bouffe refroidisse.

Il déglutit.

— Je n'espère pas le mariage ou des mots doux, ajouta-t-elle. Simplement, je viens de passer huit mois en taule, alors qu'avant ça, le sexe tenait un rôle régulier et important dans ma vie et…

Elle s'interrompit, le regarda avec ironie ; il devait vraiment faire une drôle de tête.

— Bon, ça va, je vais pas te supplier.

L'instant d'après, assis l'un à côté de l'autre, ils engloutissaient les nouilles aux crevettes qui, étrangement, n'étaient pas si mauvaises. Des colonnes de chiffres défilaient à grande vitesse sur l'écran.

— À mon avis, c'est pas tant que t'as pas envie de moi, dit-elle en s'essuyant le bout du nez avec le dos de la main, car la nourriture était assez piquante. Alors, j'imagine qu'il y a quelqu'un d'autre, non ? Une femme ?

Il haussa les épaules.

— Tant pis. Faut croire que plusieurs générations devront défiler pour que vous arriviez tout schuss jusqu'au niveau des sociétés occidentales. Le consumérisme soignera votre côté romantique. Quand je suis passée à Rio, il y a quelques années, durant le carnaval…

Elle s'arrêta à mi-phrase, car les chiffres sur l'écran cessèrent d'évoluer, et se pencha vers l'ordinateur.

— On finira cette discussion plus tard, dit-elle. On y est.

Les doigts de Lisa s'agitèrent sur le clavier et, l'instant d'après, l'image en noir et blanc d'un intérieur qui ressemblait à un riche salon bourgeois apparut sur l'écran. Karol reconnut immédiatement les grandes fenêtres en ogives qui évoquaient l'architecture gothique.

— Comment t'as fait ça ?

— J'ai exploité une seconde erreur de monsieur l'industriel. C'est à peine croyable. S'il en a commis d'autres, on pourra aller chercher le Jeune comme si on allait faire nos courses au supermarché. Mais on verra ça plus tard. L'important pour le moment, c'est que tous les riches propriétaires de plusieurs résidences veulent avoir des maisons connectées. Tu sais en quoi ça consiste ?

— Tu peux tout régler par Internet.

— Exactement, dit-elle en cliquant plusieurs fois sur l'écran. Ce système est particulièrement développé. Tu contrôles à distance la température de l'eau, le chauffage dans chaque pièce, l'éclairage, l'alarme, tu peux observer la maison via des caméras couleur ou, comme là, en vision de nuit. D'après ce que je constate, ici, tu peux même mettre ta chaîne préférée sur la télé pour qu'elle t'attende lorsque tu rentres. On pourrait aussi allumer la cheminée. C'est très pratique, mais c'est aussi parfaitement inutile si tu ne possèdes qu'une télé et une machine à café.

— Alors, il suffira de détourner l'attention des patrouilleurs, d'éteindre le dispositif d'alarme et c'est tout ?

La Suédoise ébouriffa un peu ses cheveux noirs, courts, et toujours luisants à cause de l'humidité. Elle possédait vraiment un visage exceptionnel, on aurait dit la Reine des neiges. Il y avait dans ses traits quelque chose d'une composition idéale, les proportions semblaient trop parfaites pour appartenir à un être de chair et d'os.

— Quelqu'un de vraiment doué devrait peindre ton portrait, lança Karol spontanément.

— Pour les compliments, t'as laissé passer ta chance il y a cinq minutes, grogna-t-elle sans même lever les yeux de son ordinateur. Bordel, ça ne sera pas aussi simple.

— Parce que ?

— Nous pouvons éteindre à distance le système d'alarme de la porte et des fenêtres. Mais ces appareils, dit-elle en indiquant des boîtiers presque invisibles dans les coins des pièces, ce sont des détecteurs de mouvement et des capteurs thermiques. Ils déclencheront une alarme si quelque chose bouge dans leur champ d'action ou possède une température différente de celle de l'environnement. Malheureusement, je ne les vois pas sur mon panneau de contrôle, ce qui veut dire que cette fois, Richmond n'a pas commis d'erreur. Je parie qu'ils ont leur propre alimentation et communiquent par ondes radio avec les agents de sécurité. Des privés, bien sûr.

— M. Chavez et ses potes.

— Ces toiles sur le mur, là, ça vaut quelque chose ? demanda-t-elle.

Il la regarda avec étonnement. Jusqu'à maintenant, il avait supposé qu'en tant que voleuse, elle était aussi experte en art.

— C'est de la déco, répliqua-t-il et, après un instant de réflexion, il ajouta : C'est de la déco si grossière qu'on dirait une feinte. Des natures mortes aussi réalistes, on en trouve dans tous les villages de Pologne.

Quand je vois ça, je me demande aussitôt sur quel mur a été accrochée la Sainte Vierge de Częstochowa.

— La quoi ?

— La Madone noire, sainte patronne de la Pologne. C'est une icône nationale sacrée.

Lisa partit d'un gros rire très peu aristocratique.

— Non seulement votre tableau sacré est une icône russe, mais en plus, la Madone est noire ? Il ne manquerait plus qu'elle soit juive. Les nationalistes polonais le savent ?

— Oui, ils le savent. Mais ils la traitent mieux que leur femmes. On peut voir les autres pièces ?

Lisa lui montra un hall spacieux avec un grand lustre en cristal, un bureau doté d'une bibliothèque, les escaliers, une chambre à coucher impeccable avec une tête de lit sculptée, une coursive au premier étage limitée par une balustrade d'un côté et une série de portes noires de l'autre.

— Attends, chuchota soudain Karol comme s'il avait peur que quelqu'un se tienne derrière la fenêtre et les écoute.

Pour dire la vérité, jusque-là, il avait considéré tout ce voyage comme un jeu. Il ne croyait pas vraiment au Raphaël, au cambriolage, au mystérieux collectionneur américain. Le projet lui semblait irréel. L'ensemble était pour lui une aventure et un prétexte pour passer du temps avec Zofia car, en dépit de multiples tentatives, il n'arrivait pas à la chasser de sa mémoire. Ce n'est qu'à cet instant, lorsqu'il vit un tableau dans une pièce floue au bout du couloir, qu'il comprit que tout cela se passait pour de vrai. Et il prit conscience de sa situation dans une immense maison sombre, où le moindre chuchotement se propageait avec d'étranges échos et où chaque planche du parquet grinçait sinistrement. Il comprit qu'il résidait dans un autre pays que le sien, que des patrouilleurs armés le cernaient, que non loin de là s'étendait un quartier où des Arabes vendaient de la bouffe chinoise et où les négociations à coup de flingues étaient probablement aussi répandues que la frustration en Pologne.

Les regards de Lisa et de Karol se croisèrent et, au même moment, quelqu'un martela la porte du bas. L'écho se répercuta dans les pièces vides, transformant le tambourinement en un grondement sourd, on aurait dit qu'une âme damnée tentait de sortir de l'enfer.

— J'y vais, siffla Lisa à travers ses dents en enlevant son pull par le haut. Tu perds ton accent quand tu stresses.

Avant qu'il ait le temps de remarquer qu'elle était nue, elle s'enroula dans un drap et ébouriffa ses cheveux.

— Si j'utilise le mot « Angleterre » dans la conversation, tu sautes par la fenêtre et tu t'enfuis. C'est clair ?

Le tambourinement reprit. Lisa attendit encore un instant, puis elle cria qu'elle arrivait et descendit bruyamment les escaliers. Karol s'accroupit près du chambranle pour observer discrètement ce qui se passait.

— Oui ?

La voix de Lisa résonna d'une telle somnolence érotique que Karol regretta d'avoir opté pour la chasteté.

— Veuillez m'excuser, chère madame, nous avons remarqué que la voiture était toujours garée dans l'allée, mais d'après ce que l'on sait, la maison n'a pas été vendue.

Boznański reconnut la voix de Chavez, l'ennemi des violeurs et des avocats.

— Nous voulions vérifier si tout allait bien, chère madame, ajouta-t-il.

Cette dernière phrase sonnait en réalité comme un : « Nous voulions vérifier si vous n'étiez pas des pervers à qui il fallait briser la nuque avant de vous jeter dans l'océan, car si on vous arrêtait pour vos perversions, un avocaillon vous ferait certainement sortir pour que vous puissiez violer encore, chère madame. »

— Excusez-moi, mais êtes-vous officier de police ? lui demanda Lisa, toujours ensommeillée.

— Je suis le chef des patrouilleurs Raven, dans le quartier de Rochelle Heights, district de New Rochelle, État de New York, répliqua Chavez sur un ton tel qu'on l'aurait juré en train de réciter la liste de ses décorations militaires.

— Dans ce cas, cher chef des patrouilleurs, dit Lisa et sa voix parut soudain très éveillée, veuillez quitter le patio d'une maison que nous venons de louer avant que je n'appelle la véritable police. Je dois avouer que je suis affligée. Bridget Corbett m'a parlé d'un superbe quartier et d'une très bonne protection, vous-mêmes m'avez fait une excellente impression lorsqu'on s'est parlé tout à l'heure. Et voilà que vous cognez à ma porte en pleine nuit, vous me réveillez et vous me parlez sur un ton que je ne puis tolérer. Et si vous n'enlevez pas sur-le-champ... je répète, sur-le-champ ! cria-t-elle avec un superbe accent de New York –... la main de ce flingue, je ne réponds plus de moi-même !

Chavez recula d'un pas.

— Pardonnez-moi, marmonna-t-il. Nous nous efforçons vraiment de veiller à la sécurité des habitants. Nous expliquons dans les agences que les agents immobiliers doivent nous informer de tous les changements de statuts, mais ils n'obtempèrent pas toujours.

Lisa soupira et ajusta son drap qu'elle portait de façon si négligée qu'il tombait sur ses clavicules et dévoilait le haut de sa poitrine.

— C'est moi qui vous demande pardon, dit-elle. Je ne suis plus moi-même lorsqu'on me réveille en sursaut. Et c'est peut-être un peu notre faute, nous avons emménagé si subitement. Mais nous voulions tester cette maison sans attendre. Tu comprends ce que je veux dire, Domingo ? Je peux t'appeler Domingo ?

Le drap glissa furtivement de cinq centimètres, dévoilant la courbure d'un sein.

— Ding, bredouilla-t-il. Tout le monde m'appelle Ding. Et oui, je vous comprends, madame, bien sûr.

— Dans ce cas, Ding, nous pourrions considérer que nous nous sommes excusés et que la mésentente de cette nuit est le début d'une grande amitié, d'accord ?

— Bien sûr madame ! Bonne nuit.

— Bonne nuit, Ding.

Elle ferma la porte, attendit encore un instant, tendant l'oreille vers le bruit des pas, puis monta à l'étage en trois bonds. Elle laissa choir le drap sans aucune gêne et enfila son pull ; il fallait croire qu'après le refus de Karol, elle avait cessé de le classer dans une quelconque catégorie sexuelle. Ou peut-être était-ce sa nature suédoise qui ne lui faisait pas traiter son corps avec une dévotion pleine de honte et de culpabilité, si caractéristique des sociétés catholiques ?

— Vite, lança-t-elle, nous avons quelques minutes avant qu'il se remette et raconte à ses copains ce qui vient de lui arriver. Je vais allumer la lumière dans le couloir chez Richmond, juste une fraction de seconde, et on va enregistrer l'image, histoire qu'on sache si on voit vraiment ce qu'on croit voir.

Une fois la lumière allumée, Lisa put prendre une photo normale, sans la vision nocturne qui transformait la zone observée en image monochromatique. Au bout du couloir du premier étage, derrière une porte ouverte, il y avait une pièce. Soit elle ne comportait pas de fenêtres, soit elles étaient soigneusement obturées. Et dans cette pièce, dans l'axe du corridor, se trouvait un tableau d'un mètre cinquante de haut sur soixante-dix centimètres de large environ. Il représentait, dans un style impressionniste, des drapeaux américains pendouillant tristement les uns à côté des autres, un jour de pluie dans une rue de New York. C'était un thème très caractéristique de Frederick Childe Hassam, le grand impressionniste américain. Cette huile sur toile valait un million et demi de dollars, voire davantage, selon l'humeur patriotique de l'acquéreur. C'était un bon tableau. Le comparer aux décors du rez-de-chaussée, c'était comme comparer la Sagrada Familia à une barre de HLM.

— C'est peut-être une copie ? pensa-t-il à haute voix.

— Non, répondit Lisa, sûre d'elle. Hassam a effectivement peint une flopée de ces drapeaux, mais ils diffèrent tous un peu les uns des autres. Le plus célèbre et le plus beau se trouve certainement dans le Bureau ovale. Il appartenait à la Maison-Blanche depuis Kennedy, mais c'est Obama qui a ordonné qu'on le suspende chez lui. Je crois que ce caprice de Barack a fait de ce tableau la peinture impressionniste la mieux gardée au monde. C'est dommage, car c'est un bel objet. À part ça, il y a des drapeaux d'Hassam à Dallas, au Metropolitan Museum, à la National Gallery, à la Historical Society. Et mon préféré est exposé au Amon Carter Museum. Je devrais me pencher un jour sur son cas avec tendresse.

— Où est-ce ?

— À Fort Worth, au Texas. Et ce Hassam-ci est parti aux enchères chez Sotheby's à New York, il y a quelques années, pour un million deux. Pour dire la vérité, j'étais persuadée qu'un musée allait l'acheter, mais un collectionneur anonyme a surenchéri sur tout le monde. Et, comme nous le savons aujourd'hui, il s'agissait d'un patriote spécialisé dans l'industrie du bois.

Lisa dut apercevoir son regard étonné, car elle lui lança un coup d'œil canaille.

— Disons qu'il y a des époques historiques qui m'intéressent plus que d'autres.

Les engrenages dans la tête de Karol se mirent à tourner de plus en plus vite.

— Tous ces vols d'impressionnistes ces dernières années… Tu m'as dit que tu étais allée à Rio durant le carnaval… Mon Dieu, on parle de centaines de millions de dollars…

— Pas maintenant, chaton, le coupa Lisa. Tu as eu ta chance de me pousser aux confidences sur l'oreiller. Nous ne sommes pas à Rio, mais à New Rochelle. Qu'est-ce que tu vois sur la photo, en dehors du Hassam ?

— La couleur des murs, répondit Karol.

Elle hocha la tête en silence. La couleur des murs était identique à celle sur les images du Raphaël. Orange foncé, un peu brique, assez kitsch si on la comparait au reste de la décoration de la résidence, et certainement inadaptée à l'exposition de chefs-d'œuvre tels qu'un Hassam ou un Raphaël. Sans parler de la télé. Peut-être que les toiles ne devaient rester là que temporairement ? Peut-être attendaient-elles que Richmond finisse de préparer un coffre-fort dans une villa à la montagne où elles devaient au bout du compte atterrir ? Peut-être que, par un hasard inouï, ils étaient tombés sur l'unique période où ce vol était tout bonnement possible ?

— Tu peux y jeter un coup d'œil ? demanda-t-il à Lisa.

— Non, répondit-elle. Plus loin, il n'y a plus de caméras. Nos connaissances sur les sécurités et les systèmes d'alarme s'arrêtent à ce couloir.

— Et ?

— Et, s'il n'y a aucune surprise à l'intérieur, ça ne se présente pas si mal. Niveau difficile, mais pas impossible. Une seule chose me préoccupe.

Elle tapota du bout de l'index le Hassam sur l'écran.

— Quoi donc ?

— Je me suis réjouie qu'il n'y en ait pas près du Raphaël, mais peut-être trop vite. Parce que s'il y en a un sur le Hassam, ça veut dire que depuis la prise de la photo du Jeune, ils peuvent l'avoir installé sur tous les tableaux de la pièce.

— Mais de quoi tu parles ? D'une protection de la toile ?

— Oui, et d'une plutôt efficace. Pas une de ces camelotes qu'ils montent dans les musées. Là-bas, en général, il y a des capteurs d'accrochage ou des détecteurs optiques qui déclenchent l'alarme lorsqu'on enlève un tableau de son cadre. Et c'est beaucoup trop tard. Il existe des systèmes bien plus avancés. La société israélienne Visonic, par exemple, en propose qui démarrent dès le premier frôlement de la toile, ils repèrent un changement de position d'un dixième de millimètre. Et je pense que c'est ce qui est installé ici, mais dans sa version blindée. Malheureusement, c'est le plus efficace des systèmes de protection dans le cas d'une collection illégale. On l'utilise lorsque les propriétaires n'ont pas envie de voir débarquer chez eux la police pour ramasser les preuves d'une effraction.

— Et comment ça fonctionne ?

— Cette pièce n'est pas totalement sombre parce que les rideaux sont tirés, mais parce que les fenêtres ont été murées. Les toiles sont suspendues sur un mur supplémentaire et, entre les deux, il y a un vide d'un mètre cinquante. Si le tableau bouge de ce dixième de millimètre, un mécanisme adapté va le cacher à l'intérieur, le protégeant ainsi non seulement du vol, mais aussi de tout dommage. Les Israéliens ont inventé ce système pour sécuriser les œuvres les plus précieuses sans avoir recours aux vitres blindées. Dans les musées, elles auraient du sens, mais aucun collectionneur ne paiera quelques dizaines de millions pour, disons, un Mark Rothko qu'il ne pourra regarder qu'à travers une vitrine. Ce système est idéal. Les tableaux ne sont pas fixés à leurs cadres mais suspendus sur des rails spéciaux. Un seul mouvement et hop, il n'y a plus de tableau.

— Parfait. Et il y a un moyen de contourner ça ?

— Il y en a toujours un. Mais il faut que j'y réfléchisse. Maintenant, on va au lit.

— C'est-à-dire…

— C'est-à-dire qu'on va dormir. C'est le dernier moment pour se relaxer. À partir de demain, on bosse vingt-quatre heures sur vingt-quatre, sept jours sur sept.

5

L'intégrité est un mot intéressant, car il peut signifier à la fois l'intégralité, la cohésion d'un système, et la probité et l'honnêteté d'un homme. Au sens moral, l'intégrité est donc un concept très puissant, signifiant l'accès à la plénitude à travers la droiture et le refus du mensonge. Ce magnifique terme est un mot-clé dans le credo du corpus du renseignement militaire de l'armée des États-Unis : « Et surtout, je serai intègre, parce que la vérité mène à la victoire. »

Le capitaine Clifton Patridge songeait au credo de sa formation et se demandait s'il ne serait pas plus honnête – plus intègre – de dire à tous les soldats qu'ils seraient désormais au service du mensonge et des manipulations, au lieu de leur ordonner de réciter, les larmes aux yeux, ces formules grandiloquentes qui ne contenaient pas une once de vérité. Et ordonner de les réciter à des officiers du renseignement, dont le travail consistait par définition à corrompre, était tellement curieux que, s'ils avaient un minimum de jugeote, ils éclateraient tous de rire durant leur serment.

Au début de sa carrière, il se l'expliquait en se disant que c'était nécessaire, que l'idéologie était importante, que la fin justifiait les moyens. La bonne blague. Quelle fin, d'ailleurs, bordel ? L'objectif de chaque armée, l'objectif de chaque combattant en général, devrait être la protection de ses frères plus faibles contre un agresseur. Cependant, jamais, au cours de son histoire, la puissante armée des États-Unis n'avait dû protéger ces concitoyens, parce que les citoyens américains n'avaient jamais été attaqués. Ils n'avaient jamais tremblé dans leurs foyers en suivant la progression de la ligne du front, ils n'avaient jamais eu besoin de la protection de vaillants guerriers contre de méchants envahisseurs venus prendre leurs terres, leurs biens et leurs vies.

Mais puisque l'armée existait, il fallait lui donner quelque chose à faire. C'est pourquoi, au lieu de servir les citoyens, les militaires américains servaient les intérêts particuliers du gouvernement et des enjeux politiques plus ou moins raisonnables. Ils étaient envoyés aux quatre coins de la planète pour y mourir, non pas au nom du peuple, mais au nom du fric, du pouvoir et des manigances diplomatiques.

Oui, même officiellement, l'armée américaine ne servait pas la vérité mais l'arnaque. Officieusement, il le savait mieux que quiconque, car il avait commis des actes pour lesquels les civils finissaient derrière les barreaux, et même, dans certains États, directement sur la chaise électrique. Malgré cela, il était tombé sur des missions si sales que son organisation para-criminelle, dont le budget annuel s'élevait à six cent quatre-vingts milliards de dollars, n'était pas habilitée à s'en occuper. Il fallait pour les accomplir faire appel à diverses entreprises militarisées, c'est-à-dire à de vulgaires mercenaires.

Ainsi vaquaient les pensées du capitaine Clifton Patridge tandis qu'il parcourait des yeux les copies de documents de l'OTAN, obtenues en douce via une connaissance, dont on pouvait déduire que le major Anatol Gmitruk, l'unique véritable guerrier qu'il connaissait, séjournait en ce moment sur le territoire des États-Unis.

6

Hermod ne s'encombrait pas l'esprit avec des divagations théoriques de nature morale. Premièrement, il s'en fichait, deuxièmement, il était trop occupé. Troisièmement, cela faisait longtemps qu'il avait compris que la loi du marché était impitoyable et que si quelqu'un avait une mission à prescrire et de l'argent, quelqu'un d'autre exécuterait certainement cette mission. Pourquoi, dans ce cas, devrait-il choisir de vivre dans la misère, puisque cela ne changeait rien au sort de la victime ? Dans l'espoir d'être récompensé pour son bon cœur dans une vie ultérieure ? La bonne blague.

Cette fois-ci, la commande était simple, surtout en comparaison de la mission précédente, celle qui avait partiellement échoué en Pologne. D'un point de vue technique, c'était un jeu d'enfant. Il suffisait de s'assurer que des personnes se compromettent ; or, elles s'efforçaient d'elles-mêmes à le faire avec obstination. Faire croire que des gens qui n'avaient jamais été tentés par le crime pataugeaient en fait dans une activité criminelle était une chose aisée. Mais monter un coup contre des gens qui projettent justement un cambriolage, c'était si banal qu'il n'y avait même pas besoin de spécialistes de haut niveau comme lui. Il suffisait de parler avec un policier municipal du cru et de lui demander de faire un saut à l'adresse indiquée durant sa pause entre son burger et son donut, et il serait ravi de rendre service à la patrie et de gagner une médaille.

La mission impliquait aussi de liquider une personne. Une fonctionnaire sans entraînement militaire et sans expérience criminelle, forcée à agir sur un territoire étranger et sans la moindre idée de comment s'y prendre. Vraiment, lui tirer dessus serait gâcher du métal, il suffirait de lui jeter un caillou à la tempe lorsqu'elle fuirait à travers la forêt en trébuchant sur des racines.

Comme le disaient les Américains, c'était aussi simple que de manger un morceau de tarte. Et, cerise sur le gâteau, c'était une information transmise par son commanditaire : l'une de ses cibles n'était autre que le casse-cou qui lui avait gâché son plan dans les Tatras. Et il ne fallait même pas le tuer, il suffisait de faire en sorte qu'il atterrisse dans une prison américaine pour de nombreuses années. D'autres s'y chargeraient de sa rééducation.

Les jours suivants, ils ne se retrouvaient que le soir dans le loft sur Mercer Street. En dehors de ces heures, chacun faisait ce qu'il pouvait pour préparer au mieux sa part de l'opération.

Lisa Tolgfors disparaissait de leur champ de vision, elle ne revenait qu'en coup de vent et ne leur parlait presque pas. Les autres comprirent qu'elle se montrait par politesse, pour qu'ils ne croient pas qu'elle avait pris la tangente. Personne ne lui posait de questions, personne ne la harcelait, même Gmitruk avait pris ses distances. Tout le monde savait qu'au moment clé, le succès de l'entreprise dépendrait entièrement d'elle.

Anatol se concentrait sur ce qui devait se passer après le vol. À maintes reprises, Lisa avait souligné que voler était à la portée de tout un chacun. Il suffisait d'entrer et de prendre. Mais dérober, s'enfuir avec le butin et ne pas se laisser attraper, c'était là le véritable exploit. Voilà de quoi Gmitruk avait la charge. Il les bassinait avec les détails de l'opération et avec les cartes, leur exposait où seraient garées les voitures pour l'évacuation, leur ordonnait de s'exercer à la conduite de ces véhicules pour ne pas perdre de temps, le moment venu, à chercher comment on allumait les phares. Il planifiait également diverses façons de détourner l'attention des patrouilleurs.

De son côté, Karol avait loué la maison auprès d'une Bridget aux anges, lui payant six mois de loyer d'avance et doubla sa provision, ce qui l'avait mise dans un tel état de béatitude qu'elle avait failli s'envoler de plaisir, ce que Karol décrivit ensuite par ces mots : « Elle lévita tant que ses yeux se retrouvèrent presque à hauteur de mon nombril. » Cette remarque fut unanimement condamnée par Lisa et Zofia comme une épouvantable blague sexiste, d'autant plus révoltante qu'il se moquait d'une naine. La riposte, « Vous êtes jalouses parce que vous voudriez posséder son sex-appeal, bande de retraitées », n'améliora pas vraiment sa position. Par ailleurs, Karol activa discrètement ses contacts pour en apprendre autant que possible sur Darren Richmond et sur sa collection. Il eut donc la confirmation que c'était bien lui qui avait acheté le Hassam chez Sotheby's ; on le soupçonnait également d'avoir acquis *Le Paysan à la fourche* de Winslow Homer, œuvre partie au Rockefeller Plaza pour le fabuleux prix de près de deux millions et demi de dollars, ainsi que deux œuvres mineures de Whistler. Tout portait à croire que l'amateur de belles lettres Darren Richmond était soudain devenu expert en impressionnistes américains.

Zofia et Karol se mirent à simuler le déménagement vers New Rochelle. Dans ce but, le docteur Lorentz se procura un équipement complet de maison lors d'un vide-greniers dans le New Jersey et en commanda le transport en quelques trajets vers leur nouvelle demeure. Ils tenaient surtout à ce que quelqu'un leur amène les meubles, ils n'ouvrirent même pas les cartons. Bien mal leur en prit, car l'un d'entre eux contenait une belle collection de comics du début de leur âge d'or, dont le célèbre numéro 27 du périodique *Detective Comics* où Batman apparaissait pour la première fois.

Ni Karol ni Zofia, qui auraient certainement reconnu sa valeur, n'ouvrirent jamais le carton en question, et c'est ainsi que le cahier atterrit au final entre les mains de la naine Bridget Corbett, désespérée par la tournure finale des événements à Rochelle Heights, événements qui allaient lui coûter le poste confortable qui était le sien dans l'agence immobilière. Elle finirait par vendre le comics deux ans plus tard chez Christie's et en tirer près de deux millions de dollars, se trouverait un mari qui la dépasserait d'un mètre et tiendrait une rubrique « sexualité » dans une émission matinale de télévision. Mais c'est là une tout autre histoire.

Zofia passa également un peu de temps à transmettre des messages codés aux plus hautes institutions de l'État polonais. Si elle réussissait à faire venir à Washington une personnalité suffisamment importante pour qu'elle se déplace en avion gouvernemental, ils pourraient l'utiliser pour rapatrier le Raphaël et eux-mêmes au pays, au cas où les autres voies se trouvaient bloquées. Zofia n'était pas enchantée par cette éventualité ; une évacuation d'urgence signifiait qu'elle ne pourrait plus jamais revenir légalement aux États-Unis, or, elle comptait encore visiter le Grand Canyon et le parc de Yosemite. Mais au final, elle jugea que c'était un faible prix à payer pour rendre à la Pologne l'œuvre d'art la plus précieuse qu'elle ait jamais perdue. D'autres beaux endroits existaient sur cette planète et elle en viendrait plutôt à manquer d'années pour tous les visiter. À la fin, on convint que c'est son chef, le ministre des Affaires étrangères, qui viendrait à Washington. La date de la visite définissait également la date du cambriolage : il leur restait trois jours.

214

Le dernier soir avant le coup, Karol et Lisa habitaient à New Rochelle depuis une semaine déjà et Zofia se demandait avec agacement à quel point ils simulaient leur vie matrimoniale. Mais lorsque ces deux-là franchirent ensemble le seuil du loft sur Mercer Street, rien dans leurs gestes ne trahissait leur degré d'intimité. Karol s'installa dans un grand pouf qu'il avait annexé dès le début et qui lui servait, selon son humeur, de poste de travail ou de lit s'il s'attardait au salon, un bourbon à la main, et n'avait pas la force de monter dans l'une des chambres à coucher au fond de l'appartement. Les autres regardaient ce petit manège sans complaisance et Gmitruk en était visiblement irrité.

— À partir de maintenant, il n'y a plus de place pour les erreurs, expliqua-t-il en se penchant sur une carte de Rochelle Heights tel un général d'état-major. Revoyons une nouvelle fois les routes d'exfiltration et demain, à neuf heures pile, rendez-vous ici pour un dernier briefing.

— On pourrait dire dix heures ? lança Karol, portant son verre à ses lèvres. Après ça, on va avoir beaucoup à faire et je voudrais faire une grasse mat'.

Anatol le fixa avec reproche.

— Non. Et arrête de picoler autant, dit-il. On n'est pas dans un film de James Bond où il commence par se mettre une mine avant d'aller sauver la planète.

Las, il s'interrompit et se frotta le visage à deux mains.

— Je commence à en avoir assez de chaperonner des civils, ajouta-t-il.

Karol se leva et s'approcha ostensiblement de la bouteille de bourbon. Il se versa une rasade généreuse comme s'il s'agissait de jus de pommes.

— Va te faire foutre, grogna-t-il. Demain, je pourrais me retrouver dans une taule américaine pour de longues années et je ne peux pas espérer que quelqu'un m'en sorte par des canaux secrets de l'OTAN, être l'objet d'un échange d'espions ou je ne sais quoi. Si on se fait prendre, je vais tirer mon temps et puis c'est tout. Et ce n'est même pas le plus pessimiste des scénarios. Parce qu'il se pourrait aussi que je sois ce civil stupide qui ne remarquera pas un mouvement dans les buissons, qui ne se défendra pas, qui ne réagira pas assez vite et se fera tout simplement abattre par un patrouilleur zélé. Donc, si tu crois que je vais passer ce qui pourrait être ma dernière nuit la gorge sèche, réfléchis-y encore, lézard.

Gmitruk ne répondit pas. Les deux hommes se faisaient face, immobiles. Il y avait de l'électricité dans l'air.

Zofia se racla la gorge.

— Est-ce qu'on pourrait considérer que nous avons tous pu exprimer nos émotions et nous remettre au boulot ? Ou faut-il qu'on lutte jusqu'à la mort ?

8

Ils se retrouvèrent sur Mercer Street à dix heures, répétèrent le plan étape par étape avec toutes les variantes jusqu'à treize heures.

À quatorze heures, ils rangèrent le loft et supprimèrent les traces de leur passage.

À quinze heures, ils laissèrent leurs valises dans une conciergerie sur la 34e rue. Ce lieu était plus morbide que les pires tripots des films américains. Si on avait suspendu au mur une liste de prix de prestations telles que « vente de Biélorusses kidnappées », « kamikazes avec ceintures d'explosifs » ou « méthamphétamine par sacs de cinquante livres », aucun des clients de ce taudis situé au cinquième étage d'un vieil immeuble new-yorkais puant n'y aurait prêté attention.

À seize heures, Karol et Lisa retournèrent « à la maison », saluant cordialement au passage Domingo Chavez qui venait de prendre son service.

À dix-sept heures, un taxi s'arrêta devant leur résidence coloniale sur The Serpentine et Zofia en émergea, une bouteille de vin à la main.

À dix-huit heures, il faisait assez sombre pour que les lampadaires s'allument.

À dix-huit heures quarante-cinq, Gmitruk avait fini de disposer les véhicules dans les ruelles environnantes, aux endroits préalablement choisis.

À dix-neuf heures quinze, un autre taxi s'arrêta devant la villa. Anatol en sortit avec une bouteille de Jack Daniels et un sac rempli de nourriture chinoise. Bien qu'il n'en eût rien su, il avait fait ses achats dans le même fast-food que celui où Karol avait acheté leur dîner quelques jours plus tôt. Quelque chose dans la dimension sordide de ce boui-boui devait attirer les arrivants d'Europe de l'Est.

À dix-neuf heures dix-huit, Gmitruk versa dans l'évier près des trois quarts de la bouteille de brandy, juste au cas où.

À vingt heures, ils allumèrent la télé et les lampes du rez-de-chaussée, afin de simuler une fête. Eux-mêmes passèrent dans une chambre obscure à l'étage et patientèrent.

À vingt heures vingt-quatre, Lisa Tolgfors répéta :

— Pas temps pour préliminaires ici. Bisous, bisous et puis je t'aime ma biquette. Non. Pénétration rude, sortie rude. La plus brève possible, la plus vite possible.

À vingt-deux heures quinze, Karol fit remarquer que s'ils avaient été dans un film de gangsters, ils seraient en train de tuer le temps en se racontant comment ils allaient dépenser les cent millions de dollars qu'ils recevraient pour le Raphaël. Ils passèrent un quart d'heure à se prendre au jeu.

Lisa expliqua qu'elle pourrait enfin acheter quelque chose légalement lors d'une vente aux enchères. Elle n'était pas persuadée que cette manière d'acquérir une œuvre soit satisfaisante pour elle, mais ça valait le coup d'essayer. Après quoi, elle ajouta malicieusement qu'elle pourrait offrir à la Pologne un second Monet ; il lui serait plus facile de digérer la perte du premier s'il venait encore à disparaître.

Zofia répondit sans hésiter qu'elle consacrerait ses vingt-cinq millions à la création d'une fondation pour la recherche et la récupération de l'héritage polonais. Entendant cela, Karol roula des yeux et elle lui rétorqua, irritée, que s'il venait un jour à traiter l'art autrement qu'en source de spéculations, d'arnaques, de profits, mais plutôt comme l'émanation d'une beauté que chacun porte en soi, et s'il allait parfois voir les gamins dans les musées auxquels cette beauté ouvrait de nouveaux horizons, alors peut-être changerait-il d'avis à propos de son initiative. Pour conclure, elle amusa tout le monde en avouant qu'elle souhaiterait que chaque œuvre récupérée par ses soins soit dotée d'une plaque en laiton indiquant que la pièce en question se trouvait dans le musée grâce à la fondation Zofia Lorentz.

Anatol Gmitruk n'était pas très loquace. Il ne savait pas briller par une anecdote bien sentie, ou peut-être qu'il ne le voulait pas, il louvoya un peu, dit qu'il n'avait pas d'idées, finit par annoncer qu'il donnerait son argent à une certaine cause médicale, et leur demanda de ne pas creuser davantage, parce que c'était une question très personnelle. Il s'excusa d'être aussi sec. Karol plaisanta un peu, suggérant que l'ancien soldat garderait probablement de quoi se payer une belle voiture, mais Anatol lui répondit, avec sérieux et cordialité, que pas forcément.

— Écoutez-moi bien, parce que j'ai tout prévu dans les moindres détails, dit Karol lorsque ce fut son tour. Ma part, c'est vingt-cinq millions, n'est-ce pas ? Je divise ça en vingt-cinq paquets d'un million que je distribue. Je choisis vingt-cinq personnes, ou des familles, ou des couples. Des connaissances, des amis, des membres de la famille, tout le monde trouve un besoin pour une telle somme. Je ne les donne pas en mon nom, mais anonymement, par le biais d'une fondation. Je ne veux pas qu'on en vienne à me haïr pour ce cadeau impossible à rendre. Je pose néanmoins une condition : chacun de ceux qui acceptent ce million doit signer un contrat qui l'oblige, dix ans plus tard, à décrire brièvement ce qu'il a fait avec cet argent et comment celui-ci a changé sa vie.

— À quoi ça te sert ? demanda Zofia, authentiquement étonnée par l'idée.

Au fond, cette folie positive lui manquait. Vingt-cinq millions à sa disposition et la seule chose que ce gars invente, c'est comment les distribuer avec fantaisie. Mesdames et messieurs, voici Karol Boznański, marchand cynique et suceur de sang au cœur d'or, maître fermier qui ramasse les œufs des nids de ses poules une montre Audemars au poignet !

— Après dix ans, j'ai vingt-cinq lettres incroyables, dit Karol, de véritables histoires très humaines. Je les réunis en un livre, le livre paraît dans le monde entier, devient un best-seller international et je gagne tellement d'argent que ces vingt-cinq millions, je les touche chaque année rien qu'en droits d'auteur. Pas mal, non ?

— T'es un clown, commenta brièvement Zofia.

À vingt-trois heures trente, tout le quartier était au lit. Les lumières s'étaient éteintes, les derniers promeneurs et leurs chiens étaient rentrés, les derniers managers new-yorkais travaillant trop avaient coupé les moteurs puissants de leurs SUV noirs dans les contre-allées. Dans un autre voisinage, on distinguerait peut-être encore le halo bleuâtre des télévisions et des silhouettes qui s'affairaient en cuisine, mais ici, les parcelles étaient trop vastes et si, dans les résidences environnantes, la vie suivait son cours, ils ne le voyaient pas. Ils ne voyaient que la résidence de Richmond, sombre et abandonnée. Davantage de détails étaient visibles en thermo-vision. Les radiateurs s'étaient mis en marche, le système veillait à ce que la température ne tombe jamais en dessous des dix-sept degrés programmés. Les taches colorées correspondant à la chaleur se répandaient dans les pièces et ressemblaient à un dessin animé pour public averti.

À vingt-trois heures quarante-cinq, en accord avec leur plan, ils passèrent à l'action.

Lisa pirata le système informatique de la résidence Richmond. Elle vérifia les images de toutes les caméras afin de s'assurer que la maison fût vide, qu'aucun enfant de l'industriel (et il en avait sept, de trois mariages différents) n'eût débarqué par surprise dans une des chambres à coucher. Elle accéda au panneau de contrôle du chauffage et poussa la température des pièces à l'étage jusqu'au niveau tropical de quatre-vingt-quinze degrés Fahrenheit, soit trente-cinq degrés Celsius.

— Je ne pensais pas que c'était possible, dit Zofia.

— Max possible, trente-neuf degrés, répliqua Lisa. Amérique ici. Papys reviennent Florida et veulent pareil été. Maintenant, on attend.

À minuit, la maison de Richmond, sombre comme toujours vue du dehors, ressemblait en thermo-vision à un sapin de Noël. Les fenêtres à l'étage brillaient en orange et en rouge, les radiateurs et les tuyaux en blanc, la chaleur se déversait dans les pièces du bas où une température de vingt-trois degrés régnait déjà. Dans les chambres à coucher du haut, on atteignait entre vingt-neuf et trente-deux degrés, selon la taille de la pièce.

Vingt minutes après minuit, Domingo Chavez et son compagnon passèrent sous leurs fenêtres pour la dernière fois. Selon ce que leur avaient appris plusieurs jours d'observation, cette ultime patrouille descendrait jusqu'en bas de The Serpentine, retournerait sur

Hamilton Avenue dans leur poste de garde où, à minuit et demi, les deux agents céderaient la place à la relève.

— On n'est pas dans une prison de haute sécurité ici, leur avait expliqué Anatol plus tôt. Personne ne prendra la peine de passer le relais en chevauchement pour que chaque portion du mur soit toujours sous surveillance. Les derniers patrouilleurs vont toujours se dépêcher, ils songeront déjà au dîner tardif, à la bière et à leur femme sous la couette. Encore quelques blagues graveleuses, un brin de causette avec les remplaçants, et c'est bon. Il n'y a jamais d'action par ici. En cette saison, les premiers patrouilleurs de nuit ne se presseront pas non plus pour sortir. Quelques minutes plus tôt, ils cassaient encore la croûte dans une cuisine confortable, puis ils roulaient dans une voiture chauffée, et là, il leur faut sortir dans le froid et dans le vent. Pas folichon. Nous avons donc une demi-heure de battement.

Vingt-cinq minutes après minuit, Karol sortit pour une promenade tardive.

À minuit et demi, la rue était sombre et déserte. Quelques centaines de mètres plus loin, les gardes se racontaient probablement comment les San Francisco Giants venaient de réduire en miettes les Detroit Tigers en finale des World Series. La température de la résidence Richmond atteignait les trente-cinq degrés prévus. Lisa éteignit tout ce qu'elle pouvait éteindre depuis son ordinateur, soit l'alarme de base anti-intrusion sur les portes et les fenêtres. Puis elle mit en boucle quelques minutes d'enregistrement des caméras internes, au cas où monsieur l'industriel déciderait de vérifier ce qui se passait chez lui.

Après quoi, elle se déshabilla complètement.

9

Le capitaine Clifton Patridge s'était installé au Red Ruby à New Rochelle. Il y consommait du riz avec une viande dont il ne savait pas définir l'espèce, plongée dans une sauce aux ingrédients si transformés qu'il ne reconnaissait que l'oignon, et y menait un débat éthique avec lui-même.

Quand, au juste, commettait-on une trahison ? Il se posait cette question en boucle.

Le seul fait qu'il soit venu à New Rochelle pouvait être considéré comme un acte d'insubordination. Mais pourquoi, au fond ? En dehors de son statut de soldat, il était également un citoyen américain libre, en l'occurrence, il avait quelques jours de congé et était venu manger chinois dans un patelin près de New York.

Et même s'il était venu ici parce qu'il avait traqué Anatol Gmitruk, soldat retraité d'une armée amie, alors quoi ? Il ne l'avait pas fait illégalement ; il avait employé pour ce faire des moyens officiellement à sa disposition. Tout au plus, sa hiérarchie pouvait lui reprocher de l'avoir fait sans lien avec une opération. Mais, soyons honnêtes, on ne recevait même pas un blâme pour ça, ils pouvaient tout au plus le tancer. Il voulait retrouver un ami, la belle affaire.

Et s'il était venu ici parce qu'il soupçonnait son ami d'être la victime de manigances de fonctionnaires américains haut placés et des sbires qu'ils avaient engagés ? Officiellement, il ne savait rien de ces agissements, après tout, on lui avait ordonné de ne pas encombrer sa caboche de militaire avec ça.

— Ne fais pas le gamin et arrête de te plaindre ! marmonna-t-il, vidant d'un trait son verre de coca. Si tu t'en mêles, tu finiras au mieux en taule, mais plus probablement à la morgue, car tu en sais trop.

Il repoussa son repas à peine entamé, sortit du bar et s'arrêta près de sa Dodge Avenger de location.

Quand, avec sa femme, ils avaient eu des problèmes et avaient suivi une thérapie de couple, la psychologue leur répétait sans cesse : ne pas prendre de décisions, c'est aussi une décision. Il l'avait parfaitement mémorisé, c'est pourquoi il ne pouvait pas se mentir en se disant qu'il allait attendre un peu, voir ce qui se passerait, avant de décider. S'il attendait, Anatol Gmitruk serait voué à la mort ou à une autre fin tout aussi triste, concoctée par le connard quatre étoiles et ses mercenaires. S'il agissait, une fin tout aussi lugubre ou pire pourrait l'attendre, lui. Sans parler de tous les points de règlement et de tous les serments qu'il enfreindrait.

Il fit tourner ses clés autour d'un doigt sans parvenir à décider s'il valait mieux trahir sa patrie ou se trahir soi-même.

10

Karol Boznański jeta pour la dernière fois un coup d'œil à la résidence coloniale. Si tout se déroulait selon le plan, il ne reverrait plus jamais cette maison et ses environs. Si quelque chose partait de travers, il ne les reverrait pas non plus, à moins d'y être conduit, menottes aux poignets, pour une reconstitution. Il n'avait sur lui aucun document, ni passeport ni clés. Il ne possédait qu'une minuscule oreillette par laquelle il entendait ce qui se passait chez Zofia et Anatol, restés à l'étage, et du côté de Lisa qui s'enfonçait dans les buissons toute nue.

Il regrettait un peu d'avoir dû sortir plus tôt et de n'avoir pas pu voir la Suédoise quitter ses vêtements. Rien ne s'était passé entre eux, au bout du compte, depuis qu'il l'avait repoussée cette première nuit à Rochelle Heights, mais le seul fait qu'il lui aurait suffi, alors, de hocher la tête, éveillait toujours son imagination. Par conséquent, il n'arrivait pas à voir Lisa comme une coéquipière et une pensée tenace couvait dans sa tête : l'invitation était-elle toujours d'actualité ?

Il parcourut The Serpentine jusqu'à Hamilton Avenue et tourna vers le centre de New Rochelle. Sur sa gauche, de charmantes résidences ressemblaient à celle qu'il avait occupée ces derniers jours, quoique plus modestes, mais c'étaient encore des maisons anciennes avec vérandas caractéristiques, aussi larges que leurs façades. Après deux cents mètres, il atteignit un portail, l'entrée du quartier, avec ses deux colonnes de pierres, flanqué de la guérite des gardiens, de la taille d'une caravane et dont suintait la lumière blanche des halogènes mélangée au halo blafard des moniteurs de surveillance. Il y avait du mouvement à l'intérieur, mais Karol ne distinguait pas les silhouettes, il ne voyait que des ombres.

11

De son côté, Zofia Lorentz ne regrettait pas que Karol ait dû sortir plus tôt et n'ait pu voir Lisa se déshabiller. Pourtant, une mauvaise voix intérieure, une voix mesquine, lui répétait en boucle que durant leur semaine de vie commune, Karol avait pu contempler la Suédoise à l'envi.

En revanche, elle appréciait le fait que Lisa ne fît pas de sa nudité une grande affaire ; c'était peut-être parce qu'elle avait été éduquée au cœur d'une civilisation de saunas. La cambrioleuse se dévêtit, ne garda sur elle qu'une culotte de sport très chiche, puis enfila un modeste sac à dos qui, au lieu des larges bretelles habituelles, ne tenait que sur d'étroits cordons. Ensuite, elle accrocha à son oreille une chose qui ressemblait à un kit sans fil pour téléphone portable, mais se composait en réalité d'un intercom et d'une caméra qui transmettait les images à leur ordinateur.

Alors, ils la virent franchir précautionneusement, mais rapidement, la distance qui séparait les buissons de la maison de Richmond. Elle empruntait un détour – l'analyse du voisinage sous thermo-vision et quelques promenades avaient permis de tracer un itinéraire qui lui permettait de rester hors champ des caméras le plus longtemps possible. Auparavant, Anatol avait jugé la répartition de ces caméras comme de l'amateurisme modéré. Dans une installation idéale, chaque mètre carré du territoire à surveiller aurait dû être doublé, c'est-à-dire observé en permanence par deux caméras.

Dans le cas de la résidence Richmond, ce n'était le cas qu'aux endroits naïvement considérés par le fournisseur comme sensibles, à l'instar de la porte d'entrée ou de la baie vitrée du salon côté jardin. Les autres coins n'étaient couverts, au mieux, que par un seul objectif, mais il restait quelques angles morts, ce qui permit à Lisa de se faufiler presque inaperçue, presque jusqu'à la demeure.

Mais, comme on le sait, toute la nuance est dans le « presque ».

12

La température ne dépassait pas les sept degrés au-dessus de zéro, un léger vent soufflait, mais Lisa ne sentait pas le froid, tout au plus une fraîcheur revigorante. Il y avait quelque chose de primaire dans le fait d'avancer nue entre les arbres, de piétiner une terre glacée couverte de feuilles mortes. À ce moment précis, la Suédoise ressemblait vraiment à Ronya : une fille de brigand, coriace et rompue aux luttes, qui progressait avec agilité et aisance entre les buissons. Elle s'appuya au tronc d'un grand hêtre, le dernier endroit où elle pouvait se sentir à l'abri. Quatre mètres plus loin, le mur gris de la résidence s'étendait sur deux niveaux. Il s'agissait d'une façade latérale, secondaire, située à l'opposé du sanctuaire d'art de Richmond et exposée au nord. En bas, Lisa apercevait le hublot d'une pièce de service ; en haut, la fenêtre de la chambre à coucher des invités moins prestigieux ou d'une nounou qui logerait là pour s'occuper des enfants de ces messieurs-dames.

Du point de vue de la Suédoise, l'isolement était une qualité. Non seulement ce mur était le moins découvert et le moins surveillé, comme si on avait considéré qu'un voleur choisirait à coup sûr la porte principale, mais en plus, la chambre de ce côté-là était la plus petite, ce qui, dans ce cas précis, avait une importance capitale : elle avait chauffé plus vite que les autres.

— Karol ? chuchota-t-elle.

— Tout va bien, répondit-il en anglais, car ils étaient auparavant convenus que dans les moments cruciaux, ils ne pouvaient se permettre de perdre une information importante dans les méandres de la langue polonaise. Les gardes restent peinards dans leur guérite, et je n'ai pas l'impression qu'ils comptent sortir d'ici peu.

— Tiens-moi au courant.

C'était le premier moment à risque, non seulement pour Lisa, mais pour toute l'opération. L'angle du mur qu'elle voulait escalader pour atteindre la fenêtre de la chambre était surveillé par une caméra installée dans un arbre. L'éteindre pouvait attirer l'attention de quelqu'un, mais pas obligatoirement. C'est pourquoi Lisa avait décidé d'exploiter le fait que, pour des raisons esthétiques, la caméra n'avait pas été installée sur un poteau spécial. De son sac à dos, dont les cordons cisaillaient douloureusement ses épaules, elle sortit un filin avec un poids accroché au bout.

Elle le fit tourner et le lança, visant une fine branche au-dessus de la caméra. Mais elle rata son coup : le poids rebondit avec un tintement puissant sur le boîtier de l'appareil.

Elle jura en polonais. Les insultes suédoises n'étaient vraiment pas à la hauteur, surtout lors de tels moments. La langue polonaise en revanche, après des siècles d'efforts pour rendre l'humeur d'une âme perpétuellement furibonde, contenait son lot de termes fort adéquats.

— Karol ?

— C'est calme.

Elle se concentra, lança encore et cette fois, elle visa juste. Le poids s'enroula autour de la branche à un mètre et demi du tronc. À présent, l'idéal aurait été de choisir le moment où cette caméra ne transmettait pas d'images au poste de garde, mais ils n'avaient pas accès à de telles informations. Lisa tira donc plusieurs fois sur la branche, simulant des rafales de vent, et, lorsqu'elle estima que les feuilles masquaient suffisamment l'objectif, elle bloqua le fil et l'attacha au tronc.

Elle attendit un instant.

— Karol ?

— Toujours calme.

C'était maintenant ou jamais. Il était vrai que Karol devait arrêter les agents de sécurité s'ils se mettaient soudain en tête de vérifier pourquoi la branche avait pris vie, mais il ne réussirait pas à les retenir très longtemps. Lisa enclencha son chronomètre. Son expérience lui enseignait que si au bout d'un quart d'heure, on n'avait pas les articles en main, alors il fallait oublier l'affaire et dégager au plus vite.

— J'y vais, lança-t-elle sèchement avant d'atteindre le mur en trois bonds.

La façade en pierre de la maison rencontrait ici la paroi du garage et la jonction des deux se prêtait à l'escalade comme une échelle. Prenant appui sur ses pieds des deux côtés, la Suédoise franchit les quelques mètres qui la séparaient du premier étage. La fenêtre se trouvait à un mètre cinquante sur sa gauche ; par chance, les corniches et les généreux parapets facilitaient les acrobaties, même celles d'une personne dont les jambes s'engourdissaient progressivement à cause du froid.

Elle arriva jusqu'au rebord de la fenêtre et jeta sans crainte un coup d'œil à la chambre. La vitre la protégeait à la fois du détecteur de mouvement et des capteurs thermiques. Elle sentait très précisément la chaleur rayonner à travers le verre, signe qu'ils avaient réussi à augmenter la température de la résidence. Elle songea à la monstrueuse facture de chauffage que Richmond allait recevoir et pouffa de rire.

— Qu'est-ce qui se passe ? demanda Zofia, vigilante.

— Rien. J'entre.

Le chronomètre indiquait deux minutes et demie.

13

La vie n'est pas comme une boîte de chocolats, pensa sentencieusement Hermod, faisant toujours usage du nom de Jasper Leong ces temps-ci, assis dans une atmosphère chaude à l'intérieur d'un SUV noir, une Porsche Cayenne en l'occurrence. Forrest Gump avait tort. C'est Tom Cochrane qui avait raison lorsqu'il chantait que la vie était une autoroute. Et nous fonçons à contresens, un bandeau sur les yeux, les mains rivées au volant, pied au plancher. Peu importent les efforts fournis, peu importent les manœuvres, chacun finit par heurter quelque chose. La question est de savoir si ce sera une barrière qui amortira le choc, une mini Cooper ou un dix-huit tonnes chargé de billots de bois.

Je parie sur le dix-huit tonnes, se dit-il dans sa langue maternelle.

La Porsche de Hermod était garée à un endroit où elle n'attirait pas l'attention, à savoir dans l'allée d'une résidence de luxe sur Hamilton Avenue, à Rochelle Heights. Les propriétaires possédaient une voiture identique ; on le sait, l'appartenance à la classe moyenne supérieure consiste à ne pas sortir du lot, et surtout pas dans le choix de sa voiture : elles doivent toutes être noires, chères et donner l'impression de transporter des cadavres.

Ainsi, personne ne remarqua que devant le garage de M. et Mme Torrance – qui prenaient à ce moment-là le soleil sur l'île de Maui – était garé un SUV noir.

Hermod pouvait rester tranquillement à l'abri derrière les vitres teintées, un téléobjectif équipé de vision nocturne collé à l'œil, et observer une femme agile et souple à la silhouette assez masculine escalader le mur de la résidence Richmond, tel Gollum gravissant la montagne du Destin.

Il aimait quand tout se déroulait selon son plan.

— *Life is a highway, I wanna ride it all night long, yeah, yeah, yeah*, fredonna Hermod en voyant Lisa farfouiller près de la fenêtre à l'étage.

14

Elle n'avait jamais pratiqué de sports extrêmes, elle skiait prudemment, elle nageait dans la mer uniquement là où c'était peu profond et évitait les films d'horreur. Et elle gagnait sa vie en tant que fonctionnaire. Jamais auparavant Zofia n'avait ressenti une telle tension et elle ne s'attendait pas à ce que ce fût une sensation aussi physique. Le sang pulsait dans ses oreilles, ses pieds et ses mains s'engourdissaient, ses muscles frémissaient étrangement, comme si elle les soumettait à des efforts constants, bien qu'en vérité, elle fût immobile devant son ordinateur.

Sur l'écran, elle voyait l'image transmise par la caméra fixée à l'oreille de Lisa : la vitre dans laquelle se réfléchissaient indistinctement le visage de la Suédoise et sa poitrine nue, ainsi que le chambranle de la fenêtre et la pointe d'une minuscule perceuse avec laquelle elle faisait un trou dans le cadre. De fins copeaux s'amassaient sur le rebord en ardoise. La perceuse disparut et, l'instant d'après, une main fine aux ongles absurdement rouges introduisit avec précaution dans le trou un objet qui ressemblait à un câble noir.

— Vous êtes sûrs que le capteur ne le détectera pas ? demanda-t-elle tout bas à Gmitruk, constatant à regret que sa voix tremblait telle celle d'une collégienne à son premier rencard.

— C'est un objet trop petit. Et il se déplace trop lentement. Aucune chance.

Lisa manipulait les commandes du boroscope. Zofia savait qu'en plus de la caméra, l'appareil était équipé d'un laser, similaire à ceux qu'on utilisait dans les écoles et les grandes entreprises pour pointer quelque chose au tableau. On pouvait les acheter pour quelques zlotys dans n'importe quelle quincaillerie. Un tel laser – et elle avait été choquée en l'apprenant – était suffisant pour neutraliser un détecteur de mouvements. Lisa lui avait expliqué qu'une bonne partie des systèmes de protection, professionnels en théorie, se basait sur la conviction du client que des termes complexes garantissaient la sécurité. En réalité, ils ne garantissaient que les profits du fabricant et des agences de surveillance. Oui, c'était exact, un laser ordinaire à cinq zlotys neutralisait un détecteur de mouvement dans une résidence pleine, comme ils venaient de l'apprendre, de toiles impressionnistes valant au total une douzaine de millions de dollars, sans même évoquer le Raphaël.

Zofia frémit lorsqu'un lampadaire vint soudainement à diminuer d'intensité au fond de la rue, avant de se mettre à clignoter. Elle prit ça pour un mauvais présage. Le monde se détraquait, leur faisait comprendre qu'ils brisaient son harmonie et devaient interrompre leurs agissements.

Elle entendit dans son oreillette la voix maîtrisée de Lisa :

— Quelle est la température à l'intérieur ?

— Trente-quatre et demi, lui répondit Anatol, après avoir vérifié la valeur sur l'interface de contrôle de la résidence Richmond.

— C'est-à-dire une dizaine de degrés de plus que la température actuelle de ma peau. Maudit soit cet hiver. Bon, c'est le moment de vérité.

15

Il n'est pas facile de leurrer un capteur thermique. Cet appareil détecte l'apparition dans son rayon d'action de tout objet assez grand – une main est suffisante – et dont la température diffère de celle de son environnement. Un corps humain, plus chaud d'ordinaire d'une quinzaine de degrés que le reste de la pièce, déclenche immédiatement l'alarme. Les habits ne servent à rien, tout comme ne sert à rien, et Lisa l'avait testé un jour, une combinaison en mousse pour la plongée sous-marine. Sous l'eau, une telle combinaison protégeait peut-être du froid, mais en surface, elle se réchauffait en un clin d'œil et brillait dans le spectre thermique comme un néon de motel sur une aire d'autoroute.

À l'instar du détecteur de mouvements, il existait un moyen simple et efficace de les neutraliser : le verre. Le verre est un isolant assez bon pour que tout ce qui se trouve derrière une vitre soit invisible pour le capteur. Le problème, c'est qu'il est difficile de se balader dans une armure de verre durant un cambriolage. Malgré tout, Lisa avait emporté avec elle des bloqueurs de capteurs thermiques spécialement confectionnés pour l'occasion : de modestes carreaux de verre montés sur une armature aux pieds badigeonnés de colle forte. Cela ressemblait à un modèle de tarentule : l'abdomen était en verre et les pattes en tuyaux métalliques pliables. Mais pour enfiler une telle araignée sur un capteur, il fallait d'abord s'en approcher.

Et c'est pourquoi Lisa paradait toute nue, une nuit de novembre dans l'État de New York.

Pour devenir invisible, il fallait que son corps et son environnement soient à la même température. Dans la pièce de l'autre côté de la vitre, l'atmosphère atteignait les trente-quatre degrés, ce que Lisa ressentait d'ailleurs très précisément, le verre était chaud et un souffle agréable s'échappait comme d'un sèche-cheveux par le trou percé. Son corps en revanche, un brin refroidi par les cabrioles à l'air frais, devait être descendu à trente-cinq. Elle devrait donc théoriquement pouvoir approcher des capteurs en passant inaperçue.

Théoriquement. Bien sûr, la petite merveille de technologie pouvait être exceptionnellement précise. C'était peu probable. Après tout, la chaleur se répartissait dans les pièces de façon hétérogène et si une alarme était trop sensible, elle devrait sonner à chaque fois que les radiateurs se mettaient en route. Pourtant, elle pouvait réagir à l'ouverture de la fenêtre et à la vague d'air froid. Ce qui était également peu probable, car si on en croyait les lois de la physique, c'était plutôt l'air chaud qui se déplaçait en premier en direction de l'air froid, et puis, un tel échange d'atmosphère n'était pas non plus instantané. Mais le risque existait.

C'est pourquoi Lisa Tolgfors hésita, mais seulement une fraction de seconde. Elle crocheta la serrure, ouvrit la fenêtre et pénétra en vitesse à l'intérieur, prenant soin de ne pas montrer son sac à dos au capteur, car l'appareil aurait reconnu l'objet comme une atteinte à l'équilibre : il aurait perçu une tache froide sur un corps chaud. Elle posa le pied sur une moquette molle et duveteuse et s'empressa de fermer la fenêtre. Elle s'immobilisa, fixa les cellules du système d'alarme.

— Je suis dedans. Karol ?

— Tout est calme.

Elle regarda sa montre. Huit minutes s'étaient écoulées depuis qu'elle avait quitté l'arbre. C'était beaucoup.

Sans se retourner, elle sortit une araignée de son sac et s'approcha lentement du capteur. Elle ne voulait pas s'attarder ; une chaleur infernale régnait dans cette pièce et elle craignait de se mettre à suer et de devenir plus chaude que l'air ambiant. Elle s'approcha de la machine, prenant soin de ne pas couper le faisceau laser qui bloquait le détecteur de mouvement – ça aurait vraiment été une erreur débile – et elle colla l'araignée en verre au mur.

Alors seulement elle s'autorisa une grande inspiration et un soupir.

— OK, je continue, annonça-t-elle.

16

— Ça a marché ? demanda Zofia à Anatol qui regardait par-dessus son épaule.

— Si ça n'avait pas marché, on entendrait déjà le tambourinement des bottes paramilitaires. Ils n'auraient pas pris à la légère une telle alarme.

Grâce au troisième œil de Lisa, ils suivaient ses déplacements. La Suédoise ouvrit la porte sur le couloir qui, durant la phase de planification, leur avait causé des soucis dans la mesure où, sur son côté gauche, il était ouvert sur un salon haut de deux étages et se trouvait donc dans le champ d'action de trois détecteurs de mouvement et de trois capteurs thermiques : un ensemble installé à l'étage et deux au rez-de-chaussée. Lisa commença par placer trois lasers sur des mini-tréteaux, puis elle apposa une araignée sur le capteur du couloir. Elle ne pouvait rien faire contre ceux d'en bas, elle devait simplement défiler devant eux et espérer que, abrutis par la chaleur tropicale, ils n'apercevraient pas l'intruse.

Elle avança.

— Y a un truc qui cloche, dit soudainement Zofia, après avoir coupé son micro pour que ni Lisa ni Karol ne puissent l'entendre.

— Comment ça ?

— Je ressens une grande inquiétude, je n'arrive pas à respirer. C'est comme si j'avais raté quelque chose.

— Tu veux dire, maintenant ?

— Non, pas maintenant, plus tôt. C'est comme si je n'avais pas remarqué un détail évident dès le début, dès la Pologne.

— C'est peut-être le stress ?

— Oui, mais pas seulement.

— Zofia, ça peut être important, dit Anatol en lui posant une main sur l'épaule. Tu y penses depuis ce matin ou ça vient d'apparaître à l'instant ? Tu as peut-être vu quelque chose ?

Bonne question.

Elle détacha le regard de l'écran. Au fond de la rue, le lampadaire clignotait toujours.

La résidence de Richmond était sombre, mais grâce à la caméra de Lisa, ils voyaient assez bien le couloir gris et l'entrée de la collection. À chaque pas de la Suédoise, le passage devenait de plus en plus large ; à la fin, le contour du Hassam si patriotique apparut face à la porte. Les taches avaient divers niveaux de gris, Zofia distinguait à peine la forme de la bannière étoilée, elle avait l'impression de regarder une reproduction dans un catalogue. Une reproduction en noir et blanc, plate et floue.

Elle ferma les yeux. Le mauvais pressentiment ne la laissait pas en paix.

— Zofia, ça peut être vraiment important, répéta posément Gmitruk.

— Tu ne m'aides pas, grogna-t-elle si sèchement qu'il retira sa main comme ébouillanté.

— Y a un truc qui cloche, entendirent-ils dans leurs oreillettes de la bouche de Karol.

17

La tâche de Boznański n'était pas difficile. Il ne pouvait pas se permettre que, durant le casse, une patrouille surgisse dans les environs de la villa Richmond. Rôle qui, dans la variante la plus optimiste, n'impliquait rien de plus qu'une banale observation. En effet, la première patrouille pouvait s'orienter vers l'autre bout du quartier, emprunter Orchard Place en direction de The Boulevard. Dans ce cas, une vingtaine de minutes s'écoulerait avant que les gardes n'arrivent dans The Serpentine et aux abords de la résidence cible.

Dans l'hypothèse semi-optimiste, la patrouille se dirigerait en premier vers eux. Alors, Karol devait en informer Anatol qui ferait exploser une petite charge dans une maison près de Manor Place, à peine assez puissante pour ouvrir la fenêtre et déclencher une alarme. Cela devrait suffire pour que les gardes aillent vérifier quel crétin avait oublié de bloquer la poignée avant de sortir.

Dans le scénario pessimiste, une partie des agents poursuivaient malgré tout leur chemin vers la résidence Richmond. Dans ces conditions, Karol devait les retarder en leur racontant une fable de névrose new-yorkaise qui l'empêchait de dormir, leur parler des angoisses qui le poussaient à sortir la nuit, car il préférait se trouver dehors, plus près d'une ambulance s'il lui arrivait quelque chose. En un mot, il devait les noyer sous un flot de paroles.

Au bout du compte, l'équipe de surveillance quitta son réduit, deux hommes marchèrent d'un pas paresseux vers la planque de Karol. Il aurait dû lancer un court : « Feu », au lieu de quoi, il ne put s'empêcher de remarquer que quelque chose clochait.

— Feu, chuchota-t-il néanmoins l'instant d'après.

Les hommes firent encore quelques mètres vers le buisson où il était caché, puis la porte de leur baraque s'ouvrit brusquement.

— Ding ! cria un homme en uniforme. Faites un saut au 11, Manor Place. Un débile a oublié de fermer une fenêtre et le système me crache des alertes.

Domingo Chavez pivota sur ses talons, salua négligemment et partit en compagnie de son partenaire dans la direction opposée. Karol réussit encore à capturer des bribes d'une conversation qui concernait visiblement les jacuzzis. Chavez s'obstinait à prétendre que ces vasques étaient forcément saturées de mycoses.

— OK, chuchota Karol. Ils sont partis dans l'autre sens.

— Très bien. Et maintenant, explique-nous ce qui ne va pas.

— C'est la même patrouille, les mêmes personnes, dit-il. Normalement, ils auraient dû céder la place. D'autres gars les ont bien rejoints, ils sont entassés là-dedans depuis une demi-heure. Mais ce Chavez et son pote étaient censés enfiler leurs fringues de civils et rentrer chez eux. Or, ils remettent ça pour un tour. Je ne comprends pas.

Un silence embarrassé, plein de tension, s'installa. Et c'est alors que Lisa s'adressa à eux :

— Y a un truc qui cloche, dit-elle.

18

Le contraste entre la fraîcheur pénétrante, mais somme toute assez agréable, de l'extérieur et la touffeur de la maison Richmond, non aérée depuis longtemps, était immense. Lisa suait comme un bœuf, les gouttes coulaient sur son corps et pénétraient la moquette, elle ne s'était encore jamais sentie aussi nue qu'à ce moment-là. Elle aurait tué pour un morceau de drap ou pour une serviette, elle rêvait de pouvoir s'essuyer ou au moins se couvrir.

Le couloir qui la séparait du Hassam et du Raphaël était davantage une coursive qu'un corridor. À sa droite, il y avait trois portes qui permettaient d'accéder à deux chambres et une salle de bains. À sa gauche, une balustrade ajourée la séparait du salon, de ses capteurs, et ne lui procurait aucun abri. Elle parcourut cette distance près du mur, orientée vers le salon, afin que son sac à dos ne soit pas repéré par les détecteurs, précaution inutile parce qu'il avait fini par chauffer autant que le reste dans cet enfer.

Aucune lampe n'était allumée dans la maison, mais assez de lumière pénétrait par les baies vitrées pour que Lisa pût distinguer précisément l'ensemble du mobilier qui remplissait ce riche intérieur. Encore une fois, elle se demanda pourquoi un amateur d'art traquant les impressionnistes américains lors de diverses ventes aux enchères gardait dans son salon d'horribles décors, des toiles imprimées représentant des corbeilles de pommes et des vases, accrochées entre une tête d'ours et des bois d'élan. Après quelques pas, le reflet d'un lampadaire scintilla dans les yeux de verre de l'ours. Elle frémit parce qu'elle eut l'impression que l'animal empaillé la suivait du regard. Calme-toi, se dit-elle en suédois, tu deviens parano.

Elle glissait sur la moquette ; l'unique bruit de la demeure était le gargouillis dans les radiateurs, une eau pompée dans les tuyaux par un système qui tentait de toutes ses forces de maintenir des conditions tropicales dans la résidence. Les pas feutrés de Lisa devenaient par conséquent parfaitement inaudibles.

Elle arriva au bout du couloir et observa attentivement le chambranle, car la porte ouverte lui paraissait suspecte. À raison. Le passage entre la « chambre de Hassam » et le reste de la maison n'était pas ordinaire. D'ailleurs, il n'y avait ici ni porte ni montant. Il y avait en revanche trois glissières à peine visibles de la couleur du mur, c'est pourquoi elle ne les avait pas aperçues via les caméras de surveillance. Elle examina très attentivement le plafond et remarqua ce qui devait se trouver dans ces entailles. Le premier rideau à partir du couloir était un panneau fin, probablement identique aux autres murs, qui servait à camoufler l'existence du Hassam et du reste. Le deuxième, c'était une épaisse cloison d'acier, soit une barrière anti-intrusion et anti-incendie. Si la salle d'exposition avait été correctement planifiée, les tableaux devraient demeurer intacts même si le reste de la propriété partait en fumée. La troisième paroi qui sortait ou se cachait dans le plafond était une grande vitre qui permettait de laisser passer un peu de lumière diurne sans cacher la vue, mais également d'isoler la collection des changements de température et d'humidité, lui assurant des conditions idéales.

La question qui se posait, c'était pourquoi aucune de ces barrières n'avait été abaissée ?

— Y a un truc qui cloche, dit-elle.

Cela faisait douze minutes qu'elle avait quitté son abri près du hêtre.

Concentrés, Zofia et Anatol écoutèrent les explications rapides de Lisa à propos de ce qu'elle avait trouvé et pourquoi elle n'était pas encore rentrée à l'intérieur de la pièce.

— Peut-être qu'il ne les abaisse que lorsqu'il y a des invités à la maison ? s'interrogea Gmitruk. Il craint les curieux, ainsi que les changements de température et d'humidité liés à la vie de tous les jours. Mais quand il n'est pas là, la maison est sécurisée et une atmosphère stable règne à l'intérieur…

— Tant que personne n'entre par effraction et n'y simule l'Amazonie, intervint Zofia.

— Il a peut-être oublié ? Ou peut-être qu'il laisse tout ouvert pour pouvoir regarder son tableau au moins via une caméra ? Il n'y en a pas dans ce coffre-fort, c'est donc l'unique façon de vérifier si tout va bien.

— Ça aurait du sens. Les collectionneurs sont dingues. Quand ils veulent admirer leurs biens, rien d'autre n'a d'importance.

— Peut-être…, commenta Lisa par l'intercom avant de dire tout haut ce que tout le monde pensait tout bas : Ou peut-être que c'est un piège.

Anatol gémit, agacé.

— Ne tombons pas dans la paranoïa. Jusque-là, tout se déroule selon le plan. Si le Jeune y est réellement, prends-le et on dégage. On jouera aux théories du complot une fois en route pour la Pologne. Allez, fonce.

Le mauvais pressentiment du docteur Lorentz pouvait simplement trahir l'hystérie d'une personne qui ne s'était jamais trouvée dans une situation semblable. Tout comme les impressions étranges de monsieur le marchand d'art, un homme qui s'était probablement caché pour la dernière fois à l'époque où il était scout. Le fait que les agents de sécurité aient échangé des tours de garde n'avait en soi rien d'inhabituel. Et Richmond avait tout bêtement pu oublier de fermer sa salle de collection.

Pourtant, l'intuition d'Anatol, aguerri aux conditions de combat, lui susurrait également que quelque chose ne tournait pas rond. Il analysa machinalement son environnement.

La caméra de Lisa lui indiquait que tout restait calme chez Richmond.

Les patrouilleurs étaient partis vérifier une fenêtre entrouverte à trois rues de là. C'était tranquille.

Le monitoring qu'ils avaient installé autour de leur maison démontrait également que dans leur allée et dans leur jardin, tout allait bien.

Le voisinage dormait du sommeil profond des prospères qui s'étaient enrichis sur le dos des autres. Là encore, tout était tranquille.

Seul un lampadaire détraqué clignotait au loin.

Malgré tout cela, son inquiétude augmentait.

Il contrôla tout une nouvelle fois.

Et soudain il se glaça. Il fixait la lampe cassée comme si on lui avait jeté un sort. C'était parce qu'un rythme se répétait dans son clignotement. Anatol commença automatiquement à retranscrire les flashs en Morse. T, A, B, O, R, T, A, B, O, R... Tabor ? Cela n'avait aucun sens. Il vieillissait et perdait la tête, c'était sûr désormais : il cherchait un message dans une ampoule détériorée.

Et soudain, il comprit. Ce n'était pas TABOR, mais ABORT, un ordre propre aux forces de l'OTAN, l'injonction d'interrompre sur-le-champ toute activité.

Quelqu'un les mettait en garde.

Il saisit son téléphone, en espérant que ce ne soit pas trop tard.

21

Allez, fonce, bah voyons. Va te faire cuire un œuf, lézard, pensa Lisa en polonais avant d'essuyer son front du trop-plein de sueur. Elle en produisait des quantités telles qu'elle lui coulait dans les yeux, les piquait et la dérangeait. Dans une main, elle prit un miroir de dentiste et dans l'autre, une lampe torche Led. En dépit des sommations de Gmitruk, elle préférait jeter un œil à l'intérieur de la pièce avant d'entrer. Elle posa le pied entre les glissières, vérifia que la plaque d'acier ne dégringolerait pas, lui brisant les os, mais rien ne se produisit.

Elle introduisit le miroir délicatement à l'intérieur et commença à observer non pas les toiles, mais les murs, le plafond et les coins, pour voir s'ils n'étaient pas équipés de capteurs qu'elle n'aurait eu aucune chance de découvrir plus tôt. Après un contrôle méticuleux de cette pièce d'à peu près vingt mètres carrés, elle estima que l'ensemble des protections se trouvait derrière elle. Lisa rangea le miroir et prit dans son sac un boîtier noir de la taille de deux Rubik's cubes posés l'un sur l'autre. C'était son arme secrète, un dispositif qu'elle avait testé quelques années plus tôt, composé d'une batterie performante et d'un magnétron récupéré dans un four micro-ondes. Cet appareil pouvait générer, durant une quinzaine de secondes, des ondes d'une fréquence de 2.45 GHz, précisément celles qui, dans les conditions domestiques, pouvaient mouvoir rapidement les particules d'eau et réchauffer la nourriture. Dans une galerie d'art en revanche, cette machine était capable d'assommer les systèmes de sécurité. Lisa espérait que ce serait suffisant pour bloquer le mécanisme qui cachait les trésors de Richmond derrière les murs et les enfermait dans une sorte de coffre-fort.

Elle inspira un grand coup et pénétra dans la pièce.

— J'y suis, annonça-t-elle.

22

Il n'y avait pas de temps à perdre en stratégies raffinées. Anatol tendit le téléphone à Zofia, le numéro 911 déjà composé.

— Dis-leur que tu t'appelles Nicole Arundel, que tu habites au 18, The Serpentine, que tu es à la maison avec ta petite fille, que vous vous êtes cachées dans la garde-robe et qu'au rez-de-chaussée, il y a des hommes armés, puis tu raccroches...

— Mais...

Avant qu'elle eût le temps d'objecter, une opératrice répondit à l'autre bout du fil. Lorentz récita la formule d'une voix étranglée, puis elle ajouta un « Oh mon Dieu, ils montent par ici » de son cru et raccrocha.

— C'est un piège, annonça Gmitruk. Nous ne pouvons pas sortir parce qu'on nous attend très pro-bablement. Nous avons peut-être une chance de fuir en faisant du grabuge. À partir de maintenant, aucun mouvement brusque, c'est compris ?

23

— C'est impossible, chuchota Lisa à son micro-phone, inconsciente de ce qui se passait dans leur maison non loin de là.

Pile devant elle, à gauche de la porte, il y avait un tableau de Renoir. Il faisait partie du cycle de portraits peints dans les années 1880 dans le jardin de Monet, à Argenteuil. Les impressionnistes s'y rencontraient pour boire un coup et peindre au grand air des femmes respectables avec des enfants ou des moins respectables se déshabillant pour un bain. Ils peignaient les autres, ils se peignaient eux-mêmes et se peignaient les uns les autres. Sur cette toile, une femme-modèle nue s'appré-tait à entrer dans la Seine sur fond d'un paysage d'été, d'un vert juteux, inondé de soleil. La jeune femme testait la température de l'eau en se penchant en arrière pour ne pas tomber dans le fleuve. Elle jetait un regard coquin et amusé à l'artiste.

Une magnifique scène, un Renoir sans l'ombre d'un doute, Lisa aurait reconnu ce style même sans signature. Le tableau était extraordinaire à cause de sa dynamique et de la captation de l'instant, d'une précision quasi photographique. C'était l'essence même des meilleurs moments de l'été que nous avons tous connus dans nos vies et que nous voudrions retenir à jamais sous nos paupières.

C'était, sans conteste, l'une des meilleures toiles de Renoir.

Le problème, c'est que Pierre-Auguste ne l'avait jamais peinte.

24

Terrifiée, Zofia Lorentz n'avait aucune chance d'apprécier à sa juste valeur la scène si poétique qui se déroulait dans la villa de Richmond. Elle ne pouvait pas voir cette femme nue de cinquante ans, toute moite, les gouttes de sueur tombant de son nez et de ses tétons, figée dans l'obscurité et fixant un tableau à peine extrait de l'ombre par la lumière d'une lampe torche. Sur ce tableau, une jeune femme nue cherchait à se rafraîchir dans un fleuve ; elle observait sa compagne de l'autre côté de la réalité et semblait lui dire : « Salut, pourquoi tu te fatigues dans le noir ? Viens te baigner. »

Zofia voyait la toile à travers l'objectif légèrement embrumé de la caméra fixée à l'oreille de la Suédoise, elle ne distinguait donc qu'un portrait impressionniste inconnu. Elle sentit même la morsure de la honte, car l'œuvre semblait intéressante, les tons du vert, malgré la piètre qualité de la transmission, semblaient exceptionnels. Et ce n'est qu'avec cette pensée qu'elle réunit d'un coup toutes les pièces du puzzle éparpillées dans sa tête jusque-là.

— Lisa, ça va ? demanda Gmitruk. Le Jeune est là ?

L'image pivota, suivant le mouvement de tête de la Suédoise, et Zofia et Anatol, penchés au-dessus de l'écran, virent la jeune femme entrant dans l'eau céder la place à l'entrée du couloir puis à deux autres tableaux, avant de découvrir le mur suivant où étaient accrochés une immense télévision, le Raphaël disparu et une vieille photographie dédicacée d'une ancienne star de baseball.

Pourtant, à ce moment précis, cela ne fit pas une grande impression sur le docteur Lorentz, parce qu'elle savait déjà que le tableau suspendu au mur n'était pas le Raphaël qu'ils recherchaient.

— Dégage de là ! hurla-t-elle avant qu'Anatol puisse la retenir. C'est un faux ! C'est un piège !

Son cri se fondit avec le chuchotement hystérique de Karol qui leur conseillait la même solution.

Il était clair que rien n'avait marché comme prévu.

Depuis qu'il avait vu Chavez et son pote latino entamer d'un pas lent une nouvelle ronde, l'inquiétude ne le quittait plus. Si ces deux-là, à l'instar du reste de l'équipe de nuit, n'avaient pas été libérés de leur service, alors pourquoi la relève était-elle arrivée ? Il était plus que douteux qu'on ait renforcé les effectifs d'agents devant les écrans de surveillance afin qu'ils puissent résoudre des sudokus ensemble ou feuilleter des magazines porno en plus grand nombre.

Il n'eut pas à attendre longtemps la réponse à ses questions. Cinq minutes ne s'étaient pas écoulées que trois hommes quittaient la baraque. S'ils avaient résolu des sudokus un jour, c'était en les accrochant sur une cible et en tirant sur chaque carré avec le nombre adéquat de balles. Ils ressemblaient à des commandos d'élite, à des mercenaires ou à des tueurs à gage. Ils étaient vêtus de noir de la tête aux pieds, les torses recouverts de gilets pare-balles, chacun d'entre eux portait une arme longue équipée d'un silencieux et un casque doté de lunettes de vision nocturne. Ils se déplaçaient vite, sans un bruit, et exécutaient simultanément des gestes identiques. Leur commandant fit deux petits signes de la main et ils se déployèrent en courant, puis ils avancèrent au trot, vigilants, vers la maison de Richmond, en privilégiant les coins sombres le long de Hamilton Avenue.

Karol se figea sous son buisson, persuadé de vivre ses derniers instants. L'un des soldats passa si près de lui qu'il lui envoya des grains de sable dans les yeux. Karol faillit crier de peur ; il dut presser son visage contre la terre humide pour ne laisser échapper aucun bruit. Un long moment s'écoula avant qu'il n'ose lever la tête et ne force ses cordes vocales paralysées à émettre un chuchotement qui conseillait à tout le monde de dégager d'ici le plus rapidement possible.

Il leur expliqua pourquoi, puis se leva et avança d'un pas chancelant dans la direction opposée, il devait trouver l'une des voitures d'évacuation et s'enfuir. Durant une fraction de seconde, il hésita à revenir, tel un chevalier sur son étalon blanc, au cas où Zofia aurait eu besoin d'aide. Mais il admit qu'elle serait plus en sécurité si Anatol n'avait qu'elle à pouponner, et non elle et lui dans les pattes.

Il se faufilait entre les arbustes vers le centre de New Rochelle lorsque plusieurs voitures de police passèrent près de lui, tous gyrophares allumés. Il ne comprenait plus ce qui se passait, mais il était clair que rien ne s'était déroulé comme prévu.

Cinq minutes plus tard, il filait au volant d'une vieille Nissan Primera en direction d'Eastchester. Là, sur le parking du centre commercial Vernon Hills, il devait laisser sa Nissan et monter dans une Ford Focus bleue. Des papiers et un téléphone l'attendaient dans la boîte à gants. Enfin, il était supposé se trouver lui-même un motel à White Plains.

Jusqu'à la fin de sa vie, il ne sut jamais répondre à la question suivante : était-il parti parce que c'était le plan, parce que c'était plus sûr pour tout le monde ? Ou avait-il été simplement lâche ?

26

Lisa Tolgfors avait une fraction de seconde pour se décider avant de sprinter jusqu'à la fenêtre à l'autre bout du couloir et tenter de sauver sa peau. Premièrement, elle abandonnait le Raphaël : commande ou pas, elle se fichait de ce vieux bout de bois. Mais le Renoir, c'était une autre paire de manches. Il n'était pas question de déclencher une impulsion électromagnétique, de griller les circuits et de découper la toile. La seule chose qu'elle pouvait faire, c'était vérifier si l'œuvre était authentique. Parce que si elle l'était, Lisa ne pouvait absolument pas se laisser attraper ce jour-là. Elle devait demeurer en liberté pour revenir affronter le plus grand défi de sa carrière de cambrioleuse.

Elle n'avait pas le temps de prélever proprement un échantillon, elle n'avait le temps de rien. Elle tendit ses ongles vernis de rouge pour gratter un peu de peinture verte. Elle hésita, l'espace d'un battement de cils. Elle savait qu'au moindre frôlement, le tableau se cacherait derrière le mur et elle y était préparée. Mais était-ce la seule chose qui bougerait ? Le portail d'acier n'allait-il pas s'abaisser et l'enfermer dans ce coffre ? Ne devrait-elle pas simplement fuir au plus vite ?

Qu'ils aillent se faire foutre, se dit-elle, *nothing ventured, nothing gained.*

Elle jeta son inutile sac à dos par terre, recula de deux pas et se mit à courir vers la porte, prête à plonger la tête la première si les barrières commençaient à chuter. Au dernier moment, alors qu'elle passait près du cadre avec le Renoir, elle accrocha la toile avec l'ongle de son index gauche, emportant une pincée de matière.

Le système était excellent. Le tableau se cacha en même temps que les autres, ou, pour être plus précis, il ne se cacha pas tant qu'il disparut. Le mécanisme israélien était basé sur des vérins hydrauliques et un ensemble de contrepoids, car les moteurs électriques étaient trop lents. Elle entendit un bref sifflement dans les murs et les toiles n'étaient plus là.

Malheureusement, pendant que les œuvres disparaissaient, la barrière d'acier apparut dans la glissière et commença à descendre à très grande vitesse vers le plancher. Je n'y arriverai jamais, pensa Lisa. Elle glissa vers l'ouverture de ce même mouvement que les footballeurs professionnels utilisent pour tacler désespérément la balle dans les pieds de l'adversaire qui fonce vers le but.

Elle y parvint seulement parce qu'elle était moite de sueur. Sans cela, elle aurait freiné sur la moquette moelleuse et la paroi métallique lui aurait écrasé le sternum et la colonne vertébrale, au mieux la gorge, laissant sa tête dans la salle de collection pour qu'elle puisse à jamais contempler le vide laissé par le Renoir inexistant. Mais son corps glissa sur le revêtement comme un footballeur sur une pelouse grasse. À l'ultime moment, elle tourna la tête, espérant ne rien accrocher avec son menton ou sa pommette.

Ces parties-là passèrent, mais elle sentit une grande force appuyer sur le sommet de son crâne et, lorsqu'elle fut certaine que son front allait éclater comme une pastèque coincée dans un étau, la plaque d'acier se referma avec fracas quelques millimètres derrière sa tête. La glissade de Lisa s'interrompit de façon aussi soudaine qu'inattendue.

Elle gobait l'air par bouffées hystériques, fixait l'obscurité de la résidence Richmond et tentait d'estimer si elle était en vie ou pas. Elle ressentait une douleur monstrueuse et piquante au niveau du front, telle celle ressentie après une forte brûlure et, pendant un instant, elle fut certaine que seule l'adrénaline la maintenait en vie et qu'au-dessus de ses yeux, le sang giclait partout de son crâne fracassé. Elle mit quelques secondes à se persuader qu'elle devait y porter la main pour évaluer les dégâts.

Lorsqu'elle surmonta sa peur, elle comprit qu'elle n'avait rien. La plaque s'était refermée un centimètre derrière sa tête et avait coincé ses cheveux, provoquant cette douleur violente et interdisant les mouvements.

Elle n'avait pas le temps de se plaindre. Elle prit une décision et l'exécuta aussitôt : elle se sépara, grâce à une secousse volontaire, du coffre de Richmond. Son hurlement sauvage étouffa presque le désagréable et pénétrant craquement des cheveux qu'on arrachait. Elle ne vérifia pas son scalp ; elle se leva et, sans égard pour les taches blanches qui virevoltaient devant ses yeux ni pour le sang qui coulait dans son dos, elle courut jusqu'à la chambre d'où elle était venue, ouvrit la fenêtre, se suspendit par les bras, puis sauta trois mètres plus bas. Précisément à l'instant où ses pieds touchaient le sol, un des mercenaires débaroula dans le hall d'entrée par la porte principale.

Lisa Tolgfors plongea dans l'obscurité du côté de Brookdale Avenue où l'attendait une voiture.

27

Lorsqu'il vit les soldats pénétrer en courant dans la résidence, il faillit soupirer d'aise, persuadé que tout s'était déroulé selon son plan et que la cambrioleuse était comme prévu coincée dans sa cage de métal et attendait sagement de devenir, en compagnie de ses complices, le bouc émissaire sacrifié sur l'autel d'une affaire qui, pour des raisons mystérieuses, était incroyablement importante aux yeux de son commanditaire. Cela l'étonnait un peu, tous ces moyens extraordinaires déployés pour une telle broutille, mais il n'avait pas cherché à en savoir davantage, on ne lui aurait de toute façon rien dit. Il pouvait toujours l'apprendre par son réseau. La liste de ses connaissances lui devant un service était plus longue que celle des invités au mariage du prince William.

Le premier soldat disparut à l'intérieur de la villa et, à l'autre bout du bâtiment, Ronya sauta par la fenêtre.

Il jura, la voyant atterrir agilement sur la pelouse et disparaître aussitôt entre les arbres, fuyant dans la zone des parcs et des jardins où elle serait difficile à attraper. J'ai de la peine à croire qu'elle aura bientôt cinquante ans, songea-t-il, admiratif.

L'instant d'après, il saisit son arme et quitta son véhicule. Mais il ne s'élança pas à la poursuite de Lisa Tolgfors. Il avait une cible clairement définie et elle s'appelait Zofia Lorentz.

Elle n'a aucune chance d'en réchapper, se dit Hermod et, à cet instant, il vit quatre voitures de police débouler aux deux extrémités de Hamilton Avenue, scintillant en bleu et en rouge. Elles avançaient vers lui.

Il plongea derrière sa Porsche Cayenne puis disparut dans un jardin noir et désert avant d'être aperçu par les flics.

Deux des voitures freinèrent devant la résidence Richmond, car leurs conducteurs avaient aperçu des individus armés sur la pelouse. Les mercenaires levèrent poliment les mains ; après tout, ils n'étaient que des agents de sécurité qui soupçonnaient un cambriolage.

28

Dès que Zofia eut crié à Lisa de fuir, Anatol arracha les câbles branchés à l'ordinateur installé dans une petite valise, qu'il referma et jeta dans l'escalier. L'évacuation devait consister à exécuter des procédures préétablies et non à se demander quoi faire.

Ils coururent ensemble vers le jardin. Zofia tenait à peine sur ses jambes, tant elle était terrifiée. Elle avait anticipé un éventuel échec ou le fait qu'ils soient pris. Mais elle ne s'était pas préparée à fuir des gens que Karol avait hystériquement décrits comme des malfrats avec des carabines. Elle était persuadée que cela impliquait un changement de plan, que le major Anatol Gmitruk allait reprendre de facto le commandement sur le terrain et la protéger.

Cependant, Anatol la plaqua au sol et ne lui permit pas de bouger tant que l'air ne se fut pas rempli des hurlements des sirènes. Il observait les environs avec vigilance pour vérifier que personne ne se levait brusquement de terre ou ne sortait de derrière un arbre. Mais non, peu importe qui voulait leur peau, l'arrivée de la police avait dû contrecarrer ses plans, au moins en partie.

— Maintenant, lança-t-il et il commença à descendre la colline où l'attendait sa voiture.

— Anatol ! cria Zofia.

Le militaire se retourna brusquement.

— Ils pourraient être armés !

— Ils sont certainement armés. Mais ils ne vont pas te tirer dessus s'ils ne te trouvent pas. Cours !

Puis il disparut entre les buissons.

Elle avait envie de se jeter par terre et de chialer, de retourner dans la maison et de se cacher sous le lit ou entre les cartons. Une seule pensée la sauva de la panique : exécuter le plan. Et, suivant cette pensée, elle courut comme l'avait planifié Anatol : en diagonale, le long de la colline, en direction de l'autoroute.

Elle devait à tout prix s'en tenir à ce qui était prévu. Elle cavala entre les arbres, longea la pelouse soignée d'une résidence. Elle passa devant une autre villa, puis à travers un jardin avec un grand terrain de jeu pour enfants. Lorsqu'elle sauta par-dessus un toboggan, une lampe halogène réagissant aux mouvements s'alluma et, à l'intérieur de la maison, un chien se mit à aboyer. Zofia eut peur et tomba, se cognant douloureusement au rebord d'un bac à sable multicolore. Mais elle se releva immédiatement et reprit sa course.

Elle atteignit The Boulevard, une large route flanquée de parcs qui constituait l'axe principal de ce quartier luxueux. Elle aurait dû traverser la chaussée au plus vite, mais au lieu de cela, elle s'accroupit près d'un arbre et se mit à observer les environs. C'était une erreur. Le plan prévoyait la fuite et un sprint aussi rapide que possible. Or, elle n'avait pas suivi ce plan. Quand quelque chose heurta le tronc à côté de son épaule, elle ne saisit pas dans un premier temps la nature du phénomène. Quand elle entendit une abeille bourdonner près de son oreille, elle comprit.

Alors elle s'élança. Elle débula sur The Boulevard pile devant le capot d'une voiture ; elle reconnut Gmitruk au volant. Il lui fit des signes pour qu'elle continue. Alors, elle reprit sa course à travers le parc densément planté d'arbres. Deux parcelles la séparaient de sa voiture.

Derrière, elle entendit le bruit de vitres brisées qui s'émiettaient sur l'asphalte et le fracas puissant de coups de feu. Elle se voûta. Elle n'aurait jamais cru que les détonations des pistolets fussent aussi sonores.

29

Quand Anatol se mit à canarder depuis sa voiture, sans prendre le temps d'abaisser la vitre, Hermod se cacha derrière un arbre. Il ne craignait pas tellement d'être touché ; le Polonais tirait à l'aveugle, il lui aurait fallu une chance incroyable pour atteindre une silhouette invisible au milieu de la végétation. Hermod se préoccupait davantage de Lorentz qui fuyait. Une course-poursuite en voiture était exclue, car sa Porsche Cayenne abandonnée dans la contre-allée était à présent inspectée par la police. Bien sûr, les flics n'y trouveraient rien. Bien sûr, ils n'avaient rien contre lui, mais retourner là-bas le forcerait à fournir des explications qui lui coûteraient du temps.

Cela signifiait qu'il ne pouvait pas laisser Zofia lui échapper.

30

Elle accéléra, pliée en deux, craignant de ne pas entendre le prochain projectile, mais de le sentir. « Ça n'a rien d'un trou élégant », lui avait un jour confié une amie qui habitait dans les Basses-Carpates, était mariée à un garde forestier et éventrait ses proies. « Quand la balle traverse les chairs, elle vrille, elle déchire, elle arrache. Une fois, Jan a touché un faon au foie. J'ai à peine réussi à récupérer de quoi faire un minuscule pâté. »

Une balle pourrait donc traverser son corps et le déchirer sans laisser de quoi faire un pâté.

Zofia trébucha et chuta dans un fossé peu profond, mais rempli de buissons. Elle était dans un tel état qu'au lieu de se relever, tout simplement, elle commença à s'agiter rageusement, à s'emmêler dans les branches et il lui fallut un long moment pour s'en extraire de force, déchirant ses habits et tailladant sa peau.

Chancelante et en pleurs, elle émergea enfin dans Manhattan Avenue, à deux mètres de sa Chevrolet Malibu qui l'attendait là. Elle poussa un cri de joie et accourut vers la voiture du côté conducteur. Selon le plan, la portière devait être ouverte et, toujours selon le plan, les clés devaient l'attendre sur le contact.

— Madame Zofia ! entendit-elle en anglais, alors qu'elle avait déjà posé la main sur la poignée.

Elle se retourna, persuadée de découvrir un mercenaire vêtu de noir et le canon d'une carabine pointé sur son cœur.

Au lieu de cela, elle vit un bel homme aux yeux verts dont elle avait tenu la carte de visite plusieurs fois cette semaine, se demandant si elle ne devrait pas aller prendre un café avec lui. C'était une personne intéressante et amusante, leur conversation avait été très agréable. Elle avait renoncé à cette idée lorsqu'elle avait réalisé qu'elle le ferait seulement pour agacer Karol.

— Monsieur Leong ? Qu'est-ce que vous faites là ? demanda-t-elle, abasourdie.

— Je suis vraiment désolé, répondit-il de manière étrange.

Puis il leva la main et pointa vers elle un pistolet.

31

Tout le monde se moquait de Domingo Chavez derrière son dos. C'était le cas avant, à l'armée, et ça l'était toujours maintenant, à la PMC Raven, l'agence paramilitaire privée qu'il avait intégrée, désireux d'assurer à sa famille un niveau de vie décent. On l'avait recruté dès l'Afghanistan. On lui avait demandé s'il voulait vraiment continuer à se planquer au chaud dans la caserne, en attendant que l'Oncle Sam le jette en pâture à des salopards arabes bavant de haine, puis aille offrir sa médaille posthume à sa veuve, ou s'il ne pensait pas plutôt qu'il était temps de faire quelque chose pour lui-même.

Il avait estimé qu'il était temps de faire quelque chose pour lui-même.

Mais il savait que les autres se moquaient un peu de lui. Ils s'amusaient de son obsession pour les viols et les femmes maltraitées ; il n'en fallait pas beaucoup pour que Chavez se mette à cracher sur les délinquants sexuels, demandant les peines les plus lourdes et imaginant pour eux les pires des tortures. Ses collègues plaisantaient à ce sujet, mais personne ne cherchait à en savoir davantage. Ils savaient tous que Chavez était d'origine mexicaine, qu'il avait grandi dans les plus malfamés des quartiers d'Albuquerque, où il était toujours facile de se procurer des armes bon marché, des drogues bon marché et des putes bon marché. Personne n'osait lui poser la question de but en blanc, craignant d'entendre une histoire horrible à propos d'une mère violée ou d'une petite sœur kidnappée.

Et Ding ne se pressait pas pour expliquer. D'une part, personne n'avait jamais violé sa mère (quoique la manière dont son père la traitait aurait pu être qualifiée de la sorte dans bien des États), ni aucune de ses quatre sœurs. C'est lui qui, avec deux de ses potes, avait un jour abordé Lucia à la sortie d'un bar. Elle était loin d'être une sainte nitouche : une semaine plus tôt, elle avait couché avec l'un d'entre eux avant de rompre, et avant cela, elle avait sucé plus de bites qu'aucune femme à la ronde, et plus souvent que les mères du coin n'embrassaient leurs enfants pour dormir.

Elle était soûle, tenait à peine sur ses jambes. Et, c'est vrai, elle les avait provoqués : elle s'était moquée d'eux, les traitant de trois branleurs devenus pédés.

Pour Chavez, ça avait été le pire acte de sa vie.

Puis ils étaient partis et elle était restée. Assise sur une planche de bois et appuyée contre une palissade, au fond de leur quartier de caravanes, elle pleurait tout bas. Ding n'était pas allé bien loin mais avait honte de revenir et de l'approcher. Il s'était posté à l'autre bout de la clôture pour veiller sur elle, au cas où elle s'assoupirait, perdrait connaissance ou si – la bonne blague – quelqu'un cherchait à profiter d'elle. Il voulait la suivre à distance si elle décidait de rentrer chez elle.

Mais elle n'était pas partie, ne s'était pas endormie et ne s'était pas évanouie. Elle était restée là, à sangloter sans interruption durant cinq heures. Pendant ces cinq heures, Domingo Chavez avait cessé d'être un garçon et était devenu un homme qui avait beaucoup appris sur le monde et sur les femmes. Son acte monstrueux l'avait façonné pour le reste de sa vie. Quand il se maria, quand ses enfants naquirent, quand il reçut la médaille Purple Heart pour son service en Irak, quand sa famille acheta une maison dans le New Jersey, dans les plus beaux moments de sa vie, il entendait toujours ce sanglot étouffé au fond de sa tête. Et il attendait le moment de pouvoir racheter son horrible péché.

C'est pourquoi, quand il vit une blonde en pleurs fuir, il oublia toutes les directives qu'on lui avait enfoncées dans le crâne durant cette journée. On lui avait ordonné de se tenir tranquille et de ne pas intervenir, quoiqu'il se passe et quoiqu'il voie.

Il repoussa le partenaire qui tentait de le retenir, ôta le cran de sûreté de son MK23 et s'élança dans le sillage de la femme.

32

Il paraît qu'en ces instants, toute notre vie défile devant nos yeux.

Le docteur Zofia Lorentz se dit simplement qu'il était dommage de ne pas être allée voir ses parents avant de partir. Personne ne devrait survivre à ses enfants, même à celle qui, au cours des quatre dernières années, n'avait pas trouvé le temps de rendre visite à sa mère et à son père à Przemyśl. Elle se sentit triste, davantage pour eux que pour elle.

Elle fut certaine que c'était sa dernière pensée.

Leong ne s'embarrassa pas de discours et leva l'arme avec une mine concentrée.

— Stop ! hurla quelqu'un à côté de Zofia.

Trois mètres plus loin, Domingo Chavez avait pris une posture de tireur. Il avait les jambes largement écartées, fléchies au niveau des genoux, la main droite tendue avec le pistolet à hauteur de l'œil, la gauche soutenant la première sous les doigts afin d'assurer la stabilité et la précision. Zofia se sentit sauvée.

Leong tua le Latino sans une once d'hésitation. Il le fit comme ça, en passant. Il tourna le poignet, appuya sur la détente deux fois, les balles atteignirent le garde en plein crâne l'une après l'autre. Son corps n'eut pas le temps de toucher le sol que Leong visait à nouveau Zofia. Une détonation retentit.

Lorentz ferma les yeux, attendant l'impact qui la jetterait sur la carrosserie, se prépara à la douleur, au froid et à la mort.

Rien de cela n'arriva. En revanche, le compagnon de son trajet en avion hurla de rage.

Elle ouvrit précautionneusement les paupières. Jasper Leong se tortillait, au paroxysme de la souffrance ; son pistolet était tombé par terre, sa main était mutilée et le sang en coulait de plus en plus vite, formant une flaque sombre et luisante à ses pieds.

Elle regarda sur le côté. Anatol, au volant de sa Chevrolet, appuyait ses bras armés sur le rebord de la portière. Il fit encore feu à deux reprises, mais l'agresseur dévala la colline et disparut de leur champ de vision.

Elle n'attendit pas d'invitation. Elle sauta en voiture et, deux minutes plus tard, ils roulaient sur la I-95 en direction de New Haven.

Partie III

La Collection

CHAPITRE 4

L'ARCHIPEL

1

Il observa sa main couverte de bandages, une main à trois doigts à présent, et se dit qu'il était peut-être temps de prendre sa retraite. La balle tirée par Anatol Gmitruk l'avait atteint entre les articulations de l'index (qui se refermait sur la détente) et du majeur (qui tenait le manche du pistolet), pile à l'endroit où les doigts rejoignaient la paume. Elle avait heurté l'assemblage fragile d'os, de cartilages et de ligaments, à une vitesse de près de mille kilomètres-heure. Elle ne l'avait pas tant blessé qu'elle avait anéanti cette partie de son corps, arrachant presque ses deux doigts. Au cours de sa carrière, il avait vu bien des gens mourir, il avait lui-même été blessé à de multiples reprises, mais l'image de sa propre main droite, son second outil de travail le plus important après son cerveau, dans un tel état, poussa Hermod au bord de la nausée.

Bien évidemment, on n'avait pas réussi à sauver ses doigts.

Pire, on n'avait pas non plus réussi à sauver la réputation et la fierté d'un homme qui passait pour infaillible. Assis de l'autre côté du bureau, le « connard quatre étoiles » du département d'État était l'une des rares personnes qui avaient connu Hermod avant. À l'époque, il s'occupait du maintien de la réputation de sa patrie dans diverses délégations américaines, c'est-à-dire qu'il entassait des squelettes dans tous les placards possibles et imaginables. En ce temps-là, Hermod avait un autre visage, d'autres yeux, un autre métier et une autre vie. Beaucoup l'avaient connu, mais rares étaient ceux qui savaient que l'homme d'alors et le Hermod d'aujourd'hui étaient la même personne. Le haut fonctionnaire était de ceux-là. En allant plus loin, on pouvait même dire qu'ils avaient été amis, si tant est que l'amitié dans ce genre de cercles puisse être possible.

— Tu vieillis, Martin, lui dit finalement le fonctionnaire, s'adressant à Hermod par son véritable prénom. Tu as déjà songé à prendre ta retraite ?

— Qu'est-ce qu'on fait maintenant ?

— Avant tout, on range le dossier au sous-sol.

Hermod savait ce que cela voulait dire. Il connaissait les Américains : ils étaient capables de nettoyer les traces d'une opération en une demi-heure et de manière si efficace qu'il n'en restait qu'une fine serviette au fond d'un coffre quelque part dans un bunker. Les contacts, les réseaux de communication, les téléphones, les adresses sur les serveurs et les comptes à partir desquels on faisait les virements, tout disparaissait.

Puisqu'ils fonctionnaient depuis des décennies au sein d'une démocratie qui permettait à n'importe quel journaliste miteux ou à n'importe quel député de fouiller dans leurs archives, les services secrets américains avaient acquis un réflexe que Hermod appelait « le napalm bureaucratique ». Il suffisait d'un signal et on enclenchait le processus : leurs spécialistes pouvaient faire disparaître des traces en moins de temps qu'il n'en fallait à un taxi pour parcourir les quelques miles qui séparaient une agence gouvernementale d'une autre.

— Je voudrais mener ça à son terme.

— Mais nous ne le voudrions pas. Tu as échoué en Europe, tu as échoué chez nous. Par deux fois, tu t'es fait avoir par un pauvre soldat. La seconde, tu as failli y rester. Je te conseille du repos, des vacances, des soins dans un endroit bien ensoleillé. Si je comprends bien, tu as mis de côté un peu de sous pour tes vieux jours.

— J'insiste.

— Rentre chez toi, Martin. Où que ça puisse être ces jours-ci. Crois-moi, c'est un bon conseil.

Hermod comprit que les Américains avaient fini par considérer l'affaire trop sérieuse pour des demi-mesures ; il fallait en finir et ils envoyaient la cavalerie lourde. Ce n'était pas forcément une bonne nouvelle pour les personnes en quête du Raphaël. Selon les standards de l'armée américaine, régler un compte avec une précision chirurgicale, cela signifiait a priori des balourds équipés de fusils-mitrailleurs qui dispersaient des grenades à tout va aussi volontiers que des fillettes en blanc dispersent des pétales de rose durant une procession catholique.

Hermod trouva ce constat intéressant : si ses commanditaires avaient décidé de faire tomber les masques, l'affaire devait être de premier ordre.

— Tu as raison, mentit-il. Des vacances et une retraite bien méritée. J'ai assez travaillé pour ça, pas vrai ?

Le haut fonctionnaire haussa les épaules pour indiquer qu'au fond, il s'en fichait royalement. Hermod comprit que l'entretien touchait à son terme.

— Mais, comme ça, entre vieux amis... Nos CV n'ont aucun secret l'un pour l'autre... La politique, les grandes industries, le Proche-Orient, tout est clair... Mais ça ? Des provinciaux qui s'excitent à la vue de quelques vieilleries qui valent, au fond, assez peu d'argent. De quoi il retourne ?

Le fonctionnaire soupira.

— Tu sais que je ne peux pas te le dire, Martin. Mais, puisque nous sommes entre vieux amis, je te dirai simplement qu'il y a des vieilleries, certaines vraiment vieilles, dont l'émergence menacerait bien plus la sécurité nationale que des bombes atomiques en vente par correspondance avec livraison gratuite à n'importe quelle adresse du globe. Tu comprends ?

Hermod hocha la tête. Bien sûr qu'il comprenait. Des armes, c'était des morts, mais quelques cadavres supplémentaires ne faisaient pas une grande différence. Une propagande bien menée pouvait faire d'un mort le prétexte d'une guerre, ou d'un millier de morts un incident sans importance.

Mais le savoir... le savoir, c'était le pouvoir.

Elle n'aimait pas la campagne, mais il fut un temps où elle avait adoré cette maison. Celle-ci était solide, traditionnelle, dépourvue d'excentricité, de grandes pièces vitrées, de vérandas circulaires ou de balcons décoratifs soutenus par d'épaisses colonnes. Elle était belle et simple, avec ses fondations en pierre, ses murs de brique rouge et ses éléments en bois sombre, ses cadres de portes et ses chambranles de fenêtres peints en vert. Deux cheminées dépassaient d'un toit pentu aux tuiles couvertes de mousse, l'une connectée au poêle dans le salon et l'autre au foyer dans le grand cabinet, l'antre sacré de Karol Boznański. L'unique écart architectural de cette construction si classique était la grande terrasse à laquelle on accédait par la chambre à coucher du rez-de-chaussée.

Zofia lutta contre elle-même autant qu'elle pût, mais sans résultat. Rien qu'en traversant la ceriseraie qui s'étendait entre le portail et la maison, elle ne voyait plus que cette chambre, la grande porte-fenêtre qui ouvrait sur la terrasse et la petite lucarne avec vue sur les champs. De simples murs blancs, des poutres apparentes. Un lit en pin, des draps de lin. Et des taches de couleur des deux côtés : des albums de peinture amassés sur les tables de chevet, des carnets et des romans parsemés de cartes de visite en guise de marque-pages. Karol lisait toujours plusieurs romans à la fois. Un sérieux qu'il était censé lire, mais n'en avait pas envie. Une niaiserie contemporaine, sans début ni fin, refilée par un de ses amis écrivains. Et un thriller américain. Il était capable de passer une nuit blanche et de déplacer ensuite tous ses rendez-vous du lendemain, uniquement parce qu'il n'avait pas su reposer un Lee Child ou un Jeffrey Deaver.

Elle se rappela le toucher du lin, l'obscurité à peine dissipée par une lampe de chevet, le bruissement des pages qu'ils tournaient tous les deux, l'odeur moite des champs en été et des bûches se consumant jusqu'aux cendres en hiver. Elle se rappela la chaleur du corps qui se retournait à côté, dans le lit. Pourquoi ça n'avait pas marché entre eux ? C'est vraiment nul que nous n'ayons pas réussi à nous entendre, à l'époque, pensa-t-elle.

Le taxi s'arrêta dans l'allée et ils en sortirent devant la maison de Karol.

— Alors, poupée ? lui lança-t-il en tournant la clé dans la serrure. Ça te rappelle de vieux souvenirs ?

Elle se rappela instantanément pourquoi ils n'avaient pas réussi à s'entendre. Elle se le rappela avec maints détails.

Peu après, ils avaient pris place, tous les quatre, dans le bureau de Karol. Zofia plia les jambes sous elle et s'enfonça dans l'angle d'un sofa corbuséen, réchauffant dans ses paumes un verre de vin rouge. L'air restait frais malgré une belle flamme dans la cheminée. Elle songea avec amertume que ce n'était pas la résidence de Richmond qu'on pouvait réchauffer à distance. La résidence de Richmond… Elle eut la nausée rien que d'y repenser.

Trente-six heures s'étaient écoulées depuis leur mésaventure. Durant ce temps, ils avaient réussi à se rejoindre et à fuir les États-Unis tous les quatre par un vol de nuit dans l'avion gouvernemental, accompagnés par le ministre des Affaires étrangères. À peine arrivés à l'aéroport, ils avaient été conduits chez le Premier ministre Donald Tusk pour un entretien étrange. Ils s'attendaient à la suspension de leurs activités, à l'incarcération de Lisa et au classement de l'affaire. Au lieu de quoi, le chef du gouvernement leur avait passé un savon pour le grabuge qu'ils avaient provoqué et leur avait donné deux semaines pour continuer leurs recherches. Immédiatement après, ils s'étaient enfuis de Varsovie jusqu'à la propriété de Karol, située à quelques dizaines de kilomètres de la ville. En réalité, il s'agissait du premier moment qu'ils passaient seuls et lors duquel ils pouvaient discuter. Mais, au lieu de le faire, ils gardaient le silence, leur verre à la main, trop éreintés pour réfléchir à la suite.

Karol ajouta quelques bûches de bois dans sa large cheminée. La fournaise ressemblait à celle d'un four de forgeron.

— Ça ne me plaît pas, avoua Anatol. Ça ne me plaît absolument pas.

— T'inquiète, j'ai un extincteur au cas où.

— Je ne parle pas de ça. Écoutez, je vais vous expliquer. Mais avant, comment as-tu su que quelque chose ne tournait pas rond lors du cambriolage ? demanda-t-il à Lorentz.

— Les clichés qu'on nous avait fournis étaient des faux. Dans cette demeure et sur ce mur, il y avait, en effet, quelque chose qui ressemblait au Raphaël,

273

mais qui ne l'était certainement pas. Je l'ai compris trop tard.

— Et qu'est-ce que tu fais des deux expertises indépendantes ?

Zofia but une gorgée de vin.

— Elles avaient été effectuées par des spécialistes en photographies, et non par des experts de la peinture Renaissance. Et les spécialistes avaient raison. Les images n'étaient pas fausses, c'étaient des clichés authentiques d'un objet accroché au mur. Le tableau en lui-même n'était pas non plus un faux, au sens où il n'a pas été peint par un faussaire pour ressembler à l'original.

— Une impression sur toile, souffla Karol.

— Exactement. J'aurais dû y penser dès le départ. C'était une copie faite à partir de photographies d'avant-guerre. Bien sûr, elle avait été préparée de manière très convaincante, privée de ses demi-tons, de ses pixels et cætera. Mais elle ne différait en rien des toiles si kitsch qu'on peut acheter dans les supermarchés pour quelques zlotys. Sur une photo, une chromolithographie d'un tableau ressemble à un tableau. D'autant plus que l'image avait été prise en cachette et restait un peu floue. Si nous devions nous faire avoir, c'était la combinaison idéale.

— Ne te flagelle pas autant, ma chère…

— Je ne suis pas ta chère.

— Que madame le docteur ne se flagelle pas autant. Comment aurais-tu pu savoir ?

— Tu te rappelles notre première réunion dans ton appartement ? Tu y avais accroché le portrait de Wyczółkowski que tu avais rapporté de Berlin et que les

Allemands avaient volé durant la guerre. Je le connaissais, bien sûr, j'avais vu des photographies d'époque, j'avais préparé des catalogues avec sa reproduction, je l'aurais reconnu n'importe où. Mais le fait de le voir pour la première fois en vrai a constitué pour moi une expérience très forte. De même que la découverte des autres toiles retrouvées. C'est un choc quand des formes si familières prennent des couleurs. Après tout, la peinture est une affaire de couleurs. Les émotions changent avec les couleurs. Les contextes, les sous-entendus, les humeurs, les saisons, les profondeurs, les perspectives, le sens caché, tout est transformé. Les reproductions en noir et blanc correspondraient plutôt aux portraits post mortem de véritables tableaux…

— Pitié, c'est un superbe exposé, mais on est vraiment claqués.

Elle avait une riposte acerbe sur le bout de la langue, mais estima que Karol avait raison.

— Quand j'ai vu les photographies du Raphaël à New Rochelle, je n'ai ressenti aucune émotion. En réalité, je n'ai rien ressenti du tout, l'excitation de la chasse au trésor m'avait embrouillée. Alors que, même si ce n'était que sur une photographie, je pouvais enfin voir à quoi ressemblait le véritable Jeune homme. Pourquoi n'ai-je rien ressenti ? Parce qu'il avait l'air identique au cliché d'avant-guerre. Or, le tableau ne pouvait pas être resté identique. Le cliché est vieux, les teintes mensongères, pastel, trop diluées ou au contraire trop intenses. D'ailleurs, même si la photographie avait été fidèle, le tableau n'aurait pas pu demeurer inchangé avec tout ce qui lui est arrivé durant les combats.

Soudain, elle s'attrista.

— Je vous demande pardon, j'aurais dû le voir plus tôt. Quelque chose ne me laissait pas en paix, mais les pièces n'ont trouvé leur place que lorsque j'ai aperçu la toile impressionniste dans le coffre de Richmond et les couleurs de celle-ci. C'étaient de vraies couleurs, un art véritable.

Karol ouvrit une autre bouteille de vin et les servit. Lorsqu'il s'approcha de Lisa, elle cacha son verre avec sa main.

— T'aurais pas du lourd ? demanda la Suédoise.

Karol sourit et retourna en cuisine d'où il revint avec une bouteille de tord-boyaux et quatre verres à shot. Il les remplit. Glacée, la gnôle coula telle de l'huile. Lisa s'en jeta un dans le gosier et tendit immédiatement le bras pour avoir du rab.

— Mais pourquoi cirque ? demanda-t-elle.

C'était une bonne question, une question à laquelle personne ne savait répondre donc personne ne le fit. Qui pouvait avoir intérêt à monter une telle arnaque ? Que cherchait-on à obtenir ?

— C'est peut-être un malentendu ? suggéra Zofia. Un crésus a encadré la copie d'un tableau célèbre pour déconner et quelqu'un l'a remarquée par hasard…

Le major Anatol Gmitruk l'interrompit d'un geste décidé de la main.

— Plus j'y pense et plus je suis persuadé que ce n'était pas un hasard. Et ça m'inquiète d'autant plus. Le piège a été parfaitement préparé. Les autres savaient que nous allions venir et ils nous attendaient. Le rendez-vous avec Tusk n'a fait que confirmer mes soupçons. Cette affaire est très louche.

— Mais il nous a donné du temps et promis de l'aide !

Lorentz ne comprenait pas où le militaire voulait en venir.

— Du temps pour faire quoi ? Nous ne savons absolument pas par où commencer.

Durant un instant, Karol observa l'ancien soldat très attentivement.

— Tu suggères que la République nous offre sur un plateau à des bandits ? T'es devenu dingue ?

— Je suggère que nous devons prendre en considération toutes les possibilités.

— À part ça, nous avons bonne traque à survivre, dit Lisa.

— Ne paniquons pas, dit Zofia. Le pire est derrière nous.

— Mais non, traque à… suivre, comprenez ?

— Une traque à suivre ? Une trace, une piste ! s'exclama Karol, heureux d'avoir décodé l'étrange intervention. Mais quelle piste ?

— Devons aller Suède.

— Parce que ? demanda Zofia.

— Parce que Suède ami et spécialiste et professeur. Il sait toute belle art.

— Tout comme Karol et moi. Mais c'est charmant. Si tu veux apprendre des choses, pose-nous des questions. Nous n'allons pas risquer un autre incident diplomatique à cause des caprices d'une voleuse.

Lisa répliqua avec calme :

— Moi mains, lui cerveau.

Les trois Polonais échangèrent des regards.

— Un complice ? Un commanditaire ? demanda Anatol.

— Lui construit tour...

— Un architecte ? demanda Zofia.

— Un maquettiste ? hasarda Karol.

— Mais non ! s'offusqua Lisa. Lui prépare tour passe-passe.

— Il planifie le cambriolage, soupira Anatol.

— Voilà !

— Tu pourrais utiliser des articles, suggéra Zofia.

— Pff... Il prépare le cambriolage, je fais la boulot.

— C'est une histoire très émouvante. Tu seras jouée par Catherine Zeta-Jones et lui par Sean Connery. Je ne comprends toujours pas pourquoi nous devons aller voir un autre voleur. Nous en avons déjà un et, en ce qui me concerne, c'est amplement suffisant.

— Lui cherche collection disparue belle art. Lui cherche il y a longtemps. Raphaël peut avoir morceau chose grande.

Lorentz écarta les mains en signe d'impuissance et regarda Karol qui était encore celui qui comprenait le mieux la Suédoise.

— Tu veux dire que le Raphaël pourrait faire partie d'une collection plus grande et disparue que vous recherchez tous les deux depuis longtemps ? demanda Karol pour en avoir le cœur net.

— Vingt ans, confirma-t-elle.

— Ça ne me convainc toujours pas. Qui c'est, d'abord, ton gourou ? Il possède un château ? Une caverne ? Un musée sur une île en haute mer ?

— Sten Borg.

Zofia ne réussit pas à masquer son étonnement.

— Sten Borg en personne ? Tu te fiches de moi ?

— Non.

Cette fois, c'est Anatol qui ne comprenait pas ce qui se passait.

— C'est l'expert le plus réputé de la planète, expliqua Zofia, mais c'est aussi un solitaire et un excentrique. J'ai tenté à plusieurs reprises d'entrer en contact avec lui. Sans succès.

— Ça tombe très bien, rétorqua Anatol. Nous devons partir au plus vite. Nous irons en voiture par l'Allemagne et le Danemark. Nous ne pouvons pas nous permettre de laisser des traces en prenant l'avion ou le ferry, alors qu'en voiture, nous passerons sans aucun contrôle douanier. L'espace Schengen, c'est une bénédiction pour des malfrats tels que nous.

Karol leva les mains en signe d'étonnement.

— Ouh là là, tu ne basculerais pas en pleine paranoïa ?

En guise de réponse, Anatol écarta le pan de sa veste et lui montra son pistolet.

— J'en ai un autre dans mon sac, sans parler de quelques autres joujoux. Comme je te l'ai dit, quelqu'un tenait réellement à ce qu'on se fasse attraper à New York. Et pas n'importe qui. Quelqu'un capable d'induire nos services secrets en erreur. Quelqu'un qui nous suivait depuis le début.

Karol gloussa, faisant comprendre ce qu'il pensait de cette théorie, mais Gmitruk ne s'interrompit pas pour autant.

— Qui est capable de placer un homme avec de faux papiers sur le siège contigu à celui de Zofia dans un avion ? Un homme qui voulait l'abattre de sang-froid une fois qu'il a été clair qu'ils ne nous prendraient pas sur le fait ? Je ne sais pas pourquoi, mais quelqu'un de très influent veut nous faire la peau. Peut-être à nous tous, peut-être seulement à certains d'entre nous. À votre avis, quelles sont les probabilités qu'il ait renoncé simplement parce que nous sommes planqués en pleine campagne polonaise ?

3

Le major Anatol Gmitruk quitta sa chambre en slip et remonta le couloir, une brosse à dents à la main, en se disant une nouvelle fois qu'il avait un mauvais pressentiment. Non, il n'était pas particulièrement inquiet, il ne paniquait pas, il n'avait pas – comme on l'écrit parfois dans les romans – les nerfs en pelote, et il ne se sentait pas comme un tigre prêt à bondir sur sa proie. Il était assez fatigué, un brin assommé par l'alcool, ses paupières étaient lourdes et son sixième sens était profondément endormi. Tout bonnement, Anatol Gmitruk avait un mauvais pressentiment.

Toute cette affaire puait depuis le début, même avant les traquenards, les mensonges multi-niveaux, les mercenaires et les mystérieux tueurs. Mais le risque encouru restait dans les limites du raisonnable. Mine de rien, une opération illégale chez un allié, ça arrivait dans le métier. Au contraire des diplomates, il préférait ce genre d'actions à l'infiltration d'un village afghan en territoire hostile. Chez un allié, on risquait simplement un scandale et la prison. Chez un ennemi, on risquait sa vie.

À ceci près que ce qui s'était passé à New Rochelle avait été trop bien préparé. Les autres les avaient guettés, un point, c'est tout. Ils les avaient attendus pour les foutre au trou, et ils avaient échoué seulement parce qu'un ange gardien providentiel – Anatol soupçonnait un de ses amis de l'OTAN qui lui devait un service – les avait mis en garde au dernier moment. Et lorsque ces sbires n'avaient pas réussi à mettre leur joyeuse bande sous les verrous, ils étaient passés au plan B sans la moindre hésitation : leur élimination pure et simple. Et, pour des raisons qui lui échappaient encore et qu'il ne souhaitait pas évoquer devant Zofia, ils avaient considéré que c'était elle qui devait devenir leur cible numéro 1. Anatol ne croyait pas que l'assassin se fût matérialisé près de sa voiture par hasard.

Ça ne lui plaisait pas, mais alors pas du tout.

Sur le pas de la porte de la salle de bains, il croisa Lisa qui portait un T-shirt à l'effigie de Stanislas Lem. Elle l'avait probablement emprunté à Karol en guise de pyjama.

— Tu veux me faire écureuil, lézard ? demanda-t-elle de façon désinvolte.

Il fronça les sourcils.

— Écoute, Lisa, je ne comprends vraiment pas ton argot à la con, dit-il en pointant sa brosse à dents en plein sur son sternum. Mais si tu parles de sexe, alors je suis partant.

D'un geste royal, elle ouvrit la porte et l'invita à entrer dans la chambre à coucher principale que lui avait laissée Karol.

Lisa et Anatol avaient déjà fini un second round de galipettes sous leurs draps de lin que Zofia Lorentz, toujours couchée sur le dos, fixait encore l'obscurité et attendait un sommeil qui ne voulait pas venir. Elle n'aimait pas la pièce qu'on lui avait attribuée, c'était une chambre d'amis rarement utilisée.

Elle sortit du lit et posa les pieds sur une moquette moelleuse, agréable au toucher. Aussi plaisant qu'il fût de marcher sur cette fourrure synthétique, elle aurait préféré un parquet grinçant, afin que chacun de ses pas soit audible un étage plus bas, et plus précisément dans le bureau où Karol ronflait probablement sur son sofa en cuir.

Arrête d'être bête à ce point, se réprimanda-t-elle en pensée. Il aurait entendu tes pas et puis quoi ? Il aurait bondi sur son cheval blanc et galopé à l'étage pour vérifier que tout allait bien ? « Ha, belle douce amie, pourquoi martèles-tu le sol en pleine nuit ? Eust un incube estrange posé ses crocs sur vostre poitrine ? Dame, conment vous consolerais dans mes bras chevaleresques ? »

Elle pouffa de rire.

Il est temps de regarder la vérité en face, chère Zofia, pensa-t-elle. Tu as toujours ce garçon dans la peau, un point c'est tout. Est-ce que ça change quoi que ce soit ? Bien sûr que non. Si on prenait en compte la manière dont s'était déroulée et terminée leur relation, Karol Boznański devrait être le dernier homme à l'intéresser.

Mais arrête, cette relation ne se déroulait pas si mal, se répondit-elle en son for intérieur. La température grimpait vite, mais c'était peut-être pour le mieux. Et puis, on ne s'ennuyait jamais. C'était sympathique, somme toute.

Sympathique ? Une relation où on finit par se jeter des objets à la figure et par se battre, tu trouves ça sympathique ?

Bon, n'exagérons rien, il n'y a eu que quelques disputes, surtout à la fin. Et, soyons honnêtes, c'est moi qui avais commencé à lui balancer des trucs à la gueule. Une fois, je l'ai même touché. Avec un Petit Robert.

Mais ne l'avait-il pas bien cherché, avec tous ses mensonges ?

À cette question, Zofia n'avait pas de réponses à fournir.

Est-ce qu'il ne l'avait pas mérité en lui disant ce qu'il avait fini par lui dire ? Est-ce que tu t'imagines qu'une femme respecte un homme après avoir entendu une chose pareille ? Sérieusement ?

Non, je ne l'imagine pas, se répondit-elle sans grande conviction. Et, l'instant d'après, elle ajoutait : Mais je ne m'imagine pas non plus un homme qui supporterait sans broncher tout ce que je lui ai dit à l'époque.

Zofia se leva de son lit et s'approcha de la porte. Elle regarda par le trou de la serrure, mais tout était sombre. Elle colla une oreille contre le bois frais. La maison était calme, tout le monde dormait.

Ce n'était pas tout à fait vrai. La seule personne qui dormait dans cette maison, c'était Lisa Tolgfors, satisfaite, heureuse et comblée. Elle avait vécu assez longtemps dans des milieux libéraux pour apprendre à distinguer l'engagement émotionnel profond de l'hygiène sexuelle. Bien sûr, elle aimait comme tout le monde que la proximité physique soit associée à des sentiments mais, ce jour-là, elle avait surtout besoin de proximité, de décontraction et d'un orgasme qui se répand dans le corps tout entier. Et elle avait reçu tout cela de la part d'un militaire aux oreilles décollées.

Couché à côté de son amante endormie, Anatol Gmitruk fixait les poutres du plafond et se demandait s'il se sentait coupable d'avoir trahi. Officiellement, il était toujours marié, ils n'avaient pas divorcé au tribunal, et ne parlons même pas de l'église. Donc, c'était une infidélité. Un adultère. Officieusement en revanche, ils étaient aussi séparés qu'on pouvait l'être. Quand, une année plus tôt, Sylwia lui avait annoncé qu'elle avait deux nouvelles, il avait mécaniquement demandé : « Une bonne et une mauvaise ? » Elle lui avait répondu que non, les deux étaient mauvaises. Et, en effet, elles l'étaient. « Premièrement, j'ai un cancer, avait-elle dit. Passons sur les détails, mais j'ai un cancer, et pas n'importe lequel, un cancer sérieux, qui me fera mourir plus tôt que prévu. »

Évidemment, en réponse, il avait balbutié des trucs à propos de ses relations, de thérapies expérimentales, de cliniques en Suisse et de visualisation positive, il soutenait que tout pouvait se résoudre. Bref, l'hystérie classique d'une personne n'admettant pas qu'elle allait perdre un être aimé.

Sylwia l'avait fait taire d'un baiser et lui avait dit : « J'ai vérifié. Une thérapie efficace sera toujours au-dessus de nos moyens. Et je ne veux pas crever sous perfusion. Je ne veux pas non plus mendier auprès de nos amis, je ne veux pas tenir un blog larmoyant et apparaître dans des reportages télé, me priver de tout en vue d'une opération qui, au bout du compte, ne réussirait pas. »

Il lui avait demandé si, dans ce cas, elle voulait qu'ils partent faire le tour du monde.

Elle avait gardé le silence un long moment, c'est pourquoi il avait fini par lui demander quelle était la seconde nouvelle.

« Je te quitte », avait-elle dit.

Et elle l'avait quitté. Il lui avait promis de l'attendre jusqu'à sa fin à lui ou sa fin à elle, et ils ne s'étaient plus revus. Il vérifiait fréquemment, via des contacts aux renseignements généraux, comment elle allait. Il piratait ses factures, ses e-mails, le contenu de son ordinateur. Et, jour après jour, mois après mois, il arrivait à la conclusion que s'il manquait à la femme qui avait partagé sa vie durant vingt ans, alors elle le cachait très bien.

Anatol Gmitruk remonta la couverture sur la Suédoise endormie.

Karol Boznański ne ronflait pas sur son sofa en cuir, il ne se trouvait même pas dans son bureau. Il était posté en bas des escaliers et attendait que quelque chose arrive. Par exemple, elle descendrait à la cuisine pour boire un peu d'eau, lui s'y rendrait pour rapporter les verres de vin. « Oups, pardon, diraient-ils simultanément, je pensais que tu dormais. » Elle se servirait de l'eau, il reposerait les verres dans l'évier. Ils auraient fait ce qu'ils étaient venus faire et auraient dû retourner dans leurs lits respectifs, au lieu de quoi, ils ne bougeraient pas, resteraient figés face à face, la tension monterait au point de devenir palpable.

Et puis, arriverait ce qui devait arriver.

Il se dit qu'il était difficile de décider ce qui était le plus risible : ses fantasmes ou le fait d'attendre au pied de l'escalier que le docteur Zofia Lorentz daigne descendre. Cette mégère vicieuse, intransigeante et mesquine, avec ses mirettes noires, était l'amour de sa vie et n'en savait rien.

Affligé, il retourna en silence dans son bureau et se blottit sous une couette, sur ce sofa en cuir froid, au moment même où Zofia décollait son oreille de la porte.

En fin de matinée, ils ramassèrent leurs affaires et sortirent dans la fraîcheur de cette journée de décembre. Le ciel était limpide mais le soleil, en cette saison, n'arrivait pas à vaincre le gel ; il illuminait seulement le givre qui recouvrait tout de sa blancheur. Ils avancèrent en direction de la grange. Karol menait l'excursion, Lisa et Anatol cherchaient des yeux une voiture ou un garage. Zofia fermait le cortège, elle savait ce qui allait suivre.

— Deux mille kilomètres, dit Lisa lorsqu'ils s'arrêtèrent devant un portail en planches déglinguées. Moi pas aller tracteur.

Karol ne répondit rien. Il tira un coup sec sur l'un des battants ; celui-ci couina comme si une colonie de souris vivait dans ses gonds. La lumière pénétra à l'intérieur de la structure, éclairant les machines agricoles hérissées de leurs dents rouillées, les ballots de paille, quelques selles sur des tréteaux, le tout plongé dans des tourbillons de poussière qui virevoltaient jusqu'au toit. Le capot longiligne et argenté de la voiture de Karol semblait ne pas avoir de fin, il brillait dans ces circonstances de manière presque indécente, scintillant et miroitant telle une immense goutte de mercure.

Plus d'une fois, Zofia s'était moquée de cette bagnole et de l'impression qu'elle faisait sur les gens. Mais elle devait admettre que c'était la meilleure entrée qu'elle l'ait jamais vue faire. L'arrière du véhicule était caché dans la pénombre et toute l'automobile semblait se composer d'un seul morceau de carrosserie qui recouvrait le moteur. La tôle bombait légèrement sur les bords, comme une chemise tendue sur les épaules d'un athlète. Les phares fermés donnaient l'impression que la voiture dormait, tel un être vivant et non une machine sortie d'une usine. Karol appuya sur le bouton de la télécommande et les yeux de l'auto s'ouvrirent, encadrant un étalon qui se tenait sur ses pattes arrière. Si Sergio Pininfarina pouvait voir à quel point son enfant était magnifique dans cette grange d'Europe de l'Est, il en aurait probablement pleuré d'émotion.

Gmitruk sortit de sa stupeur le premier. Il pénétra dans l'enceinte, fit le tour du véhicule et regarda Karol avec les yeux d'un homme à qui on venait de démontrer que la terre était plate.

— Une Ferrari break ? Cinq portes ? Tu te fous de moi.

Karol ouvrit les portières avec sa télécommande.

— Dans un coupé sport, on ne tiendrait pas. Montez, je vous expliquerai en chemin.

— Continuez tout droit pendant quatre, cent, vingt, cinq, kilomètres, les informa le GPS alors qu'ils pénétraient sur l'autoroute.

Karol appuya sur l'accélérateur et le véhicule passa avec fluidité, en deux secondes et demie, de cent à cent cinquante kilomètres-heure, émettant un ronronnement grave et satisfait, les enfonçant au passage délicatement dans leurs sièges.

— Oh mon Dieu, chuchota Anatol, assis à côté du conducteur.

Lisa et Zofia échangèrent un regard affligé.

— Débiles tous, murmura Lisa. Débiles tous.

— Vous roulez à une vitesse non autorisée, ralentissez, annonça le GPS pour la énième fois, coupant Karol dans son monologue, alors qu'ils n'avaient pas encore franchi le cap des cent kilomètres.

— Baisse le son, s'il te plaît, sinon je vais jeter cette Domina par la fenêtre, dit Lorentz depuis la banquette arrière.

Elle avait un peu raison. Chaque modèle de GPS avait sa propre approche de la conduite. Parmi les voix féminines, il y avait les suppliantes, les autoritaires et les susceptibles. Celle-ci était une dominatrice, le genre maîtresse armée d'un fouet : « Quelqu'un n'a pas été très sage aujourd'hui et roule à une vitesse non autorisée ? »

— Et ce sultan ? dit Anatol, répétant la dernière phrase de Karol pour que celui-ci revienne à son sujet.

— Le sultan de Brunei, Hassanal Bolkiah, l'un des hommes les plus riches de la planète à l'époque comme aujourd'hui. Au milieu des années 1990, Sergio Pininfarina, paix à son âme, le chef designer de chez Ferrari, a reçu une enveloppe de la part du sultan. Dans cette enveloppe, il y avait un chèque de plusieurs millions de dollars et une courte lettre, rédigée comme suit : *Construisez-moi une Ferrari où je pourrai faire monter ma famille. Bien à vous, Hassanal Bolkiah.* Il devait s'agir d'un raccourci mental, parce qu'à cette époque, le sultan avait deux épouses et une dizaine d'enfants, il avait donc davantage besoin d'un bus que d'une voiture pour contenir sa famille, mais on a compris la commande comme celle d'une Ferrari avec beaucoup de place à l'intérieur. Et la firme italienne a produit une courte série de véhicules spéciaux, des variations autour du modèle 456 GT. L'avant, une Ferrari. L'habitacle, une Ferrari. L'arrière, je ne sais pas, moi, on dirait un peu une Nissan.

— Mais en soi, c'est une Ferrari ? demanda Gmitruk en caressant le revêtement cuir du tableau de bord. Le moteur et tutti quanti ?

— Moteur V12, cinq litres et demi, quatre cent trente-six chevaux, de zéro à cent en cinq secondes. Le premier cent, je veux dire. Sept secondes de plus pour atteindre les deux cents. Et puis, ce bruit.

Karol accéléra, le ronronnement grandit, l'aiguille blanche sur le cadran de gauche bondit joyeusement et s'immobilisa sur le 200.

— Vous roulez à une vitesse non autorisée, ralentissez.

— Bon Dieu, Karol, tu ne sais pas comment l'éteindre ?

— Tu peux monter à combien ?

— Honnêtement ? À deux cent cinquante, je flippe. Surtout sur les routes polonaises.

— C'est une autoroute, remarqua Lorentz.

— Mais une polonaise.

— Tu veux dire que tu as racheté la voiture du sultan de Brunei ?

— C'est un peu compliqué. Le sultan a divorcé de l'une de ses femmes. Elle a déménagé en Grande-Bretagne avec cette Ferrari. Là, elle l'a vendue à un des aristocrates du coin, un lointain cousin de la famille royale, qui m'a contacté parce qu'il savait que j'étais ami avec un artiste polonais qu'il portait en haute estime et pour lequel il avait une commande assez inhabituelle.

— Continuez tout droit pendant cent, quatre-vingt, sept, kilomètres.

— J'ai rencontré l'artiste en question et celui-ci, un homme de plus de soixante-dix ans à l'époque, a donné son accord pour peindre une toile à la demande de l'aristocrate. Sur sa toile, il n'a peint qu'un seul nombre en acrylique : cinq millions six cent sept mille deux cent soixante.

Gmitruk l'observa, les sourcils froncés.

— Pourquoi ?

— Un an plus tôt, l'aristocrate avait perdu sa fille de onze ans à peine. Un stupide accident de vélo. Il était auprès d'elle quand on a essayé de la réanimer. Et lorsque le médecin, comme le veut la procédure, a prononcé l'heure de la mort, cette tragédie a brisé le père. À cause de l'heure de cette mort, une sorte d'obsession mathématique s'est emparée de lui, il multipliait et divisait ses minutes et ses heures. À la fin, il a abouti à ce nombre, le nombre des minutes de vie de sa fille, depuis la mention de sa naissance dans les documents de l'hôpital jusqu'à celle de sa mort qu'il a entendue de la bouche du médecin. Il s'est dit que c'était, je ne sais pas, moi, un nombre magique, le nombre de l'univers. Et, pour faire court, l'artiste n'a pas voulu d'argent pour son travail et moi, j'ai reçu cette voiture. Je ne sais pas si c'était justifié, mais je ne me suis pas défendu longtemps.

— Et c'était qui, cet artiste ? demanda Anatol.

— Roman Opałka, grogna Lisa, les yeux fermés.

— Exactement, confirma Karol. Il n'y a que chez lui qu'on pouvait commander une œuvre pareille. En 1965, Opałka a commencé un projet, « De un à l'infini ».

Dans le coin en haut à gauche de sa première toile, il a inscrit le chiffre un, puis deux, puis trois. Dans le coin en bas à droite, il était arrivé à, je ne sais plus trop, près de trente mille je crois. Il a donc commencé une deuxième toile, peignant de la sorte quelques centaines de chiffres par jour pendant près de quarante ans. Au début, c'était peut-être une lubie étrange, mais après trente-six années d'un labeur journalier, ininterrompu, d'un travail de Sisyphe, il a créé le témoignage le plus parfait du passage du temps dans l'histoire de l'art. Du moins, c'est mon opinion.

— Et la mienne, grogna Lisa dans son demi-sommeil.

— Et la mienne, dit Zofia en levant la main.

— Et vous savez le meilleur de cette histoire ? demanda Karol. Le dernier numéro qu'Opałka a peint avant sa mort, c'est cinq millions six cent sept mille deux cent cinquante-neuf. Il n'a jamais pu reproduire le nombre peint pour l'aristocrate britannique qui pleurait la mort de sa fille. Il y a une espèce de fatalité là-dedans, une sorte de symbolique mortuaire, non ? En rompant son rituel et en peignant ce nombre, il a défini sa fin. J'espère que cette voiture n'est pas maudite…

— Vous roulez à une vitesse non autorisée, ralentissez.

— Au cas où, écoute cette dame et lève le pied, je t'en supplie. Et allume la radio avant que je me flingue. Cette foutue dominatrice me tape sur les nerfs.

— Fais gaffe à ce que tu dis, répliqua Karol en branchant l'autoradio. Cette dame, c'est ma fiancée.

Une fois qu'ils eurent passé la frontière avec l'Allemagne, Anatol remplaça Karol au volant. L'expression de son visage prouvait que si jamais il avait vécu des moments d'exaltation béate au cours des quarante premières années de sa vie, ces souvenirs n'avaient à ce moment-là plus aucune importance.

Tous les quatre gardaient le silence, plongés dans leurs pensées. Ils captaient encore la radio polonaise, l'émission traitait des financements de diverses causes sur des sites participatifs en ligne. On y parlait d'un groupe de dingues qui cherchaient à construire un temple païen slave, mais l'animateur revint à des problématiques plus sérieuses, dont une certaine Sylwia qui réunissait de l'argent pour des soins.

C'est à la fois triste, évident et ennuyeux, songea Zofia.

— Zappez sur du rock allemand, OK ? demanda-t-elle en passant la tête par l'interstice entre les deux sièges avant.

— On pourrait laisser encore un peu ? demanda Anatol. Le sujet est intéressant, j'aimerais l'écouter.

Zofia et Karol échangèrent des regards étonnés, mais ne commentèrent pas. Elle s'imagina que le major était peut-être malade lui-même ou que ça le touchait de près. Madame Sylwia caquetait joyeusement, absolument pas comme une malade incurable. Elle évoquait un cancer du cœur, un traitement lourd, des scientifiques américains, un matériel innovant, deux cent cinquante mille dollars... ses paroles étaient entrecoupées par des cliquetis, car ils s'éloignaient de la frontière et le signal faiblissait.

— ... quand j'ai entendu le diagnostic, je disais que je n'avais pas envie de passer mes dernières années ou mes derniers mois à mendier, à aller voir les gens, à emprunter de l'argent à la famille, aux amis, aux amis d'amis, sachant que je ne le leur rendrais jamais et qu'en plus, je pouvais laisser mes proches avec des dettes...

— Est-ce que c'est pour ça que vous vous êtes décidée pour un financement sur Internet ? demanda le journaliste.

— Un jour, j'ai rencontré devant un supermarché une jeune femme avec un enfant d'un an environ. Elle demandait aux gens du lait en poudre et des couches pour son bébé, elle en avait besoin et malheureusement, c'était très cher. Elle ne ressemblait pas à une mendiante, elle n'avait pas l'air de venir d'un milieu déshérité. J'ai parlé avec elle et elle m'a dit que leur situation était compliquée, mais que, pour dire la vérité, il lui était plus facile de demander de l'aide à des inconnus qu'à sa propre famille. Pour moi, c'est pareil. Il m'est plus facile de demander à des étrangers.

— Veuillez m'excuser si la question vous paraît trop personnelle, mais qu'est-ce qui vous a fait changer d'avis et vous a poussée à vous soumettre au traitement ?

La femme rit comme une adolescente amourachée et non comme une femme d'âge mûr au bord de la tombe.

— Et qu'est-ce qui peut le mieux vous convaincre de soigner votre cœur ? L'amour, bien sûr ! Avant le diagnostic, je vivotais au jour le jour, et maintenant, je vis. Je ne dis pas que c'était la faute de quelqu'un, c'était comme ça, nous nous étions habitués à appeler vie et bonheur une routine, et donc, nous ne luttions pas pour obtenir davantage. Ces jours-ci, j'existe, j'existe vraiment, pour quelqu'un et à travers quelqu'un, chaque inspiration a pour moi un parfum et un goût. Et il est plus facile de lutter pour la vie que pour la survie.

— Fais gaffe ! hurla Karol et il attrapa le bras d'Anatol, ramenant la Ferrari sur la bonne voie et non sur celle où roulait un camion immatriculé en Biélorussie.

Son numéro d'immatriculation avait été recopié sur la remorque, comme si la législation biélorusse avait prévu que ces véhicules seraient si sales qu'on ne pourrait pas se contenter de la plaque sur le pare-chocs.

Ils évitèrent le dix-huit tonnes de quelques millimètres.

— Excusez-moi, ça ne se reproduira pas, dit Anatol d'un ton sourd.

— J'espère bien ! Tu veux qu'on change ?

— Change plutôt la station de radio, conseilla Lorentz.

Et c'est ainsi que Sylwia, de moins en moins audible de toute manière, céda la place au chanteur de Rammstein qui, dans sa ballade, martelait : « Je ne peux plus vivre sans toi, mais avec toi je suis seul aussi. »

Quelques heures leur furent nécessaires pour traverser l'Allemagne et le Danemark ; la nuit était déjà tombée quand ils approchèrent des détroits de la Baltique. À leur gauche, le centre-ville de Copenhague scintillait ; à leur droite, ils dépassaient l'aéroport de Kastrup ; devant eux, seul l'Øresund les séparait de la Suède. Un Boeing argenté d'American Airlines survola l'autoroute, accrochant presque de ses roues le toit de la Ferrari, et ils plongèrent dans un tunnel qui devait leur faire traverser la première passe, à une quinzaine de mètres sous la surface de l'eau.

— C'est probablement un pro qui exécute les ordres de celui qui le paye le plus, expliqua Anatol en parlant du mystérieux persécuteur de Zofia. Et que ce soit une épouse jalouse, une multinationale cupide ou le gouvernement de la Fédération de Russie, cela lui importe peu. Seules deux choses ont pour lui de la valeur : la cible et le chèque. Nous avons vérifié sa carte de visite, les enregistrements de l'aéroport du jour où nous avions pris l'avion, nous avons fouillé les bases de données de nos alliés, aucun homme ne correspond à Jasper Leong. Et je ne parle pas seulement de son nom et de l'adresse imprimés sur sa carte de visite, car c'est évident. Son visage n'existe pas non plus, ni ses empreintes digitales. C'est une ombre.

— Une ombre ? demanda Lorentz, mais lorsqu'elle entendit sa propre voix, elle remarqua que celle-ci provenait de très loin.

— Oui, je sais, on dirait une ligne de dialogue dans un film de série B. Mais croyez-moi, les ombres existent. D'ordinaire, il s'agit de personnes qui ont travaillé pour les services d'États réputés pour l'intransigeance de leurs agissements. Les US, Israël, la France. Après une mission particulièrement répugnante, les agences nationales se débarrassent des exécutants dans le cadre de l'effacement des traces et, en guise de récompense, elles nettoient leurs archives et permettent à ces gars de commencer une nouvelle vie. Certains d'entre eux saisissent l'opportunité et s'achètent une maison en bord de mer, au Mexique par exemple, et y pêchent des poissons à longueur de journée. D'autres se mettent à vendre leurs connaissances et leur savoir-faire. Les anciens employeurs ferment les yeux parce que eux aussi ont parfois besoin d'un homme qui vienne d'en dehors du système.

La docteur Zofia Lorentz garda le silence durant un instant et plongea le regard dans la neige qui virevoltait derrière la vitre, dans la grisaille sombre d'un soir d'hiver.

— Mais tu n'es pas sérieux, n'est-ce pas ? Tu veux vraiment me faire croire qu'il y a des tueurs professionnels sans visage ni empreintes digitales, mais avec une tonne de passeports dans leur tiroir et un fusil de tireur d'élite caché dans une canne blanche, qui vendent leurs services aux hommes d'affaires russes et aux présidents américains ? C'est quoi, ça ? Les années 1960 ? *Le Chacal* ? Est-ce que j'ai la tête de De Gaulle ?

Gmitruk grimaça.

— Je suis désolé.

— Et cette ombre me traque précisément moi ?

— Je suis vraiment désolé.

— C'est indice importante, grogna Lisa.

— Et pourquoi est-ce indice importante ? demanda Zofia, caustique.

— Parce qu'il ne me traque pas, moi, rétorqua Karol, ni monsieur le major, ni notre princesse nordique. Pour des raisons inconnues, il te vise toi.

Lorentz se sentit exténuée.

— Pourquoi quelqu'un voudrait-il assassiner une simple fonctionnaire d'un pays sans importance ?

— Pour qu'elle ne retrouve pas le Raphaël ? rétorqua Karol.

— T'es dingue, dit-elle en se tapotant le front du doigt. Récemment encore, tu tentais de me persuader que seuls des patriotes polonais débiles tiennent encore à récupérer ce vieux bout de bois.

— Et je n'ai pas changé d'avis. Donc, ça m'étonne d'autant plus, mais tout tend à le démontrer. C'est comme chez Conan Doyle, si tu écartes l'ensemble des mauvaises solutions, celles qui restent, même les plus farfelues, doivent être justes. Reprenons du début. Comment cette affaire a-t-elle commencé ?

— Par un tuyau. Nous avons reçu des photos et l'information que le Jeune se trouvait chez Richmond et que toute tentative de le récupérer légalement déclencherait un scandale, braquerait les Américains qui nieraient tout en bloc et se solderait par la disparition du Jeune pour des siècles.

— Précisément. Quelqu'un a fait en sorte que cette nouvelle arrive jusqu'en Pologne. Quelle réaction espérait-il ? Un cambriolage. Sinon, il n'aurait pas tout fait pour convaincre que le tableau s'évanouirait dans la nature si on souhaitait le reprendre légalement. Il pouvait supposer que les pouvoirs polonais choisiraient les gens les plus qualifiés pour cette opération. Des gens qui s'y entendent en art, qui pigent le problème de la restitution et qui connaissent le milieu. Et qui savent voler des trucs. Pour résumer, cette mystérieuse personne nous avait prévus. Peut-être pas à cent pour cent, mais je parie qu'elle avait inscrit le docteur Zofia Lorentz en haut de sa liste. Ce qui lui a grandement facilité le suivi de nos actions, voyez mister Hong Kong dans l'avion. Je pense que nous pouvons admettre que notre opération ultrasecrète n'a pas été secrète pour un sou. Vous comprenez ?

Ils comprenaient.

— J'y ai réfléchi cette nuit et je me demandais quel sens ça avait de nous impliquer dans un cambriolage raté.

— Si quelqu'un voulait m'éliminer, il pouvait m'abattre quand je faisais mon jogging entre les buissons le long de la Vistule. Ça aurait été enfantin.

— Précisément. Et la seule réponse qui résiste aux critiques, c'est qu'on a voulu nous embourber dans le vol du faux Raphaël pour que nous ne retrouvions jamais le vrai.

— T'as switché bite et cerveau, commenta la Suédoise.

Je ne l'aurais pas mieux formulé, pensa Zofia.

Karol se tut un moment. Les semi-remorques devant eux avaient décidé de faire la course et se dépassaient à tour de rôle.

— Que se serait-il passé si tout avait fonctionné selon leur plan ? Lisa, enfermée nue dans un coffre-fort. Zofia abattue au cours de sa tentative de fuite du lieu du crime. Moi, dans le meilleur des cas, j'aurais eu droit à un procès retentissant. Quant au major, ça dépend probablement de l'influence réelle de ses potes à l'OTAN. Quoi qu'il en soit, nous aurions tous été éliminés, l'affaire aurait été mondiale et le gouvernement polonais, en tant que commanditaire du vol d'une copie bas de gamme, aurait été la risée de toute la planète. Et je suis persuadé qu'aucun occupant d'un poste de pouvoir à Varsovie n'aurait osé prononcer le mot « Raphaël » pendant les dix prochaines cadences électorales. Le tableau aurait été oublié, interdit et serait devenu plus intouchable encore que les laveurs de latrines en Inde. Et les gens diversement motivés pour retrouver cette peinture auraient été soit éliminés, comme Zofia, soit emprisonnés pour de longues années, comme Lisa et moi. C'est logique.

— C'est logique…, confirma Zofia après un moment de réflexion. Mais en lieu et place de chaque réponse apparaît instantanément une flopée de questions. Dont deux essentielles. Premièrement, pourquoi ce quelqu'un est-il persuadé que moi, parmi tant d'autres, je suis capable de retrouver le Raphaël ?

En guise de réponse, elle n'eut droit qu'à du silence.

— Et pourquoi ce quelqu'un tient tant à ce qu'on ne retrouve pas ce tableau ? Après tout, ce ne sont que quelques taches de couleur sur un morceau de bois.

— J'y ai réfléchi aussi. Il y a deux possibilités. La première, c'est que nous avons affaire à un collectionneur surpuissant et fou qui, d'une part, veut pouvoir admirer le Jeune dans son coffre, sa bite dans une main et un paquet de Kleenex dans l'autre.

— Un classique chez les collectionneurs, admit Zofia. Et l'autre possibilité ?

— Le Raphaël n'est pas simplement un vieux morceau de bois peint de la taille d'un écran trente-sept pouces, mais quelque chose de plus important et de plus précieux. À ceci près que nous ne savons pas encore pourquoi. Mais j'espère que l'expert suédois nous l'expliquera.

Leur voiture sortit du tunnel et entama la traversée d'un pont de huit kilomètres de long, la dernière ligne droite avant le territoire suédois. De part et d'autre de l'asphalte s'étendaient les eaux sombres du détroit et on avait l'impression que la passerelle lévitait dans l'éther, que ce n'était pas un pont tendu entre deux pays européens, mais entre deux planètes, suspendu dans le vide intersidéral.

Lorsqu'elle se réveilla, le jour s'était déjà levé et la voiture stationnait, moteur éteint, sur un parking vide devant un centre commercial. Les décorations de Noël ne laissaient aucun doute quant au fait que deux semaines seulement les séparaient des fêtes.

— J'étais censée conduire les quatre cents derniers kilomètres, dit-elle d'une voix ensommeillée à Karol, assis derrière le volant, une fois qu'elle eut réussi à décoller ses lèvres l'une de l'autre.

Du dentifrice, pensa-t-elle, mon royaume pour une brosse et du dentifrice !

— Je ne voulais pas te réveiller. Tu dormais si profondément que j'aurais pu te peloter.

Elle ne s'abaissa pas à répondre. Ils n'étaient que tous les deux dans la voiture.

— Où est-ce qu'on est ? Et où sont les autres ? demanda-t-elle.

— Nous sommes dans un truc qui, pour moi, s'appelle Sodertalje, mais, selon Lisa et Anatol, il s'agit de Seeedetel-jé ! dit-il, parodiant avec succès la prononciation suédoise. Nous sommes à une quinzaine de kilomètres de Stockholm, que nous avons dépassée de la même façon que Copenhague. Je crois que ce sont les deux mille kilomètres les plus ennuyeux que j'ai jamais eu à parcourir, ajouta Karol en grimaçant. Je ne sais pas comment mon estomac va réagir quand je pourrai enfin manger autre chose qu'un hot-dog de station-service.

Elle s'étira et sortit du véhicule pour prendre un peu d'air frais. La première inspiration lui fit mal. Le soleil qui transperçait la fine couche de nuages était trompeur ; la journée était terriblement froide, comme tout cet hiver, d'ailleurs, un hiver qui avait commencé en octobre et ne semblait pas vouloir relâcher son étreinte. Il devait faire moins quinze degrés. Un seul coup de vent avait suffi pour chasser toute la chaleur emmagasinée sous son léger pull et elle eut instantanément la chair de poule. Elle fut de retour dans la voiture la seconde d'après.

— Allume le chauffage, demanda-t-elle en tremblant de froid. Et apporte-moi mon blouson du coffre et mon petit sac bleu, il y a ma brosse à dents dedans.

Il la regardait comme si une inconnue venait soudain de monter dans sa voiture.

— S'il te plaît, ajouta-t-elle l'instant d'après.

— S'il te plaît comment ? demanda-t-il, tout sourire.

Elle lui sourit aussi, sortit, prit son blouson, l'enfila et le ferma jusqu'au cou, mit sa capuche bordée de fourrure. Après quoi, elle débusqua au fond du coffre son sac à main et une bouteille d'eau. L'irritation et les mouvements brusques l'avaient un peu réchauffée. Seulement un peu, mais ce fut suffisant pour qu'elle ne soit pas forcée de revenir à l'intérieur et lui demander quoi que ce soit.

Elle courut un peu dans un sens puis dans l'autre, levant très haut les genoux. Puis elle se lava les dents, debout, les jambes écartées au milieu du parking, en observant le monde revenir à la vie. Elle se rinça la bouche avec l'eau de la bouteille et recracha sur le pare-brise de la Ferrari. Karol sourit une nouvelle fois et enclencha les essuie-glaces.

Elle ne voulait pas lui donner satisfaction. Bien que, si on lui avait posé la question, elle n'aurait pas su expliquer en quoi elle lui cédait et pourquoi il devait être satisfait. Elle trottina autour du parking. Comme d'ordinaire, après quelques secondes de souffle court, son corps se rappela les bonnes procédures : sa respiration redevint calme, son pouls se stabilisa autour de cent quarante battements par minute, une chaleur agréable se répandit dans ses muscles, ses tendons et ses articulations. L'air glacial, encore pénible peu de temps avant, devint revigorant.

Pendant qu'elle effectuait ses tours, le parking se remplissait, les gens s'efforçaient de se garer au plus près de l'entrée et se faufilaient furtivement vers la porte à tambour. Une fine neige se mit à tomber. Zofia ne remarqua pas le couple qui venait de quitter le centre commercial et se dirigeait vers leur voiture. Et lorsqu'elle les vit, elle ne reconnut pas Anatol et Lisa. Il fallut qu'elle les emboutît presque, respirant rapidement par la bouche, pour qu'elle s'arrêtât devant eux.

Elle n'avait pas demandé à Karol pourquoi leurs compagnons étaient partis. Elle avait considéré qu'ils avaient simplement besoin d'acheter quelque chose, des médicaments, des habits ou des chaussures d'hiver.

Voilà, maintenant elle savait ce qu'ils étaient allés chercher.

La femme qui lui faisait face ne ressemblait en rien à la Lisa qu'elle connaissait. Celle-ci était une Suédoise sportive d'âge mûr qui, par sa manière de se mouvoir et de s'habiller, aurait pu passer pour un homme si ça n'avait été sa beauté spectaculaire et elfique.

La Lisa qui se tenait devant elle était une déesse. Zofia, essoufflée, le front en sueur et les joues rougies, se sentit comme une scoute aux mollets épais devant la princesse éthérée. La Suédoise s'était mise sur son trente-et-un. Au lieu du pull à col roulé, du jean et des chaussures de randonnée, style auquel elle les avait habitués jusque-là, quand elle ne courait pas nue sur les pelouses de New Rochelle, elle portait une robe rouge simple avec un léger décolleté, des bottes en daim à talons hauts et un boléro noir qui, combiné à un prodige de l'ingénierie des soutien-gorge, avait réussi à faire passer sa silhouette de masculine à très féminine. Au moins, je n'ai pas à avoir recours à de tels artifices, pensa Lorentz. Mais c'était une maigre consolation, parce que la beauté de Lisa était étourdissante même sans procédés spéciaux. Bien habillée, maquillée, portant de belles boucles d'oreille, c'était tout simplement trop. Chaque défaut de Lisa se muait en qualité et devenait prétexte aux yeux des graphomanes, afin qu'ils puissent chanter les louanges de ses divines imperfections dans leurs poèmes. Même le foulard noir et argenté que la Suédoise avait noué autour de son crâne pour dissimuler les bandages ajoutait du mystère et une pugnacité un brin tzigane à son allure.

— Fin de muscu, poupée, déclara Lisa en se frottant énergiquement les mains.

Elle devait avoir froid dans cet accoutrement.

— Parce que sinon, reprit-elle, je vais manger salades par trognon.

La Suède, pays de contrastes, pensa Zofia, retournant à la voiture.

Lorentz se porta volontaire pour conduire sur le dernier tronçon. Bien que la neige fût de plus en plus épaisse et que la chaussée fût recouverte d'une couche blanche, la voiture roulait comme sur des rails. Glougloutant doucement, le moteur prévenait Zofia de ne pas faire de folies avec l'accélérateur. Elle n'en faisait pas. Elle poursuivait par la route 73 qui reliait Stockholm au port de Nynäshamn.

Elle se sentait calme, comme toujours en Suède. Les voitures devant et derrière elle roulaient en toute sécurité, à soixante kilomètres-heure, tout le monde respectait les distances, personne ne doublait. Lisa leur expliquait, dans son polonais bancal, que l'homme auquel ils allaient rendre visite était comme son premier amant : il était toujours important pour elle et elle tenait à se faire belle pour lui.

Zofia bifurqua sur une route secondaire qui menait à Dalarö. Le chemin était désert, merveilleux ; d'un côté s'étendait une forêt de sapins enneigés, de l'autre des roches rousses saupoudrées de blanc. Une demi-heure plus tard, ils atteignirent la mer, ou pas tant la mer qu'une ligne de côte incroyablement accidentée, l'ouverture de la Suède sur la Baltique, appelée archipel de Stockholm ou *Stockholms skärgård*. Sur quelques dizaines de kilomètres, la nature avait réussi à entasser trente mille îles rocheuses, plus ou moins grandes, et un nombre incalculable de presqu'îles, de pointes de terre et de criques.

Les îles les plus importantes étaient devenues La Mecque du tourisme, parsemées de centaines de stugors, des cabanes d'été en bois, obligatoirement peintes en *falu röd*, une couleur bordeaux qui contrastait avec les montants blancs des portes et des fenêtres. Aucune mode ne dictait le choix de cette teinte, mais une considération pratique : depuis des siècles, la peinture la moins chère, à base d'oxyde de fer, de cuivre et de zinc, protégeait le mieux le bois du climat du Nord, qui forçait à faire face aux étés caniculaires, aux hivers glacials et aux vents salés.

Les îles moyennes appartenaient aux richissimes habitants de Stockholm qui y bâtissaient leurs villas de verre et amarraient à leurs promontoires des bateaux à moteur de la taille d'un semi-remorque. La classe moyenne supérieure optait pour des refuges sur les petites îles en s'endettant jusqu'au cou. En signant l'acte notarial, ces gens s'imaginaient passer tous leurs week-ends et leurs jours de congé sur l'île. Cela finissait en général autrement : les enfants se révoltaient contre la vie à la campagne, les parents cumulaient les heures sup', car la crise guettait, et ils s'estimaient déjà heureux de passer sur l'île une semaine de vacances en été, à réparer ce qu'il était possible de réparer, à combattre les tiques et les algues toxiques, en songeant au crédit qui les étouffait. Mais ils ne la vendaient pas, prévoyant de sortir enfin la tête de l'eau et de passer leurs vieux jours dans cette maison sur l'île de leurs rêves. Là encore, cela finissait en général autrement : devenus adultes, les enfants vendaient la propriété en douce pour payer la maison de retraite.

Les îles encore plus petites servaient seulement à ceux qui voulaient y bronzer nus ou perdre leur virginité dans un environnement naturel et romantique.

Sur les plus minuscules, il ne se passait rien ; ces tas de caillasses qui dépassaient à peine de l'eau n'étaient bons qu'à se faire insulter par les pêcheurs et à se faire chier dessus par les mouettes.

Situé au bout de l'archipel, le port de Dalarö était l'une des stations balnéaires les plus proches de la capitale. Bruyant et animé en été, il devenait à cette période de l'année calme, sombre, déserté et déprimant, comme il est d'usage hors saison. Lorentz conduisait entre des cabanes obscures, fermées, rideaux baissés, puis, après quelques centaines de mètres, finit par atteindre le centre du village, bien que le terme « centre » fût ici fort exagéré. Tout simplement, c'était là qu'on avait construit des maisons un brin plus grandes. Un bac modeste, pouvant contenir une quinzaine de voitures, était amarré près d'un quai et Zofia monta à bord par une passerelle cliquetante. Les traces des pneus de la Ferrari étaient les premières à s'inscrire sur la neige immaculée et elles devaient le rester jusqu'à l'heure du départ. Personne d'autre ne comptait se rendre sur l'île d'Ornö.

Le voyage à travers un chenal percé dans la glace dura trois quarts d'heure et, lorsque la rampe toucha le bord à l'autre bout, on aurait juré qu'on l'avait abaissée par erreur, avant d'atteindre le terme du voyage. On ne voyait pas de lampadaires, on ne voyait pas de route, on ne voyait ni arbres, ni rochers, ni habitations, ni même une cabane à gaufres. On ne voyait rien.

Seuls des flocons de neige virevoltaient à la lumière des phares du bateau. Un néant noir s'étendait derrière.

La jeune blonde qui pilotait le bac leur adressa un signe de la main sans intention précise. Il était difficile d'établir si elle leur disait au revoir, si elle les pressait de partir ou si elle leur conseillait de perdre tout espoir avant de plonger dans l'abîme. Zofia n'arrivait pas à passer la première pour descendre du bateau vers l'espace invisible.

— Je n'arrive pas à croire qu'il fasse déjà nuit, grogna Karol. Il n'est pas encore quatre heures.

— *Välkommen till Svergie*, répondit la Suédoise et elle encouragea Lorentz : Allez, allez, c'est près.

Zofia inspira un grand coup et avança, relâchant l'air de ses poumons avec soulagement lorsque les roues avant touchèrent le sol. Les roues arrière rebondirent à leur tour sur le bout de la rampe et ils commencèrent à s'enfoncer dans la noirceur silencieuse et la blancheur de l'île, au milieu des arbres, des rochers et des habitations abandonnées.

Ornö, longue d'une quinzaine de kilomètres et large de trois, était l'une des plus grandes îles de l'archipel et pourtant, pas une fois au cours de leur voyage de trente minutes, ils n'aperçurent de lumières dans une cabane, aucune voiture ne les croisa, sans même parler d'un être humain. Pas une trace de pneu ne s'était inscrite dans la chaussée saupoudrée de neige et il était difficile de croire qu'à quarante kilomètres à vol d'oiseau à peine, Stockholm débordait de vie.

À un moment, la route toucha à sa fin. Le mur de la forêt les bordait sur trois côtés. Zofia se tourna vers Lisa.

— On a dû rater un virage, dit-elle.

— On sort, commanda la Suédoise, enfilant un blouson sur son petit boléro.

« Je ne vais nulle part », faillit répliquer Lorentz, mais elle s'habilla docilement, coupa le moteur et, cinq minutes plus tard, elle s'enfonçait dans la forêt à côté de ses compagnons. Elle n'en menait pas large.

Après un instant, ils arrivèrent dans un champ ou dans un pâturage.

— Là-bas, regardez ! cria Karol, leur indiquant les lumières jaunes des fenêtres qui brillaient cent mètres plus loin.

Après quoi, il agita les pieds et les mains et s'écroula par terre avec fracas.

— Fais gaffe ou tu vas te briser les os sur la glace, le prévint Anatol et Zofia comprit qu'ils marchaient sur la langue de mer gelée qui séparait Ornö de Skalkaren, la petite île de quelques hectares qui appartenait à Sten Borg.

Zofia espérait que ce Sten Borg leur ouvrirait non seulement les yeux sur les mystères de l'art et les aiderait à résoudre les énigmes qui leur faisaient sillonner l'Europe, mais qu'il leur offrirait également quelque chose de normal à manger et leur proposerait du vin chaud.

8

Les choses se présentaient mieux que dans leurs rêves les plus fous. Les voyageurs éreintés et frigorifiés venaient d'entrer dans la salle principale d'un chalet solide et la neige sur leurs cheveux et sur leurs habits se transformait rapidement en minuscules gouttes d'eau. Dehors, de l'autre côté de la grande baie vitrée, le vent chassait les flocons de neige sur une mer gelée, mais à l'intérieur, d'agréables arômes se répandaient. La maison sentait le bois, le feu sentait la fumée de genévrier, le *glögg* sentait les clous de girofle, le four sentait le pain frais et les brioches à la cannelle.

Sten Borg était un septuagénaire menu au visage avenant et sympathique caché derrière des lunettes rondes à monture et verres épais. Dans sa veste en tweed, il ressemblait davantage à Woody Allen ou à un autre Juif new-yorkais qu'à un dur à cuire suédois qui passait des hivers solitaires au milieu de nulle part. Zofia eut à peine le temps de se demander comment il était possible que ce vieillard eût été le compagnon de Lisa Tolgfors que la Suédoise lui tombait déjà dans les bras et l'embrassait voluptueusement. Le baiser durait à n'en plus finir et lorsque Borg posa ses mains sur les fesses de Lisa et se mit à les malaxer comme de la pâte à pierogi, Zofia se sentit rougir.

— Je vous ai dit que Sten était mon ex, non ? demanda-t-elle en anglais quand ils eurent fini de se dire bonjour. Ce n'est pas seulement mon ex, mais aussi mon premier et le plus important. J'avais dix-huit ans, il en avait quarante-trois et il était fabuleux. Cultivé, brillant, courageux dans ses points de vue, courageux dans ses relations, mondain, respecté et adoré. J'en suis tombée follement amoureuse.

Elle se pencha, souleva la tête du vieillard et posa ses lèvres sur les siennes.

— Et que ce soit clair, avoue que personne ne t'a jamais aimée, adorée et admirée avec tant de réciprocité, dit Borg.

Il parlait très bien anglais, mais avec un fort accent suédois. C'était charmant, en quelque sorte, sa voix était celle d'un personnage de méchant scandinave dans les films hollywoodiens.

— Je l'admets, dit-elle en pouffant de rire. Dommage que ça n'ait duré que six mois avant qu'il ne se trouve une nouvelle princesse.

Borg ajusta ses lunettes.

— Tu as déjà vu une bonne galerie d'art avec un seul tableau ? rétorqua-t-il.

Après que Lisa les eut présentés, en soulignant quand ce fut le tour de Gmitruk que celui-ci maniait parfaitement le suédois, ce qui pouvait autant passer pour un compliment que pour une discrète mise en garde afin que Borg ne laissât rien échapper par inadvertance, ils prirent place autour d'un dîner régional. Le repas se composait d'un rôti à la sauce brune, de myrtilles, de purée et de salade. Cela faisait longtemps que rien n'avait autant plu à Zofia.

Pendant qu'ils mangeaient, ils racontèrent en détail leurs aventures à leur hôte. L'apparition des photographies en Pologne, la mise en place d'une équipe spéciale, la quête du Raphaël, le piège à New Rochelle qui avait failli se terminer très mal, rien ne fut passé sous silence. Leur excursion avait prouvé, premièrement, que le tableau était une contrefaçon, et deuxièmement, que rien de cela n'était arrivé par hasard. Il s'agissait d'une machination soigneusement préparée censée interdire à tout jamais la restitution du véritable portrait.

C'était leur théorie. Pourtant, ils étaient incapables d'expliquer pourquoi quelqu'un aurait eu intérêt à monter une supercherie aussi complexe.

— Vous avez perdu les pédales ? dit Borg. Vous croyez réellement être traqués par une superpuissance pour que vous ne retrouviez pas un bout de planche vieux de quatre cents ans ? Les superpuissances se fichent de ce genre de choses. S'ils détenaient le Raphaël et considéraient que ça pourrait leur nuire, ils l'auraient jeté dans une cheminée sans hésiter et auraient aussitôt oublié l'affaire. Il doit s'agir d'autre chose, d'une chose à laquelle la recherche du tableau pourrait vous mener.

Cela paraissait logique.

— Vous devez cesser de penser au Jeune, ça vous aveugle. Vous l'avez sorti du contexte, lui et son aura Renaissance, et vous estimez qu'il contient toutes vos réponses et que tout tourne autour de lui. C'est assez idiot, si vous voulez mon avis. Le Jeune, c'est le portrait le plus invendable au monde. On ne sait pas combien il vaut, on ne sait même pas si c'est vraiment une œuvre de Raphaël, car, pour des raisons évidentes, aucune expertise moderne n'a jamais été effectuée.

Borg se leva de table et commença à ramasser les assiettes. Gmitruk se leva aussi pour l'aider et Lorentz se dit qu'il avait dû être marié pendant de nombreuses années.

— Votre erreur est excusable uniquement parce que, paradoxalement, l'art est terriblement national. Même les plus grands cosmopolites regardent les arts par le prisme de la nation. Le tableau est « à nous » parce que le peintre provenait d'ici. Ou alors, il est « à nous » parce qu'on l'avait exposé dans le coin. Ou alors, il est « à nous » parce qu'il y est exposé en ce moment même, prouvant la grandeur et la gloire d'une communauté. Mais je m'égare…

Le Suédois se tut, fit un geste dédaigneux de la main.

— À cause de votre fixette sur le Raphaël, vous vous êtes comportés comme des sauvages. C'était de l'admiration, de l'aveuglement et une totale incompréhension. Parce qu'on « vous » a volé un morceau de bois, alors ça devait être le morceau de bois le plus important de la planète. Or, il ne vous est pas venu à l'esprit de regarder d'une manière plus globale, de chercher un plan d'ensemble.

— Et votre impressionniste, c'est ça, votre plan d'ensemble ? confirma Zofia plus qu'elle ne posa la question.

Borg ajusta les lunettes qui glissaient de son nez.

— Je crois qu'il est l'heure de passer à l'atelier. Vous pouvez emporter vos cafés.

9

À l'étage, la maison ne ressemblait plus à une datcha centenaire à la suédoise ou à une vieille cabane de pêcheurs restaurée pour faire bonne impression aux invités. Derrière une porte solide, il y avait un cabinet aménagé de façon moderne. La pièce était claire, ascétique, dépourvue de décorations. Il y avait là un bureau, avec un fauteuil confortable et réglable de toutes les manières possibles, une petite table basse avec quatre chaises et une étagère remplie d'ouvrages professionnels. L'œil vigilant de Zofia remarqua les plus célèbres recueils d'histoire de la peinture, mais aussi des catalogues d'œuvres volées dans toute l'Europe, les Polonais étant rangés à côté des Russes. Sten Borg s'occupait de la confirmation de l'authenticité et de la légalité des pièces qui apparaissaient sur le marché. Il était réputé autant pour son expertise que parce qu'il vendait ses services rarement et après réflexion, seulement lorsqu'il considérait que le projet valait le coup. Il n'était jamais arrivé que son avis fût remis en cause.

Zofia crut qu'ils allaient discuter ici, mais Borg les fit passer par une porte blanche très simple dans la pièce suivante qu'il appelait atelier, mais qui était en fait un petit laboratoire bien équipé.

Lorentz reconnut quelques appareils qui permettaient d'établir à cent pour cent l'authenticité d'une œuvre. Il y avait là un spectromètre de fluorescence des rayons X portatif, appelé aussi XRF, une façon géniale d'analyser des échantillons de manière non intrusive et d'identifier les éléments chimiques qui les constituent. Cette machine à elle seule suffisait à écarter les faussaires les plus paresseux qui n'avaient pas la patience de jouer aux chimistes et qui utilisaient des peintures modernes. C'est pourquoi ils laissaient des traces de pigments anachroniques, basés sur la synthèse chimique et non sur le mélange fastidieux d'ingrédients naturels. Les colorants artificiels sont apparus dans la peinture au tournant du XIXe et du XXe siècle et, avec une connaissance adéquate de leurs compositions, il suffisait d'analyser une zone rouge ou verte de la toile pour établir si elle avait été peinte au XXᵉ siècle ou plus tôt. Le blanc couvrant était aussi un excellent candidat à la vérification. De nos jours, on utilise principalement des pigments blancs basés sur le dioxyde de titane ; au milieu du XIXᵉ siècle, on avait introduit un blanc à base de zinc, mais avant ça, soit depuis l'aube de la peinture, on utilisait du plomb. Ces temps-ci, à part les faussaires et les irréductibles puristes, amateurs de la « véritable » façon de faire à l'ancienne, personne n'utilise plus de peinture au plomb à cause de sa toxicité mais, durant des centaines d'années, on ne s'est pas posé la question de sa nuisance. D'autant moins que seul le plomb garantissait l'obtention d'un blanc opaque.

Pas de plomb ? Alors c'est un faux. C'est pourquoi, en plus de la machine XRF, Borg possédait également un appareil à radiographie qui détectait l'absence de plomb en un claquement de doigts. Sur une image à rayons X, le blanc au plomb (utilisé également pour éclaircir d'autres couleurs) brillait comme des néons lors d'une fête foraine, tout comme les traces d'autres métaux lourds, communément utilisés aux siècles passés par les maîtres et par leurs élèves, inconscients du danger. Les clichés aux rayons X d'anciens tableaux étaient cauchemardesques, les traces de plomb ressemblaient à des spectres qui apparaîtraient sur les toiles comme par magie.

Borg possédait également des lampes à infrarouge qui prouvaient qu'il n'était pas seulement un chimiste au service de l'art. La spectrographie par proche infrarouge, ou SPIR, permettait de détecter des traces de charbon, présentes dans la peinture noire, mais également dans le fusain ou le crayon utilisés pour les esquisses. Zofia avait vu à plusieurs reprises, en Allemagne, des tableaux radiographiés de la sorte, et le résultat était incroyable. C'était comme regarder un homme et voir non seulement sa silhouette actuelle, mais également l'enfant qu'il avait été à son plus jeune âge et l'adolescent qu'il avait été au moment de passer son bac. Grâce à cette méthode, et à condition de savoir si un peintre esquissait ses compositions et comment il le faisait, on pouvait facilement repérer un faux, même si le faussaire s'était confectionné des couleurs d'époque.

— C'est quoi ce labo ? demanda Anatol, étonnamment silencieux jusque-là.

Zofia se rappela l'étrange comportement du major durant le reportage au sujet des gens qui réunissaient de l'argent sur Internet. Il était peut-être malade, ou l'un de ses proches l'était. C'était probablement pour cela qu'il réagissait si mal à la vue de machines qui ressemblaient à du matériel médical.

— C'est l'atelier d'un expert, répondit fièrement Sten Borg. C'est là que je vérifie si les tableaux sont vrais. On me les amène de partout dans le monde. Enfin, on me les amène sauf si les propriétaires craignent de transporter leurs trésors en hors-bord !

Il en rit de bon cœur.

— Ah… Je ne pensais pas que ça ressemblait à ça.

— Et à quoi vous attendiez-vous ? demanda Sten, sincèrement amusé.

— J'imaginais qu'un petit vieux… sans rancune, monsieur Borg… parcourait un tableau à la loupe, vérifiait la signature, un arbre au second plan, puis se levait et criait : « Eurêka ! c'est un vrai. »

— L'expertise stylistique n'a aucun sens, expliqua le Suédois. Si un faussaire veut reproduire une toile ou créer un tableau inexistant d'un grand peintre, qu'est-ce qu'il copie ? Le style, justement. Il dépose la peinture de la même manière, il peint les mêmes arbres, les mêmes fesses dans les nus, les mêmes pommes dans les natures mortes, et je ne parle même pas de la signature. Si un faussaire est doué, aucun expert ne le démasquera en se basant sur la seule analyse de son style.

Gmitruk devint bougon.

— OK, d'accord, veuillez excuser un militaire inculte. Dans ce cas, qu'est-ce qu'on vérifie, si ce n'est pas le style ?

— Ce qu'on ne peut pas reproduire ou ce qui est très difficile à reproduire. Le type de toile ou de bois utilisé pour le châssis par exemple.

— Mais là encore, on peut produire un faux en le peignant par-dessus une pauvre croûte de l'époque, remarqua Karol.

— Exact. C'est pourquoi je passe le tableau aux rayons X, je vérifie ses diverses couches, le type d'apprêt, les esquisses sous la peinture. Mais surtout, je vérifie la composition chimique des pigments. Aujourd'hui, on achète ses tubes de peinture dans des boutiques spécialisées, mais avant, il fallait faire appel à un alchimiste. L'ivoire servait à obtenir le charbon pour le noir. Le plomb, si toxique, donnait du blanc. On faisait le meilleur jaune avec ce que le Vésuve avait recraché. On réduisait le verre de cobalt en poudre pour créer du bleu. Le rouge était extrait des racines de garance ou d'une espèce de puceron, parasite d'un cactus. Mais avec quoi mélanger ces pigments pour les appliquer sur un mur, sur une toile ou sur un morceau de bois ? Avec de l'eau, de la colle ou de l'huile peut-être ? Et si oui, avec quel genre d'huile ? De l'huile de lin, de soja ou d'arachide ? Durant des millénaires, les peintres ont expérimenté diverses possibilités. Certains d'entre eux cherchaient les recettes idéales seuls, d'autres avaient leurs spécialistes, leurs chimistes, leurs alchimistes et leurs scientifiques. On gardait comme la prunelle de ses yeux les formules qui permettaient l'obtention des plus belles couleurs. Les vieux maîtres savaient que tout le monde pouvait contrefaire leur style, et surtout leurs élèves assoiffés de gloire et d'argent. Mais sans les peintures et sans les recettes, même le plus génial des élèves n'était personne, il pouvait au mieux balayer le sol et endurer en silence les affres de sa créativité inexprimée.

Anatol hocha la tête.

— Et comment tu vérifies si ça vient des pucerons ou de l'ivoire ?

— Mon ami ici présent le détecte à ma place, dit Borg en tapotant une machine argentée qui ressemblait à une cheminée de salon conçue par des dingues du type Bang & Olufsen. Mon ami Py-2020D qui accomplit vite et bien une pyrolyse-chromatographie en phase gazeuse couplée à la spectrométrie de masse.

— Pardon ?

Karol n'avait pas réussi à garder le silence. Zofia savait que les connaissances de son ex en matière d'art n'étaient pas accompagnées par l'instruction technique que les mâles apprécient tant d'ordinaire. À l'époque où ils se fréquentaient, c'est elle qui devait changer les ampoules et les essuie-glaces de la Ferrari parce que Karol ne savait pas comment s'y prendre.

Borg enleva ses lunettes et les essuya avec un chiffon.

— Je vous fais la version courte, d'accord ? dit-il après un moment. Qu'il s'agisse de pigments naturels ou de synthèse, chacun d'entre eux est avant tout un ensemble d'éléments chimiques mélangés dans de bonnes proportions. Il y en a parfois des dizaines, parfois des centaines dans une seule couleur. Cette machine réunit deux méthodes de détection du type de ces éléments et de leur quantité. Comment l'expliquer simplement ? On va dire par exemple qu'un échantillon de peinture rouge est vaporisé. Il se change donc en gaz, mais tous les éléments chimiques qui le composaient s'y trouvent toujours. Le gaz est alors précipité dans un très long tube où les différents éléments se séparent, car certains voyagent plus vite, d'autres plus lentement. De cette vitesse et de la manière dont ils brûlent au bout du tuyau, on peut déduire ce que c'était. Voilà, pour résumer.

— Le fait que je n'y connaisse rien en art ne signifie pas que je sois idiot, s'offusqua Anatol une nouvelle fois. Je sais ce que c'est qu'un temps de rétention dans une colonne de gaz.

— Et c'est ? demanda Karol, délicieusement perdu.

Borg exécuta un geste qui devait excuser auprès d'Anatol la simplicité de son exposé.

— À la fin, on obtient un diagramme qui indique quelles substances sont présentes dans l'échantillon et en quelles quantités. L'apparition du trioxyde de fer sur le graphique démontre que l'artiste a utilisé de la rouille pour son œuvre, c'est-à-dire de l'ocre naturelle, la même que celle des murs de cette demeure par exemple. Grâce au tableau de ces éléments chimiques on peut savoir tout de suite si on a utilisé des peintures médiévales, des peintures du XIXe siècle ou celles issues d'une synthèse moderne.

— Mais nous ne savons pas si un faussaire astucieux n'a pas fabriqué lui-même ses peintures, remarqua Lorentz.

— Nous le savons, si nous comparons l'échantillon avec celui prélevé sur une toile de ce même peintre à cent pour cent authentique. S'ils se ressemblent, le tableau doit être un original. On peut contrefaire une peinture pour qu'elle ressemble à une peinture d'époque, mais il est impossible de contrefaire la peinture d'une palette précise. Chaque artiste altérait lui-même ses couleurs, déjà, mais rappelez-vous surtout que l'échantillon ne se compose pas seulement de peinture. On y retrouve ce qui avait imbibé la palette auparavant, ce qui virevoltait dans les airs à l'époque et ce que la jeune femme qui posait y a projeté en éternuant. C'est une méthode géniale, infaillible et, qui plus est, rapide et économique. Ce que nous allons vous démontrer à l'instant.

Sten Borg tapota à nouveau son équipement et se tourna vers Lisa.

— Tu as le prélèvement ?

Elle hocha la tête et prit dans son sac à main un minuscule sachet en plastique. Elle semblait vide, il fallait forcer les yeux pour distinguer des particules de poussière amassées au fond.

— C'est stérile ? demanda Borg, observant l'échantillon sous une loupe de bureau.

Lisa ne fit que se racler la gorge.

— Oui ou non ?

— Pas eu le temps pour ça, t'as entendu notre récit. Et puis, le système de sécurité s'est avéré meilleur que ce que je pensais. Il aurait planqué le tableau avant que je puisse en prélever un bout. Je l'ai gratté du bout de l'ongle.

— Pardon ? dit Borg, authentiquement étonné.

— Je l'ai gratté avec mon ongle.

— Tu veux dire que cet échantillon, dit Borg en indiquant la sacoche, tu l'as gratté avec la poussière et le vernis de la toile, puis tu l'as sorti d'en dessous de ton ongle en compagnie d'un bout de hamburger de chez Wendy's, des poils pubiens de ton dernier amant en date, d'un peu de mousse végétale et d'une goutte d'essence de ton dernier plein ?

— Je crois que nous avons une conception différente de l'hygiène, toi et moi.

— Rien à voir avec l'hygiène. À moins que tu aies stérilisé tes doigts avant, c'est précisément ce qui se trouvait sous tes ongles, et ce n'est que le début de la liste des centaines de substances et des milliers de composés chimiques qu'on va y retrouver. Tu peux te foutre ton échantillon au cul. Je doute que ça le salisse davantage.

Une ombre glissa sur le magnifique visage de Lisa.

— C'est toi qui peux te foutre au cul tes obsessions de grand scientifique, grogna-t-elle. Si ça ne te convient pas, retourne à l'université d'Uppsala enseigner aux gamins la différence entre Monet et Manet. T'auras ça et pas autre chose. C'est contaminé, mais c'est là. Et comme tu peux le constater, il s'agit avant tout du vert de la peinture et non du blanc noble de la crasse. Alors, mets-toi au boulot.

La tirade de Lisa ne fit aucune impression sur Borg. Il enleva ses lunettes et les essuya avec une peau de chamois posée près de la loupe.

— OK, fais voir, dit-il en indiquant l'ordinateur posé sur son bureau.

Lisa brancha une clé USB et, après quelques instants, le film enregistré par la caméra fixée à son oreille durant le casse de New Rochelle apparut sur l'écran. C'était l'extrait durant lequel la Suédoise observait la partie de la pièce où Richmond détenait ses trésors.

En une fraction de seconde, Zofia Lorentz fut envahie par toutes les émotions de cette nuit-là. Sa bouche devint pâteuse, son pouls rapide, ses muscles se crispèrent. Il fallut qu'elle se répétât à plusieurs reprises qu'elle ne se trouvait pas dans l'État de New York, mais sur une paisible île suédoise où tout était calme et sécurisé, et où, dans la cuisine au rez-de-chaussée, l'attendait du vin chaud par lequel ils allaient achever leur journée avant de s'enfoncer dans des draps IKEA et dormir enfin comme il fallait.

Lisa mit le film en pause lorsque le cadre sur l'écran de l'ordinateur fut rempli par un tableau impressionniste inconnu.

— Incroyable, dit Borg tout bas. Si on confirme que ce n'est pas un faux, alors... Bon, allons-y.

— C'était dans ses lettres, remarqua Lisa.

— Dans ses lettres chaotiques, décousues et préservées seulement en partie. Il mélangeait les dates, les amis, les modèles. Ce n'est pas une source fiable. Maintenant, silence.

Borg prépara l'échantillon sous le microscope pour qu'on puisse le placer dans le chromatographe.

— C'est de qui ? demanda Karol. Je n'ai jamais vu cette toile.

— Et à quoi ça te fait penser ? demanda Lisa.

— Je dirais à un Monet ou un Renoir d'Argenteuil. La verdure, la lumière, la Seine, tout concorde.

— Regarde le visage de la fille, dit Lisa en souriant.

Karol se pencha sur l'écran, plissa les yeux. Puis il se redressa brutalement.

— C'est impossible. C'est un faux, une blague d'un artiste moderne.

— De quoi vous parlez ? demanda Zofia.

— Regarde le modèle et tu sauras. Imagine-la avec les cheveux attachés et une robe.

Lorentz l'observa attentivement et se mit à rire.

— Bien sûr ! C'est la fille du premier plan du *Bal du moulin de la Galette*, l'une des toiles les plus connues de Renoir. Un beau machin, c'est vrai, l'une des meilleures œuvres impressionnistes. Une après-midi de dimanche las à Paris, des danses, de la musique, du vin, des chapeaux de paille, de la lumière qui traverse une verdure estivale. Il se trouve au musée d'Orsay, à Paris.

— On a écrit des kilomètres de thèses au sujet de cette toile. Si une étude aussi parfaite de l'un de ses personnages existait, comme celle de cette charmante demoiselle, dit Karol en pointant du doigt la jeune femme qui se préparait pour son bain, nous la connaîtrions par cœur. Je suis désolé, mais un tel tableau de Renoir n'existe pas.

— Et il n'a jamais existé, ajouta Zofia, dans aucune collection, dans aucun musée, sur aucune liste d'œuvres dérobées ou perdues, nulle part. Et un événement tel que « l'apparition soudaine d'un chef-d'œuvre oublié d'un impressionniste de premier plan », ça n'arrive jamais.

— Pourquoi ? demanda Anatol.

— C'est la loi du marché. Ce sont les œuvres d'art les plus chères au monde. Si on regarde la liste des tableaux qui ont atteint les prix les plus élevés, on trouve Cézanne à la première place. Dans les dix premiers, il y a aussi quelques Van Gogh, un Munch et un Renoir, justement. Il y en aurait davantage, mais les autres appartiennent à des musées nationaux et ne changent pas de propriétaires. Et puisqu'ils sont si chers, chacune de leurs ventes est précédée par un tapage soigneusement préparé qui fait grimper l'intérêt et la cote. Bien sûr, je ne parle pas de la revente d'œuvres volées. Mais celle-ci ne provient pas d'un vol parce qu'elle n'a jamais existé. Et cela veut dire...

Zofia suspendit sa voix et s'immobilisa.

— Cela veut dire... ? demanda Karol.

— ... que nous perdons notre temps. Cette magnifique contrefaçon ne nous rapproche de rien et ne nous explique rien. Il n'y a pas de recul à prendre, pas de plan d'ensemble à voir, il n'y a que deux Suédois un peu sots qui réalisent des choses absurdes, guidés par un faux impressionniste. Mon Dieu, quel gâchis...

Lorentz soupira et s'assit. Personne ne lui répondit. Borg chargea l'échantillon dans la machine et

324

sélectionna les options adéquates. Des diodes s'allumèrent, le compresseur se mit en marche. Le vieil
homme chuchota quelque chose à Lisa dans leur
langue, Lisa chuchota en retour, mais l'irritation perçait dans sa voix. Borg ajouta encore une phrase. Zofia
interrogea Anatol du regard, mais celui-ci s'était adossé
au mur d'un air las.

— Les résultats ne vont pas tarder, annonça Borg.
Nous analysons donc la peinture verte d'un Renoir pré-
sumé qui aurait été peint peu avant le bal, soit à l'été
1876. Nous allons la comparer avec un échantillon de
vert de *La Petite Fille à l'arrosoir*, peinte à Argenteuil
durant le même été et exposée aujourd'hui à la National
Gallery of Art à Washington.

— Et d'où est-ce qu'on sort ce second échantillon ?
demanda le major Gmitruk.

— La chromatographie de la fillette est disponible
dans la base de données.

— Sérieux ? Vous faites des trous dans les toiles du
monde entier pour avoir des points de comparaison ?
Si vous inventez encore quelques nouvelles façons de
les étudier, il n'y aura bientôt plus rien à voir dans
nos musées.

— D'ordinaire, on ne prélève pas la matière avec un
ongle, répondit Lisa. Et il suffit de quantités si microscopiques pour les analyses que le creux dans la couche
de peinture est comparable à une piqûre de moustique.
En plus, personne ne va la remarquer, car on les prélève
habituellement dans un coin, sous le cadre.

L'ordinateur émit un bip et un diagramme apparut
sur l'écran ; il faisait penser à l'électrocardiogramme
d'un homme soumis à des électrochocs. Il se composait

de pics de diverses tailles et hauteurs. Certains ressemblaient à de longues aiguilles, d'autres à des sommets des Alpes, d'autres encore au dos d'un hérisson.

Tout le monde s'approcha de l'image. Sten Borg essuya rituellement ses lunettes et ordonna au programme de comparer la structure de leur échantillon avec la courbe de la petite fille. Ils observèrent un instant la barre de progression et puis, les deux diagrammes se fondirent en un seul. Mis à part un sommet impressionnant dans le tracé de leur échantillon, le reste était pratiquement identique. Le programme leur annonça que la correspondance chimique était de quatre-vingt-deux pour cent.

— Ça ne nous disqualifie pas ? demanda Lorentz, pointant du doigt la crête qui brisait l'harmonie des deux graphiques.

— Ceci, chère madame, est un composé à la formule $C10H16$, communément appelé essence de térébenthine. Il s'agit de l'ingrédient principal du vernis qui s'est retrouvé dans notre graphique parce que, habituellement, on prélève les échantillons sous la couche de vernis à l'aide d'une aiguille spéciale, on ne le gratte pas avec les ongles. Si on supprime les oléorésines de l'équation, nous obtenons…

Les doigts du Suédois dansèrent sur le clavier.

— … un résultat de la sorte.

Le programme bipa à nouveau et leur annonça que la correspondance était de quatre-vingt-quinze pour cent.

— Mesdames et messieurs, dit Borg, il semblerait que le Renoir inexistant existe bel et bien.

— Alors, c'est peut-être vrai, chuchota Lisa.

Ils la regardèrent.

— Oubliez le Raphaël. La Collection peut être réelle.

— Quelle collection ? demanda Zofia, n'y comprenant rien. Quelle collection ?

— La collection que nous recherchons depuis vingt ans. Le plus grand trésor de l'histoire de l'art, dit Borg, en frottant nerveusement les verres de ses lunettes. Un trésor à côté duquel toutes les autres collections et tous les autres musées perdront leur éclat. Un trésor qui nous obligera à réécrire nos livres d'histoire de l'art. Tu disais que le haut de la liste des tableaux les plus chers était constitué d'impressionnistes, n'est-ce pas ?

— Oui, admit Zofia.

— Alors imagine-toi à présent une collection d'œuvres inconnues de Van Gogh, de Cézanne, de Degas, de Monet, de Gauguin, de Sisley, de Manet et de Renoir, justement. Et pas des portraits peints sur commande, mais des œuvres novatrices et expérimentales, courageuses du point de vue des sujets ou de la technique, difficiles à vendre à l'époque, mais potentiellement sacro-saints aujourd'hui en tant qu'annonciatrices du postimpressionnisme, de l'expressionnisme et de tout l'art moderne en général. Combien vaudrait une telle collection ?

— Des milliards de dollars, répondit Karol sans hésiter.

— Ceci, dit Borg en pointant l'écran du doigt, prouve qu'une telle collection existe.

— C'est parfait ! dit Lorentz et le ton de sa voix trahissait le sarcasme. Et il y a des preuves de ça ? Ou même des pistes ? D'autres, je veux dire, qu'une toile mystérieuse planquée dans la résidence d'un gars qui a aligné un Raphaël imprimé, une télévision grand écran et la photographie d'une star de baseball ?

— Il y en a, répondit calmement Lisa. Crois-moi, il y en a. Nous les étudions avec Sten depuis vingt ans. Elles sont rares mais suffisantes pour supposer que cette collection, avec un grand C, a été accumulée durant la deuxième moitié du XIXe siècle.

— Par qui ?

Lisa et Sten échangèrent des regards confus.

— Nous n'en savons rien, répondit Borg après un instant, jouant pour changer avec la manche de sa veste en tweed. Oui, je sais, on dirait des fous en quête de la Chambre d'ambre. Mais nous avons tout vérifié. D'abord, nous avons listé les collectionneurs qui achetaient des œuvres impressionnistes en leur temps. Il n'y en avait pas tant que ça, mais quelques-uns, davantage des passionnés, d'ailleurs, que des collectionneurs, mais à l'époque, on pouvait se procurer des tableaux de Monet ou de Renoir pour une bouchée de pain. Ces artistes crevaient de faim ; parfois, les gens ne voyaient pas l'achat comme un investissement mais comme l'aumône donnée à un peintre sympathique. Nous avons donc inventorié les collections européennes les plus importantes de la première moitié du XXe siècle, en commençant par Rosenberg, Rothschild et Wildenstein en France, jusqu'à Goudstikker aux Pays-Bas. Nous avons étudié les marchands, nous avons épluché les registres allemands de la Seconde Guerre mondiale, nous avons examiné les archives des Monuments Men, Ronya… Lisa a disséqué les musées de Russie dont les caves contiennent en toute discrétion bien des trésors de la peinture mondiale. Nous avons sondé les cheikhs, nous avons scruté le marché noir des armes et des stupéfiants où les œuvres d'art servent souvent de gage pour les transactions. Le tout dans l'espoir de tomber sur une trace contemporaine de la collection, sur un de ses fragments, et de découvrir ainsi un fil que nous pourrions remonter jusqu'à la pelote...

Borg s'interrompit brusquement et s'appuya sur le dossier d'une chaise, enlevant ses lunettes de l'autre main. Lisa accourut vers lui. Elle lui dit une phrase en suédois d'où perçaient la préoccupation et la tendresse.

— Ça va, ce n'est rien, répondit Sten en anglais. Je vous demande pardon, mais je ne suis plus de première jeunesse et parfois, les émotions sont trop fortes pour mon cœur. Simplement, cette Collection avec un grand C, je lui ai vraiment sacrifié beaucoup. C'est le rêve d'une vie. Mais, depuis quelques années, je m'étais résolu à ce que ça ne soit qu'un jeu, qu'un exercice intellectuel, et que jamais je ne tomberais ni sur la preuve de son existence, ni sur une trace qui me permettrait de la retrouver. Et là... excusez-moi, pour un Suédois glacial, je gère mal mes états d'âme.

— Je suis peut-être naïf et simplet, dit Gmitruk en coupant le silence et en articulant avec soin, comme s'il s'adressait à des fous qu'il ne voulait pas irriter inutilement, mais est-ce qu'un manque total d'informations à son sujet ne signifierait pas, au contraire, qu'une telle collection n'existe pas ? Et nous venons tout bêtement de retrouver une toile qui avait été oubliée pendant cent ans dans un grenier quelconque ? J'ai moi-même à la maison un portrait de ma grand-mère peint par Witkacy. Il est pâle, flou, tracé aux pastels. Et je n'en savais rien avant qu'un pote qui s'y connaît ne me rende visite l'année dernière. Avant ça, c'était simplement le portrait de grand-mère accroché dans le couloir, qui avait de plus passé cinq ans dans une armoire parce que nous l'avions oublié durant un déménagement.

Borg retrouva une contenance, se redressa et remit ses lunettes, mais seulement pour les enlever aussi sec. Il parcourut l'atelier du regard et se mit à revisser les branches avec un petit tournevis d'horloger.

— Il y a trop de pistes, dit-il. Dans une lettre de Renoir à un ami, il y a une phrase où il annonce avoir réussi un magnifique nu de K. au bord du fleuve, mais qu'il ne pouvait montrer à quiconque, pour des raisons évidentes, et avait donc fini par le vendre au comte pour ne pas être tenté. « Je vais boire un coup, commencer à me vanter et j'aurai des ennuis. » Voilà ce qu'il a écrit, très précisément.

— Malheureusement, les maîtres n'avaient pas beaucoup de temps pour correspondre. Picoler, peindre et baiser leurs modèles leur prenait l'essentiel de leur temps, ajouta Lisa. Et lorsqu'un d'entre eux se rangeait, comme Monet par exemple, il devait travailler d'autant plus et disposait d'encore moins de temps. Mais il a évoqué par deux fois un « comte » dans les lettres parvenues jusqu'à nous. Une fois, il se plaignait de devoir arrêter de peindre toutes ces brumes et ces fumées, parce que personne ne voudrait les lui acheter, heureusement que le comte lui a au moins pris la locomotive noire, car il n'avait de toute façon pas la place pour la garder, alors que le deuxième enfant était en route.

— Une locomotive noire ? s'étonna Gmitruk. Je croyais que les impressionnistes, c'était la lumière, le soleil et des taches de couleur.

— En principe, oui. Mais Monet s'était pris de passion pour les chemins de fer, on peut contempler ses gares et ses trains à divers endroits aujourd'hui. S'il avait fait une impression d'une locomotive dans des tons sombres, un grand format qui plus est, ça aurait été une œuvre si originale qu'elle serait hors de prix.

Borg s'approcha de l'ordinateur. Lisa fit mine de l'arrêter, mais finit par le laisser faire.

— Je vais vous montrer quelque chose pour vous prouver que nous ne sommes pas des dingues qui cherchons un mirage que personne d'autre n'a vu et dont personne n'a jamais entendu parler. C'est l'unique preuve tangible, si on peut appeler tangible une photographie, que la collection avec un grand C existe. Et pour aller plus loin, cela prouve aussi que nos intérêts se rejoignent.

Il cliqua plusieurs fois et, l'instant d'après, une image en noir et blanc apparut sur l'écran. Ceux qui s'attendaient à d'obscurs mystères de l'Histoire durent être rudement déçus. Le cliché représentait une fillette de quelques années dans une salopette de garçon en train de jouer avec un petit beagle, encore chiot. En dehors de ces deux-là en train de batifoler, d'un bout de parquet, d'une lampe forgée suspendue au plafond et d'un fragment de mur blanc, la photo était presque vide. Presque : le photographe avait également saisi deux tableaux dans des cadres simples, presque provisoires, accrochés aux murs. L'un d'entre eux représentait une locomotive noire qui filait dans la nuit, poussant devant elle

un cône de lumière jaune, alors que la lune transperçait les volutes de vapeur expulsées par la cheminée.
Même sur ce cliché de piètre qualité, on voyait que ce
nocturne impressionniste possédait une force immense
et rendait parfaitement la puissance mécanique de la
machine lancée dans l'obscurité.

Le Jeune homme qu'ils connaissaient si bien souriait
dans l'autre cadre.

— Où est-ce ? demanda Lorentz.

— Nous n'en savons rien, soupira Borg. Nous avons
effectué toutes les analyses possibles et imaginables,
celles du parquet, des vêtements, de la race du chien,
des traits de la fillette. Vraiment, des experts de premier ordre l'ont examinée et la seule chose que nous
avons réussi à établir, c'est que, d'après les habits, la
scène a eu lieu dans les années 1940 et que, d'après
la lampe, ça s'est passé en Allemagne. Probablement.
Nous n'en sommes pas sûrs.

Il zooma pour montrer que des croix gammées entre-
lacées constituaient l'ornement de la lampe.

— La résidence de Hans Frank sur le mont Wawel ?
suggéra Zofia.

— C'était notre première idée, mais à Wawel, il n'y
a jamais eu de parquets pareils, ni de telles lampes.
Si le cliché date de l'occupation allemande, le lieu
doit être différent.

— Maintenant, écoutez-moi bien, dit Lisa. Vous
recherchez le Raphaël, nous cherchons la Collection.
À un moment de l'Histoire, durant l'occupation ou peu
après, le Raphaël est venu rejoindre cette collection.
Après quoi, elle a disparu sans laisser de traces. Mais
le chambardement qui nous accompagne prouve que

quelqu'un croit que ce trésor pourrait être découvert et qu'il pourrait l'être par nous. Ce que j'essaye de vous expliquer, c'est qu'il est plus facile de rechercher un groupe de toiles qu'une seule. Aidez-nous à retrouver la collection et vous obtiendrez votre Raphaël par la même occasion. C'est gagnant-gagnant.

— Mais c'est n'importe quoi ! s'emporta Lorentz. Nous ne savons pas ce qui se trouve dans cette collection, nous ne savons pas qui était son propriétaire, nous ne connaissons pas son histoire. On ne peut pas rechercher « un groupe de toiles », c'est absurde. Nous devons avoir au moins un point de départ.

— Ce comte…, commença Lisa.

— Non, Lisa, je te parle sérieusement. Je veux un point de départ, pas une énième énigme ! Un comte, ça ne nous suffit pas. Au XIXe siècle, chaque gugusse qui avait de quoi s'acheter un haut-de-forme voulait qu'on le traite de comte.

— Monet a évoqué le comte pour la seconde fois à un âge déjà très avancé, lors d'une interview qu'il a donnée à un journal local dans les années 1920, poursuivait inlassablement Lisa. À la question de la pauvreté, il a répondu, je cite, qu'elle était horrible et humiliante, mais que par bonheur, même chez les nantis, on trouvait des cinglés adorateurs d'art. Personnellement, dit-il, j'ai été plusieurs fois aidé par un comte exotique, un excentrique possédant sa propre île et sa propre fortune. Ce à quoi, le journaliste lui demande : Comme chez Dumas ? Et Monet répond : Oui, précisément. Une île, une fortune et un mystère.

— Depuis que nous avons découvert cet entretien, nous l'appelons « comte de Monte-Cristo », dit Borg en souriant.

— Il y a d'autres allusions de ce genre chez différents peintres et dans leur entourage, toutes concernent la fin du XIXᵉ siècle. Parfois, ils ne font qu'évoquer le comte, parfois ils mentionnent ses achats très généreux. Parfois, ils s'étonnent qu'il dépense tant en tableaux qui, même à leurs yeux, semblent de peu de valeur.

— Et on ne sait rien à son propos ? En dehors du fait qu'il possédait une île, je veux dire ? demanda Karol.

— On sait aussi qu'il avait une femme ou une maîtresse dont il était fou amoureux.

— Et qu'est-ce qu'on sait d'elle ?

— Seulement qu'elle s'appelait Catherine. Nous le savons grâce au journaliste Théodore Duret, qui a narré une de ses soirées chez les Monet à Argenteuil…

— Comment elle s'appelait ? demanda Zofia.

Le timbre de sa voix avait tellement changé que toutes les têtes s'étaient retournées vers elle. En effet, le docteur Lorentz semblait avoir vu un fantôme.

— Comment s'appelait cette femme ? répéta-t-elle avec insistance, en s'approchant de Lisa.

— Catherine.

— Et pourquoi supposes-tu que c'était l'épouse ou la maîtresse du comte ?

— Je te l'ai déjà dit, d'après la description faite par un journaliste, un ami des impressionnistes. Il a évoqué le comte avec une légère irritation, avouant que celui-ci n'arrêtait pas de parler de sa merveilleuse Catherine, mais qu'il avait dépensé trop d'argent en tableaux pour que quiconque ose l'interrompre…

D'un geste, Zofia demanda à Lisa de se taire. Pensive, elle s'approcha de Karol et lui saisit les mains.

— Oh, mon Dieu, chuchota-t-elle.

— Tu peux m'appeler Karol, chuchota-t-il en réponse, se penchant vers elle.

Elle devait être vraiment affectée, car elle ne releva pas sa remarque, ou alors elle ne voulait pas perdre son énergie à formuler une riposte. Elle lâcha les mains de Karol et se tourna vers Lisa et Sten Borg.

— Je sais pourquoi vous n'avez pas trouvé votre comte de Monte-Cristo, dit-elle. Pour la simple et bonne raison que vous n'avez pas cherché dans le tiers-monde. Si nous sommes des sauvages, alors vous êtes des colonisateurs obtus qui ne savent pas reconnaître chez d'autres une culture similaire. Vous regardiez vos superbes impressionnistes, mais vous n'avez pas vu le plan d'ensemble.

— C'est-à-dire ? demanda Lisa.

— Vous ne vous êtes pas douté que ces vaches sacrées de la peinture mondiale n'étaient pour le connaisseur en question qu'un complément à sa collection nationale, un art de second ordre qu'il n'achetait pas pour que le monde change de base, mais parce que des peintres polonais lui avaient demandé d'aider aussi leurs copains de France. Ils lui disaient que c'étaient de bons artistes, mais qu'ils avaient du mal à percer.

Zofia observa les deux Suédois et pouffa de rire.

— Espèce de snobs scandinaves ! Si, durant les vingt années de vos recherches, vous vous étiez dit au moins une fois qu'une civilisation existait aussi de l'autre côté du rideau de fer, vous auriez appris bien vite que la « chère Catherine » n'était pas une épouse ou une maîtresse, ni une fille, ni même une femme d'ailleurs, mais une île sur la Méditerranée qui appartenait à l'époque à un aristocrate polonais totalement cinglé. Qui n'était pas aristocrate, d'ailleurs, mais était tellement riche que les gens l'auraient qualifié de prince s'il le leur avait demandé. Tu as compris de qui je parle ? demanda-t-elle à Karol.

Il la fixa un instant, plissant les paupières, puis partit d'un gros rire.

— Vingt ans ? Vous avez cherché ce dingue durant vingt ans ?

Il voulut continuer à parler, mais Gmitruk lui coupa la parole :

— Silence ! ordonna-t-il.

Ils se turent et entendirent ce qu'Anatol avait perçu en premier. La rumeur croissante de machines en approche, assez aiguë, davantage celle produite par des motos que par des voitures.

Le labo n'avait pas de fenêtres, ils passèrent prestement dans le cabinet d'à côté et s'immobilisèrent devant le bureau installé contre la baie vitrée. À travers la neige virevoltante, ils distinguèrent clairement trois phares qui s'approchaient d'eux à vive allure, quelques dizaines de mètres à peine les séparaient encore de la maison de Borg.

— C'est quoi ? demanda Karol. Des quads ? Des motoneiges ? Tu attendais des invités ?

Au même moment, un objet qui ressemblait à une cannette de bière heurta brutalement la vitre. Une fenêtre normale n'aurait pas tenu le choc, mais celle-ci devait être renforcée, faire partie d'un système anti-intrusion. La cannette rebondit sur le verre, tomba sur la neige, rebondit encore une fois et explosa dans un éclair blanc et aveuglant, si familier à Anatol Gmitruk. Zofia Lorentz détourna le regard et lorsque, une fraction de seconde plus tard, elle regarda par la fenêtre, elle découvrit une scène stupéfiante. Une flaque de feu, inquiétante car très claire, grossissait à l'endroit de l'explosion, faisant fondre comme du beurre la couche de neige et la glace en dessous. Une seconde ne s'était pas écoulée que la flamme, projetant en l'air des volutes de vapeur, avait vaincu la couche de glace et était tombée dans la Baltique. Et elle continuait à brûler ! Elle se consumait, éclairant la glace par en dessous, passant du blanc au vert clair, puis au vert foncé, on aurait dit un faisceau de feu d'artifice plongé dans une bouteille de vin.

— Une grenade incendiaire ! Courez ! cria Gmitruk et il poussa Zofia en direction de la sortie.

Elle n'eut pas besoin d'encouragements supplémentaires. Dans la poche de son jean, elle sentit les clés de la Ferrari.

10

Zofia et Karol s'élancèrent dans l'escalier comme si leur vie en dépendait. En fait, leur vie en dépendait. Le major Anatol Gmitruk s'injuria en pensée d'avoir permis au vin et à la bonne nourriture d'affaiblir sa vigilance. Il avait laissé son arme dans le blouson accroché dans l'entrée.

— À la voiture ! Vite ! cria-t-il en suédois à Lisa et à Sten.

Ceux-ci, cependant, n'étaient pas aussi disciplinés que leurs amis polonais. Au lieu de courir dehors, ils bricolaient nerveusement près du mur en face de la baie vitrée, devant ce qui devait être une cachette dissimulée derrière l'étagère de livres. Correction : ils ne bricolaient pas, ils luttaient. Borg tentait à tout prix de sauver quelque chose qui se trouvait dans la planque, Lisa tirait le vieillard qui se débattait et essayait de la repousser.

— Ça n'en vaut pas la peine ! hurla-t-elle en suédois.

— Ça vaut tout ! cria-t-il hystériquement. Tout ! Il n'y a rien de plus précieux que la beauté. Si tu ne le comprends pas, qu'est-ce que tu fais avec moi depuis toutes ces années ? Quoi donc, Ronya ?

Anatol secoua la tête, incrédule. C'était comme dans les films américains. D'un côté, on balançait des grenades, et de l'autre, ça discutait les grands principes. Il considéra que le temps des chamailleries était terminé.

Il saisit Lisa par la taille et la tira vers l'escalier. Au même instant, Borg réussit à ouvrir la cachette. D'abord, il s'empara d'un petit objet qu'il jeta à Lisa et qu'elle attrapa, le cachant dans son poing. Puis il plongea la main plus profondément et sortit un tableau d'un mètre sur soixante-dix centimètres. Celui-ci représentait plusieurs enfants en train de cueillir des coquelicots dans les champs au cours d'une journée nuageuse. Au second plan, il y avait un ruisseau, un village et un ciel sombre. Tout était flou, rendu par quelques mouvements secs du pinceau, technique dans laquelle même un inculte tel que Gmitruk reconnaissait la patte des impressionnistes. À cet instant, il ne songeait pas à la technique, il ne songeait pas à l'art, il ne songeait à rien, d'ailleurs, car son instinct de militaire avait pris le relais. Il voulait agir, il voulait se sauver et sauver les autres dans la mesure du possible. Rester dans une maison en bois bombardée de grenades incendiaires, c'était du suicide.

Mais ça ne changeait rien au fait que, durant cette fraction de seconde, le cerveau de Gmitruk mémorisa les coquelicots. Occupant la moitié basse du tableau, la myriade de touches d'un pinceau maculé de peinture rouge avait pris vie grâce au génie de Claude Monet. Ce n'étaient pas des taches d'un pigment délayé dans de l'huile, c'étaient de véritables fleurs qui oscillaient au vent, des flammèches qui observaient le ciel orageux avec inquiétude et se demandaient s'il valait mieux se laisser cueillir par les enfants et vivre encore un peu dans un vase, ou rester dans le champ et risquer la mort sous la pluie ou sous la grêle.

— Laisse ça ! Sten, je t'en supplie ! hurlait Lisa, se débattant dans les bras d'Anatol.

Sten Borg se dirigea vers eux et, au même moment, une salve de tirs crépita. La fenêtre était peut-être renforcée contre les cambriolages mais elle n'était pas blindée. Le verre éclata et les morceaux se répandirent dans toute la pièce. Fusant derrière eux, les balles frappèrent la construction en bois avec un claquement sourd.

Dans un paroxysme de peur, Borg tomba par terre et se recroquevilla derrière la peinture de Monet, comme si une toile pouvait le protéger. Et, par on ne sait quel miracle, elle l'avait fait. La rafale s'interrompit, le cabinet était percé comme une cible de tir, mais ni la toile ni Borg n'avaient ne serait-ce qu'une égratignure. Le Suédois replaça ses lunettes et adressa un sourire canaille à Lisa et à Anatol, comme s'il voulait leur faire comprendre qu'il aurait encore eu le temps de prendre son chapeau et son fouet s'il possédait de tels attributs.

Et c'est alors qu'une autre grenade incendiaire tomba à l'intérieur de la pièce, rebondit sur le parquet et explosa. La thermite embrasée recouvrit tout ce qu'elle trouva sur son chemin : le plancher, les murs, le bureau, l'étagère avec les livres, le Monet volé par Ronya à Zurich et Sten Borg, l'amateur d'art, l'homme en quête de chefs-d'œuvre, le premier amant de Lisa Tolgfors et le propriétaire d'une île de cinq hectares et des poussières.

Le demi-kilo de thermite contenu dans la grenade flambait à une température de deux mille deux cents degrés. C'était assez pour que la toile avec ses coquelicots rouges cesse d'exister en un battement de cils. Un laps de temps identique fut suffisant pour que cesse d'exister la peau de Sten Borg, mais ce ne fut pas assez pour le tuer.

Anatol Gmitruk traînait une Lisa Tolgfors hurlante en bas de l'escalier, fuyant les flammes et la température infernale. Mais avant tout, ils fuyaient un cri inhumain, inimaginable. Le corps de Sten Borg bouillonnait, fondait et brûlait.

La force de l'art est considérable. L'image d'un champ parsemé de coquelicots accompagnerait le major Anatol Gmitruk jusqu'à la fin de sa vie.

11

Karol et Zofia n'avaient aucune idée de ce qui se passait à l'intérieur. Ils couraient sur la banquise couverte de neige entre l'îlot de Borg et l'île d'Ornö lorsqu'ils entendirent le hurlement infernal de Sten en train de brûler. Ils ne doutèrent pas un instant qu'il s'agissait bien de lui et en même temps, il y avait dans son cri quelque chose d'inhumain, comme si ce son puisait sa source dans la région la plus primitive du cerveau, une région qui n'accepterait jamais que nous tentions d'être quelque chose de plus que des animaux en lutte pour leur survie.

Karol se sentait exactement ainsi, comme un animal luttant pour survivre. Peu lui importait que quelqu'un fût resté derrière lui et que ce quelqu'un gémît de douleur. Il voulait simplement fuir le plus loin possible, trouver un endroit où il serait en sécurité. Par réflexe, il agrippa la main de Zofia, déboussolée.

— Plus vite, la pressa-t-il quand elle se mit à ralentir.

— Karol, t'as pas entendu ? Ils ont besoin d'aide.

— On ne peut pas aider quelqu'un qui crie comme ça. Plus vite !

Il remua vivement son bras mais perdit l'équilibre sur la glace, tomba et se cogna le genou. La douleur se répandit dans tout son corps et lui monta à la gorge où elle provoqua une désagréable sensation de nausée. Durant un instant, il crut qu'il allait vomir.

— Dégagez ! À la voiture !

Le cri de Gmitruk parvint à leurs oreilles. D'une main, celui-ci tenait son arme et de l'autre, il remorquait

Lisa, toujours en état de choc, qui bataillait avec Anatol pour revenir sur ses pas et secourir Borg.

Zofia aida Karol à se relever et ils coururent tous les quatre en direction de la forêt. La neige tombait toujours. Arrivé au premier arbre, Anatol s'arrêta, adossa la Suédoise en sanglots au tronc, pressa l'un de ses avant-bras – celui de la main qui tenait le pistolet – contre sa gorge et, de l'autre main, lui administra une gifle puissante. Et il lui cria quelque chose en suédois, indiquant la maison en flammes.

Durant quelques secondes, Lisa fixa haineusement Gmitruk, puis elle hocha la tête, résignée, et ils filèrent ensemble vers la voiture. Au même moment, les quads émergèrent de derrière l'île et des rafales d'armes automatiques crépitèrent. Ce qui les sauva, c'est que Skalkaren était moins minuscule qu'elle n'en avait l'air : la distance était trop grande et les tireurs canardaient à l'aveugle. En dépit de cela, plusieurs balles touchèrent les branches au-dessus d'eux, soulevant des nuages de neige.

— Planquez-vous dans l'obscurité, entre les arbres, leur ordonna Gmitruk. Là, ils ne pourront pas nous suivre.

Ils se précipitèrent vers l'avant, le plus loin possible de l'espace dégagé et de l'incendie qui gagnait en intensité et les exposait comme sur un stand de tir. Les moteurs des quads vrombissaient derrière eux mais s'éteignirent la seconde d'après : les assassins avaient apparemment compris que les fuyards se trouvaient momentanément hors d'atteinte.

De nouveaux tirs retentirent avec un bruit qui rappelait celui du gravier jeté contre un conteneur en tôle.

Il y eut de nouveaux crépitements et la neige retomba sur leurs têtes. Les agresseurs devaient être descendus des quads pour les poursuivre à pied, mais on n'entendait aucun appel ni aucun ordre. Peu importait qui ils étaient, il devait s'agir de professionnels.

— Par-là, ordonna Gmitruk en s'élançant à droite.

Après quelques pas, ils arrivèrent au niveau de la clairière où les attendait la Ferrari recouverte de neige.

— Les clés ! cria Anatol.

— J'ai participé à des rallyes d'hiver, dit Karol, le souffle court, en s'appuyant sur le capot.

Son genou lui faisait affreusement mal, chacun de ses pas était un coup de marteau dans la rotule. Anatol ne répondit pas, il hocha la tête et ouvrit la portière arrière. Il poussa Lisa à l'intérieur et s'installa à côté d'elle.

— J'espère que t'as des pneus neige, marmonna Zofia en bouclant sa ceinture sur le siège passager.

Karol pensa que des pneus adaptés ne leur serviraient à rien s'ils n'arrivaient pas à s'extraire de la congère. Il mit la marche arrière, inspira profondément, tourna la clé dans le contact et démarra dès que le moteur glouglouta de ses douze cylindres. La voiture s'arracha du tas de neige, tangua et se rua en arrière, le souffle d'air chassa les flocons du pare-brise et du capot.

Un capot où apparut soudain une rangée de minuscules traces d'impacts – ping, ping, ping, ping. Une fraction de seconde plus tôt, à l'endroit touché par la rafale, il y avait le pare-brise et leurs têtes. Karol ne comptait pas y réfléchir davantage. Il regardait par-dessus son épaule et manœuvrait de façon à rouler en marche arrière le plus longtemps possible. Premièrement, il manquait de place pour faire demi-tour ; deuxièmement, il fallait s'éloigner au plus vite ; troisièmement, de cette manière, il dirigeait un véhicule avec traction avant, ce qui, dans les conditions météorologiques actuelles, était toujours plus sûr. Le feu de recul ne donnait pas beaucoup de lumière, Karol conduisait donc un peu au jugé, se souvenant que sur ce tronçon, la route était plus ou moins droite jusqu'au léger virage à entamer dès que des maisons de campagne apparaîtraient des deux côtés de la chaussée.

Dès qu'il distingua les contours des bâtisses, il ralentit, considérant qu'ils avaient pris un minimum d'avance et qu'il pouvait faire demi-tour. C'est alors qu'il vit un point lumineux au loin, au fond du chemin, signe que leurs agresseurs avaient réussi à revenir à leurs quads et à reprendre la course-poursuite. Ça ne présageait rien de bon. Il tourna légèrement le volant à gauche et braqua immédiatement très fort à droite, tout en enfonçant la pédale de frein. Les lois de la physique firent le reste et la voiture pivota avec fluidité sur la neige à cent quatre-vingts degrés, conservant une partie de sa vitesse et, lorsque le capot fut orienté de l'autre côté, Karol avait déjà passé la seconde. Il relâcha l'embrayage, le moteur gémit, les roues tournèrent sur place, l'arrière chassa un peu, mais la Ferrari s'élança docilement vers l'avant. Il mit les feux de route, sans grand effet car la lumière se réfléchissait sur la neige qui tombait dru.

— Pas mal, commenta Gmitruk. Mais sur ces routes de forêt, nous n'avons aucune chance contre eux.

— Je sais. On va chercher une ligne droite, répliqua Karol et il tourna à droite, pile dans la courette de la maison de campagne d'un Suédois aisé, à en juger par les dimensions de sa demeure et de son terrain.

— T'es dingue ? hurla Lorentz. Tu veux aller où par-là ?

— *Ja, ja*, ma chère, dit-il en lui faisant un clin d'œil, je voudrais enfin trouver du plat.

Il traversa une étendue enneigée qui, durant l'été, devait être une pelouse fort bien entretenue, et s'engagea sur une jetée charmante qui s'avançait dans la mer, si élégante qu'elle rappelait un petit embarcadère. Les planches de bois claquetèrent. Zofia agrippa son anse de porte, voyant que Karol fonçait droit sur une tonnelle qui ornait le bout du promontoire. Lors du choc avec l'auto qui pesait près de deux tonnes et filait à grande vitesse, la frêle construction en bois craqua comme un biscuit sec. Karol remit brutalement les gaz pour soulever l'avant de la voiture et, l'instant d'après, ils planaient au-dessus des flots gelés de la Baltique, priant en esprit diverses divinités pour que la glace tienne le choc.

L'une d'entre elles dut les entendre. Dans un grincement sinistre, des gerbes de neige jaillirent de partout et la Ferrari entra dans un long dérapage incontrôlé, pivotant autour de son axe. Mais la glace tint bon.

— Faites demi-tour dès que possible, leur conseilla le GPS de sa voix inhumainement calme et métallique.

— Pas question, chérie, répondit Karol, contrant les mouvements de la voiture par de petits coups de volant tant qu'il ne la stabilisait pas en ligne droite.

Dès qu'il y parvint, il enfonça l'accélérateur et la Ferrari jaillit tel un projectile, produisant un bruit si joyeux qu'on l'aurait crue avoir attendu ce moment depuis des années.

— Ils sont toujours derrière nous, annonça Gmitruk, regardant pas la vitre arrière.

— Grand bien leur fasse. Je n'ai pas entendu parler de quads capables de monter jusqu'à trois cents kilomètres-heure.

Lisa répondit quelque chose en suédois.

— Qu'est-ce qu'elle vient de dire ? demanda Zofia à Anatol.

— Attention pierres, dit Lisa, se traduisant elle-même et se penchant par l'interstice entre les fauteuils. Beaucoup pierres par ici. Allume conne irritante.

Elle indiqua l'écran du GPS.

— J'ai beaucoup voilé ici.

Zofia arracha l'appareil et l'offrit à la Suédoise.

Karol enregistrait ce qui se passait autour de lui, mais seulement dans les grandes lignes. Quatre-vingt-dix-neuf pour cent de sa concentration passaient maintenant dans les pupilles cachées sous ses paupières plissées parce qu'il tentait de pénétrer le blizzard éclairé par ses phares. La chute de neige n'était pas suffisamment dense pour qu'ils se cachent dedans et sèment leurs poursuivants, mais elle l'était assez pour réduire leur visibilité à moins de cent mètres. Cela signifiait que si à cent mètres devant eux apparaissait soudain le mur rocheux d'une falaise, ils disposeraient de quelques secondes pour dire adieu à leurs proches et à leurs espoirs d'une vie longue et heureuse. C'est pourquoi il se concentra autant que possible : leur unique chance de survie était qu'il réussisse à débusquer l'obstacle avant que l'obstacle ne les débusque.

Le compteur de vitesse indiquait deux cent cinquante kilomètres-heure.

— Je crois qu'on les sème, annonça Gmitruk.

Karol jeta un coup d'œil au rétroviseur et, en effet, les trois loupiotes jaunes semblaient plus lointaines. Ce regard ne dura qu'une fraction de seconde, mais quand ses yeux revinrent sur – disons – la route, il vit une immense roche saillir de la glace et filer dans leur direction à la vitesse d'un obus. Il tourna légèrement le volant en priant pour que la voiture ne dérape pas. Bien évidemment, elle dérapa ; après tout, ils roulaient sur de la glace. L'arrière tangua et la puissante Ferrari se mit à glisser de côté vers le rocher à une vitesse de deux cents kilomètres-heure. On va cogner par le flanc droit, pensa Karol. Lisa et Zofia mourront sur le coup, nous aussi, si on a de la chance.

Il braqua à droite, relâcha l'accélérateur, rétrograda puis remit les gaz – et ce fut probablement la manœuvre la plus rapide de sa vie. La voiture pivota, le postérieur du break chassa, partit de l'autre côté et passa à quelques centimètres la pierre qui émergeait de la glace. Le souffle de leur passage nettoya la neige de l'obstacle.

Karol ne pouvait pas – ou peut-être qu'il manquait d'expérience – sortir l'auto de son mouvement désespéré, la Ferrari se mit à tourner comme une toupie et ses tentatives de contrôle ne firent que changer la direction de la rotation. Lorsqu'il réussit enfin à calmer la machine et à regarder dans son rétro, les trois réflecteurs lui collaient déjà au train. Les quads étaient assez près pour qu'il entende la rumeur de leurs moteurs, malgré le grondement qui s'échappait de son propre capot.

— Va gauche, dit Lisa, plongée dans l'écran du GPS. Nous allons large, beaucoup petites îles là. Pleins phares. Tu piges ?

— Ouais, on va les semer dans la ceinture d'asté-roïdes, murmura Karol. *They'd be crazy to follow us, wouldn't they ?*

Il sourit à Zofia, qui était trop terrifiée pour s'adonner aux références de la pop-culture.

Il accéléra, laissant les poursuivants sur place, mais il savait que cette stratégie ne durerait que jusqu'au prochain dérapage. Chaque fois qu'il lutterait sur la glace, les quads, stables et adaptés aux conditions hivernales, les rattraperaient en un claquement de doigts.

— C'est encore loin ? demanda-t-il à Lisa qui scrutait leur position indiquée par le satellite.

Il perdit un instant le contrôle du volant, ce qui suffit pour que les trois phares réapparaissent dans son sillage. Une arme crépita à leur gauche. Il se tassa par réflexe mais aucune balle n'atteignit sa cible. Il accéléra et les distança une nouvelle fois. Oui, ce jeu ne pourrait pas durer indéfiniment.

— Maintenant, dit-elle.

Il mit les plein phares une seconde, plissant les paupières. Il avait compris l'idée de Lisa. On ne pouvait pas utiliser des phares aussi puissants pendant plus longtemps parce que la lumière vive réfléchie sur les flocons de neige leur percerait des trous dans les rétines. Mais, le temps d'un battement de cils, on pouvait apercevoir des obstacles cachés plus profondément dans la brume.

Il les enclencha une nouvelle fois, compta jusqu'à trois. Puis encore une fois. Un îlot apparut sur sa gauche dans la glace. Trop loin.

Jusqu'à trois. Encore une fois. Vide.

Jusqu'à trois. Encore une fois. Ça y est.

À quelque trois cents mètres devant eux, il vit un rocher saillir de la surface blanche. Il dévia légèrement sur la gauche, puis revint à droite, contournant la crête comme un plot laissé sur la route, grâce à quoi la pierre se retrouva précisément entre la Ferrari et les quads qui les poursuivaient en formation.

Karol observait dans le rétroviseur les phares des véhicules qui se rapprochaient lorsque l'un d'entre eux buta contre le rocher. Dans un premier temps, on aurait dit qu'il avait simplement disparu, parce que son feu s'était éteint – mais seulement pour réapparaître à quelques mètres au-dessus du sol. Le quad avait dû sauter sur la pierre oblique comme sur un tremplin, parce qu'il monta à la verticale, tourna lentement sur lui-même, agitant le cône de lumière taillé dans la neige comme un phare de haute mer devenu fou. L'instant d'après, la machine atteignit le point culminant de son vol et retomba, perçant la glace dans un craquement de planche de bois, très audible malgré la distance.

Les deux autres poursuivants ne s'arrêtèrent pas auprès de leur compagnon. Pire, ils ne ralentirent même pas.

— Ils ne se laisseront pas avoir une seconde fois, constata Gmitruk. Il est temps de revenir aux méthodes conventionnelles.

Ce disant, il prit son pistolet dans la poche de son blouson et ouvrit la fenêtre. Le sifflement du vent et la rumeur de trois moteurs s'engouffrèrent à l'intérieur en compagnie d'un air glacial et d'une rafale de neige. Le moteur de la Ferrari produisait un bruit grave et gargouillant, ceux des quads en émettaient des plus stridents ; on aurait dit deux prédateurs infâmes à la poursuite d'un herbivore majestueux.

— Laisse-les approcher, dit Anatol. Nous avons un léger avantage parce que j'ai deux mains libres, alors qu'ils doivent conduire. Baissez-vous, les filles.

Karol n'eut pas à forcer pour se laisser rattraper. Ils quittaient la « ceinture d'astéroïdes » et se retrouvaient en pleine mer. Un vent puissant avait chassé toute la neige par ici et, à la lueur des phares, on ne voyait qu'une couche de glace sombre qui disparaissait dans l'obscurité. La Ferrari, bien qu'équipée de bons pneus hiver, larges qui plus est, car adaptés à une voiture sportive, peinait à trouver de l'adhérence sur cette surface. Le moteur hurlait, le compteur de vitesse indiquait deux cent cinquante kilomètres-heure ; il ne s'agissait pas de leur vitesse de déplacement, mais de celle de la rotation des roues. Beaucoup de vapeur passait dans le sifflet ; en réalité, ils devaient avancer à cent quarante, cent cinquante kilomètres-heure. C'est-à-dire trop lentement.

— Très bien, monsieur le pilote de rallye ! hurla Anatol, tentant de se faire entendre en dépit de la bourrasque. Maintenant, comme un galion de guerre, tu dois te placer de profil par rapport à eux pour que je puisse tirer ma salve.

Pas monsieur le pilote, mais monsieur le nautonier plutôt, se dit Karol, observant dans le miroir les phares qui s'approchaient. Il rétrograda, tourna le volant à droite, remit délicatement les gaz pour perdre de l'adhérence et braqua immédiatement le volant dans l'autre sens, poussant le véhicule à glisser de côté.

— Ouais ! cria-t-il involontairement parce qu'en dépit de multiples tentatives, il n'avait jamais réussi une telle dérive par le passé.

La manœuvre plaça le conducteur du quad devant Gmitruk comme sur un stand de tir. Le SIG cracha trois fois, projetant l'homme habillé en noir au sol. Privé de cavalier, son véhicule bifurqua brusquement et disparut dans la nuit. Anatol voulut profiter de sa position pour se débarrasser aussi du dernier poursuivant, mais la Ferrari sursauta sur une aspérité de la glace et il se cogna la main contre la portière. Il aurait malgré cela probablement réussi à garder le pistolet sans la blessure contractée dans les Tatras mais, touché précisément à l'endroit de la brûlure, Anatol hurla et relâcha l'étreinte de ses doigts. Son SIG tomba sur la glace, rebondit dessus et disparut.

Au même instant, une rafale tirée par l'ultime agresseur perça la vitre arrière de leur break familial.

La situation n'était pas brillante.

12

Stephane Breitwieser ne s'était jamais défini comme un homme de la RDA. Certes, il était né en RDA et avait grandi sur l'île de Rügen (en RDA également), c'était là aussi qu'il était allé à l'école puis au lycée, persuadé que partout sur la planète, le bonhomme vert qui indiquait aux piétons l'autorisation de passer portait un chapeau. Ses études techniques, Stephane les avait entreprises à

Berlin-Est. Enfin, eux, ils disaient simplement à Berlin, l'unique Berlin, c'est de l'autre côté du mur qu'on ajoutait la dénomination « Est » au nom de la ville. Le procédé ne s'appliquait pas seulement à la capitale, mais à tout ce qui s'étendait derrière l'Elbe. Le mot « Est » avait cessé d'être la définition neutre d'une direction géographique. Ce mot était devenu le synonyme de ridicule, de pauvreté, d'allure de merde, de goût de chiottes et de moustache couplée à une frange ridicule. Mais était-ce sa faute si tout le monde arborait cette coupe à l'époque ? Si on voulait insulter quelqu'un en Allemagne, donner libre cours à un mépris sans bornes ou suggérer que pour le bien de tous, il valait mieux mettre fin par euthanasie à l'existence de la personne visée, puisqu'il était trop tard pour pratiquer un avortement, alors on le qualifiait « de l'Est », ou simplement d'*Ossi*.

Mais quand, à un mois de son vingtième anniversaire de mariage, Stephane Breitwieser avait franchi le seuil de son restaurant préféré à Sassintz, où il réservait depuis toujours une table pour les occasions importantes de sa vie, il s'était senti précisément comme un gars de la RDA. Un pauvre *Ossi*, complexé, ennuyeux et dénué de fantaisie.

Il avait donc estimé que cette fois-là, les choses se dérouleraient différemment, que leur anniversaire serait romantique, fantastique, qu'ils redynamisaient leur histoire et auraient de quoi se remémorer des souvenirs durant les vingt prochaines années de leur mariage. Il avait décidé qu'au lieu d'un énième dîner dans leur bistrot favori, ils feraient une excursion en mer. Sans enfants, sans amis, rien qu'eux deux dans la cabine luxueuse d'un bateau de croisière. Il s'était imaginé une houle légère, une bouteille de champagne, une relation sexuelle merveilleuse au petit matin avec vue sur la mer de glace.

Et, à présent, il regardait avec fierté sa femme Anne-Catherine, étendue sur un lit immense, une flûte de champagne à la main. Elle avait l'air ravie et ne se doutait pas que ce n'était que le début des réjouissances.

— C'est pour toi, dit-il en lui tendant un paquet. Que les vingt prochaines années soient encore plus heureuses.

Le cadeau ressemblait à un stylo-plume élégant, car la boîte était longue et plate.

— Oh, Stephane, tu es incroyable !

Anne-Catherine s'assit à la turque sur le lit, ce qui, compte tenu de sa robe de cocktail, créa un effet comique, et se mit à déballer énergiquement le paquet.

Avec une mine étonnée, elle sortit de la boîte une série de billes chromées réunies par un cordon noir. Une poignée de forme circulaire oscillait au bout du cordon.

— C'est quoi ? demanda-t-elle à la fin.

— Des boules de geisha, répondit-il fièrement.

— Des boules de geisha ?

— Oui, c'est la dernière tendance en matière de sexe. Les femmes en raffolent. Sur chaque boule, on pourrait inscrire « orgasme garanti ». Un orgasme garanti, ça ne sonne pas trop mal après vingt ans de mariage, pas vrai ?

— Un orgasme ? dit Anne-Catherine.

Elle observait les billes qui se balançaient au bout du cordon avec l'air d'une patiente en pleine thérapie par l'hypnose.

— Tu veux dire…

Elle indiqua son entrejambe du bout de son doigt.

Stephane hocha la tête de façon solennelle.

— Répète-moi ça, que tout soit clair. Tu veux que je m'enfonce des boules d'acier attachées à un fil dans le vagin, c'est ça ?

— Pas nécessairement dans le vagin.

— Pardon ?

— Bah, tu sais, je me disais que tu pourrais laisser un peu de place dans ton vagin pour autre chose, tu vois ?

— Tu veux que je me les enfonce dans le cul ?

— Toutes les femmes font ça, ces temps-ci. Après, on les ressort et l'orgasme est garanti.

Les yeux d'Anne-Catherine se firent aussi gros que les hublots de leur bateau de croisière.

— Je vais avoir un orgasme quand tu vas extraire de mon cul une poignée de boules d'acier ? Hmm, je serai certainement ravie qu'elles n'y soient plus, mais de là à jouir…

Stephane se sentit vexé et honteux. Il tourna le dos à sa femme et s'approcha de la fenêtre, fixant l'obscurité.

Lorsqu'il se retourna la seconde d'après, il affichait une expression si inhabituelle que sa femme changea immédiatement de tactique :

— Je ne dis pas non, hein. Essayons. Mais honnêtement, je suis parfois si constipée que quelques billes en métal ne m'impressionnent pas.

— C'est pas ça, répondit Stephane sourdement. J'ai des hallucinations.

Après la perte du pistolet, il ne leur restait que la fuite. Karol conduisait avec des mouvements saccadés, mais l'arrière de la voiture tentait d'échapper à son contrôle. Même si le compteur de vitesse mentait toujours, ils filaient à une vitesse folle. Deux cent cinquante, deux cent soixante-dix, trois cents. Il appuya à fond, espérant tirer de cette vieille carlingue quelques kilomètres-heure supplémentaires. Après tout, il possédait une Ferrari, et on le poursuivait sur un... sur un quoi, en fait ? Sur un vélo à quatre roues avec un semblant de moteur ? Sans déc'.

Trois cent trente. Et, l'instant d'après, trois cent trente-cinq, mais avec bien des difficultés. Les douze cylindres tapaient à une telle allure qu'on les aurait crus prêts à jaillir du capot. Karol restait concentré pour que l'arrière ne chasse pas et pour qu'ils ne s'explosent pas sur un rocher solitaire et stupide que personne n'aurait prévenu que l'archipel s'achevait là. Un coup d'œil d'une milliseconde lui confirma que le quad était largué. Et de loin. Ça allait.

Sous eux, quelque chose craqua de façon menaçante.

— Glace fine près mer, dit Lisa. Pas aller plus loin.

Parfait, se dit Karol. Derrière nous, il y a un assassin avec une mitraillette, devant nous, les eaux de la Baltique, et moi, je fonce sur une fine couche de glace hérissée de rochers à trois cents kilomètres-heure. Vraiment, c'est parfait. Et en plus de ça, j'ai des hallucinations.

En effet, une ville émergea de l'obscurité, apparaissant au milieu de la neige en train de tomber. Sans aucune exagération, une ville. Un mur de maisons, ou plutôt d'immeubles, large de quelques centaines de mètres. Des fenêtres s'étageaient sur huit niveaux, des lumières vives brillaient : dans l'un des hublots, il vit un couple en train de l'observer. L'homme portait un smoking, la femme, une robe de cocktail très décolletée. Donc, la dernière image que je verrai dans ma vie, c'est un décolleté, se dit Karol. Ça pourrait être pire. Il ne comprenait absolument pas ce qui se passait.

En comparaison du mur fantomatique de la ville sortie des flots, leur voiturette ressemblait à un modèle miniature qu'un enfant cruel pousserait vers l'anéantissement.

— Un bateau ! Un bateau de croisière ! hurla Zofia, attrapant Karol par la main.

C'est alors que, dans le tumulte du vent et le gémissement du moteur, perça l'appel de la sirène du navire.

— Fais quelque chose !

En rétrogradant, il espéra que le moteur tiendrait le coup car, dans les conditions actuelles, il était inutile d'enfoncer la pédale de frein. L'aiguille du compteur des tours bondit dans le rouge et y resta collée. En troisième, Karol braqua violemment et la voiture tourna en un instant de cent quatre-vingts degrés. La force centrifuge les projeta sur le côté.

Le bateau se trouvait à présent derrière eux. Et bien que les roues, si on en croyait les compteurs, continuaient à les pousser vers l'avant à une vitesse de cent kilomètres-heure, ils reculaient toujours en direction du chenal de navigation, de l'immense navire et des eaux glaciales de la Baltique qui suceraient la vie hors d'eux en quelques minutes même si, par on ne sait quel miracle, ils parvenaient à s'extraire de la voiture en train de sombrer.

De l'adhérence, je vous en supplie, un peu d'adhérence, pensa Karol. Et c'est ma dernière requête pour aujourd'hui, promis, juré.

Et ce peu d'adhérence lui fut accordée. Les roues accrochèrent des agglomérats de neige et de glace, la voiture bondit vers l'avant.

Karol n'avait aucune idée de la distance qui les séparait de la frontière entre la glace et la mer, mais il jurerait par la suite qu'il avait vu dans le rétro un homme dans son hublot et que celui-ci avait été assez proche pour qu'il reconnaisse en lui un type de la RDA. « Un gars de la RDA, c'est un gars de la RDA. Tout comme un Polonais, c'est un Polonais. Ils ont quelque chose en eux qui fait que je les reconnais au premier coup d'œil », raconterait-il plus tard.

— Droite ! hurla Lisa.

Sans savoir pourquoi, Karol écouta la Suédoise. Il vira à droite. Roulant dans la même direction que le bateau de croisière, il vit ses lumières disparaître dans le vent et l'obscurité.

Mais à sa gauche, une autre lumière apparut, une lumière puissante. Un phare maritime.

— Huvudskär ! cria Lisa. Avance vite ! Vite !

Il regarda dans le rétro. Le feu du quad avait rattrapé un peu de son retard à cause de leur rencontre avec l'hôtel naviguant. Au point que son conducteur s'était décidé à tirer une nouvelle fois. L'arme automatique crachota, une balle perdue pénétra dans le trou laissé par la vitre arrière et fracassa le rétroviseur. Les miettes de verre tombèrent sur les cuisses de Karol et de Zofia.

Il accéléra, augmentant la distance qui les séparait de leur poursuivant, minuscule dans son nuage de neige, mais ce n'était peut-être qu'une illusion, car les choses paraissaient toujours plus lointaines dans les miroirs latéraux.

— Quand nous dépasser maison lumière, tu coupes lampes, tu coupes voiture, tu coupes tout et à gauche. Pigé ? demanda Lisa.

Il hocha la tête. Une nouvelle fois, il était trop occupé à garder le contrôle sur l'arrière de son break pour pouvoir discuter. Il ne savait pas ce que Lisa avait en tête, mais après tout, c'était elle la fille du cru. Il fallait bien faire un minimum confiance aux autochtones. Surtout en ce qui concerne les bons restos locaux et les folles escapades sur une mer gelée.

À hauteur du phare, il tourna délicatement et coupa le moteur. Les feux s'éteignirent, la voiture partit en dérapage et ils glissèrent silencieusement dans l'obscurité comme si un trou noir les aspirait. Karol cessa de contrer les rotations de la Ferrari qui dérivait sur la glace couverte de neige avec un bruissement doux. Au-dessus de leurs têtes, la lumière du phare perçait le rideau des flocons avec une régularité immuable.

Le quad émergea de la bourrasque avant qu'ils ne s'arrêtent. Il était assez près, trop près selon Karol, mais le cavalier poursuivit son chemin. Il dut réaliser assez vite que quelque chose clochait parce qu'il réduisit son allure.

— Il va nous trouver, chuchota Lorentz et un début de panique résonna dans sa voix.

— Non, répondit Lisa tout bas. Maison lumière.

La rumeur du quad disparut aussi brusquement que le halo de son feu visible entre les flocons de neige. Et Karol comprit ce que Lisa avait planifié. Le phare avait été construit dans un virage du chenal de navigation pour aider les bateaux à s'orienter dans l'archipel. En journée et avec une bonne visibilité, on distinguait certainement d'assez loin la rivière obscure qui tournait dans la glace en direction de la capitale suédoise. Sous le soleil, tout le monde aurait compris qu'il devait dévier de sa route s'il ne souhaitait pas finir dans l'eau. Mais de nuit ? Dans ce blizzard ?

Le dernier quad et son conducteur étaient tombés dans la Baltique. Repose en paix, songea Karol et il soupira de soulagement, posant les doigts sur la clé de contact. Au même moment, la glace sous la Ferrari grinça si fort qu'on aurait juré la détonation d'un grand feu d'artifice.

Ils ouvrirent leurs portières simultanément et bondirent hors de la voiture. Karol gémit, cognant son genou blessé contre la glace. Mais il se releva rapidement et regarda sa voiture adorée. Avec les portières ouvertes et la vitre arrière brisée, elle avait l'air assez pitoyable. Elle semblait lui dire : « Tu n'as pas pris soin de moi, Karol. Je suis un modèle de collection et toi, tu me traites comme une vulgaire Škoda. »

— Doucement, dit-il. Je vais remonter dedans et avancer au pas jusqu'au phare. La glace sera plus épaisse près du bord, tout ira bien.

Ses dernières paroles se noyèrent dans un grand fracas. Des réseaux de fissures apparurent près des roues.

— Ce n'est rien. Il y a un monde entre des craquelures et un trou.

Il s'approcha du véhicule, ferma toutes les portières en dehors de celle du conducteur.

— Le plus important, c'est qu'elle soit en mouvement. Le pire, c'est de rester sur place. Marchez vers l'île, je vous retrouve là-bas, d'accord ?

— Karol...

Zofia lui posa une main sur l'épaule.

— Je sais, dit-il nerveusement, passant ses doigts dans ses cheveux mouillés par la neige. Bien sûr que je sais.

Il se pencha et remit les pleins phares avant de claquer la portière côté conducteur. Le fracas se fondit dans la cacophonie d'une glace qui rompait.

— Adieu, tas de plastique et de ferraille. Que ton souvenir me rappelle de n'aimer que les êtres de chair et de sang.

Il sentit que Zofia lui serrait délicatement la main et il la lui serra en retour.

— Faites demi-tour dès que possible, leur dit la dominatrice en guise d'au revoir.

Il y eut un autre craquement, très puissant. La glace sous le moteur chaud céda et la Ferrari glissa majestueusement, comme si elle descendait la rampe d'un camion avant une course importante, dans les eaux noires de la Baltique, accompagnée par le glougloutement de l'air qui quittait son habitacle. Les feux brillèrent encore un instant, conférant à la scène un aspect mystérieux, noble et fantastique, digne des livres de Jules Verne.

L'instant exigeait de la contemplation solennelle, de la méditation et un discours, mais il faisait tellement froid qu'ils s'orientèrent vers le phare en silence pour y chercher refuge. Après quelques pas, Gmitruk s'arrêta brusquement.

— Vous avez entendu ? demanda-t-il.

Il pivota sur ses talons et s'éloigna dans la direction où ils avaient vu la lumière du quad pour la dernière fois.

Son conducteur ne s'était pas noyé. Il avait réussi à nager jusqu'au bord dentelé de la banquise, couverte d'amas de glace, à se hisser à la surface et à parcourir une douzaine de mètres en direction du phare avant d'être tué par le froid. Et tout cela dans l'apparat intégral du motocycliste, casque compris.

Anatol se pencha sur lui, souleva la visière et éclaira le visage avec son téléphone portable. Les autres se penchèrent également comme s'ils s'attendaient à découvrir une célébrité descendue des premières pages des journaux. Un brun avec une barbe de trois jours sur des pommettes saillantes était calé à l'intérieur du casque.

— C'est lui ? demanda Gmitruk à Zofia.

Elle fit non de la tête. Elle claquait des dents à cause du froid.

Par formalité, le major se pencha et vérifia le pouls de la victime. Il maintint ses doigts sur le cou du conducteur, puis les retira et cacha sa main. Il tremblait de froid comme les autres, pourtant, quelque chose ne le laissait pas en paix.

— Encore un instant, dit-il et il ouvrit le blouson du mort.

Les autres échangèrent des regards étonnés mais Anatol ne s'arrêta pas au blouson. Il enleva le casque de l'agresseur, ôta son gilet pare-balles, sa polaire et un T-shirt thermique noir. Une minute ne s'était pas écoulée qu'ils contemplaient un homme torse nu. Gmitruk le roula sur le ventre mais ne trouva visiblement pas ce qu'il cherchait, car il se mit à lui enlever les bottes, le pantalon et le slip.

— Tu es devenu fou ? lui demanda Karol.

— Deux secondes. Je dois vérifier quelque chose. J'ai un pressentiment débile... Regardez !

Leur agresseur portait un petit tatouage sur un mollet, formé de symboles illisibles, de lettres qui évoquaient des caractères gothiques. Zofia s'obligea à déchiffrer l'inscription.

— Semper, lut-elle.

Anatol retourna le cadavre sans ménagement afin qu'elle puisse contempler l'inscription à l'envers. Grâce à une astuce graphique, les mêmes symboles formèrent un autre mot.

— Fidelis, dit-elle.

— *Semper fidelis*, toujours fidèles, la devise des Marines américains. Vous voilà avec une autre énigme à résoudre, bande d'intellos. Qu'y a-t-il de si important en vous pour que l'armée des États-Unis envoie ses commandos d'élite jusqu'en Suède pour vous dégommer ?

CHAPITRE 5

LE ZOO

1

Le capitaine Clifton Patridge, en poste dans les baraquements de la soixante-sixième brigade de renseignement militaire de l'armée des États-Unis à Wiesbaden, fut brutalement sorti de son lit à cause de deux nouvelles reçues de Washington. Une bonne et une mauvaise.

La bonne, c'était que l'aide qu'il avait fournie à Anatol et ses acolytes à New Rochelle n'avait pas été détectée, sinon on l'aurait sorti du lit pour lui passer les menottes et le renvoyer aux États-Unis par le premier vol en vue d'un interrogatoire. Au lieu de quoi, les responsables du département d'État l'avaient sorti du lit pour lui communiquer des informations confidentielles et le supplier de sauver leurs culs de fonctionnaires. Comme d'hab.

La mauvaise nouvelle, c'était que les seigneurs de sa patrie étaient devenus complètement fous. Le sage qui affirmait que le pouvoir absolu corrompt absolument avait raison. Les dirigeants américains avaient fini par croire qu'ils étaient au-dessus des lois, qu'ils étaient les maîtres de l'univers et ils se comportaient en tant que tels. Trois jours plus tôt, le capitaine croyait encore que ses supérieurs ne pourraient rien faire de pire qu'envoyer des mercenaires pour liquider des citoyens d'un pays allié. Il se trompait.

Peu après, outrés par l'incompétence de leurs tueurs à gage, ils avaient envoyé leurs propres commandos d'élite dans un pays qui était certes ami, mais restait neutre et ne faisait pas partie de l'OTAN. Ils y avaient provoqué un esclandre sans nom, on se serait cru dans un vulgaire pays du tiers-monde où les balles de kalachnikov faisaient office de monnaie.

Bien sûr, tout avait très mal tourné. Très, très mal.

C'est pourquoi, le capitaine Clifton Patridge avait pris place à bord d'un Cessna militaire dont il était l'unique passager et effectuait un vol entre Wiesbaden et la base suédoise de Malmen, dans l'espoir non seulement d'étouffer l'affaire avant l'éclatement d'un scandale international, mais aussi de convaincre les Suédois de les aider à appréhender « le groupe de terroristes dangereux activement recherchés par l'Organisation du traité de l'Atlantique nord ».

Cela ne devrait pas être trop difficile. Sur ce putain de continent suceur de sang, ce n'était plus d'un placard dont les nations avaient besoin pour cacher leurs cadavres, mais d'immenses garde-robes. Et les Suédois craignaient probablement plus encore que les Allemands qu'on fouille dans leurs sales secrets de la Deuxième Guerre mondiale.

Le capitaine Clifton Patridge considéra qu'après les événements de New Rochelle, sa conscience était en paix et il n'était donc plus question de faire quoi que ce fut pour aider Anatol Gmitruk, peu importe l'estime qu'il lui portait et à quel point il était désolé pour lui.

Dans la situation présente – soit à l'heure où toutes les brigades de renseignement et tous les services secrets des pays de l'OTAN prenaient part aux recherches – ni lui ni personne ne pouvait aider les fugitifs. Tous les quatre étaient autant de cadavres ambulants qui avaient accidentellement prolongé leur date de péremption de quelques heures.

Dans le monde civilisé, aucune personne saine d'esprit ne leur accorderait son soutien.

2

Ils savaient qu'ils n'avaient plus le droit de s'arrêter à un endroit qu'on pouvait rattacher à Lisa, comme ça avait été le cas pour la maison de Sten Borg. Oubliés la famille, les amis, l'utilisation des cartes de crédit, oubliés l'enregistrement dans des hôtels ou les voitures de location. Dès qu'ils eurent regagné la terre ferme, ils montèrent dans un bus pour Norrköping, une cité particulièrement moche au sud de la capitale, appelée en son temps « la Manchester suédoise » à cause de son industrie textile.

Là, dans un premier temps, ils eurent envie d'aller prendre un café, mais ils n'étaient pas sûrs de pouvoir se le permettre. Installés dans la salle d'attente de la gare routière, ils avaient sorti de leurs poches et de leurs portefeuilles tout leur argent liquide : des couronnes, des zlotys, des euros et des dollars. Ils avaient réuni l'équivalent de quelques centaines de dollars en diverses devises, ils avaient changé la totalité en couronnes – près de trois mille – et s'étaient demandé quoi faire.

La solution ne vint pas de Lisa, toujours un peu absente après ce qui était arrivé à Borg, mais d'Anatol, qui leur apparut sous le jour d'un touriste invétéré.

— Tu appelles tourisme la torture de pauvres Arabes dans les grottes d'Afghanistan ? lui demanda Karol avec sarcasme, une fois qu'ils eurent pris place à l'intérieur d'une baraque à kebabs pour y consommer des cafés dans des gobelets jetables.

Ils avaient choisi cet endroit parce qu'il leur semblait le moins cher des environs de la gare. En dépit de ça, le café sortait d'une véritable machine et était étonnamment bon.

— J'appelle tourisme le fait de voyager avec tente et sac de couchage à travers l'Europe. Aucun de vous, bande de nantis, n'a jamais expérimenté une telle aventure, c'est sûr. Mais vous avez peut-être entendu parler de campings ? C'est une distraction estivale très populaire parmi les pauvres.

— Tu veux qu'on dorme sous une tente en plein mois de décembre ? Par moins vingt degrés ?

Si Zofia avait haussé les sourcils encore plus haut, ils lui seraient tombés dans le dos.

— Dans une tente en bois, répliqua tranquillement Anatol.

— *Stugor*, dit Lisa.

— Exactement. On peut louer des *stugors*, c'est-à-dire des cabanes en bois, sur pratiquement tous les campings suédois. À l'intérieur, on dispose en général de quelques couchettes, d'un poêle avec une réserve de bois et d'une cuisine sommairement équipée. Et le meilleur, c'est que bon nombre d'entre eux sont en libre-service, donc sans enregistrement, surtout à cette période de l'année. La clé se trouve dans la serrure, les gens peuvent y passer la nuit et se faire à manger, il faut simplement ranger et laisser quelques couronnes dans une boîte en partant. Le proprio passe une fois par semaine pour faire la poussière, rajouter du bois et ramasser le fric.

— Des cabanes en bois avec poêle et couchettes ? dit Zofia, toujours pas convaincue.

— Premièrement, c'est anonyme. Deuxièmement, ça veut dire un toit au-dessus de nos têtes et au chaud. Troisièmement, c'est fait pour des gens fauchés. Nous devons simplement acheter quelques portables jetables ayant une connexion Internet, quatre sacs de couchage, quelques boîtes de conserve et une réserve de *potatismos*.

— De quoi ?

— C'est une purée de pommes de terre en poudre. C'est super bon. Pendant mes années d'étudiant, j'ai parcouru la Norvège durant trois semaines en ne mangeant que ça avec du ketchup.

— D'accord, intervint Karol. On va se planquer dans une cabane et puis quoi ? Nous y passerons le reste de nos vies en évitant les tueurs professionnels, les forces spéciales américaines et tous ceux qui voudraient encore rejoindre la grande ligue internationale des adorateurs d'art qui veulent notre peau ?

— Avant tout, nous aurons du temps pour réfléchir, répondit calmement Gmitruk. Je possède quelques
contacts, je vais nous procurer de faux papiers polonais
et je trouverai du cash pour que nous puissions retourner au pays. Là, on racontera ce qui s'est passé et on
y sera, malgré tout, un peu plus en sécurité.

Ils burent leurs cafés en silence durant un moment.

— Tu es sûr de toi ? demanda Karol en jetant son
gobelet en polystyrène à la poubelle.

— Si je suis sûr de quoi ?

— Que nous serons plus en sécurité en Pologne ?
Peut-être que pour des raisons qui nous échappent,
nous sommes devenus une menace pour « notre cher
grand allié » et pour l'OTAN ? Et nous sommes officiellement condamnés à l'abattoir ? Et notre ministre
de la Défense, quand on l'en a informé, s'est mis au
garde à vous et a hurlé : « *Yes sir !* » Ça ne te semble
pas étrange que notre cher Premier ministre, au lieu de
clore l'affaire, nous ait tapotés dans le dos et nous ait
conseillé de poursuivre les recherches ?

Le major Anatol Gmitruk n'avait pas de réponse
satisfaisante à cette question.

3

Dans de grands campings, on peut trouver des *stugors* qui ressemblent à des palais d'été, des demeures
de plain-pied avec trois chambres, une cheminée, un
lave-vaisselle et un jacuzzi. Mais les grands campings

suédois fonctionnent malheureusement comme des hôtels. Une blonde souriante parlant quatre langues vous demande votre passeport, vous enregistre et bloque une caution sur votre carte de crédit. Autrement dit : « Nous souhaitons la bienvenue à nos invités et à tous ceux qui voudraient les farcir de plomb. Voici nos coordonnées GPS, vous trouverez un plan en pièce jointe. »

C'est pourquoi, en marchant le long de la route à Kolmården, ils posaient un regard jaloux sur toutes ces bâtisses luxueuses déployées autour de la baie de Braviken. Leur objectif se trouvait au bord du village et certainement pas au bord de la mer. Les informations que Lisa avait trouvées sur Internet étaient si laconiques que l'endroit, appelé Älghuset, ce qui signifiait « la maison de l'élan », pouvait ne pas exister du tout.

Mais il existait. Composé de quelques cahutes en bois dans une forêt éparse, le complexe était plongé dans l'obscurité parce que l'unique lampadaire près du portail fournissait autant de clarté que l'écran d'un téléphone portable. Cela signifiait, comme ils le découvrirent bien vite, qu'il était inutile d'espérer avoir l'électricité. Ni l'eau courante ou des toilettes, d'ailleurs. Une pompe manuelle et des commodités étaient cependant disponibles sur la propriété. On avait cloué des bois d'élan sur les lieux d'aisance, ce qui expliquait avec un brin d'ironie le nom de cet établissement. Cela ne ressemblait en rien à un emplacement où des touristes suédois ou hollandais pourraient séjourner, mais plutôt à l'une de ces zones de campement où des travailleurs saisonniers polonais dormaient à deux par couchette et où les Russes stockaient des vierges slaves importées spécialement des profondeurs de la toundra pour le plaisir de quelques maris locaux.

— Je ne savais pas qu'il y avait de pareils endroits en Suède, chuchota Zofia.

Personne ne lui répondit. Tout le monde voulait entrer à l'intérieur, s'asseoir, se mettre à l'aise, se réchauffer, poser les sacs avec la purée, les saucisses et le ketchup, dont les lanières s'incrustaient désagréablement dans les doigts. Probablement nostalgique de ses jeunes années, Anatol s'était montré intransigeant sur la question de la purée, et à raison, car, après l'achat de l'équipement de camping, il ne leur restait presque plus d'argent.

La porte était ouverte, la clé dans la serrure à l'intérieur, le mode d'emploi posé sur la table à côté de la boîte pour le paiement. Il n'y avait là rien d'autre. Les lits à trois niveaux évoquaient le goulag, la cuisine se résumait à un réchaud vissé sur une bombonne de gaz, la vaisselle se composait de quelques assiettes, de fourchettes, d'une casserole et d'une poêle. Mais le pire, c'était le froid. Une température glaciale régnait à l'intérieur du *stugor*, pire encore que dehors, or, le four de la taille d'un tabouret installé près du mur paraissait incapable de réchauffer ne serait-ce que l'intérieur d'une armoire.

Les regards de Lisa, de Zofia et de Karol se posèrent sur Anatol. À en croire les théories sociologiques, les gens s'assignaient des rôles à jouer au sein de chaque groupe. Celui de scout fut assigné au major Anatol Gmitruk.

Une heure plus tard, leur habitat n'était peut-être pas plus confortable, mais il y faisait certainement meilleur et l'atmosphère agréable évoquait un chez soi. En dépit des apparences, la cheminée avait rapidement réchauffé la minuscule pièce, les sacs de couchage colorés jetés sur les couchettes grises égayaient l'ensemble par leurs teintes joyeuses, et le dîner préparé par Karol, à base de purée, d'oignons frits et de saucisses poêlées, remplissait la cabane d'odeurs appétissantes. En réalité, il s'agissait d'une bouffe effroyablement bas de gamme, mélange de graisses saturées et de produits chimiques chinois inconnus, mais pour eux, cela sentait comme une savoureuse entrecôte.

Anatol discutait à voix basse au téléphone, Lisa et Zofia s'étaient installées à table et buvaient une bière finlandaise Lapin Kulta d'une teneur en alcool de trois degrés et demi. On ne vendait pas de boissons plus fortes dans les supermarchés.

— Nous devons tenir le coup un ou deux jours, leur annonça Anatol. Après, un coursier va nous livrer nos faux papiers.

Karol assaisonna la purée avec du sel subtilisé chez Mc Donald's.

— Tu ne crains pas que les nôtres jouent dans le même camp que notre cher allié et que nous soyons les seuls à l'ignorer ? demanda-t-il.

Anatol haussa les épaules et décapsula une bouteille de bière.

— À ce stade, nous devons faire confiance à quelqu'un, dit-il.

— Et ce quelqu'un serait le gouvernement de la République ? répliqua Karol, de la dérision dans la voix.

Pendant un instant, il donna l'impression de vouloir continuer dans la même veine, mais y renonça.

— Dressez la table, nous allons festoyer, dit-il.

Le premier toast fut porté à Sten Borg. Lisa en eut les larmes aux yeux mais elle se maîtrisa rapidement.

— Merci, dit-elle, mais sa mémoire exige autre chose qu'un toast.

Les autres l'interrogèrent du regard.

— Le comte, reprit-elle. Qui est le comte ?

Zofia avala un bout de saucisse avant de répondre.

— Un faux comte. Mais un excentrique véritable, un fou et un original. Un peintre raté, un homme politique défait. Mais doté du sens des affaires. L'ange gardien des peintres… et leur pire malédiction. Le plus extraordinaire et le plus malchanceux des collectionneurs de l'histoire polonaise. Et, à ce qu'il semblerait à présent, le plus malchanceux de l'histoire mondiale.

Elle s'interrompit pour ingurgiter un peu de nourriture. Elle mâchait une saucisse chimique, tandis que les autres attendaient la suite de son exposé. Cependant, Zofia sentit son organisme s'éteindre, réclamer un temps de régénération après des journées trop intenses et des nuits sans sommeil. Elle recracha le bout de saucisse qu'elle avait en bouche ; les forces pour mâcher et pour avaler venaient à lui manquer.

— Demain, marmonna-t-elle avant de se traîner vers son lit.

Sa dernière pensée fut que, pour la première fois depuis l'école primaire peut-être, elle se couchait sans s'être brossé les dents.

Ils commencèrent leur matinée par une querelle visant à déterminer qui devait s'extraire de son sac de couchage et allumer le feu dans la cheminée. Lisa et Zofia s'accordèrent à dire, au nom de la pure tradition féministe, qu'elles ne le feraient en aucune manière parce qu'elles n'étaient que des fleurs délicates dont devait prendre soin une paluche masculine bien poilue, armée d'une boîte d'allumettes et d'une bûche. Karol déclara qu'il n'en avait rien à foutre d'un féminisme pareil, qu'il avait préparé le dîner la veille sous prétexte d'égalité des sexes, alors qu'aujourd'hui, on lui demandait d'allumer un feu simplement parce qu'il possédait un pénis. Anatol était leur dernier espoir, mais il finit par marmonner depuis son sac de couchage tiré jusqu'au sommet de son crâne qu'un grade militaire ne signifiait pas qu'elles allaient se servir de lui à tout bout de champ et qu'il avait assez trimé la veille.

— Peut-être que le plus jeune devrait le faire ? proposa Lisa.

— Pas question, répliqua Zofia.

À la fin, ils tirèrent à la courte paille. Karol perdit et sortit du lit au son de ses propres injures et des cris d'encouragement au combat de la part des autres. On aurait cru une colonie de vacances.

Pour le petit-déjeuner, ils mangèrent de la purée décorée de pâté végétal en tube et de ketchup. Le plat avait une allure épouvantable, mais un goût délicieux.

Quelques minutes plus tard, le docteur Zofia Lorentz sirotait son café, souffrant d'un dilemme tragique à chaque nouvelle gorgée. D'un côté, le liquide brûlant tapissait merveilleusement ses entrailles, de l'autre, boire diminuait la quantité de liquide qui lui réchauffait les mains. Elle réfléchissait tout à fait sérieusement à la meilleure manière de consommer son café dans ces circonstances, lorsqu'elle sentit que quelque chose ne tournait pas rond.

Trois paires d'yeux la fixaient attentivement. Elle reprit donc son histoire.

5

Il n'y a pas si longtemps, au milieu du XIXe siècle, vivaient deux frères. C'étaient les héritiers d'une grande fortune lituanienne, des hommes mondains, éduqués dans les meilleures écoles étrangères. Hippolyte était un homme avisé, il est devenu docteur en droit, puis éditorialiste et homme politique habile. Ignace, en revanche, possédait un esprit tourmenté. Il aimait l'art et décida donc de devenir artiste. Pour cela, il a étudié cinq ans à l'académie de Munich, pour finalement découvrir qu'on pouvait être doté de bon goût et de sens critique, sans disposer pour autant de talent. Et puisque devenir un barbouilleur de second ordre ne l'intéressait pas, il a tout quitté et s'en est allé à Rome acheter des titres de noblesse au Pape, offensant par cela le reste de sa famille.

C'était dans les années 1870. Monet, Renoir, Manet et Sisley passaient leur temps dans un jardin à Argenteuil. Au même moment, un trentenaire quittait Rome pour revenir en Pologne : le comte Ignace de Krowin-Milewski. L'homme qui ne tolérait pas le compromis.

Quand il se marie, c'est avec la veuve de l'un des propriétaires terriens les plus riches du pays. Petite parenthèse : cette femme a intitulé la correspondance avec son mari *Les Lettres du monstre*, et le dossier contenant les documents relatifs à son décès *La Mort du monstre*, ce qui en dit long sur le caractère de ce cher Ignace.

Quand celui-ci investit, c'est avec fougue et chance : peu après l'achat d'un terrain près de Kharkov, on découvre des gisements de sel dans son sous-sol, c'est pourquoi le comte s'enrichit d'un million de roubles lors de la revente. En comparaison, l'acquisition du tableau *Stańczyk* de Jan Matejko, la pièce maîtresse de la peinture polonaise, ne lui a coûté que huit mille roubles.

Quand il construit un palais à Vilnius, c'est à l'image du Palazzo Bevilacqua de Vérone.

Quand il voyage, c'est sur son propre yacht, le *Lituanie*, éditant par la suite en tirage limité le journal de bord de ses croisières sur les mers et les océans.

Quand il estime qu'il est temps de bâtir une demeure familiale, il achète une île sur l'Adriatique, île qui portait à l'époque le nom de Santa Catarina, et y fait construire à coups de millions un splendide palais avec parc.

Quand il a des maîtresses, ses frasques finissent en fusillade à la gare de Vienne et l'Europe entière s'en fait écho.

Quand il apparaît, personne ne peut ignorer cet immense rondouillard à la calvitie luisante et à la longue barbe.

C'était un mythomane, un mégalomane, un fougueux, un colérique et un cinglé de première, qu'on aurait probablement enfermé, bourré de calmants et mis sous tutelle de nos jours. Mais quand il écrivait, pour résumer sa vie, qu'il « avait aussi eu quelques mérites, comme celui d'avoir constitué la plus belle collection de tableaux de Pologne », il n'avait pas tort. C'est probablement la seule fois où il disait la vérité.

Ça caille, bordel. Karol, tu peux rajouter du bois ?

Et quelqu'un d'autre ? Si je comprends bien, un tour de garde près du foyer dure vingt-quatre heures.

Karol, peu m'importe que ce soit injuste, la vie est injuste de toute façon. Un jour, tu possèdes une Ferrari, le lendemain, tu dors dans une cabane et tu trimes près du four.

De quoi je parlais, déjà ?

Ah oui, cet Ignace, ce n'était pas le type de mécène qui restait derrière son bureau pendant que son secrétaire faisait des virements en son nom. Il voulait fréquenter les artistes, leur glisser de bons conseils, fraterniser, devenir leur ami, respirer l'art avec eux.

Un cauchemar ? C'est vrai. Mais un doux cauchemar. Dans la folie de Malewski, il y avait une méthode très noble. Il avouait payer trop pour que les artistes ne soient pas obligés de peindre pour manger, et pour qu'ils conservent l'impulsion et la possibilité de créer de grandes choses. Les peintres l'adoraient et lui étaient reconnaissants pour ses honoraires royaux et pour ce débouché unipersonnel si stable, mais ils peignaient à sa demande et le haïssaient simultanément. Aussi parce que c'était un despote, capable de faire venir un peintre depuis Paris jusqu'en Lituanie pour effectuer quelques retouches à sa demande, les jarrets du cheval n'étant pas assez travaillés à son goût.

Et maintenant, je passe aux choses sérieuses, c'est-à-dire au moment où Milewski croise la route des impressionnistes, picole de l'absinthe en leur compagnie et apparaît en tant que « comte avec sa chère Catherine » dans leurs lettres et dans leurs journaux intimes. Petite parenthèse : le peintre préféré du comte, c'était Aleksander Gierymski. En passant, cela prouve le très bon goût du mécène. Gierymski était l'artiste le plus original de toute la bande polonaise, il avait découvert l'impressionnisme au même moment que les créateurs des environs de la Seine, bien qu'il n'ait pas eu la chance de contempler leurs expérimentations parisiennes. Il avait commencé à esquisser son tableau *Sous la tonnelle* peu après que Monet a peint son *Impression, soleil levant*. C'est une scène de jardin pleine de jeux d'ombres et de lumières, qui peut faire penser au *Déjeuner sur l'herbe*, bien que la technique utilisée par Gierymski...

Oui, je sais, je ne fais pas un cours magistral d'histoire de l'art !

Mais imaginez ça, un amateur d'art qui dépense sans compter arrive soudain à Paris en compagnie d'un peintre génial. Ce dernier maîtrise parfaitement les différents styles, il est, de plus, psychiquement instable, comme eux tous. Gierymski est en effet partiellement dingue, il souffre de névroses aigües. D'ailleurs, il est mort dans un hôpital psychiatrique à l'âge de cinquante ans à peine. Il n'y a aucune chance pour qu'il ne connaisse pas la bande parisienne – la meilleure preuve en serait que Gierymski a d'abord peint son célèbre *Opéra de Paris la nuit* et ce n'est qu'après que Pissarro et Monet se mirent à produire leurs nocturnes.

La locomotive noire de la photo, exactement. Vous voyez, tout se met en place.

Viennent les années 1880 et les années 1890. Ils étaient tous au sommet de leur art, ils étaient matures, conscients de leurs capacités. Manet et Degas avaient une soixantaine d'années, Renoir et Monet une cinquantaine. Gierymski en avait dix de moins, soit l'âge de Gauguin et de Van Gogh, qui définissaient à ce moment-là les nouvelles tendances, Van Gogh venant à peine de déménager à Paris depuis sa Hollande natale. Ignace Korwin-Milewski avait quarante-cinq ans.

En effet, copains comme grosses cochonnes, je ne l'aurais pas mieux dit. Merci, Lisa, pour cette formulation des plus judicieuses.

Il est fort probable que Milewski ait acheté des toiles aux Français, comme il en achetait aux Polonais : parce qu'il les aimait bien et voulait les aider, et parce que, pour lui, il s'agissait au fond de sommes dérisoires. Il aurait très bien pu acheter à Renoir un portrait intime d'une maîtresse que personne ne devait voir, et à Monet une locomotive noire que les autres clients traitaient de bizarrerie obscure.

Mais est-ce que notre comte se serait satisfait de ces tableaux sortis du fond de la pile ? Absolument pas.

Il avait du goût et de l'appétit, il était généreux, mais exigeait de la réciprocité, il désirait être reconnu du point de vue artistique.

Vous avez presque vu juste, cher major ! Sauf qu'il ne s'agissait pas de portraits mais d'autoportraits. À ses artistes préférés, Milewski commandait des autoportraits. Pour des raisons inconnues, ils devaient tous respecter le même format d'un mètre sur un mètre et demi. Il les payait grassement et les tableaux devaient répondre à certains critères : un format unique, donc, mais aussi une position debout du sujet, de face, de taille réelle et avec une palette à la main. Nous le savons, car certaines de ces toiles sont parvenues jusqu'à nous. Malheureusement, tant la composition exacte que le sort de la collection de Milewski demeurent des mystères.

Si nous mettons ça en lien avec Paris...

Oui, chère Lisa, c'est exactement ce que je suis en train de dire. Il n'y en a peut-être pas, comme tu l'as formulé, « gavé à mort », mais quelque part, on ne sait où, il y a plusieurs toiles de dimension cent soixante sur cent dix centimètres sur lesquelles ton Claude et ton Pierre-Auguste ont peint leur autoportrait, à l'instar de tes autres chéris que tu apprécies au point de les sortir des musées par la cheminée, aussi connus sous le nom d'impressionnistes, aussi connus en tant que pères de la peinture moderne, mais connus surtout pour battre des records de prix et valoir des dizaines de millions de dollars sur le marché de l'art.

Et, je l'admets, si tout cela est vrai et si nous arrivions à les retrouver, ce serait la plus grosse impression que ces spécialistes impressionnistes feraient depuis qu'on a tourné en ridicule leur exposition de 1874. Des journalistes écrivaient alors qu'une esquisse préliminaire de papier peint était une œuvre plus achevée que leurs tableaux.

Bah ça, c'est une très bonne question. Mais comment pourrais-je savoir où cette collection se trouve ? Si – et j'insiste –, si cette collection existe réellement.

6

— C'est que, dit Lisa, j'ai vu photo avant-guerre portrait sans couleur de Claude Monet par Auguste Renoir. Claude debout avec palette. Mais scientifiques dire que faux parce que personne n'a jamais vu ce portrait vivant.

Lorentz réfléchit un instant.

— Ça pourrait coller. Ils auraient tous reçu des commandes d'autoportraits et auraient décidé de s'amuser un peu en se peignant les uns les autres. Ce n'aurait pas été la seule fois, un autre portrait de Monet par Renoir existe au musée d'Orsay.

— Mais tu as dit toi-même qu'il est impossible que de tels tableaux n'aient pas ressurgi avec le temps, remarqua Gmitruk. Ces toiles vaudraient trop d'argent pour que quelqu'un les garde dans son grenier depuis un siècle.

— Oui, j'ai dit ça, mais à ce moment-là, je ne savais pas qu'Ignace Korwin-Milewski faisait partie de l'équation. Un fou dans une équation pousse à s'interroger à nouveau, surtout parce qu'il vit dans un monde de fou et attire les autres fous tel un aimant. Et c'est là que nous arrivons au second chapitre de mon exposé, au destin de la collection du comte Milewski. Au fond, nous ne savons pas vraiment ce qu'elle contenait ni ce qu'elle est réellement devenue. Si elle avait traversé les années, elle aurait probablement été placée aujourd'hui dans un musée construit spécialement pour elle, et chaque guide touristique de Pologne commencerait par...

Une sonnerie de téléphone interrompit le monologue. Le major décrocha aussitôt.

— Gmitruk.

Et ce fut l'unique parole qu'il prononça durant une conversation qui dura une minute. Il écouta soigneusement ce que son interlocuteur avait à lui dire et raccrocha.

— Je dois être sur le parking du Tropicarium à vingt heures. C'est à deux kilomètres d'ici. Un coursier nous apportera des papiers et du fric grâce auxquels nous pourrons retourner en Pologne.

— Un Tropicarium ? C'est une blague ?

Zofia désigna la fenêtre bouchée à mi-hauteur par la neige accumulée sur le rebord.

— Vous pas au courant ? s'étonna Lisa. Nous avons ici Zoo plus cool Suède. Y a lions, gorillas, zebras et loupes. Douze grosses.

— Douze grosses quoi ?

— Douze grosses loupes.

La discussion zoologique entre les deux dames n'avait pas encore véritablement commencé, mais on sentait déjà qu'elle ne mènerait nulle part.

— D'accord, peu importe, dit Karol. Ce qui nous intéresse, c'est que nous serons dans un taxi pour l'aéroport dans quelques heures. Et maintenant, finis l'histoire de ce Milewski.

7

Maintenant, malheureusement, je veux dire malheureusement pour le comte, commence la partie triste de notre récit. Jusqu'à la fin du XIXe siècle, tout est rose. Un mécène forcené fraternise avec des artistes, les finance et amasse des œuvres qu'il considère intéressantes. Et puisqu'il a bon goût, sa collection est en avance sur son temps. Ce qui passerait aujourd'hui pour le Saint Graal de la peinture mondiale ne provoquait à l'époque pas d'émotions particulières. Les gens voulaient des nus et des scènes de chasse, pas des paysages de nuit ou des nénuphars en taches de couleur.

Ce qui lui a fait très mal, c'est de revenir dans sa Lviv adorée : il souhaitait offrir sa collection à la ville, construire un musée sur ses propres deniers et ajouter encore de l'argent pour l'entretien. Les conseillers municipaux se sont moqués de lui, le traitant de fou, et il n'a pas supporté l'humiliation. Il annonçait partout vouloir se couper des gens, s'enfermer avec ses toiles et savourer sans restreinte les délices artistiques qu'aucun nigaud n'allait perturber. Et c'est ce qu'il a fait.

Bien que jeune pour les standards d'aujourd'hui, car âgé d'à peine soixante ans, il s'est isolé du monde. Il se peut que cela ait eu un lien avec la maladie mentale de Gierymski et sa mort précoce. Après ça, le comte a cessé d'exposer sa collection, il a cessé d'en parler, personne ne savait plus ce qu'elle contenait. Milewski a fini par se retirer sur son île.

La chance l'a également quitté. La Grande Guerre a réduit sensiblement sa fortune. L'ensemble de ses biens restés sur le territoire de l'URSS nouvellement créée a été perdu. Ses dépôts dans les banques ont diminué de valeur. La fin des monarchies et le début des pays-nations ont enterré les idées de Milewski à propos d'un monde basé sur l'aristocratie. Sa femme, qui le haïssait, le traînait sans arrêt en justice, ses anciennes maîtresses le faisaient chanter. Soudain, il était devenu un vieillard pris au piège, privé de moyens, moribond sur sa merveilleuse île passée du statut de refuge à celui de prison.

Et maintenant, écoutez-moi bien. En 1922, une hémorragie cérébrale foudroie le comte. Les vautours se ruent sur le vieillard paralysé pour le dépouiller des restes de sa fortune avant sa mort. En théorie, sa collection aurait dû réapparaître à ce moment-là, par petits bouts chez des dizaines d'antiquaires, mais rien de tel n'a eu lieu…

8

— On dégage, dit calmement Gmitruk.
Ils se tournèrent vers lui, étonnés.

— Il aurait suffi de me donner l'adresse, je me serais débrouillé. Mais ils m'ont expliqué pendant une minute où ça se trouvait et comment je reconnaîtrais le coursier, quel type de documents on allait nous fournir et cætera.

— C'est gentil à eux, remarqua Karol. Quelqu'un se soucie enfin de nous.

— Non. Quelqu'un voulait nous localiser. Après une conversation aussi longue, ils savent où nous sommes avec une précision de cinq mètres. Je suis désolé, mes amis, mais la République ne joue plus dans la même équipe que nous. Ramassez vos affaires et on dégage. Immédiatement.

Le ton du major ne laissait aucune place au doute. Zofia jeta un coup d'œil à l'hiver rude qui régnait derrière la fenêtre, sans parler de la bourrasque qui commençait à faire rage, et se demanda sérieusement s'il ne vaudrait pas mieux se laisser attraper et voir ce qui arriverait ensuite. Après tout, ils se trouvaient dans un pays civilisé. Mais elle se rappela bien vite qu'on avait précipité sur elle un déluge de grenades incendiaires dans ce même pays il n'y a pas si longtemps.

Quelques minutes plus tard, ils grimpaient sur une petite colline au milieu de la neige qui virevoltait et semblait tomber de toute part. Le vent vif se faisait moins sentir dans la forêt, mais ils claquaient néanmoins des dents. Leurs vêtements étaient adaptés aux trajets en voiture, leurs blousons n'auraient dû servir qu'à courir entre le parking et la boutique de la station-service où les attendaient des cafés et des hot-dogs chauds. Ils n'étaient en aucun cas prévus pour de longues marches, sans parler d'une nuit à la belle étoile.

Ils faisaient une pause au sommet de la colline, à quelques centaines de mètres de leur *stugor*, lorsque la rumeur, d'abord délicate, puis assourdissante, des palmes d'un hélicoptère recouvrit le hurlement du vent. Marqué du blason de la police suédoise, l'hélicoptère fila au-dessus de leurs têtes, puis s'immobilisa quelque part dans le nuage de neige, probablement dans l'axe de leur cabane.

— Je vous avais prévenus, dit Anatol en hochant la tête, la République de Pologne n'est plus notre alliée. Personne ne l'est. Nous sommes devenus le gibier de tout le bloc occidental. Par chance, la bourrasque nous masque. On dégage. Vite.

— Mais où ? gémit Zofia. Dans la forêt ? Soit ils nous y trouvent, soit on y meurt de froid. C'est sans espoir.

— J'ai une idée. On y va, on se réchauffera en marchant. Allez, allez.

Le docteur Zofia Lorentz n'avait jamais été aussi consciente de son corps. Une conscience réservée d'ordinaire aux maîtres yogi, et seulement après de longues années de méditation. Elle pouvait localiser chacun de ses muscles. Elle ressentait précisément ses tendons, ses os et ses cartilages. Elle prenait conscience de l'existence de chaque cellule de son corps, parce que chaque cellule souffrait affreusement du froid, frémissait et exigeait en hurlant un peu d'attention et de chaleur afin d'échapper à une mort certaine.

— On n'y arrivera jamais, chuchota-t-elle pour elle-même, mais Karol, qui marchait à ses côtés, l'entendit.

Il l'enveloppa de son bras et l'aida à poser les pas suivants.

— Tranquille. Anatol est un pro. Il sait ce qu'il fait.

Elle sentit que Karol ne croyait pas à ce qu'il disait et elle y crut d'autant moins. La question était de savoir si Gmitruk lui-même croyait en ses agissements ou s'il se mentait à lui-même et leur mentait à eux.

C'est alors qu'ils arrivèrent devant un grillage.

— C'est la limite du zoo, annonça Gmitruk. J'y ai travaillé durant mes années étudiantes.

— Comment ça ? demanda Karol.

— Peu importe. Je n'étais pas le directeur, si c'est ça la question.

Le major longea le grillage et ils le suivirent.

— Je suis resté là plusieurs mois avec ma fiancée. J'étais logé à l'intérieur du parc et elle dormait dans une tente en forêt. Il y a une loi en Suède qui autorise à bivouaquer partout en pleine nature, tant que ce n'est pas sous les fenêtres de quelqu'un. Peu importe si le terrain est public ou privé. Donc, elle faisait du camping sauvage dans les bois et je me faufilais en douce pour la rejoindre chaque soir. Vous savez comment c'est, quand on est jeunes, on ne peut pas passer une journée l'un sans l'autre.

Sa dernière remarque avait pris des accents amers.

— J'avais le choix, faire le tour de la grille, et ce terrain fait près de deux kilomètres carrés, c'est le plus grand zoo d'Europe, ou bien dégotter un autre moyen.

Anatol se figea et leur adressa un large sourire.

— Incroyable, ce moyen existe toujours. Loué soit le Suédois dans les cieux pour son refus d'ingérence dans la Nature.

En trois mouvements rapides, il se hissa sur le tronc d'un pin puissant et fourchu, passa sur une branche de celui d'à côté, planté derrière la grille, et sauta sur le sol recouvert de neige.

Zofia fut la première à tenter l'escalade. Mais pile avant de se laisser tomber dans les bras de Gmitruk, elle hésita.

— Ce n'est pas l'enclos des lions, au moins ?

— Honnêtement, je n'en ai aucune idée. Je n'ai pas mis le pied par ici depuis quinze ans.

Zofia se dit que dans le ventre d'un lion, au moins, il ferait chaud, et elle sauta.

Le major Anatol Gmitruk se déplaçait comme en terrain conquis et, malgré les quinze années qui avaient passé, il gardait un excellent sens de l'orientation. Ils peinaient à le suivre à travers le zoo qui ne ressemblait à aucun jardin animalier que Zofia eût connu jusque-là. Au lieu d'enclos construits à la file et de cages alignées les unes à côté des autres, on ne voyait ici qu'un vaste espace naturel entrecoupé çà et là de rares allées, ce qui évoquait davantage des bois municipaux près d'une grande métropole d'Europe de l'Ouest, un immense terrain suffisamment arboré et entretenu pour que les citadins puissent profiter de la nature en toute quiétude.

Lorentz gardait simplement l'espoir qu'ils marchaient bien sur un espace de promenade entre deux territoires dédiés aux animaux.

Jusqu'au moment où elle vit une cabine de téléphérique suspendue au-dessus du parc. Cela voulait dire que les gens normaux survolaient d'ordinaire ce terrain par ce moyen de transport, admirant les lions

et les « gorillas » qui batifolaient en bas. Qui batifolaient à l'endroit précis où ils se déambulaient en ce
moment.

— Tu avais dit que ce n'était pas l'enclos des lions !
hurla-t-elle à Anatol, tentant de couvrir le bruit du vent.

Elle l'attrapa par le blouson et pointa du doigt la
cabine du téléphérique.

— Je ne voulais pas vous inquiéter.

— Tu ne voulais pas nous inquiéter ? Tu préférais
simplement nous jeter en pâture à quelques bêtes affamées ? Est-ce que j'ai une tête de première chrétienne ?

— Calme-toi, ils sont tous enfermés pour l'hiver.
Ce sont des lions, pas des panthères des neiges.

— Bien sûr. À condition que le parc ne se soit pas
récemment enrichi de quelques pumas, de lynx ou
d'ours polaires.

— N'oublie pas les loupes.

— Moi, je me casse.

Et, effectivement, elle tourna sur ses talons, tremblant de froid au point de perdre l'équilibre. Anatol la
saisit avec vigueur par le bras et la retourna. Elle se
serait écroulée s'il ne l'avait pas soutenue.

— Tu veux te casser pour aller où ? En forêt ?
En mer ? Tu veux retourner auprès de quelqu'un qui
va te réchauffer à coups de grenades incendiaires ?

— Alors, on va où ? demanda-t-elle sur un ton larmoyant.

Il ne restait plus trace de sa révolte instantanée.

— Là où tes bêtes affamées sont enfermées. Ce sont
des animaux africains, il a fallu qu'on reconstitue pour
eux des conditions tropicales.

Cinq minutes ne s'étaient pas écoulées qu'ils avaient atteint un grand grillage et une rangée de bungalows en bois qui devaient abriter des animaux. Quelque chose remua brusquement derrière un mur de planches et ils échangèrent des regards inquiets.

— Heureusement, rien n'a changé, leur annonça Gmitruk, très fier de lui.

Ils longèrent les cabanons jusqu'à une baraque plus large, de la taille d'une étable. La porte latérale de ce bâtiment de service n'était pas fermée à clé et, un instant plus tard, ils avaient pénétré dans un espace mystérieux qui se composait principalement d'odeurs avant qu'Anatol ne mette la main sur l'interrupteur et n'allume la lumière.

— Jamais ils ne nous retrouveront par ici, dit-il, satisfait. En plus de ça, nous disposerons d'une source de chaleur cent pour cent naturelle, ça nous fera du bien. Nous devons seulement nous rappeler de nous cacher à l'extérieur entre huit heures et dix heures du matin.

— Pourquoi ? demanda Zofia.

Elle n'en croyait pas ses yeux et se disait que ce devait être un mauvais rêve.

— C'est l'heure à laquelle ils changent leur litière.

Leur nouvelle maison était divisée en trois. La partie centrale servait de passage : on accédait au bâtiment par la porte qu'ils avaient empruntée. En face, une porte doublée de barreaux menait aux cages des animaux abrités pour l'hiver. À gauche de ce couloir, il y avait des ballots de paille fraîche. À droite, comment dire, il y avait un tas de paille déjà usagée.

Le major Anatol Gmitruk leur avait déniché une demeure dans le dépotoir à fumier des lions.

9

Vassili Topilin regarda une nouvelle fois les yeux tristes de Vladimir Poutine. Il était de garde de nuit et n'avait absolument rien à faire. En théorie, on pouvait l'appeler à tout moment pour lui ordonner d'effectuer une infiltration, mais en réalité, ça ne lui était arrivé qu'une seule fois au cours de sa carrière. Les services de sécurité étaient aussi flemmards que n'importe quel autre service public de la planète. En dépit des apparences, les espions appréciaient eux aussi de terminer le boulot à dix-sept heures et de se poser avec une bière devant la télé.

Malgré cela, et probablement pour pouvoir proclamer partout que le FSB ne dormait jamais, chaque département avait ses gardes de nuit. Vassili s'ennuyait ferme à son bureau et, à l'autre bout du couloir, à la Sécurité Intérieure, Julia s'ennuyait aussi. Et quand les gens s'ennuient, des idées débiles leur passent par la tête.

Ils avaient flirté ensemble par SMS et par e-mail, d'abord pour plaisanter et en toute innocence, mais plus la nuit avançait et plus cela devenait piquant. Et tout portait à croire que tôt ou tard, ils allaient tomber l'un sur l'autre comme par hasard, au coin cuisine de l'étage, et se ruer dessus comme des bêtes. Il n'y aurait rien eu de mal à cela si Julia n'était pas mariée et si

390

son mari n'était pas, peut-être pas un ami, mais une connaissance proche de Vassili.

C'est pourquoi, avant de répondre à un SMS provocateur qui évoquait les parties dissimulées de la tenue de Julia, Vassili plongea profondément son regard dans les yeux clairs et tristes de Vladimir Poutine et s'interrogea : « Qu'aurais-tu fait, toi, cher Vladimir Vladimirovitch, à ma place ? Dis-moi ? »

Et c'est alors que le téléphone sonna. Numéro inconnu. Vassili déglutit, persuadé que Julia avait décidé de porter leur flirt à un niveau supérieur, à l'étape des gémissements par écouteurs interposés. Il hésita mais estima qu'il ne fallait pas exagérer : une conversation téléphonique n'était pas encore un péché.

Au cas où, il plaça néanmoins la photographie de Poutine face contre le bureau.

— Oui ?

— C'est moi. Tu dois m'aider. Et je te promets que cette fois, je te revaudrai vraiment ça.

10

Lisa leur résuma dans les grandes lignes sa conversation avec Vassili, sans évoquer bien évidemment son nom ni sa fonction. Ils savaient seulement qu'il s'agissait d'« un Russe ».

— On aura papiers lettons, conclut-elle.

— C'est logique, commenta Gmitruk en hochant la tête. Je suppose que ton pote est en poste à la Loubianka ?

Le FSB est connu pour utiliser son influence dans ses anciennes républiques pour fabriquer des faux documents de chez elles. Les pays baltes sont le meilleur choix, parce qu'il suffit d'une carte d'identité pour se déplacer librement dans l'Union Européenne. Et des trois pays baltes, la Lettonie est la plus russifiée. On aura des cartes d'identité ou des passeports ?

Lisa haussa les épaules pour signifier qu'à cheval donné, on ne regarde pas les dents.

— Et maintenant ? demanda Zofia.

— Et maintenant, je dois vous faire photos, répondit Lisa en prenant son téléphone. Et après, on attend. Si tout va bien, deux jours, pas plus.

Terrifiée, Zofia parcourut du regard leur nouveau local. Deux jours dans du fumier, ce n'était pas croyable.

11

Ils tentèrent tant bien que mal de s'installer. Anatol partit à la chasse, dont il ne revint malheureusement pas avec un jambon de rhinocéros, mais les poches pleines de barres chocolatées Daim et de quelques bouteilles d'eau minérale gelée.

— J'ai braqué le distributeur du terrain de jeu pour les tout-petits, admit-il sans une once de contrition en leur distribuant le dîner.

Ils mangèrent puis creusèrent une tanière dans le coin le plus reculé du tas de paille, afin que même dans l'éventualité où quelqu'un débarquait par surprise, il lui faudrait fournir de sacrés efforts pour les retrouver. Leur caverne était chaude et douillette, l'odeur de la merde de lion cessa bien vite de les incommoder.

Lisa et Anatol convinrent que la chaleur avait plus d'importance que la sauvegarde des apparences, ils attachèrent donc leurs sacs de couchage par la fermeture Éclair et s'y blottirent ensemble.

Zofia et Karol ne le relevèrent pas, mais n'osèrent pas les imiter. Ils restèrent appuyés l'un contre l'autre, mais dans des sacs de couchage séparés.

— Est-ce qu'on sait ce que sont devenus certains tableaux de la collection ? Il y avait un catalogue ? Une liste ? demanda Gmitruk.

— On ne sait même pas combien il y en a eu, dit Lorentz, revenant à sa posture professorale. Pas moins de deux cents toiles, c'est certain, mais j'ai également entendu parler de deux cent cinquante, trois cents tableaux. Milewski les achetait directement aux peintres et les gardait dans différentes demeures. À Vilnius, à Vienne, dans le village de Gieranioni en Biélorussie ou sur l'île de Santa Catarina. Je vous l'ai déjà dit, même dans le cas des impressionnistes français, les sources écrites au sujet de ce qu'ils ont peint et à qui ils l'ont vendu sont assez maigres, parce qu'ils passaient l'essentiel de leurs journées à créer, à boire et à baiser, le temps pour la paperasse leur manquait. Et en Pologne, en plus, tout est parti en fumée. Les Allemands brûlaient les archives avec une grande application parce qu'ils savaient qu'ainsi, ils détruisaient la mémoire d'une nation.

Elle s'interrompit, car quelque chose cogna derrière le mur, avant de ronronner dangereusement. C'était difficile à admettre, mais des lions vivaient vraiment à deux pas d'eux.

— Comme nous l'a déjà signalé madame le docteur, seuls quelques tableaux de la collection du comte sont parvenus jusqu'à nous, essentiellement des autoportraits de peintres polonais, résuma Karol. Et ceci seulement parce qu'il les a cédés au début du siècle dernier à quelques maîtresses pour qu'elles lui fichent la paix, et elles se sont d'ailleurs empressées de les monnayer chez le premier antiquaire venu. Quant au reste... Bien sûr, je voudrais croire que ce reste existe, le plus grand trésor de la peinture de l'homme blanc, mais mon instinct de marchand me dit que c'est fort peu probable. Principalement parce que, au contraire du Jeune, il ne s'agit pas de toiles invendables.

— Où veux-tu en venir ? demanda Zofia.

— Le Raphaël ne peut être cédé que sur le marché parallèle et dans le plus grand secret. Une collection inconnue d'impressionnistes, non. Bien au contraire. Divulguer son existence déclencherait une telle tempête médiatique dans le monde entier que n'importe laquelle de ces toiles vaudrait soudain non pas des dizaines, mais des centaines de millions de dollars. Garder secret un tel lot n'a aucun sens.

— Continue.

— C'est pourquoi les possibilités suivantes me viennent à l'esprit. La première, c'est qu'une telle collection n'existe pas.

— C'est la plus probable, admit Lorentz.

Lisa et Anatol hochèrent la tête. Ils faisaient penser à une loge de railleurs dans un film muet.

— La deuxième, c'est que la collection existe quand même. Elle a changé de propriétaire entre 1922 et 1945. Quelqu'un l'a rachetée au comte. Directement ou via un intermédiaire. Puis les Allemands l'ont volée. Puis les Américains ou les Russes l'ont volée aux Allemands. Et aujourd'hui, ces toiles restent au chaud dans les sous-sols d'un musée à Moscou, à Saint-Pétersbourg ou à Fort Knox, et constituent un excellent placement de capital. Ou alors, elles appartiennent à des collectionneurs privés.

— Ça m'étonnerait, dit Zofia en secouant la tête. Dans une collection privée, trois générations de propriétaires se seraient succédé, et je ne peux croire qu'aucune brebis galeuse accro aux casinos n'aurait eu envie de monnayer sa partie de l'héritage. Quant aux Russes, ils ont en effet gardé chez eux divers trésors durant cinquante ans, mais aujourd'hui, ils exposent même ce qu'ils ont dérobé. Alors pourquoi devraient-ils cacher ce que personne ne recherche ? Les Américains, c'est autre chose. Premièrement, ils ont l'obsession du secret. Deuxièmement, ils pourraient craindre d'avouer que la guerre leur a apporté autre chose que des sacrifices héroïques. Et troisièmement, ça expliquerait pourquoi ils cherchent à nous envoyer six pieds sous terre.

Cette fois, c'est Anatol qui grimaça.

— Et pourquoi ? Parce que nous pourrions affirmer qu'ils gardent quelque chose dans un coffre secret ? Ils nieraient tout en bloc. Sur cette planète, un paquet de dingues caquettent au sujet du contenu de quelques coffres-forts secrets. On parle de l'Arche d'Alliance, du Martien de la zone 51... Tu crois vraiment que les Américains traquent tous ces gens ?

L'argument semblait juste.

— Il y a encore une possibilité, dit Karol en tendant le majeur. La collection a été placée dans une cachette et y est encore aujourd'hui. Ignace le fou aurait pu la construire. Précisément parce qu'il était fou, il n'avait pas voulu donner satisfaction à des vautours et aurait emmuré sa collection quelque part sur son île.

— Ou au palais de Gieranioni et le brave peuple biélorusse en a fait du bois de cheminée quand ils l'ont transformé en kolkhoze.

Les autres la regardèrent avec de tels yeux que Zofia leva les mains en signe d'excuse. En effet, elle n'était peut-être pas d'une humeur très optimiste.

— Un antiquaire d'avant-guerre aurait pu la cacher...

— ... et la collection a disparu sous les bombes à Varsovie...

— Zofia ! Tu peux arrêter cinq minutes de tout voir en noir ?

Elle haussa les épaules.

— Pour finir, un des Allemands aurait pu la cacher durant la guerre en attendant des jours meilleurs, jours qu'ils n'ont pas eu l'opportunité de voir.

— Et pourquoi ne s'en seraient-ils pas vantés durant la guerre ? Rappelle-toi que Hans Frank, Goering, ainsi que leurs comparses, criaient haut et fort leurs exploits, accrochaient les prises de guerre sur les murs de leurs résidences et laissaient une tonne de traces, tant dans les documents officiels que dans leurs lettres ou leurs journaux intimes.

C'était une question sotte. Elle devait être fatiguée pour l'avoir posée. Elle connaissait la réponse avant même d'avoir terminé sa phrase, mais s'était dit que l'explication de Karol pourrait être utile à Lisa et Anatol.

— Mais ils n'exposaient que les vieux maîtres ! Jamais les impressionnistes, et certainement pas Gauguin ou Van Gogh. Ces dirigeants ne les mettaient peut-être pas au même niveau de bizarrerie que les Picasso, Chagall ou Klee, mais on ne pouvait certainement pas classer ces toiles dans la peinture réaliste et académique. Officiellement, ces œuvres appartenaient à « l'art dégénéré » et aucun cacique nazi sain d'esprit ne se serait vanté d'y prendre goût. Himmler aurait débarqué aussi sec avec son obsession de la puissance germanique brute et aurait chuchoté à l'oreille du Führer que l'un de ses prétoriens était tombé amoureux des impressions et des expressions juives.

— Les nazis ne s'intéressaient vraiment qu'au réalisme ? demanda Anatol.

— Loin de là. Les Allemands savaient ce qui était bon. Officiellement, ils dénigraient l'épouvantable modernité pour lécher les bottes du grand chef. Officieusement, ils extrayaient les meilleures toiles impressionnistes des collections de Juifs français comme les pépites d'or d'un lit de rivière, le tout sous prétexte d'actions aryennes. Mais ils ne s'affichaient pas avec leurs prises.

— Et lequel de ces prétoriens soupçonnes-tu de penchants coupables pour la peinture française ? demanda Zofia, connaissant une fois de plus la réponse.

— Si on parle d'une collection cachée en Pologne, un seul oisillon chante à mon oreille, un grand amateur d'art.

— L'oisillon Frank.

— Exactement.

Avec une théorie pareille, on revient à la case de départ, se dit Lorentz qui ressentit une vague de découragement. Ils avaient peut-être découvert quelques informations mais, en réalité, ils n'avaient toujours aucune nouvelle piste, aucun point de départ. Ou alors, s'ils en avaient, ils ne savaient pas les identifier. Elle essaya de synthétiser tout ce qu'ils avaient appris, mais dans son sac de couchage, sur cette paille qui l'enveloppait, elle se sentit somnolente, ses pensées s'embrouillaient et s'emmêlaient les unes aux autres. Ses paupières devinrent lourdes.

— Si je comprends bien, dit lentement Anatol, tu suggères qu'en plus du Raphaël et compagnie, ce qui a toujours été de notoriété publique, Hans Frank s'est également procuré, on ne sait comment, un ensemble de toiles ayant appartenu à Milewski. C'est ça ?

— Précisément.

— Et qu'il considérait le Raphaël, ainsi que ses tableaux français, comme les plus précieux de ses trésors. Et il a caché ces trésors quelque part. Peut-être en prévision de son propre avenir, pour le plaisir de ses yeux. Peut-être en tant que police d'assurance, un atout dans ses négociations avec les Américains. C'est ça ?

— Ce serait logique.

Anatol devint songeur, mais lorsque Lisa ouvrit la bouche pour dire quelque chose, il lui fit signe de le laisser réfléchir.

— D'accord, dit-il au bout du compte. C'est probablement un brin décousu, mais j'ai une idée. Arrêtez-moi si ça devient trop chaotique. Supposons un instant que nous sommes sur les traces d'une collection mythique et mystérieuse du bourreau de la Pologne, Hans Frank, une collection que ledit bourreau a réunie en pillant les musées polonais et les propriétés privées. Dans cette collection, il y a le Raphaël, les tableaux du comte et Dieu seul sait quoi d'autre. Quoi qu'il en soit, ce sont des planches recouvertes de peinture, des toiles recouvertes de peinture, des bouts de bois façonnés au burin et toutes sortes de babioles pour lesquelles le monde des riches et des puissants s'excite à tort et à travers...

— Je ne sais pas si j'aurais défini de cette façon le besoin humain du beau qui se réalise dans la volonté de créer et de contempler des œuvres d'art, réagit Zofia.

Anatol ne répondit pas mais balaya l'air de la main pour indiquer que ça n'avait pas d'importance.

— Supposons donc que nous suivons la piste de ces babioles. Et que quelqu'un, au contraire de nous, estime que nous pouvons les retrouver. Supposons que ce quelqu'un, c'est l'administration des États-Unis qui essaye par conséquent de nous éliminer de diverses manières, utilisant pour cela ses propres services secrets, des tueurs mercenaires, des entreprises militaires privées et leurs pays alliés, la Pologne y compris. De cela, nous pouvons déduire que le dévoilement d'une partie du « trésor du gouverneur Frank » pourrait nuire aux États-Unis. C'est un secret. Un secret très sombre dont la découverte pourrait provoquer de sérieux dommages encore de nos jours. Ils ne se seraient pas préoccupés de devoir ajouter deux paragraphes dans les livres d'Histoire ou de voir CNN diffuser un reportage à propos d'une mission d'espionnage ratée il y a soixante-dix ans. Ça doit être bien plus gros que ça.

Anatol parlait lentement, de façon réfléchie, il extrayait difficilement les pensées les plus précieuses de l'ouragan de versions, de possibilités, d'hypothèses et de justifications qui virevoltait dans sa tête.

— Oublions les toiles un instant et concentrons-nous sur le secret. S'il est toujours aussi important aujourd'hui, il devait être méga-important en 1945. Hans Frank devait se sentir très sûr de lui pendant qu'il attendait l'arrivée des Américains dans sa villa bavaroise. Il s'imaginait probablement déjà en train de voyager en première classe jusqu'aux États-Unis sous une fausse identité et y commencer une nouvelle vie, il se voyait déjà aménager sa maison en accrochant le Raphaël dans le vestibule, entre un Monet et un Renoir. C'est ça ?

Ils acquiescèrent et Zofia se dit qu'Anatol avait eu vite fait de devenir à l'aise dans l'utilisation des patronymes des peintres. Encore un peu et ils en feraient un intellectuel.

— Et pourtant, ce n'est pas lui qui a suspendu le Raphaël à un crochet, c'est Hans Frank qui a été pendu à une potence. Et vite fait.

— En octobre 1946, confirma Karol.

— Pourquoi les Américains l'ont-ils pendu ? Il a certainement joué la carte du chantage durant les interrogatoires, il savait qu'il risquait la corde. La solution de facilité serait de dire qu'ils ont remis la main sur le secret et liquidé le témoin. Tranquilles. Mais si ça avait été le cas, ils se ficheraient aujourd'hui de savoir si on retrouve ces vieilles croûtes ou non. N'ai-je pas raison ?

Ils approuvèrent. Le récit du militaire commençait à les captiver.

— Donc, nous devons envisager une autre version des événements. Les Américains attrapent Frank et il leur dit : j'ai votre terrible secret, si vous voulez le récupérer, je veux un vol pour Buenos Aires, un gros sac d'or et une bouteille de champagne. Et eux de lui répondre : tu bluffes, sale Boche. Frank : si vous voulez, vérifiez par vous-mêmes, voyez cette planque, la carte est ici, l'emplacement du trésor est marqué d'une croix.

— J'ai mieux, intervint Karol. Pour prouver qu'il ne bluffe pas, il leur offre une toile inconnue de Renoir qui atterrit donc aux États-Unis où elle gravite dans le circuit parallèle et finit par arriver chez Richmond… Vous comprenez ?

Ils comprenaient. Mais ils voulaient qu'Anatol poursuive le fil de ses pensées. Pour le moment, son analyse de militaire tenait la route.

— Ils gardent Hans Frank sous clé, mais prennent la carte et vont voir à l'endroit marqué d'une croix. Au figuré, cela s'entend. Ils cherchent, mais ne trouvent pas le trésor et estiment donc que Frank ment, comme le putain de Boche qu'il est, et le pendent vite fait bien fait, ne le remettant surtout pas à la Pologne où il risquerait de parler aux Soviets des terribles secrets américains. Après quoi, juste au cas où, ils gardent un œil sur la région, même soixante-dix ans après la guerre. Ils veillent à ce que le secret ne refasse pas surface, ou à ce que des gens capables de le retrouver par hasard n'émergent pas non plus. Comme nous, par exemple. Enfin…

— Ça aurait du sens, confirma machinalement Zofia.

Et soudain, elle ressentit ce puissant frisson d'émotion qui l'accompagnait durant ses jeunes années, lorsqu'elle lisait sous la couette des romans d'aventures. *Le Comte de Monte-Cristo* et *Les Trois Mousquetaires*, en boucle. Au grand désespoir de sa mère qui tentait de la pousser vers *Pollyanna* ou vers *Anne de la maison aux pignons verts*.

Quelque part, au fond de son crâne, fila une pensée dont elle aurait dû se saisir. C'était quelque chose en rapport avec… Bordel ! Avec Frank ? Avec les Américains ? Avec Pollyanna ? Avec les mousque-taires ? Elle détestait cette sensation d'une pensée qui la fuyait. Bien évidemment, elle ressentit l'irritation qui l'accompagnait.

— Ça aurait du sens, ça aurait du sens, et alors ? grogna-t-elle. C'est encore une fois la même rengaine. Une autre hydre de fable, si on lui coupe une tête, trois autres repoussent à la place. Tout cela n'est que spé-culations, théories d'académiciens, tandis qu'on nous jette des grenades à la figure.

— Pourquoi tu t'agites à nouveau ? dit Karol en lui lorgnant dessus, étonné.

— Pourquoi tu t'agites ? Pourquoi tu t'agites ? le singea-t-elle. Tu demandes ça comme si tu étais déjà en train de poser devant les caméras au musée national à Varsovie, un Claude dans une main et un Vincent dans l'autre. Si cette hypothèse est juste, quelqu'un a volé à Frank sa collection et son secret entre 1945 et 1946. Et il l'a probablement bouffé après, parce que encore une fois, tout a disparu sans laisser de traces, ça devient une tradition dans cette histoire. Ça m'énerve. Il faut que j'y réfléchisse tranquillement.

Elle se libéra de son sac de couchage, passa par-dessus le tas de paille et sortit prendre l'air frais.

12

Dehors, il faisait sombre et froid, le souffle d'un vent glacial la gifla sans ménagement. Zofia se rappela la géhenne récente de sa marche à travers la forêt et faillit retourner au chaud, mais elle releva le col de son blouson et s'obligea à avancer. Elle devait réfléchir. Elle devait vraiment se poser des questions sans trois personnes qui lorgneraient par-dessus son épaule. Son environnement la stressait et la fatiguait, elle n'arrivait plus à se concentrer, l'irritation agissait sur son cerveau comme de l'alcool : elle l'abrutissait et la privait de la clarté de son raisonnement.

Tous les quatre, ils multipliaient les devinettes et les hypothèses, ils s'excitaient à la vue de quelques concours de circonstances, mais ils omettaient l'essentiel : la découverte d'un fil à dérouler et à suivre. Bien sûr, ce n'était pas aussi séduisant que de jongler avec des mystères, mais seul un travail laborieux pouvait porter ses fruits. Sans lui, ils allaient se perdre au milieu d'énigmes très imagées, un peu comme dans une salle de miroirs déformants, quand on contemple passivement ses propres reflets, des représentations et des fantaisies en lieu et place des faits.

Ce n'était pas son genre. Son genre, c'était de réfléchir, de peser le pour et le contre, de définir plusieurs solutions plausibles et de choisir la plus adéquate.

Vu la façon dont elle voyait la suite, quatre missions l'attendaient.

La première : constater si Milewski possédait vraiment une collection d'impressionnistes français.

La deuxième : découvrir qui l'avait acquise et comment elle pouvait avoir fini entre les mains de Hans Frank.

La troisième : confirmer l'hypothèse du secret de Frank.

La quatrième : retrouver le *Portrait de jeune homme*.

Elle avait la solution pour la première, elle ne voulait pas s'occuper de la troisième, parce qu'à ce stade, ce n'était que pure spéculation, sans la moindre composante scientifique. La tâche numéro deux ne la laissait pas en paix. Parce que si quelqu'un en Pologne pouvait le savoir, c'était justement elle. C'était elle qui devait réussir des exploits d'équilibriste pour prouver qu'une toile apparue à une vente aux enchères à Londres ou à Hambourg avait été dérobée en Pologne. Parfois, elle passait des mois dans les archives pour une croûte, pour un barbouillage ordinaire, à la recherche de mentions, de lettres ou de documents qui pourraient constituer une filiation crédible aux yeux d'un tribunal allemand.

Elle connaissait le destin des collections et de leurs propriétaires, elle connaissait les vies d'antiquaires et de marchands qui avaient agi durant ces cent cinquante dernières années. Elle connaissait les goûts de ces gens, leurs lubies et leurs prédilections, elle connaissait leurs filières. Elle savait comment les tableaux changeaient de propriétaires. Oui, c'était certain, si quelqu'un pouvait établir qui pouvait avoir racheté à Milewski la partie mystérieuse de sa collection, c'était bien elle.

Consciente du fait que, pour sa propre sécurité, elle ne pouvait pas s'éloigner du bâtiment, elle effectuait des allers-retours le long de l'animalerie. De temps en temps, elle entendait les murmures qui en provenaient, ainsi que les déplacements de quelques corps. Elle n'avait pas peur ; d'une certaine manière, la présence d'êtres vivants non-humains était assez apaisante.

Elle réfléchissait. Elle cataloguait dans son esprit les collectionneurs, leurs fonds et leurs œuvres. Elle les divisait entre ceux qui n'avaient certainement pas de lien avec cette affaire, et ceux qui pouvaient en avoir un. Elle se dit qu'il y avait quelque chose de purifiant dans l'obligation d'effectuer cette démarche sans carnet, sans fouilles sur Internet, sans ordinateur et sans livres sur des étagères. Elle était seule face à son savoir.

L'effort physique, l'air frais et l'extraction des tréfonds de sa mémoire de noms, d'événements et de nombres firent monter son cerveau dans les tours. Plus tôt, elle avait eu l'impression de farfouiller dans une vieille malle, c'était une corvée et un dur labeur. À présent, les idées virevoltaient autour d'elle comme des hologrammes dans un film d'anticipation ; elle comprenait et reliait toujours davantage d'informations et de plus en plus vite.

Quelque chose grogna puissamment derrière le mur en bois et elle s'écarta d'un pas. Elle comptait poursuivre son chemin, mais remarqua une petite ouverture de ventilation et eut envie de vérifier quel type de chaton les Suédois gardaient là. Elle apposa délicatement son visage contre les planches froides et sentit l'odeur forte d'animaux sauvages évacuée de l'intérieur. Elle y jeta un coup d'œil, plissant les paupières, sans grand espoir de découvrir quoi que ce fût dans l'obscurité. Pourtant, elle vit quelque chose : le grand œil vitreux d'un lion qui, de l'autre côté de la paroi, s'était intéressé à elle autant qu'elle s'était intéressée à lui. C'était un grand œil jaune avec une prunelle noire.

L'œil la regarda, puis disparut si soudainement qu'on aurait juré que le lion s'était dématérialisé. Elle n'eut pas le temps de s'étonner, quand le rugissement puissant et brusque de l'animal la terrifia tellement qu'elle bondit en arrière et se retrouva le cul dans la neige.

Le lion haleta par deux fois en guise de mise en garde et alla s'occuper de ses affaires, et Zofia comprit quelle était cette pensée qui l'avait fuie un peu plus tôt.

Le lion. Les trois mousquetaires. Un secret de famille.

Elle avait raison. Elle seule aurait pu en avoir l'idée. Et ce n'était pas du tout parce qu'elle était si cultivée.

13

Il engloutit le dernier *pierogi* au gruau de sarrasin et se dit que la cuisine polonaise était vraiment minable.

Le premier jour, des *pierogis* ; le deuxième, une soupe *żurek* à base de seigle fermenté ; le troisième, un morceau de viande avec sauce au raifort et on pouvait considérer les spécialités locales comme suffisamment testées, puis s'empresser de chercher un bon resto avec de la cuisine internationale. À moins que quelqu'un n'ait envie de goûter à un morceau de porc pané, car ce plat repoussant et puant la friture était considéré par ici comme un mets digne des rois.

Mais des *pierogis* trempés dans de la crème épaisse, ce n'était pas si mal, il fallait bien l'avouer.

Hermod s'essuya la bouche avec une serviette patriotique à carreaux blancs et rouges et jeta un œil au SMS qu'il venait de recevoir. Il n'avait pas douté une seconde que cette dépêche finirait par tomber. À l'époque de la surveillance généralisée de tous et de chacun, sous couvert de lutte contre le terrorisme, il suffisait de connaître les bonnes personnes qui connaissaient les bonnes personnes pour avoir accès à n'importe quelle information parmi tous ces zettabits de données conservées pour le bien des citoyens. Le problème, ce n'était pas l'accès aux informations ; le problème, c'était de savoir quelle information chercher.

Avant tout, il avait considéré que les quatre fugitifs devraient se procurer des papiers. Hermod avait supposé qu'ils avaient des contacts en Russie. Ces sauvageons de l'Est se serreraient toujours les coudes au bout du compte, peu importe où on leur traçait les frontières. Lisa connaissait les malfrats, Gmitruk les services secrets, Boznański tous ces oligarches spécialisés dans le blanchiment d'argent par le biais du commerce d'antiquités. Il se trouvait qu'en Russie, ces trois catégories de personnes faisaient au fond partie de la même famille.

Il en déduisit qu'un Russe quelconque allait leur fournir des papiers de l'un des pays baltes. D'abord parce que c'étaient de bons passeports de l'Union Européenne qui supprimaient la nécessité de visas, ensuite parce que les pays baltes étaient quand même d'anciennes parties de l'URSS, ils étaient autant indépendants de la Russie que le Maroc de la France. Soit juste en théorie.

Il avait misé sur la Lettonie.

C'est pourquoi il restait paisiblement installé dans un café du centre-ville de Varsovie et attendait de nouvelles informations au sujet de vols réservés depuis la Suède par des citoyens lettons.

Après s'être discrédités en Suède, les Américains avaient fini par se retirer la queue entre les jambes et cela contentait grandement Hermod. Ils lui avaient demandé si, tout compte fait, il n'accepterait pas de finir ce qu'il avait commencé, parce que quand il avait foiré l'affaire, ils n'avaient eu qu'à ramasser le cadavre d'un gardien de quartier, mais quand ils avaient foiré l'affaire, une semaine leur avait été nécessaire pour s'arranger avec la Suède et éviter un scandale international. Hermod leur avait demandé sur un ton grinçant s'ils étaient ouverts à la négociation parce que leur précédent contrat avait été rompu et que ça n'avait pas été sur son initiative. Ils lui avaient répondu que le prix n'avait pas d'importance.

Même s'il en avait eu, Hermod aurait quoi qu'il en soit accepté. Ce n'était plus une mission comme n'importe quelle autre. L'affaire était devenue personnelle.

Il prit connaissance des détails du message. Il y réfléchit un instant et jugea plus sûr de prendre les devants que de les attendre. Les probabilités qu'ils viennent par ici étaient presque de cent pour cent, mais il prenait ses adversaires pour des amateurs et des idiots, et ceux-ci étaient toujours imprévisibles.

Il paya sa consommation, héla un taxi très moche qui attendait sur une place au style architectural du réalisme socialiste, mais mouchetée de publicités capitalistes, puis ordonna à un homme très moche lui aussi de le conduire à l'aéroport. L'instant d'après, il exigea qu'il éteigne l'autoradio où tournaient en boucle des remix miteux des plus populaires chants de Noël, sans parler des annonces pour telle ou telle marque qui commençaient invariablement par un « Ho, ho, ho ! » tonitruant.

En chemin, il se demanda quelle caractéristique humaine manipuler. Quel défaut ou quelle qualité, qui était en réalité un défaut, mettre à profit ? Quel point faible exploiter ? Le patriotisme ? L'amour ? La loyauté ? La cupidité ? La volonté de survivre à n'importe quel prix ? La peur ? L'attachement ? La nostalgie ? Le ressentiment ?

Le choix était vaste.

14

Il n'arrivait pas à se décider à sortir de son bain. Il trempait dedans depuis deux bonnes heures et bien qu'un tas de journaux récupérés à la réception fût posé près du lavabo, le seul fait de tendre la main pour les prendre et vérifier ce qui se passait dans le monde, sans même parler de leur lecture détaillée, était au-dessus de ses forces. De toute façon, il fallait bien admettre que rien ne se passait dans le monde, les gens se préparaient pour Noël et puis c'est tout.

Pour être honnête, une seule action paraissait à sa portée : ouvrir le robinet d'eau chaude d'un coup de talon quand il sentait la fraîcheur arriver.

Alors, Karol Boznański ouvrait le robinet. Toutes les dix minutes en moyenne. Et il se promettait que c'était la dernière fois. Puis il recommençait. Non pas parce qu'il s'était senti sale durant ces quelques jours, ni parce qu'il avait eu tellement froid. Tout simplement, dans cette baignoire assez laide de cet hôtel miteux du quartier du port de Göteborg, il se sentait relativement en sécurité.

Il ne se demandait plus si la balle d'un assassin allait l'atteindre. Il ne se demandait pas si la glace sous la voiture allait tenir. Ni si les policiers suédois allaient les retrouver au fond de la forêt. Ni s'il gèlerait à mort dans les vastes étendues scandinaves. Allaient-ils se faire remarquer par les employés du zoo venus déposer dans leur cachette un peu d'excréments et emporter un peu de paille fraîche ? Allait-il se faire dévorer par un lion ? Est-ce que des mercenaires armés allaient bondir de l'automobile qui croisait leur route ? Est-ce que le passeport letton permettrait de louer une chambre dans un hôtel pouilleux ? Et si oui, l'enregistrement entrainerait-il la venue de quelqu'un ? Ce quelqu'un allait-il les attendre à la réception, ou à l'angle du couloir, farfouiller dans la serrure de sa porte avec un passe-partout, avancer à pas feutrés dans la chambre, un pistolet équipé d'un silencieux à la main, prêt à tirer ? Aucune chance que quelqu'un le sauve au dernier moment. Parce que tout le monde, littéralement tout le monde, était à l'heure actuelle son ennemi.

Ils avaient passé deux journées supplémentaires au zoo de Kolmården. Par deux fois, des employés étaient venus et alors, durant une demi-heure, Karol et ses compagnons s'étaient efforcés de ne faire aucun bruit, se retenant de respirer, enfouis dans le coin le plus profond du tas de paille, espérant que personne n'eût l'idée saugrenue de jouer au javelot avec sa fourche.

Ils avaient beaucoup discuté, s'étaient chamaillés quelques fois, étaient tombés d'accord à d'autres moments, mais à la fin, ils en étaient venus à la conclusion qu'ils étaient seuls et ne pouvaient compter sur l'aide de personne.

— Nous devons récupérer le Raphaël et découvrir son secret avant que les autres ne nous retrouvent. C'est notre unique chance. Pas une chance de bonheur ni de richesse, mais une chance de survie, avait fini par dire Zofia et ça avait été le meilleur résumé de leur discussion.

Et puis, elle leur avait dit ce qu'ils devraient faire selon elle pour réussir : se séparer et se rendre en Croatie et en Ukraine.

C'est alors que les véritables disputes avaient commencé. Anatol devait les calmer régulièrement parce que les lions, derrière les cloisons, sentaient la tension et commençaient à s'agiter, ce qui pouvait attirer du monde. Par conséquent, ils s'étaient disputés en chuchotant et avec retenue, mais avaient continué à le faire, parce que le plan du docteur Zofia Lorentz semblait les enfoncer plus profondément dans l'aventure et accroître les risques, au lieu de les rapprocher d'un dénouement heureux. Elle avait eu besoin de plusieurs heures pour leur démontrer que tout cela était indispensable.

— On peut supposer que des gens ont cherché ce secret au cours des dernières décennies avec plus ou moins d'engagement. Ils l'ont toujours fait de la manière dont vous parlez. Et ça n'a pas marché. Donc, si nous voulons avoir la moindre chance de réussir, nous devons changer de tactique. Imaginez un petit village dans lequel un crime horrible a été commis. Il faut enquêter bien des années plus tard pour découvrir le coupable. Vous me dites, prenons un microscope et regardons en détail chaque millimètre carré du lieu du crime. Moi, je dis, ça n'a aucun sens, tout le monde l'a déjà fait. Je vous suggère plutôt de vérifier qui a emménagé dans ce village au cours des cinquante dernières années et pourquoi. Aucune garantie que ça porte ses fruits ? Peut-être, mais ça vaut le coup d'essayer.

Elle les avait persuadés avec une grande patience et à la fin, ils lui avaient donné raison. Ils avaient un plan, il leur manquait des papiers et de l'argent, soit des broutilles, pour le mettre en application.

Le troisième jour, ils avaient eu des nouvelles de Vassili : les documents et l'argent allaient arriver de Kaliningrad par un cargo russe au port d'Oxelösund, distant de cinquante kilomètres de leur cachette. En théorie, c'était trop long pour une promenade hivernale en forêt mais, en pratique, il leur était difficile de trouver une autre solution. Un voyage à quatre n'avait pas de sens, l'unique action logique était d'envoyer

Lisa. En tant qu'originaire du pays, elle seule avait une chance d'arriver au port sans un centime en poche, ne pouvant emprunter que les petites routes et n'ayant à sa disposition que ses pieds et le bon cœur des paysans suédois enclins à la prendre en stop sur quelques kilomètres dans leur Volvo usée.

Alors, elle était partie.

Douze heures plus tard, ils avaient perdu l'espoir de la voir revenir. Lisa Tolgfors avait soit été capturée, soit tuée, soit elle les avait abandonnés à leur sort, considérant à juste titre que seule, elle se débrouillerait bien mieux.

Treize heures plus tard, ils avaient quitté la grange pour se livrer au commissariat. Ils n'avaient pas le choix.

En sortant, ils étaient tombés sur Lisa qui escaladait justement le grillage. Une voiture de location remplie de nourriture encore chaude de chez Mc Do les attendait deux cents mètres plus loin.

Ç'avait été un festin mémorable.

À Iönköping, ils avaient rendu la voiture et en avaient loué deux autres auprès de compagnies différentes. À Göteborg, ils se présentèrent déjà en tant que deux couples de Lettons sans lien l'un avec l'autre : Einars Jakovlevs et Daina Tutins, soit Anatol et Lisa, et Andris Bastiks et Iveta Pimenovs, soit Karol et Zofia. Ils avaient acheté sur Internet les billets d'avion pour la suite de leur périple et ils s'étaient planqués dans deux hôtels bas de gamme en attendant l'heure des décollages.

Karol quitta son bain et jugea qu'il prendrait un risque acceptable s'il descendait à la cafétéria de cet établissement une étoile et avalait un repas composé d'œufs brouillés en poudre, de saucisses probablement à base de nourriture pour porc et d'une sorte de gruyère en tranches, certainement coloré au bêta-carotène.

En chemin, il fit une pause dans le hall d'entrée devant un minuscule bureau sur lequel était disposé un ordinateur antédiluvien. Une feuille accrochée au mur indiquait *En libre-service !*, mais aurait plutôt dû inviter à la contemplation, car l'équipement semblait provenir du musée de la technologie.

Ils ne pouvaient pas se connecter à leurs messageries personnelles ni aux réseaux sociaux, c'était évident, mais Karol s'installa devant l'écran pour vérifier une chose à laquelle il pensait sans cesse depuis quelques jours. C'était de la curiosité pure, un point, c'est tout.

Il retrouva le site pour la collecte des fonds et, au milieu de celui-ci, la page de cette Sylwia qui avait raconté à la radio que rien ne pouvait mieux guérir une maladie du cœur que l'amour, à condition que cet amour fût doté d'une somme d'argent conséquente. La page donnait les détails de la maladie de Sylwia Seredyńska, mais elle informait également qu'il ne restait plus que cinquante-sept jours jusqu'à la fin de la quête, que tous ceux qui verseraient plus de cinquante dollars obtiendraient une tasse numérotée fabriquée pour l'occasion en guise de remerciement, et que sur les deux cent cinquante mille dollars nécessaires, on en avait jusqu'à présent réuni quatorze mille huit cents.

C'était peu, jugea Karol, surtout si on considérait que les amis et la famille avaient probablement versé ce qu'ils pouvaient dès le premier jour.

Par réflexe, il eut envie de cliquer pour transférer cinq cents zlotys, peut-être même mille, sa situation financière ne s'en trouverait pas modifiée, mais il se rappela qu'utiliser une fausse identité et demeurer dans l'ombre n'incluait pas la possibilité de se connecter à distance à son compte en banque.

C'est pourquoi il se promit de régler ça plus tard. Il jeta encore un coup d'œil à la sympathique femme, rieuse sur la photo, qui enlaçait un gars lambda sur la jetée de Sopot, et partit manger ses œufs brouillés industriels.

15

Au même moment, Hermod était déjà arrivé à Göteborg. Bien qu'il n'eût pas été assez rapide pour attraper le vol direct, la correspondance par l'aéroport Tegel de Berlin s'était avérée suffisante. Sa table dans ce bar d'hôtel était aussi laide que celle de Varsovie ; une sorte de malédiction esthétique le persécutait depuis qu'il s'était embarqué dans cette affaire polonaise.

Une autre personne était assise face à lui et prenait à ce moment précis une décision difficile. Enfin, elle croyait réfléchir longuement, peser le pour et le contre, effectuer des choix moralement compliqués et souffrir les affres d'un tiraillement interne dû à la plus pénible décision de sa vie.

En réalité, à l'instar de tous les êtres humains, cette personne avait déjà pris sa décision depuis belle lurette, une décision conforme à ses besoins immédiats, et ne tentait à présent que de la rationnaliser pour ne plus ressentir de honte.

Hermod le savait, il était probablement meilleur psychologue encore qu'assassin. C'est pourquoi, il ne pressait pas la personne assise en face de lui. Il buvait tranquillement son café en attendant que ce théâtre moral touche à sa fin et qu'il puisse se rendre dans un endroit plus esthétique où il se préparerait au calme à régler cette affaire une bonne fois pour toutes.

Chapitre 6

Sveta Katarina et Lviv

1

Ils avaient pris place au restaurant Sim Porosiat de Lviv qui s'enorgueillissait, à juste titre, de servir la meilleure nourriture de la ville. Zofia était pensive et Karol submergé par les assiettes : puisqu'il n'avait pas réussi à faire son choix, il avait commandé un peu de tout. La place d'honneur était occupée par un porcelet à la sauce forestière. Il fit signe au serveur et réclama une seconde vodka.

Zofia lui jeta un regard lourd de sens.

— Vu notre situation, nous devrions rester sobres. Tu ne sais pas si quelqu'un ne nous guette pas dans la rue.

— Laisse-moi tranquille. Je te rappelle que tu m'as quitté, perdant par la même occasion le droit de te comporter avec moi en épouse grincheuse. Mange un bout, bois un coup, décompresse.

Il passa au repas. Quel délice c'était ! Sous la peau grasse et craquante se cachait une viande si délicate qu'il était presque dommage de l'avaler. Il s'efforçait de mâcher soigneusement, étalant avec application la nourriture sur l'ensemble de ses papilles gustatives afin d'en profiter le plus longtemps possible.

— C'est quoi comme viande ? demanda Zofia. Juste par curiosité.

— Ce n'est pas n'importe quelle viande. Ceci, ma chère, est le meilleur morceau de porc de la planète.

— Et en quoi diffère-t-il d'un morceau de porc normal ?

— De la même manière qu'un veau diffère du bœuf et qu'un agneau diffère du mouton. C'est un cochon de lait. Trop bon.

— On le fait cuire dans du lait ?

— Non, on le fait cuire normalement. On l'appelle comme ça parce qu'il n'a été nourri qu'avec du lait de sa mère.

— Quand on l'a assassiné ?

Il serra les dents. Cette sale mégère avait réussi à donner un goût pâteux à la viande qui lui donnait maintenant l'impression de gonfler dans sa bouche. Karol avait à présent devant les yeux l'image d'un être minuscule et rose, heureux de vivre, somnolant en confiance auprès du mamelon d'une truie qui grouinait joyeusement. Puis il vit la main d'un boucher ukrainien qui le saisissait.

— Tu manges un bébé, dit-elle.

Il décida de jouer au dur. Il se para d'un sourire rayonnant et enfonça un autre morceau entre ses lèvres.

— Tu sais que seuls les humains et les autres primates sont plus intelligents que les cochons ? Tu crois que les porcs ne saisissent pas ce que vous faites à leurs jeunes ? Parce que ce porcelet était probablement encore trop petit pour comprendre, pas vrai ? Il devait juste avoir extrêmement peur.

Karol avala la bouchée suivante avec difficulté. Il reposa ses couverts et repoussa l'assiette à peine entamée. Il observait le sourire satisfait du docteur Lorentz, il observait ses yeux noirs – les gens d'ici les prenaient probablement pour des yeux de cosaque –, il observait sa frange blonde qu'elle chassait méthodiquement de son front en soufflant dessus. Il observait ses doigts fins, presque enfantins, qu'elle avait croisés sur la table. Et malgré tout, il n'arrivait pas à être véritablement furieux contre elle.

— Et ce n'est pas moi qui t'ai quitté, précisa-t-elle.

Devaient-ils enfin avoir cette discussion ? Ici, dans le sous-sol d'un restaurant ukrainien décoré sur le modèle d'une maison traditionnelle ? Au milieu des peaux de mouton, des murs blanchis à la chaux, des poêles en faïence et des serveurs en chemise brodée ?

Il se jeta la deuxième vodka au fond du gosier et fit signe au garçon de remplir à nouveau son verre.

— C'est intéressant…, dit-il après un instant de réflexion. Tu as fait ta valise et tu es sortie en claquant la porte, puis tu es revenue en douce chercher le reste de tes affaires quand je n'étais pas là, et tu as laissé tes clés dans la boîte aux lettres…

Il suspendit la voix.

— … mais ce n'est pas toi qui m'as quitté ?

— Non.

Elle appuya le menton sur ses doigts entrelacés. À la lueur des bougies, cette femme lui paraissait adorable.

— C'est toi qui m'as laissée, émotionnellement, dit-elle. Tu ne m'as laissé aucun choix. J'ai peut-être quitté ton domicile, mais ça ne change pas le fait que j'ai été abandonnée. Et je devrais avoir droit à des excuses pour ça.

Il n'en croyait pas ses oreilles. Il but un autre verre et mangea une fine tranche de *salo* pour gagner du temps.

— Et ça, c'est quoi ? Du fromage frais ?

— Du *salo*.

— Du quoi ?

— Je pourrais te dire que c'est de la bardière, mais ce n'est pas la même chose. La bardière, c'est un morceau de lard, le *salo*, c'est... comment dire... c'est un art de vivre.

— Autrement dit, c'est de la graisse. D'un cochon de lait aussi ?

— Non, d'une vieille truie si épuisée par la vie qu'elle s'est réjouie à la vue de la hache, parce que cela faisait longtemps qu'elle priait pour obtenir l'euthanasie. Le *salo* est sacré et il n'est pas question que tu m'en écœures. Tu sais qu'on le mange par ici jusque dans le chocolat ?

— Arrête, tu me donnes la nausée.

— Tu as quelqu'un ?

— Pardon ?

Le changement brusque du sujet lui fit perdre sa contenance une fraction de seconde.

— Je te demande si tu fréquentes quelqu'un.

— Ça ne te regarde pas.

— Arrête, entre vieux amis. Tu as quelqu'un ?

— Rien de sérieux. Quelques rencontres de passage, quelques passions fugaces, quelques fascinations vite consommées, mais brûlées dans une flamme puissante. Et une belle perspective de stabilisation. Un juriste, rencontré via des amis au ministère. Un très bel homme, un peu à la Russell Crowe, mais en plus sportif. Le Russell Crowe de *Gladiateur*, voilà.

— Super. Qu'est-ce qu'il fait dans la vie ?

— Demande plutôt ce qu'il ne fait pas. Il est un instructeur de tennis et moniteur de ski, mais ces temps-ci, son truc, ce serait plutôt la voile. Pas au sens de séjours au port, guitare sous le bras et une bière à la main, mais au sens de régates, d'océan, de vagues si hautes qu'on croirait des immeubles. Il me dit que seule la vie à la lisière de deux éléments qui se combattent, l'eau et le vent, le fait se sentir véritablement libre.

Elle lui sourit mielleusement et tendit la main à travers la table pour saisir une tranche de *salo*.

— Et toi, comment ça va ?

— Je veille à mon hygiène sexuelle, si c'est ça la question.

— Je te manque ?

— Comme la varicelle.

— Excuse-toi.

— Pourquoi ? Pour une blague stupide ?

— Pour m'avoir abandonnée en m'obligeant à te quitter. Tu ne t'es jamais excusé pour ça. J'y ai droit.

— Ne me fais pas rire.

— Pour moi, ce n'est pas drôle. Quand on lance à quelqu'un, à une personne qu'on déclare aimer, que tu ferais mieux de te casser parce que tu gâches notre temps

421

et nos vies, ça ne ressemble pas à une demande en mariage, mais à une rupture.

— Je n'aime pas utiliser des termes forts…

— C'est nouveau, ça.

— … mais sortir cette phrase du contexte est assez ignoble.

— Non, Karol, tu as tort. Il y a des phrases qui, indépendamment du contexte, signifient exactement ce qu'elles signifient. Il y a des paroles impardonnables et impossibles à retirer, des paroles qui achèvent toute chose plus sûrement qu'un plomb de carabine. Et ce que tu m'as dit ce jour-là pourrait être utilisé dans les dictionnaires comme définition d'une phrase définitive. C'est la pire chose que j'ai entendue de ma vie.

Elle reprit une tranche de *salo* avant de vider d'un trait le verre de vodka posé devant lui. Elle fit signe au serveur pour qu'il en remette deux.

— Excuse-moi. Mais ce n'est pas une raison pour me piquer mon dîner.

— Dis-le normalement.

Il ouvrit la bouche pour répliquer aussi sec mais estima que ça n'avait aucun sens, que ce petit jeu ne l'amusait plus. Il s'obstinait simplement parce que, au cours des dernières années, il s'était répété un million de fois que c'était elle qui avait commencé. Et il s'en était presque convaincu. Presque. Il balaya du regard l'étrange décoration en carton-pâte de la salle, cette maison de campagne reconstituée dans la cave d'un immeuble en plein cœur de Lviv. Au fond, ce lieu convenait aussi bien qu'un autre pour une confession.

— Je te demande pardon, dit-il. Je te demande sin-cèrement pardon.

Il s'attendait à un triomphe, à de la moquerie, mais Zofia se leva brusquement et partit.

2

Elle réussit à atteindre les toilettes avant de se mettre à pleurer. Elle pencha la tête pour que les larmes tombent directement dans le lavabo et ne coulent pas sur ses joues. Mais le mascara s'étala malgré tout et des gouttes noires ruisselèrent sur la porcelaine. Maudit soit-il !

Elle retrouva son calme et assécha délicatement ses yeux avec une serviette en papier. Son sac à main était resté à table et elle ne pouvait pas refaire son maquillage.

Elle prit plusieurs inspirations profondes et sortit. Elle serait volontiers restée isolée plus longtemps, mais ne voulait pas lui donner cette satisfaction. En traversant cette maison folklorique artificielle, elle se demandait ce qu'elle allait lui dire.

Elle ne lui dit rien parce que Karol n'était plus seul. Elle le retrouva en train de serrer dans ses bras un homme assez costaud, tandis que le serveur plaçait sur leur table une bouteille de vodka.

L'inconnu répondait au prénom de Serhij et Karol le présenta comme étant un spécialiste, qualificatif qu'il souligna par une mine si grave qu'on aurait juré son ami expert en perçage de rotules : il passait ensuite des câbles en acier dans les genoux de ses victimes

423

pour les traîner derrière sa BMW noire. Pourtant, si telle était vraiment la profession de cet homme, il n'en avait pas l'air. Il faisait peut-être de son mieux pour le prétendre, ayant enfilé un pull noir à col roulé sur son torse bien bâti, style qui était passé de mode en Pologne vingt ans plus tôt, et l'ayant enfoncé dans un pantalon de costume noir décoré d'une ceinture fine avec une boucle en argent. Mais pour parfaire cette une allure de mafioso, il aurait fallu planter sur ce déguisement une tête de mafioso. Or, le visage de Serhij était si sympathique que son propriétaire semblait partager son temps entre jouer avec ses enfants, travailler au sein d'une œuvre caritative et soigner sa mère malade.

Il parlait très bien polonais, ne commettant presque aucune faute.

— Karol est merveilleux, s'extasiait l'Ukrainien comme s'il en était amoureux. Sans lui, nous n'aurions jamais récupéré le portrait, je ne sais pas si vous en avez entendu parler…

— Le portrait de Varvara Nikolaïevna Khanenko, le coupa Zofia. Peint par un impressionniste espagnol, Ulpiano Checa, à la fin du XIXe siècle, puis volé par les Allemands à Kiev. Huile sur toile, quatre-vingt-dix sur soixante, si ma mémoire est bonne.

Elle vida un verre de vodka, permettant à Serhij de rester un moment bouche bée.

— C'est un portrait assez réussi. Si on le vendait aux enchères, il vaudrait probablement une quinzaine de milliers de dollars, mais pour vous, il avait surtout une valeur sentimentale, car c'est le portrait de l'épouse de Bohdan Khanenko, le fondateur de la plus importante collection de peinture étrangère en Ukraine, célèbre surtout pour un Velásquez et quelques vieux maîtres. Malheureusement, une centaine de toiles de cette collection se trouvent toujours sur la liste des œuvres égarées, dont un autre Checa. Vous vous occupez de ça professionnellement ?

— Serhij.

— Tu t'en occupes professionnellement, Serhij ?

— Je suis un spécialiste.

Il le dit avec une grande emphase.

— Oui, j'ai entendu. Mais de quoi es-tu spécialiste ?

Elle ressentit la démangeaison familière de l'irritation. Ces derniers temps, il n'en fallait pas beaucoup pour l'agacer. Elle devrait en parler à son médecin, c'étaient peut-être les hormones, ou une ménopause précoce.

— Zofia, les choses sont ici différentes de chez nous, dit Karol. Serhij est dans notre domaine, il est historien d'art de formation. Mais son métier, c'est d'être simplement spécialiste. Il se spécialise dans les choses, disons, difficiles. Cela veut dire qu'il connaît beaucoup de gens qui connaissent beaucoup de gens. Tu comprends ? Chaque société est composée de cercles, de connexions, de réseaux. Et Serhij est un navigateur né des relations interhumaines. Il sait se déplacer sur la toile des réseaux comme une araignée et il arrive à y détecter ce qui est utile. Il déniche les véritables informations et non ces données délavées et mille fois repassées qu'on voit sur Internet. Pas ces articles de presse façonnés et digestes. Pas les données brutes des catalogues et des archives des ministères. Il obtient les véritables informations.

— Tirées des gens et de leur mémoire, ajouta Serhij, hochant la tête pour dire qu'il ne l'aurait pas mieux formulé.

Le docteur Zofia Lorentz observa un long moment le visage sincère du grand blond.

— Nous devons trouver un homme dont personne ne sait rien, dit-elle enfin.

— Comme toujours, répondit Serhij avec un sourire radieux. Comme toujours.

3

La douleur après une perte est comme un costume d'épines. Au début, nous ne comprenons pas ce qui se passe, nous nous débattons dedans, nous déchirons notre peau avec les piquants et tout notre corps saigne. La souffrance devient l'unique préoccupation. Peu à peu, nous apprenons que nous débattre n'a aucun sens. Nous demeurons immobiles, les plaies se referment et nous nous répétons en boucle que nous allons recouvrer la santé. À la fin, il nous faut bouger ; alors, nous réalisons que la combinaison restera pour toujours et que notre épiderme est parsemé de cicatrices roses et délicates, prêtes à se rouvrir, à saigner et à faire mal au moindre remous. Nous ne pouvons pas vivre dans la combinaison comme nous vivions avant. Nous ne pouvons pas oublier la douleur et faire comme si de rien n'était.

Longtemps, il avait cherché la bonne métaphore et celle-ci lui parut adéquate.

C'était peut-être pour cela qu'au moment exact où Zofia et Karol exhumaient leurs traumatismes

426

sentimentaux dans une auberge de Lviv, Lisa et Anatol se comportaient dans leur lit, à l'étage d'une pension de famille croate, comme s'ils voulaient vaincre leurs douleurs par le sexe. Il y avait quelque chose de désespéré dans leur façon brutale de faire l'amour.

Anatol voulait enfin oublier, il ne voulait plus entendre la voix qui affirmait que seul un amour véritable pouvait guérir un cœur.

Lisa voulait chasser de ses rétines, au moins l'espace d'un instant, l'image de Sten Borg en train de brûler. Elle voulait que son hurlement d'agonie cesse.

C'est pourquoi, ils ne faisaient pas tellement l'amour, mais plutôt baisaient à mort. Étreinte après étreinte, la douleur leur donnait des forces, tandis que chaque pause et chaque instant à passer avec leurs pensées constituaient une menace. Ils se mordaient et se griffaient, ils s'étiraient et se tordaient, sans aucune caresse ni aucune affection.

Lorsqu'ils s'effondrèrent enfin, haletants, égratignés comme s'ils avaient traversé nus un champ de framboisiers, luisants de leurs sueurs et de leurs fluides corporels, ils estimèrent à l'unisson qu'ils venaient de vivre la meilleure partie de jambes en l'air de leur vie. Et qu'ils se sentaient vraiment beaucoup mieux. Et que même si cela ne durait qu'un temps, c'était toujours ça de pris.

— À quoi te servent tous ces tableaux ? demanda Anatol.

— Hmm ?

— Ça fait longtemps que je voulais te poser la question. À quoi te servent tous ces tableaux ? Je n'arrive pas à piger. J'y connais rien en art, j'ai pas d'argent.

427

De mon point de vue, tu possédais tout. À quoi bon prendre des risques pour obtenir un morceau de toile colorée qu'on ne peut même pas afficher ? Tu les volais sur commande ?

— Non. Elles sont toutes chez moi. Je ne te dirai pas où, mais dans une cachette personnelle. Bon, d'accord, j'en ai vendu plusieurs, celles qui ne me faisaient pas un grand effet, histoire d'avoir un peu de sous pour les dépenses courantes.

— Un peu ?

— Quelques millions.

Elle l'avait dit sur un ton tel qu'il n'y tint pas et partit d'un rire sincère. Pour un peu, il se mettrait à apprécier cette fille. Cette dame, plutôt.

— Tu veux que je te dise comment je vois la peinture ? demanda-t-elle après un temps. Ne t'inquiète pas, je ne suis pas Lorentz, ce ne sera pas un cours magistral.

— Vas-y.

— La peinture, c'est de la lumière. C'est de la physique de base. La lumière extrait toute chose du néant et rebondit sur chaque surface de façon différente, si bien que les couleurs apparaissent. Peindre, c'est tenter de restituer cet instant fugace où une quantité infinie de rayons de lumière est réfléchie par le monde et atteint notre rétine. C'est clair ?

— Plutôt.

— Bien sûr, d'autres peintres y sont arrivés avant lui, mais c'est seulement mon Claude et les autres impressionnistes qui ont démontré que la lumière, c'était la vie. Leurs tableaux disent : nous vivons dans un monde de lumière. Pas dans un monde où la lumière dissipe les ténèbres. Pas dans un monde où la lumière nous conduit à travers l'obscurité, où elle nous attend au bout du tunnel. Non, tout simplement, nous vivons dans un monde de lumière. Tu sais qu'ils n'utilisaient jamais le noir ?

— Sérieux ?

— Sérieux. Enfin, ils n'étaient pas dogmatiques, mais ils obtenaient les teintes dont ils avaient besoin en mélangeant les couleurs que nous voyons sur un arc-en-ciel. Et c'est quoi, un arc-en-ciel ? De la lumière réfractée dans des gouttelettes d'eau. Leurs meilleurs tableaux sont nés lorsqu'ils ont capturé un moment de lumière, comme une once de vie figée dans l'ambre. De par le monde, il y a au quotidien un nombre incalculable d'instants pareils et, mis bout à bout, ils forment l'existence. Dans chacun de leurs tableaux, je vois ces instants-là et, ça te paraîtra peut-être grandiloquent, mais je me dis alors que c'est chouette d'être humaine. Oui, c'est tout simplement chouette. Tu crois en Dieu ?

— Je ne sais pas.

— Moi non plus, je ne sais pas. Je dirais plutôt non. Mais je crois en l'homme. Au *Déjeuner sur l'herbe*, à la *Femme à l'ombrelle*, au *Lac des cygnes*, à la *Polonaise héroïque*, à la cathédrale de Reims, à *David Copperfield* et à *Ronya, fille de brigand*. Montre-moi un dieu capable de créer de telles choses.

— Tu sais ce que te répondrait un croyant. Que des perce-neige sur un flanc de montagne, des chevaux au galop, des bonnets 95 D…

— Je suis trop plate pour toi ?

Il rit.

429

— Je sais où tu veux en venir, reprit-elle. Mais la nature est belle par hasard. Le soleil est une boule de matière, le cheval est devenu tel qu'il est au cours de l'évolution parce que c'était plus pratique pour lui, les montagnes ont un air fabuleux parce que deux plaques tectoniques sont entrées en collision pour commencer, puis le vent et la pluie ont fait le reste. Tu comprends ce que je veux dire ? C'est beau, mais n'a pas été créé pour l'être. Nous savons comment ça a été formé, par la physique, la chimie et la biologie. Si un créateur existe, alors son acte créateur s'est limité au fait de lancer quelques atomes d'hydrogène dans le néant et de dire, eh, voyons voir ce qui advient. Pour moi, c'est du dadaïsme, ou peut-être même pas. Seul l'homme est capable de la création volontaire du beau. Mon Claude met une trempe à n'importe quel dieu. Et je suis peut-être plate, mais pas mauvaise au lit.

Il embrassa son petit sein, se leva et s'étira. Tous ses muscles lui faisaient mal. Il s'approcha de la porte de la terrasse et l'ouvrit en grand. L'air nocturne avait une température de dix degrés, sa fraîcheur était agréable, la brise sentait le sel, l'ensemble changeait agréablement des conditions arctiques qui régnaient en Suède. Rien de tel que la Méditerranée.

Pour venir ici, ils avaient pris un vol de Munich à Trieste où ils avaient loué une petite Fiat Panda, puis avaient parcouru en une heure et demie, traversant au passage la Slovénie, les cent kilomètres qui séparaient ce port italien du village croate de Rovinj. Ils avaient passé l'heure suivante à chercher un hébergement. On était hors saison et la plupart des hôtels étaient fermés. De plus, trois jours avant Noël, les Croates avaient bien mieux à faire qu'accueillir des touristes étrangers. Par chance, pas tous.

Ils payèrent bien trop cher, mais l'endroit était splendide. Anatol marcha sur les froides dalles en pierre et observa les environs. À deux heures du matin, l'unique bruit audible était le clapotis des vagues. Leur villa était située à la lisière de la vieille ville déployée sur la presqu'île. Devant lui, il distinguait une ruelle étroite et, à son bout, un port de plaisance avec quelques yachts soigneusement enveloppés pour l'hiver et les eaux sombres de l'Adriatique dont émergeait, quelques centaines de mètres plus loin, la forme allongée et parsemée de conifères de Sveta Katarina.

La lune extrayait de la nuit le contour d'un immeuble qui, dressé sur une colline, avait constitué cent ans plus tôt la demeure fabuleuse du comte Korwin-Milewski.

Par une des fenêtres, on voyait une lumière allumée.

4

Le problème n'était pas tant qu'elle évitait Karol depuis la soirée de la veille. Simplement, elle ne cherchait ni sa compagnie ni celle de personne d'autre. Ayant correctement dormi, elle prit son petit-déjeuner puis s'autorisa, considérant qu'elle avait bien mérité quelque chose de sucré, une grande part de *Sachertorte*. Le gâteau était délicieux et elle donna raison à Karol : le restaurant était une raison amplement suffisante pour loger à l'hôtel Vienna.

Puis elle se força de sortir en ville. Elle avait envie de rester dans l'espace sécurisé de l'hôtel, et de préférence dans l'espace sécurisé de sa chambre, mais estima que feindre la normalité était encore le meilleur moyen de garder l'esprit sain dans la présente situation. Sans cela, elle aurait tout mouliné et tout ressassé sans fin. Il lui fallait au contraire préserver les apparences d'une existence banale.

Elle se promena donc dans une Lviv hivernale, surprise de constater que, bien qu'on fût un 23 décembre, on ne voyait nulle part cette folie furieuse qui s'emparait de la Pologne avant les fêtes. Il lui fallut un certain temps pour réaliser qu'en Ukraine, autant les chrétiens orthodoxes que les catholiques célébraient Noël selon le calendrier julien, c'est-à-dire début janvier.

Elle respirait l'atmosphère de la ville. Lviv lui parut pauvre ; en dépit de louables efforts, on ne réussissait pas à masquer les ravages de décennies de négligence soviétique. Kiev, encore, ou Donetsk, ou Kharkov avec ses industries d'armement, ces villes pouvaient compter sur la clémence de Moscou du temps de l'URSS. Mais Lviv l'intellectuelle, mentalement liée à la Pologne qui causait elle-même des soucis, était condamnée au marasme. Et c'est ce qui sautait aux yeux : personne ne prenait soin de la cité depuis très longtemps et, de nos jours, même si quelqu'un en avait eu envie, il n'en aurait pas les moyens. Pas de fonds européens par ici, pas de milliards à dépenser en réformes, en travaux d'infrastructure et en embellissements.

Quel dommage, se dit-elle. La ville était magnifique, elle avait du charme et une belle énergie. Zofia s'y sentait à son aise. Lviv semblait plus réelle, moins factice que le reste de l'Europe.

Je commence à penser comme Karol, se reprocha-t-elle. Moins plastique, plus authentique, plus naturelle... Encore un peu et j'en arriverai à l'apothéose de la vie loin de la civilisation, comme lui. Je vais vouloir du lait d'une vraie vache, de fraises uniquement en saison et de girolles ramassées par mes soins en forêt, plus jaunes parce que des renards leur auront pissé dessus. Et un accouchement à la lueur des bougies et sur des peaux de mouton, tant qu'on y est : je hurle, tandis qu'à mon chevet, des vieilles paysannes se balancent d'avant en arrière en récitant leur chapelet.

Elle se tenait devant la statue de Taras Chevtchenko lorsque Serhij apparut devant elle comme par magie. À l'air frais, il complétait sa tenue d'aspirant mafieux par un blouson en cuir.

— J'ai les informations, dit-il, mettant une emphase particulière sur le dernier mot.

5

Le village de Rovinj semblait tout droit sorti d'un dépliant touristique : les villas méditerranéennes du centre historique, situé sur une presqu'île qui s'enfonçait dans l'Adriatique, se serraient les unes contre les autres comme des fans autour de Madonna. On les avait bâties si près de l'eau que seul un miracle les empêchait de tomber dedans. La vieille ville était construite en pente et, en effet, au sommet, il y avait une Madone. Ou peut-être pas tant une Madone que sainte Euphémie, puisque cette martyre romaine était la patronne de la basilique construite sur la colline. Ses reliques avaient été placées dans cet édifice caractéristique dont le clocher était inspiré par celui de la cathédrale Saint-Marc de Venise.

Après le petit-déjeuner, ils se renseignèrent à l'office du tourisme et apprirent que l'île de Sveta Katarina appartenait dans son ensemble à l'hôtel Katarina, ouvert seulement d'avril à septembre. Hors saison, le bac ne fonctionnait pas non plus, lui qui normalement effectuait une douzaine d'allers-retours par jour. Mais on leur avait fourni les coordonnées de quelques passeurs qui pouvaient les conduire sur l'autre rive contre une poignée de kunas.

Deux heures plus tard, ils débarquaient sur l'île ; debout sur la jetée en béton, ils regardaient le bateau à moteur s'éloigner vers la cité. Vu d'ici, le panorama de Rovinj était époustouflant et Anatol comprit pourquoi en été, des milliers de touristes débarquaient ici simplement pour prendre cette photo : le centre historique émergeant des flots et la basilique avec son clocher qui surplombait les bâtisses tel un phare.

De l'autre côté du détroit, la vie suivait son cours : les voitures roulaient, les gens s'agitaient, des notes de jazz parvenaient à leurs oreilles depuis les terrasses des cafés. Sur Sainte-Catherine, il n'y avait ni vie, ni mouvement, ni jazz. On entendait seulement la mer clapoter ; les vaguelettes heurtaient paresseusement le rivage couvert d'algues.

— On dirait un film d'horreur, dit Lisa, tirant jusqu'à son cou la fermeture Éclair de son blouson. On a un hôtel abandonné, le vieux palais d'un comte bizarre, son tombeau perdu dans la végétation et de sombres secrets. Je me demande ce qu'on va découvrir ici.

— Un gardien ivre, une piscine pleine de feuilles mortes et des chaises longues empilées en tas.

Il la prit par la taille et ils empruntèrent un chemin de terre entre les arbres. Anatol était prêt à railler toutes les craintes de sa compagne, mais il ne faisait pas non plus particulièrement le fier en pénétrant dans cette forêt obscure sur une île coupée du monde. Pour être honnête, ils étaient déjà experts en îles coupées du monde et autres lieux de villégiature abandonnés, mais l'existence d'une station balnéaire endormie éveillait tout de même l'imagination.

Lisa reprit le jeu à son compte :

— Mais nous trouverons aussi une poupée entre les feuilles mortes au fond de la piscine, une balançoire qui grincera sans que personne ne la pousse et un ballon de plage qui descendra lentement l'escalier vers nous, poum, poum, poum.

Ils émergèrent du bois sur le parvis de l'hôtel. Après avoir contemplé la façade, ils échangèrent un regard et il leur fut impossible de cacher leur déception. Le Katarina ressemblait aux milliers d'édifices en papier mâché qui pullulent sur les rivages de Turquie, de Tunisie et d'Égypte. La bâtisse jaune offrait un croisement de styles, entre le mauresque, celui d'un cloître Renaissance et celui d'une pension de vacances allemande. L'ensemble débordait de divers artifices, surtout de balcons et de loggias, probablement destinés à masquer le fait que cette bâtisse n'était qu'un banal immeuble en béton armé, mais avec vue sur la mer. Si on avait transformé le palais de Milewski en cette atrocité pour accueillir des Anglais rosis par le soleil et leurs rejetons pareillement rosis, le comte devait se retourner dans sa tombe.

— Quelqu'un habite là, au moins ? demanda Lisa.

— Je pense que c'est obligé. J'ai du mal à croire qu'un tel lieu puisse rester sans surveillance.

— Donc quoi, on vérifie si le vigile et sa famille nous attendent à l'intérieur ? Assassinés, écorchés vifs et disposés autour de la table comme s'ils prenaient leur petit-déjeuner ?

Ils traversèrent la passerelle au-dessus de la fontaine, longèrent la haie d'arbustes et s'engagèrent sous les treilles qui menaient à l'entrée. Anatol posa la main sur les portes battantes et, au même moment, le cri terrifiant d'un enfant retentit à l'intérieur. Dans le « Noooon ! » interminable, rempli de douleur et multiplié par l'écho, il y avait quelque chose qui fit se dresser les cheveux sur la tête d'Anatol. Ils nous ont eus, pensa-t-il. Quiconque nous poursuit a prévu notre arrivée, nous a devancés et a entamé la tuerie.

Son imagination commença à lui soumettre des visions de ce que des gens impitoyables pourraient faire à un enfant sans défense. Il ouvrit précipitamment la porte et courut dans le hall, tentant de définir la provenance du cri d'après l'écho qui s'éteignait.

En face de lui, il y avait la réception ; à sa gauche, un large couloir qui menait probablement au restaurant ; à sa droite, un escalier et la porte des locaux administratifs. Il s'élança dans le couloir, arracha une lampe du mur pour disposer d'une arme quelconque. Une gerbe d'étincelles claqua, l'enduit s'éparpilla sur le sol de marbre. Après quelques mètres, un autre hurlement terrifiant lui certifia qu'il courait dans la bonne direction.

Je vous en supplie, songea-t-il, faites qu'il ne soit pas trop tard.

L'enfant dut réussir à s'extirper des mains de son bourreau parce que le couloir résonna du tambourinement précipité de tout petits pas.

— Je vais te tuer !

La voix d'une femme parlant anglais vibrait de rage et Anatol accéléra. Il était persuadé que jamais auparavant, il n'avait couru aussi vite.

— T'es déjà mort, tu m'entends !

Ils émergèrent simultanément à l'angle du couloir, manquant de peu de se percuter. Mais Anatol réussit à plonger sur le côté, évitant d'un cheveu un garçonnet frisé, âgé de deux ans environ, courant vers l'entrée. Le petit ne se préoccupa guère du major, il lui lança simplement un « hello » et poursuivit son chemin, se balançant sur ses petits pieds comme un jouet à ressort.

Une femme aux cheveux longs, noirs et droits apparut dans son sillage, des flammes assassines dans le regard et un bonnet coloré muni d'un pompon à la main.

— Reviens ici, sale mioche ! rugit-elle et ne vit qu'à ce moment-là Anatol allongé par terre, haletant sous le coup de l'émotion et des efforts fournis, qui agrippait fermement sa lampe arrachée du mur.

Les yeux de l'inconnue s'élargirent de terreur et Dieu seul sait comment l'affaire se serait terminée si Lisa n'était pas arrivée, portant dans ses bras le garçonnet rieur.

Serhij commanda un quadruple expresso ; il semblait vouloir prouver qu'il était un dur à cuire qui agissait toujours avec excès. Quand il buvait de la vodka, c'était jusqu'à rouler sous la table. Quand il buvait du café, c'était jusqu'à l'infarctus.

Il vida sa tasse d'un trait.

— C'est pour toi. L'information que tu m'as demandée, dit-il, faisant glisser sur la table une enveloppe cachetée.

Zofia le remercia d'un mouvement du menton, rangea l'enveloppe dans son sac à main et ne répondit en aucune façon au regard interrogateur de Karol.

— Maintenant, voyez ça, dit-il.

Il disposa devant eux un agrandissement A4 d'une vieille photographie en noir et blanc. On ne pouvait douter qu'elle ait été prise avant-guerre, probablement dans les années 1930. D'une certaine façon, c'était la preuve indéniable que, dans le monde des skieurs, tout avait changé depuis, mais l'esprit était resté indemne.

Trois hommes posaient dessus, très fiers d'eux, a priori après avoir conquis un sommet ou réussi une descente, il était difficile de juger lequel des deux parce que le fond de l'image était surexposé à cause d'un ciel trop clair ou d'une lumière trop vive réfléchie par la neige. L'homme du milieu, le plus grand et certainement le plus beau, était tête nue, portait des lunettes de soleil rondes et tenait des skis longs de deux mètres et demi. Les hommes qui l'entouraient étaient bien plus petits, ils avaient les traits classiques de la plèbe slave ; l'un d'eux se distinguait par un nez proéminent, l'autre par une calvitie très avancée malgré son jeune âge. Ils étaient tous vêtus d'un mélange de tenue de sport et de costume-cravate : ils arboraient d'épaisses vestes, des pulls à col roulé, des pantalons avec pli et des bonnets en laine.

Et qu'est-ce qui n'avait pas changé ? Le sourire.

Zofia était elle-même une skieuse passionnée et savait donc que rien ne pouvait égaler ce sentiment de bonheur qui vous envahissait quand, une fois la longue descente accomplie par un froid saisissant, on s'arrêtait en bas, le cœur battant la chamade et les cuisses chauffées par l'effort. L'injection d'endorphines dans les veines ne pouvait probablement être comparée qu'à celle due au sexe, et on voyait sur le visage des trois hommes qu'ils étaient heureux, enivrés par le sport, la débauche d'énergie, la beauté de la montagne et leur amitié.

— La tête de ce gars me dit quelque chose, dit Karol en désignant l'homme au nez proéminent.

— J'espère bien, répliqua Zofia. Après tout, c'est à lui que tu dois ton prénom, si on en croit la légende familiale.

— Sérieux ? C'est Karol Estreicher ? Je l'ai toujours vu en vieux papy en costard sur les photos. Là, il a quoi ? Moins de trente ans, c'est certain.

Zofia remarqua le regard déboussolé de Serhij et expliqua :

— Estreicher est un historien polonais qui, durant l'occupation, s'est réfugié à Londres et a consacré son temps à cataloguer les pertes culturelles polonaises puis s'est consacré à leur récupération après la guerre. C'était un bourreau de travail. Quand les Américains ont débarqué en Europe, il les a accueillis avec une liste à la main et leur a dit : ça se trouve quelque part, je ne sais pas où, mais une fois que vous aurez gagné, nous voudrions tout récupérer. Je ne plaisante pas, les autres nations commençaient à peine à réfléchir à la manière de comptabiliser leurs pertes, et cet homme disposait déjà d'un catalogue prêt à l'emploi. Il tenait les Américains à l'œil, traquait nos trésors dans les mines et les autres cachettes allemandes, il n'omettait aucune œuvre. Sur une photo devenue célèbre, on le voit en uniforme de major britannique, âgé de quarante ans à peu près, en train de brandir *La Dame à l'hermine* devant le train par lequel les Américains ont renvoyé en Pologne la première portion des œuvres retrouvées. Vingt-six wagons en tout.

Karol ne l'écoutait pas mais fixait l'image, comme hypnotisé. Il l'éloignait et la rapprochait de son visage, plissait les paupières, cherchant à découvrir des détails cachés.

— Bordel, le chauve me dit quelque chose aussi, dit-il. Je ne sais pas, est-ce que c'est possible que...

— C'est l'homme du milieu qui nous intéresse, coupa Zofia. N'est-ce pas, Serhij ?

— Ce que vous voyez sur cette photographie se passe à Noël, à Zakopane, en l'an de grâce 1931, dit-il. C'est l'excursion de la Société des skieurs des Carpates de Lviv. Le beau gosse blond tout sourire au milieu, c'est justement la personnalité que vous recherchez, le docteur Henryk Aszkenazy.

Henryk Aszkenazy, un spectre, la majorité des historiens mettaient en doute jusqu'à son existence, car les rares bribes d'informations à son sujet donnaient l'image d'un héros légendaire et non d'un homme de chair et de sang.

En Suède, Lorentz leur avait raconté tout ce qu'elle avait réussi à extraire des tréfonds de sa mémoire à son propos.

Il aurait été pupille de la nation, pensionnaire d'un orphelinat juif. Mais était-il juif ? On ne le savait pas.

Il aurait fait fortune dès ses jeunes années, peu après l'indépendance polonaise. Certains suggéraient qu'il s'était enrichi dans le commerce avec les Russes. D'autres, qu'il avait fait des affaires avec les Allemands. D'autres encore soutenaient qu'il avait été l'amant d'une grande aristocrate qui lui aurait transmis ses biens.

Quoi qu'il en soit, à un moment donné, l'homme était apparu sur la scène européenne d'avant-guerre. C'était le docteur Aszkenazy. Ou Aschkenazi. Ou Ashkenazy. Un mondain. Un financier. Un amateur d'art. Des temps étranges régnaient alors sur le continent, des hommes d'État sortaient de nulle part, ainsi que des banquiers ou des hommes d'affaires fortunés qui, un jour, vendaient des sous-vêtements et le lendemain des navires de guerre. Les plus sages d'entre eux savaient que dans une époque incertaine, il valait mieux garder profil bas, éviter les échauffourées politiques et ne point afficher ses revenus – tout en continuant à faire de l'argent. Et c'est probablement ce que M. Aszkenazy avait fait. Unique certitude à son égard, il était très riche : l'immeuble de cinq étages construit sur ses ordres en plein cœur de Varsovie n'était qu'un ajout aux palais qu'il possédait en Ukraine, en Italie et en France. L'un d'entre eux était censé abriter sa collection d'œuvres d'art. Mais lequel ? Et qu'est-ce que celle-ci contenait ?

Zofia Lorentz s'était intéressée à cet homme une seule fois, quelques années plus tôt, quand, lors d'une vente aux enchères en Allemagne, le nom du mystérieux docteur était apparu dans la filiation. Elle avait tenté d'en apprendre davantage grâce à un ami journaliste, mais leur enquête, au lieu de jeter un peu de lumière sur le personnage, l'avait au contraire nappé d'un supplément de mystère. En l'occurrence, ce qui ressortait des rares documents qui avaient échappé aux destructions, c'était que le docteur Henryk Aszkenazy avait siégé durant l'entre-deux-guerres aux conseils d'administration d'une trentaine de grandes firmes polonaises. Comme il sied à une éminence grise, jamais il n'y siégeait en qualité de président, mais en tant que vice-président ou simple membre du conseil. Plus étonnant encore, c'était également un gros poisson en Allemagne. Et puisque, sur ce territoire, les documents étaient restés en meilleur état, Zofia avait appris qu'il avait travaillé chez IG Farben, la compagnie de triste réputation qui avait fabriqué la poudre destinée aux obus allemands et les gaz pour leurs camps d'extermination, exploitant sans vergogne le travail des prisonniers. Détail digne d'intérêt : Henryk Aszkenazy, qu'on prenait en Pologne pour un aristocrate juif, avait fait partie du conseil d'administration de la IG Farben jusqu'en 1938.

Et malgré cela, personne ne savait rien à son propos. De quoi avait-il l'air ? Quel était son âge exact ? Que faisait-il, où séjournait-il, quel avait été son destin durant l'occupation ? Et avait-il survécu à la Shoah ? Rien que des points d'interrogation.

Maintenant, il y a un point d'interrogation en moins, songea Zofia, fixant le visage sur la photo. Ses traits étaient étonnamment jeunes ; sans qu'elle sache pourquoi, elle s'était toujours imaginé le docteur Aszkenazy comme un vénérable vieillard engoncé dans un costume trois pièces. Or, l'individu sur le cliché avait à peu près trente ans, la physionomie joyeuse d'un éternel adolescent et ne ressemblait en rien à un requin de la finance. Plutôt à un fanfaron bien éduqué qui dépense sans compter la fortune familiale.

— Mais tu as autre chose qu'une photo, n'est-ce pas ? demanda Zofia. Nous n'avons pas besoin de son album de vacances, mais de détails. Je voudrais récupérer la liste de ses résidences, de ses palais, de ses châteaux, de ses domaines terriens, des endroits où il aurait pu emmagasiner des trucs.

Serhij sourit et leur montra une seconde photo, prise sur la place du marché à Lviv par un photographe professionnel, à en croire le logo de l'atelier Kordyan visible en haut à gauche. Elle représentait le même homme, à un âge similaire, vêtu cette fois-ci d'un costume. Il était beau comme le diable, mais sa beauté palissait néanmoins à côté de celle de sa compagne, vêtue, selon la mode de l'époque, d'une jupe, d'une veste de tailleur et d'un chapeau assorti. Au lieu de se tenir sagement, elle avait croisé les bras sur son ventre et s'était placée de flanc, toisant le photographe avec défi. Elle affichait la beauté expansive et intransigeante d'une jeune Liz Taylor. Rien que sur cette vieille épreuve, son sex-appeal bouillonnait. Elle avait probablement fait partie de ces femmes qui pouvaient se contenter d'exister pour faire des ravages.

— Et qui est cette diablesse ? demanda Karol, tapant du doigt le décolleté de la compagne du docteur Aszkenazy.

— C'est Olga Bortnik, répondit une voix féminine derrière eux. Pas mal, hein ?

Ils se retournèrent simultanément. Une femme d'une soixantaine d'années à l'allure de prof de littérature à la retraite s'était approchée de leur table. Elle portait un complet marron saupoudré de neige fraîche, des collants épais et des bottines de cuir à talons plats. Un minimum d'élégance pour un maximum de simplicité et de pratique. L'inconnue n'était ni jolie ni laide. C'était une femme normale, fatiguée, avec des cernes sous les yeux. Zofia la prit pour une représentante typique de sa génération : elle était probablement née au milieu des années 1950 et toute son enfance, ainsi que les meilleures années de sa vie d'adulte, avaient été gâchées par les temps gris et désespérants du régime communiste. Lorsque l'Ukraine avait recouvré son indépendance, cette femme avait probablement placé beaucoup d'espoir dans le changement, mais s'était bien vite aperçue que peu de choses avaient réellement changé, si ce n'est qu'auparavant, elle était aussi pauvre que le reste de ses compatriotes, tandis qu'aujourd'hui, elle était plus pauvre que la plupart d'entre eux. Lorentz jeta un coup d'œil à ses mains. Pas d'alliance, pas de trace laissée par une alliance portée jadis.

— Pardon, mais qui êtes-vous ?

Zofia avait posé la question davantage à Serhij qu'à l'inconnue.

— La petite-fille de ce couple, répliqua-t-elle en pointant du doigt le docteur Aszkenazy et sa compagne.

Karol et Zofia échangèrent des regards étonnés. Lorentz fut la première à retrouver ses esprits.

— C'est incroyable. Est-ce qu'il serait possible que vous nous parliez de votre grand-mère ? Et de son mari ? À moins que ce n'ait été son fiancé ? Pardon, mais je ne sais pas quelle était la nature de leurs liens.

La femme l'observa en silence durant un long moment.

— Demandez-lui vous-même, dit-elle en fin de compte.

— Pardon ?

— Je ne peux pas m'exprimer plus clairement.

Une note d'irritation perça dans sa voix et Zofia eut la désagréable impression de contempler son reflet dans un miroir qui l'aurait vieillie de trente ans.

— Vous voulez dire que votre grand-mère est toujours en vie ? demanda Karol.

— Oui. Vous pouvez la rencontrer si vous voulez, dit-elle, en haussant les épaules, comme pour signifier qu'elle était capable de concevoir des passe-temps plus palpitants.

— Aujourd'hui ? demanda Zofia, honteuse au fond d'elle-même à l'idée que la vieille femme devait avoir une centaine d'années et qu'il était donc judicieux de ne pas repousser l'entrevue.

— Demain. Mamie et moi, on regarde des films, aujourd'hui.

Le ton lugubre de sa voix suggérait qu'il s'agirait de reportages traitant de génocides. Ils ne surent pas quoi lui répondre.

— C'est super qu'une dame si âgée aime le cinéma, lança finalement Karol pour abréger l'insupportable silence. Des classiques, j'imagine. Les temps de sa jeunesse. *Autant en emporte le vent* peut-être ? Ou *Casablanca* ?

La petite-fille de soixante ans soupira lourdement.

— Les années de jeunesse de mamie, c'était *Metropolis*. Quand *Casablanca* passait, elle était déjà d'âge mûr. Aujourd'hui, on va regarder *Le Seigneur des anneaux*. Mamie veut se rafraîchir la mémoire avant d'aller voir *Le Hobbit*.

Cette fois-ci, le silence fut si long que la petite-fille de Mme Bortnik se décida elle-même à l'interrompre.

— Elle aime le fantastique, précisa-t-elle.

7

Ils furent conviés à passer au restaurant de l'hôtel et s'installèrent près du mur du fond, à une table transformée en buffet provisoire. Il y avait là plusieurs paquets de thé, du café soluble, du lait, une bouilloire électrique et bon nombre de livres. Wendy prépara trois tasses de thé et y ajouta machinalement du lait.

— Mince. Désolé, j'ai perdu l'habitude des invités. Je peux vous en refaire un, si vous voulez.

Bien évidemment, ils refusèrent de changer. Mais pas du tout, du thé avec du lait, on adore ça.

Wendy était britannique, mère du petit Charlie âgé d'un an et demi, et épouse de l'écrivain croate Željko Violić. Elle était mince, vaporeuse, moyennement attirante, elle semblait perpétuellement plongée dans ses pensées et partiellement détachée de la réalité. Cela pouvait être un trait de son caractère, mais pouvait également résulter de son séjour de deux mois dans un hôtel vide sur une île adriatique avec pour seule compagnie un petit garçon assez particulier et un mari mystérieux qu'elle évoquait parfois en leur précisant simplement qu'il travaillait et qu'on ne pouvait le déranger sous aucun prétexte.

Dans un premier temps, Anatol se demanda pourquoi Wendy ne les conduisait pas à leur appartement, où l'atmosphère était probablement plus douillette que dans cette salle prévue pour accueillir des centaines de personnes. Mais une fois au restaurant, il comprit. Wendy y avait aménagé un coin pour son usage personnel et avait transformé le reste de l'espace en terrain de jeu pour Charlie, dressant autour une barrière de tables renversées.

Voyant leurs regards étonnés, Wendy leur expliqua que depuis qu'elle avait organisé cette cour de prison (elle avait vraiment utilisé l'expression « *jail yard* »), les choses étaient devenues plus simples. Avant cela, le choix qui s'offrait à elle était soit de demeurer dans leur petit appartement avec Charlie, ce qui les rendait fous tant l'un que l'autre, soit de le poursuivre à travers les couloirs, craignant de le voir se fourrer dans un endroit dangereux pour lui.

— Ce marmot est vicieux, leur confia-t-elle à voix basse, comme si Charlie, présentement en train de touiller une soupe d'animaux en caoutchouc dans une marmite, pouvait l'entendre. Une fois, je l'ai surpris en train de se cacher derrière un pot de fleurs. Il s'est assis dans son coin et n'a pas bougé durant une demi-heure, il ne voulait pas que je le retrouve. Vous imaginez ça ? Une demi-heure ! Quel enfant est capable de faire ça ? Après trente minutes, il est sorti avec précaution, a traversé l'hôtel de bout en bout pour arriver à la cuisine, a tiré une caisse jusqu'au frigidaire, l'a ouvert et en a sorti un morceau de viande crue.

— Et il l'a mangé ? demanda Anatol, usant du même chuchotement dramatique.

— N'exagérons pas, c'est un enfant, pas un zombie, répliqua Wendy, véritablement offensée. Il l'a jeté par terre, puis a commencé à jeter le reste.

Un gazouillement « Ba, ba ? » retentit derrière eux. Anatol et Lisa frémirent.

— Oui, fiston, maman raconte à quel point tu es adorable. Va jouer avec les animaux. Où est l'éléphant ? Où est tiou-tiou ? Où est-il ?

Charlie les observa un moment avec ses yeux d'homme adulte éprouvé par la vie, puis il écarta les bras, cria « ouétil, ouétil » et s'élança à la recherche de l'éléphant.

Ils contèrent à Wendy l'histoire du comte Milewski, de ses aventures, de son palais et de sa collection de peintres polonais, omettant à tout hasard d'évoquer les impressionnistes français. Wendy les écouta, fascinée, ponctuant le récit de ses « oh ! » et de ses « ah ! » si anglo-saxons. Malheureusement, quand ils lui avouèrent chercher les traces du comte, elle haussa les épaules en signe d'impuissance. Elle n'avait entendu parler d'aucun grenier, d'aucune cave ni d'aucune archive pouvant contenir de vieux documents, et avait encore moins découvert des tableaux cachés. Les murs des chambres et des couloirs étaient décorés de photographies de paysages croates à l'esthétique de cartes postales. Wendy avait bien aperçu des esquisses ou des dessins au fusain dans un coin, mais il lui était difficile d'en estimer la valeur parce qu'elle ne s'y connaissait pas en art. Mais ce n'étaient certainement pas des peintures.

— Vous devriez en parler à mon mari, suggéra-t-elle. Je passe mon temps à surveiller notre marmot, mais lui, quand il n'arrive pas à écrire, il erre dans les couloirs. À ce stade, il doit avoir visité chaque recoin, y compris la piscine vide si vous voulez mon avis. S'il y a quelque chose ici, il l'a certainement vu. Et puis, je parle encore assez mal le croate, lui par contre pourrait passer un coup de fil aux propriétaires, ils en savent peut-être plus long.

— Et quand est-ce qu'on pourrait le rencontrer ? demanda Lisa.

— En ce moment, il travaille, dit Wendy en évitant leurs regards et Anatol se sentit mal à l'aise.

— Et il fait des pauses ? Nous ne lui prendrions pas beaucoup de temps, mais il faut nous comprendre, nous avons fait un long voyage. Donc, si on pouvait discuter avec lui au moins durant…

— Charlie !

Wendy bondit de sa chaise et sprinta à travers le restaurant parce que le garçonnet avait réussi à déplacer une table et à retrouver sa liberté.

L'instant d'après, elle était revenue, tenant dans ses bras un enfant qui se débattait et hurlait à vous percer les tympans, désespéré qu'une nouvelle fois ses plans pour devenir le maître du monde aient été contrecarrés.

— J'ai une proposition à vous faire, dit Wendy. Željko travaille dans l'autre bâtiment, mais s'interrompt quotidiennement entre neuf heures et midi, pause au cours de laquelle je lui apporte à manger pour toute la journée. Restez jusqu'à demain, nous avons près de trois cents chambres à disposition, donc il y a de la place pour vous, et tout ce qu'il faut dans la cuisine. Le bar est fermé, malheureusement, mais j'ai une bouteille de whisky pour les cas de force majeure. D'ici là, vous pouvez faire le tour de l'hôtel et de l'île. Qu'est-ce que vous en dites ?

Bien sûr, ils furent ravis d'accepter, bien qu'intérieurement, tant l'un que l'autre se remémoraient les horribles histoires d'auberges rouges.

— À une condition, cependant, dit Wendy d'une voix si grave que même Charlie cessa de gigoter dans ses bras. Vous devez me promettre de ne pas pénétrer dans la maison sur la colline ni de vous en approcher sous aucun prétexte. D'accord ?

Ils acquiescèrent, mais l'idée qu'il serait probablement plus judicieux de rentrer à Rovinj pour la nuit germa dans leur esprit.

Malgré tout, ils demeurèrent sur l'île.

Une déprime terrible s'empara d'elle. Au dîner, elle avait commandé une autre part de *Sachertorte*, persuadée que cela lui changerait les idées, mais le résultat ne fut pas celui escompté. Elle picorait le dessert du bout de sa fourchette et se sentait vieille, solitaire et inutile. La longue salle démodée du restaurant de l'hôtel Vienna était déserte, exception faite de la serveuse qui s'ennuyait ferme derrière son comptoir. Zofia n'arrivait pas à accepter le fait que l'unique événement qui agrémenterait la veille de Noël serait une visite chez une dame centenaire. Elle l'effectuerait à l'étranger, dans une ville inconnue, en compagnie du salaud censé être l'amour de sa vie et dont la présence ne faisait qu'amplifier la pénible perception des aspects gâchés ou inaboutis de son existence.

Ils n'avaient pas fini de discuter la veille, ils ne l'avaient pas fait ce jour-là non plus. Karol était parti rendre visite à des amis et Zofia était restée seule à l'hôtel, prétextant une migraine sans savoir pourquoi. Fuyait-elle la compagnie de nouvelles personnes ? Fuyait-elle celle de Karol ? À moins qu'elle eût ressenti une peur panique à l'idée de voir leur discussion se poursuivre ?

C'était Noël. Elle devrait faire signe à ses parents, mais n'avait pas la force d'écouter leurs reproches. D'autant moins que tous étaient justifiés ; elle était une fille ingrate au même titre qu'elle avait été une fiancée médiocre. En tant que mère, elle aurait probablement été tout aussi mauvaise.

Ce n'était certainement pas pour rien que ses plus proches connaissances étaient des figures muettes sur de vieilles toiles. C'étaient de bons amis : sous leur vernis, ils exprimaient invariablement une approbation silencieuse. Pile le genre d'amis dont elle avait besoin.

Elle saisit l'enveloppe reçue des mains de Serhij et en sortit une feuille : une photocopie de l'une des pages du journal *Dziennik Polski*, datée de mai 1946. Elle connaissait fort bien cet article, présent dans leurs archives familiales, mais pour d'évidentes raisons de sécurité, elle ne pouvait ni rentrer chez elle pour le récupérer ni demander qu'on le lui envoie. Il ne manquerait plus que quelqu'un fasse du tort à ses parents par sa faute.

Elle relut le texte qu'elle connaissait par cœur. Devait-elle en parler à Karol ? Pour l'heure, elle ne lui avait même pas avoué que son insistance pour éloigner Lisa et Anatol n'avait pas été fortuite. Elle ne faisait pas confiance à la Suédoise, elle se méfiait également du major, et vu la tournure récente des événements, sa suspicion s'était transformée en crainte.

Cette fois-ci, elle devait décider si elle pouvait se fier à Karol.

9

Lisa Tolgfors et Anatol Gmitruk firent une promenade, repérèrent « la maison sur la colline » et estimèrent qu'il devait s'agir de la véritable résidence du comte. Auparavant, ils avaient fait le tour de l'hôtel et avaient acquis la certitude qu'aucune partie de ce lieu de villégiature n'avait été construite avant les années 1970. Ils avaient fouillé les réserves, fourré leur nez dans chaque classeur et dans chaque dossier des placards administratifs, exploré le moindre recoin qui aurait pu servir à archiver de vieilles paperasses. Ils n'avaient absolument rien trouvé qui fût digne d'intérêt et la visite de la maison sur la colline constituait leur dernière chance de découvrir quoi que ce fût.

L'inspection des environs ne leur avait pas non plus apporté la moindre révélation. Une section du parc trahissait un ancien concept de jardin aménagé, avec une petite grotte marine à un bout et de mystérieuses stèles à l'autre bout. Ils contournèrent la vieille maison cachée entre les arbres et, bien qu'ils eussent furieusement envie de passer outre les névroses de Wendy et d'y pénétrer, ils n'en firent rien.

Ils consacrèrent le reste de leur nuit à se poursuivre entièrement nus dans les couloirs de l'hôtel et à faire l'amour dans divers lieux forts curieux, dont le plus bizarre et le plus stimulant fut sans doute le plan de travail chromé de la cuisine du restaurant. Chacun de leurs mouvements transmettait des vibrations à la construction et ce qui, au début, n'avait été qu'un tintement léger des poêles et des casseroles en laiton suspendues au plafond, s'était transformé à l'approche du point culminant en une symphonie de martèlements et en un tintouin frénétique.

Ce fut une expérience inoubliable.

Lisa dormait déjà lorsqu'Anatol sortit sur la terrasse comme la nuit précédente. La vue de Rovinj endormie, merveilleusement illuminée et décorée pour les fêtes, s'offrait à lui. La ville se reflétait dans les douces vagues de la mer. À sa droite, le major distinguait la forme sombre du palais de Milewski, ou de « la maison sur la colline ». Dans la bouche de Wendy, cette appellation se transformait en titre de film d'horreur.

D'ici, il n'apercevait pas la fenêtre éclairée, en revanche, il entendait parfaitement le crépitement ininterrompu de la machine à écrire. Après quelques minutes, il apprit à discerner son rythme. D'abord, un pianotage monotone, puis un claquement sec au moment du changement de ligne, suivi d'un autre pianotage. Durant les dialogues, les crépitements se faisaient plus courts et les claquements plus nombreux. Les rares silences devaient correspondre à des moments de réflexion ou aux changements de feuille.

Il retourna se coucher. L'air était suffisamment chaud pour qu'il laisse la fenêtre entrouverte et le cliquetis de la machine l'accompagna jusqu'à ce qu'il s'endorme. Avant de trouver le sommeil, Anatol eut le temps de se dire qu'il fallait être masochiste ou graphomane professionnel pour utiliser une machine à écrire en plein XXIe siècle.

10

Le trajet entre l'hôtel et l'adresse indiquée fut accompli dans une Lada émérite en quelques minutes et contre vingt hryvnias, soit la modique somme d'un dollar. Ils quittèrent le véhicule devant un bâtiment de deux étages qui ressemblait à s'y méprendre aux immeubles de Vienne ou de Cracovie.

Mme Bortnik habitait un niveau intermédiaire entre le rez-de-chaussée et le premier étage, juste à côté de l'escalier. Sa petite-fille, dont ils ne connaissaient toujours pas le prénom, les attendait sur le pas de la porte et les attira à l'intérieur avant qu'ils aient pu observer la cage d'escalier de plus près. Karol eut à peine le temps de noter la désagréable odeur de moisi, mi-humidité, mi-levure, qui y régnait. On aurait juré que des bougies parfumées « murs gâtés » avaient été allumées sur chaque palier.

L'appartement sentait autrement et ce fut pour eux une surprise très agréable. On y retrouvait les senteurs d'un rôti au four, de pain d'épice et de vieille personne. Chacun de ces effluves était si intense et si caractéristique que même mélangé à d'autres, il restait reconnaissable. Karol en déduisit que la vieille dame devait habiter avec sa petite-fille ; cela l'aurait étonné qu'une centenaire s'affaire encore en cuisine.

— Nous vous sommes très reconnaissants. Merci beaucoup, commença Lorentz, mais la petite-fille fit un geste de la main et grimaça, ce qui semblait vouloir dire qu'il n'y avait pas de quoi.

Karol pensa que cette dame avait peut-être commencé à s'occuper de son aïeule dans l'espoir d'hériter de son appartement, à première vue assez spacieux et joli, après un décès censé survenir bien vite. Si ça avait été le cas, elle s'était amèrement trompée.

Il imagina l'expression de la petite-fille changer, d'année en année, sur les photographies d'anniversaire de la grand-mère. Le quatre-vingtième, le quatre-vingt-cinquième, le quatre-vingt-dixième, le quatre-vingt-quinzième, puis le centième, tellement solennel. Le maire de Lviv pose aux côtés de la vieille femme, sa petite-fille tient un immense bouquet dans ses bras et se demande où, bon sang, elle a bien pu passer sa vie.

Il pouffa de rire et la dame se retourna avec une mine aussi outrée que s'il avait profané le Saint-Sacrement. Pour donner le change, il renifla et indiqua son nez. La petite-fille les débarrassa de leurs manteaux et les conduisit au salon.

Zofia avançait la première, mais elle s'immobilisa brusquement dans l'embrasure de la porte, puis recula d'un pas. Parfait, se dit Karol, ça veut donc dire que la mamie n'est pas en très grande forme. Et il se prépara à l'insoutenable vision d'une personne ressemblant davantage à un cadavre qu'à un être humain. Un lit d'hôpital, la peau sur les os, trois cheveux sur un crâne parsemé d'abcès et une main percluse d'arthrose avec d'horribles serres jaunâtres obstinément agrippées à un crucifix, voilà ce à quoi il s'attendait. Et à un râle haineux tout juste perceptible, peinant à recouvrir le ruissellement de l'urine qui traverserait le matelas et goutterait sur le parquet. Dans le temps, la petite-fille faisait encore le ménage, mais après trente ans, elle avait fini par se lasser.

C'était, à peu de chose près, la vision pour laquelle il s'était préparé tandis qu'il s'immobilisa sur le seuil de la porte à battants.

Pourtant, il recula d'un pas.

Un monstre l'attendait dans le salon.

Une tête épouvantable de la taille d'un tonneau était suspendue à hauteur de son visage. Cette tête avait des yeux globuleux et gorgés de sang, des naseaux de gorille et, sur ses flancs, de longues oreilles pendaient lugubrement. L'ensemble était recouvert d'un pelage gris et, si ça n'avait été ses naseaux et son long museau, il y aurait eu quelque chose de canin dans cette monstruosité, surtout à cause des oreilles qui ressemblaient à celles d'un épagneul. Le reste de son corps n'était pas plus engageant, car la tête se fondait en douceur à une queue de serpent poilue, accrochée au plafond et faisant le tour du salon.

L'image était vraiment inhabituelle et repoussante, quoique bien plus agréable que celle d'ongles recourbés sur un crucifix. En dehors de ça... Karol fronça les sourcils, parce que le monstre lui semblait familier et faisait ressurgir de façon étrange de sympathiques souvenirs d'enfance.

— C'est Falkor ! cria-t-il, ébloui.

— Pardon ? demanda Zofia, avec l'air de vouloir quitter ce lieu sur le champ.

— Falkor, de *L'Histoire sans fin*, tu ne t'en souviens pas ? Un garçon commence à lire un livre qui parle d'un monde dévoré par le néant, un monde dans lequel vit un autre garçon qui doit sauver une princesse malade du néant. Et il est aidé en cela par un... je ne sais pas, moi... par un dragon peut-être ? Mais en réalité, c'est une sorte de chien volant. Falkor, justement. Tu ne t'en souviens vraiment pas ? Il lui a demandé de le gratter derrière l'oreille, c'était vraiment la meilleure scène. Et la chanson de ce blond platine du groupe Kajagoogoo... Ou quand son cheval adoré

meurt dans les marécages ? C'est la plus grande émotion de mon enfance ! Le garçon tire le cheval par la
bride et pense au début que le cheval est paresseux,
il se moque de lui, puis il veut l'aider, mais le cheval
s'enfonce de plus en plus profondément dans la vase,
résigné, et le garçon comprend qu'il ne le sauvera pas.
Il le supplie d'essayer, de ne pas se laisser happer par
la tristesse... Parce que ce sont les marécages de la
tristesse, tu saisis ? Et il lui dit qu'il l'aime...

— Karol, tu me fais peur. Arrête.

— Tu ne comprends rien. Tu ne l'avais pas sur
VHS ? J'ai pleuré durant une semaine. Comment qu'il
s'appelait, ce cheval...

— Artax, lui répondit une voix venue de derrière
Falkor.

Et Olga Bortnik émergea d'un bout de la peluche
poussiéreuse sur son fauteuil roulant. C'était une belle
entrée.

Les femmes vieillissent de différentes façons, selon
leur personnalité et leur beauté. Les gentilles filles
du voisinage se transforment en vieilles souriantes et
blanches comme des colombes, le genre super-mamie
dont rêverait n'importe quel gamin. Les éternelles
mochetés, telle Glenn Close, gagnent en noblesse des
traits et deviennent des dames élégantes aux allures de
comtesses russes. Les plus chanceuses sont les reines
des glaces du genre Lauren Bacall, qui peuvent bien
avoir deux cents ans, on distinguera toujours chez elles
les traces d'une ancienne beauté et la fierté qui l'accompagne. Le temps est moins clément avec celles qui,
jeunes, étaient girondes et craquantes comme Elizabeth
Taylor. Non seulement elles se transforment en matrones

en surpoids, mais en plus, elles ne remarquent pas que le sex-appeal est comme l'esturgeon : un sex-appeal de fraîcheur douteuse, ça n'existe pas.

Et Olga Bortnik ?

Avant tout, elle ne faisait pas ses cent un ans. Karol lui en aurait donné quatre-vingt, quatre-vingt-cinq. Donc, et aussi bizarre que ça puisse paraître dans leur situation, elle avait l'air véritablement jeune. Elle ne masquait pas son âge. Bruns par le passé, ses cheveux étaient devenus totalement gris, car les brunes ne finissent jamais blanches comme la neige. Leurs chevelures prennent une teinte d'argent fumé et il en était ainsi pour Mme Bortnik. Coiffée d'une courte natte, la vieille dame affichait, par endroits, de fines mèches ayant gardé leur ancienne noirceur. Ses sourcils en revanche étaient restés aussi noirs que dans le temps et en dessous, on voyait briller la partie la plus surprenante de son apparence : ses yeux.

Sur la vieille photographie en noir et blanc que leur avait montrée Serhij, ses iris étaient dissous dans les nuances d'un gris d'avant-guerre. De visu, les yeux d'Olga Bortnik n'étaient pas les yeux brumeux, laiteux d'une centenaire, des yeux qui se seraient éteints sous le poids de tout ce qu'ils avaient vu au cours de leur vie. C'étaient au contraire des yeux sagaces, alertes, souriants et, surtout, c'étaient des yeux jeunes. Par ailleurs, ils avaient une couleur extraordinaire et Karol dut admettre – ce qu'il fit avec une certaine réticence – que les plus beaux yeux qu'il eût jamais vus, d'un turquoise si profond qu'ils frôlaient le violet, étaient fichés dans le visage d'une centenaire fripée comme une vieille pomme.

Il adressa un sourire à ces yeux et embrassa du regard la silhouette assise dans le fauteuil roulant.

Nul n'est dépourvu de défauts, n'est-ce pas ? Tout portait à croire que Mme Olga n'avait pas accepté le fait qu'elle n'était plus cette beauté d'antan dont rêvait le Tout-Lviv. Elle était vêtue de façon festive, d'une robe noire à traîne nouée à hauteur de ses chevilles pour que le tissu ne se prenne pas dans les roues. Elle portait un collier de perles au cou et une étole en fourrure sur les épaules, qui masquait miséricordieusement la peau de son décolleté, plissée et molle comme sous la glotte d'un dindon. Au grand dam de Karol, la poitrine était l'unique fragment de ce corps centenaire soigneusement recouvert. En dehors de cette zone, sa robe était assez délicate pour ne laisser aucun doute quant au fait qu'Olga Bortnik portait des bas avec des jarretières et, accessoirement, une couche.

Voyant cela, Karol fit tout ce qui était en son pouvoir pour ne pas fermer les paupières et ne pas déglutir. Il planta son regard dans les yeux de saphir, sourit une nouvelle fois et se précipita pour baiser la main de la vieille dame posée sur l'accoudoir du fauteuil.

— C'est le film préféré de ma jeunesse, dit-il.

— Comme de la mienne. De ma seconde jeunesse.

— De la quatrième, plutôt, marmonna la petite-fille.

— Natalia, offre du thé à ces messieurs-dames.

— Comment l'avez-vous eu ? demanda Karol en pointant du doigt le Falkor, persuadé en son for intérieur qu'il était impossible que l'original ait fini à Lviv.

Elle l'observait avec le sourire d'une vieille aristocrate. Apparemment, elle n'avait pas entendu la question ou ne l'avait pas comprise.

460

— Comment l'avez-vous obtenu ? répéta Karol en se penchant vers elle et en hurlant presque.

— C'est une longue histoire, répondit-elle. J'ai eu une liaison. Peu sérieuse, mais à un âge fort sérieux. Avec un sympathique gentleman, le chef d'atelier du théâtre de poupées de Kiev. Un retraité, cela va sans dire. Imaginez-vous seulement que nous avons vu Falkor trois fois au cinéma au cours d'un même dimanche, tellement j'étais amoureuse.

— Du gentleman ? demanda Zofia.

— De Falkor. Et de cette belle fable. Igor, en revanche, était fou amoureux de moi. C'est lui qui m'a fait mon Falkor, il n'a pas quitté son atelier durant trois mois. On dirait le vrai, vous ne trouvez pas ? Malheureusement, il n'a pas survécu, ce n'était plus un jeune homme.

Un soupir très profond leur parvint de la cuisine ; il devait probablement signifier que les conquêtes amoureuses de mamie Olga étaient un sujet de conversation bien trop exploité. D'un geste de conspiratrice, la vieille dame les invita à la suivre dans ses appartements.

Sa chambre était une sorte de temple ou de musée dédié à l'âge d'or de la science-fiction. Sur les murs, avec leurs faux airs de Marx, Engels et Lénine, on avait accroché les portraits de Lem, Dick et Asimov. Entre eux se trouvaient les affiches de *Blade Runner*, *2001 : l'odyssée de l'espace*, *Dune*, *Star Trek*, ainsi que celle du premier *Solaris*, celui de Tarkovski, dédicacée par Stanisław Lem en personne à sa « chère voisine ». Des modèles réduits étaient suspendus au plafond sur des fils, ceux de l'USS Enterprise, du Faucon Millénium et d'un Destroyer Stellaire, tandis que sur une colonne ionique en plâtre, du genre de celles qui supportent d'ordinaire chez les personnes âgées une fougère ou un petit palmier, trônait une figurine de Yoda de la taille d'un enfant de un an.

— J'ai ma théorie au sujet des Martiens, dit Bortnik avec une telle certitude dans la voix que Karol pensa pour la première fois qu'ils pourraient avoir affaire à une folle. Ceux qu'on prend pour des visiteurs venus de l'espace sont en fait des humains venus du futur, vous comprenez ? L'humanité inventera un jour la machine à voyager dans le temps et commencera à étudier son passé, mais pour nos contemporains, il s'agira de phénomènes hautement incompréhensibles. Pour les gens du futur, il sera très douloureux d'observer la mort et la destruction sans pouvoir rien y faire, car une intervention impacterait le continuum temporel. Ce ne sera pas un boulot pour les faibles.

Natalia posa impétueusement sur la table le plateau avec le thé et du gâteau au pavot, leur faisant comprendre que le temps des bavardages sans queue ni tête était révolu.

— Pourquoi vous intéressez-vous à Henryk ? demanda Mme Olga une fois qu'ils lui eurent sommairement exposé les motifs de leur visite.

— En raison de sa collection d'œuvres d'art, répondit Zofia. Nous pensons qu'il a pu acquérir une série de toiles exceptionnelles, dans les années 1920, auprès du comte Milewski, sur son île en Italie. Est-ce que vous savez si Henryk possédait ces tableaux et ce qu'ils pourraient être devenus ?

La vieille femme se tourna vers la fenêtre et son regard se brouilla. Ils ne souhaitaient pas la brusquer, gardant à l'esprit que tant son agilité mentale que sa mémoire étaient des appareillages usés qui n'aimaient probablement pas qu'on les pousse à fournir des efforts au-dessus de leurs forces. L'idée stupide que, durant ces pauses, Mme Olga pouvait tout simplement pisser dans sa couche traversa l'esprit de Karol.

— C'est intrigant, dit-elle en se retournant vers eux. Quand je me moquais de son amour pour l'art, il me répétait que je ne l'appréciais pas à sa juste valeur. Que lorsque nous ne serions plus là, l'art resterait. Que plus il y en a, et mieux l'homme voit de quelle beauté et de quelle bonté il est capable, et plus il lui est difficile de commettre le mal. C'est pourquoi il fallait en prendre soin. C'est ce que disait Henryk au cours du dernier Noël avant la guerre. Nous étions là, dans cette même chambre, mais tout nus. Moi et un Juif qui ne croyait pas en Dieu, mais qui croyait en l'art et en la bonté de l'homme. Et, au bout du compte, il n'est plus là, l'art n'est plus là, l'idée d'un homme bon est partie en fumée à Auschwitz et il ne reste qu'une bonne femme de cent ans qui, durant toute sa vie, ne jurait que par l'*ars amandi*.

Natalia soupira pesamment ; au fond d'elle-même, elle semblait porter un poids immense.

— Henryk était l'amour de ma vie, reprit Olga. Un véritable amour, de ceux qui n'arrivent qu'une seule fois dans la vie. Tout ce qui l'a précédé n'était que prémices, tout ce qui l'a suivi, de pâles copies. Vous deux, mes tourtereaux, devez certainement savoir de quoi je parle.

— Nous ne sommes pas en couple, affirma rapidement Zofia.

La vieillarde ricana, postillonnant sur son étole. Natalia se pencha et l'essuya avec un bout de serviette en papier.

— Et je pense sincèrement avoir aussi été l'amour de sa vie. Mais pour les hommes, c'est toujours différent. Henryk m'aimait, mais il aimait aussi l'art et il aimait la Pologne. C'était un patriote, dans le bon sens du terme, de ceux qui veulent choyer la bonté et la beauté d'une nation, et non verser son sang par hectolitres. En théorie. Mais quand l'heure d'agir est venue, il a couru sauver sa Pologne et sauver son art. Moi, j'étais censée l'attendre et garder espoir. Mais je l'attends toujours.

— Vous avez vu sa collection ? demanda Zofia.

— Tu plaisantes, chérie, n'est-ce pas ? Je ne l'ai pas vue, j'ai vécu à ses côtés au palais de Henryk à Pidhirtsi. Je mangeais devant elle, je lisais devant elle et c'est devant elle que je goûtais aux plaisirs de la chair. Mais c'est un sujet sur lequel, par égard pour toi, chère Natalia, nous n'allons pas nous attarder.

Zofia et Karol échangèrent des regards fiévreux. Était-ce possible ? Allaient-ils enfin découvrir une piste concrète ? Allaient-ils trouver la clé du plus grand trésor de l'histoire de la peinture mondiale ?

— Est-ce que vous pouvez nous en dire un peu plus sur ces toiles ?

— Elles étaient jolies.

— Mais qui les avait…

— Henryk, évidemment.

— Non, mais qui les a peintes ?

Karol perçut l'irritation percer dans la voix faussement calme de Zofia.

— Et comment pourrais-je le savoir ? Je ne travaillais pas dans un musée.

Le sentier menant à la maison sur la colline serpentait entre les arbres. La journée était belle, ensoleillée, la température d'une quinzaine de degrés. On ne pouvait rêver d'un temps pareil de l'autre côté des Alpes. Anatol portait Charlie dans ses bras ; celui-ci le fixait droit dans les yeux, gesticulait nerveusement et, par une série d'ululements, se lança dans un discours qui ressemblait à l'allocution très engagée d'un politicien de droite. Wendy transportait les provisions pour son mari dans un grand panier d'osier et Lisa offrait son visage au soleil, sa tête voilée d'un foulard aux couleurs folkloriques croates – Wendy l'avait déniché dans la réserve de vêtements d'été de l'hôtel.

— Hier au soir, il a beaucoup tapé. C'est bon signe.

Wendy l'avait annoncé d'une voix tremblante ; on aurait juré que Željko lui assénait des coups à la mâchoire chaque fois qu'il n'effectuait pas son quota journalier.

— Noël sera calme. Le calme, c'est le meilleur des cadeaux, ajouta-t-elle, plus pour elle-même que pour eux.

Anatol regretta de ne pas porter d'arme. Juste comme ça, au cas où. D'un autre côté, des années d'entraînement militaire devraient lui suffire à venir à bout d'un écrivaillon quelconque.

Il s'agissait sans conteste de l'immeuble qu'ils avaient cherché. Anatol n'y connaissait rien en architecture, mais le petit palais, un château plutôt, de base carrée, ne ressemblait pas à l'architecture des environs. Deux étages, un toit très pentu, une forme assez simple et une façade dépourvue d'ornements à l'exception du portique, c'était la demeure type d'un aristocrate polonais, à ceci près qu'elle était située au bord de l'Adriatique.

Wendy poussa la lourde porte et y passa la tête avec maintes précautions. Elle cria quelque chose en croate, probablement un : « Chéri, je suis venue avec des invités », mais la phrase pouvait tout aussi signifier : « Je t'ai amené de la viande fraîche. » À l'intérieur, personne ne répondit, ce qui amplifia les craintes d'Anatol. Tranquille, se répétait-il en boucle, lui scribouillard, toi commando d'élite. Du moment que l'écrivain ne disposait pas d'arme, ce dernier n'avait aucune chance.

— Il ne répond pas, mais après neuf heures, nous avons le droit d'entrer sans son autorisation, dit Wendy d'une voix frêle, comme si elle tentait de se persuader elle-même que c'était vrai.

Alors, ils entrèrent.

Dans ses tréfonds, le bâtiment ressemblait toujours à un manoir polonais, mais terriblement délabré. L'architecture du hall d'entrée, avec sa voûte d'arêtes, ses escaliers et sa cour intérieure surplombée de coursives, portait encore en elle les traces d'une ancienne gloire, mais rien de plus. Le parquet d'antan avait été remplacé par du lino bas de gamme, les murs recouverts de lambris vert et les lustres échangés contre des néons de supermarché coincées dans des protections grillagées. Le long des murs, on avait disposé des fauteuils par groupes de trois, sièges qu'on aurait jurés prélevés dans une vieille salle de cinéma. C'était l'image même de la misère et de la désolation ; le propriétaire avait certainement estimé que ce n'était pas la peine de rénover un vieux château, il était plus facile de construire un hôtel en parpaings et contreplaqué, puis de transformer le monument en fourre-tout et en logements de service.

Anatol tenta de visualiser le comte Korwin-Milewski dans ces intérieurs aux allures d'auberge de jeunesse bon marché, mais manqua d'imagination.

Peut-être qu'en découvrant le cabinet, la bibliothèque ou la salle de bal, ils auraient une meilleure impression ? Quoi que, ces pièces avaient probablement toutes été divisées en minuscules cagibis, transformées en dépôts ou en vestiaires.

Il se sentit las. Pour lui, il était impossible qu'ils dénichent quoi que ce fût dans un immeuble livré aux ravages d'une démocratie populaire durant des décennies. On avait probablement pillé jusqu'aux câbles électriques dans les murs. De là à découvrir des documents, des objets antiques ou des souvenirs, sans même évoquer des tableaux, il y avait un monde.

— Željko travaille dans la salle aux miroirs, annonça Wendy.

Anatol imagina une grande table en acier inoxydable ; des tas de viande humaine s'amoncellent de part et d'autre ; les victimes, à différents stades de privation de vie, sont attachées aux murs par de lourdes chaînes. Željko, lunettes sur le nez, voûté au-dessus du plan de travail, confectionne de la maroquinerie en peau humaine. « Il me manque de quoi faire une ceinture », lance-t-il tout bas à une victime à demi-consciente. L'information parvient à celle-ci avec un certain retard, puis elle se met à hurler à s'en rompre la voix.

Wendy entrebâilla une porte à battants, probablement belle jadis, mais recouverte ces temps-ci d'une couche de peinture qui craquelait et tombait par pans entiers, dévoilant des couches de couleur plus anciennes. La Britannique cria une phrase en croate qui signifiait certainement : « Chéri, je t'ai apporté de quoi faire des porte-monnaie ! »

Ils pénétrèrent à l'intérieur.

La salle était vide, exception faite d'une chaise, d'un immense bureau et d'une vieille machine à écrire posée dessus. De part et d'autre du meuble, des tas de feuilles s'empilaient, ce qui conforta la certitude d'Anatol que Željko n'était pas un romancier, mais un graphomane et un cinglé, persuadé que la créativité coulait à travers lui et devenait œuvre. Un écrivain a besoin d'un cadre de travail, pas de se mettre prétentieusement en scène.

— Nous n'avons pas le droit de nous approcher de la machine, chuchota Wendy.

Anatol n'avait pas besoin de s'approcher pour savoir ce qui était écrit sur chacune des feuilles : *All work and no play makes Željko a dull boy.*

Une chasse d'eau bruissa dans les toilettes, une porte grinça et Anatol se répéta une nouvelle fois que la confrontation entre un membre des commandos d'élite et un scribouillard ne pouvait avoir qu'une seule issue.

Il se trompait.

La porte s'ouvrit avec fracas et le littéraire croate s'immobilisa sur le seuil. En son for intérieur, Anatol s'attendait à un névrotique rempli d'agressivité, à un gringalet aux cheveux sombres, aux lèvres pincées, avec des yeux clairs et des paupières qui clignaient bien trop souvent. Un gringalet en chemise à carreaux persuadé que puisqu'il était artiste, tout lui était permis, c'est pourquoi il gardait un vingt-deux millimètres enfoncé derrière sa ceinture.

Or, Anatol découvrit un géant de deux mètres, un rondouillard chauve avec une longue barbe noire et des paluches de la taille d'une pelle à charbon. Il aurait écrasé Anatol comme un biscuit sec avant de laisser à celui-ci le temps de l'informer qu'il était une machine à tuer formée dans les casernes de l'OTAN.

Heureusement, le Croate semblait d'humeur amicale.

— Jetez un œil si vous voulez, leur dit-il une fois qu'ils lui eurent exposé le but de leur visite. Vous venez de Pologne, vous connaissez donc le sort des demeures aristocratiques. Muées en orphelinats, en colonies de vacances, en silos à grains, en siège de kolkhozes, il n'en reste pas grand-chose. Dans le meilleur des cas, elles étaient transformées en bibliothèques, en centres culturels ou en musées commémoratifs de désastres régionaux. Il n'y a rien ici.

— Wendy nous disait que tu te baladais beaucoup dans ces pièces. Tu es sûr de n'avoir rien vu ?

Le géant lança à son épouse un regard empreint de reproches, mais il s'égaya l'instant d'après lorsque Charlie se cogna de toutes ses forces contre son ventre de la taille d'une Mini Cooper. Assis les jambes écartées sur un tabouret, le Croate permettait au garçonnet de prendre son élan, puis de venir s'écraser sur la panse paternelle, rebondissant dessus comme une balle. Ce jeu stupide semblait procurer une joie immense aux deux protagonistes.

— Franchement, comprenez-moi, personne n'a pris soin de cette demeure. J'y ai vu de vieux matelas de gymnastique, j'ai vu des cadres de lit à l'émail écaillé, j'ai vu des cartons remplis de vieilles factures, du carrelage qui tombe des murs et un rat de la taille d'un chat. Il était vieux, lent et grisonnant. Je n'ai pas la moindre idée de l'âge qu'un rat peut atteindre, mais c'était sans conteste le monument le plus ancien que j'ai aperçu ici.

Anatol et Lisa échangèrent des regards dépités. Leur voyage était une perte de temps.

— Posez la question à la mairie, suggéra le géant, ils ont peut-être hérité d'archives ou de vieilles paperasses. Je vous aurais bien aidé, mais j'arrive à un point crucial de mon roman. Mon héros, qui n'arrivait pas jusque-là à distinguer rêve et réalité, vient de comprendre que seule la violence lui procurait le sens du vrai. Seule la violence lui permet de dire si ce qui se passe sous ses yeux a vraiment lieu. C'est pourquoi, il doit devenir de pire en pire. Il doit sans cesse faire du mal.

— Un concept très intéressant, chuchota Lisa.

— N'est-ce pas ? dit l'écrivain, aux anges. Je l'ai intitulé *La Douleur de la vérité souffrante*.

Anatol ne savait pas quoi dire, alors il hocha simplement la tête. Sa déception était forte, alors qu'il n'aurait pas dû la ressentir. L'espoir de trouver quelque chose à l'endroit où Milewski avait cessé de séjourner cent ans plus tôt était tout bonnement stupide. Il parcourut du regard la pièce appelée salle aux miroirs, baptisée ainsi parce que ses colonnes avaient été recouvertes de surfaces réfléchissantes, un peu à l'image des dancings

470

des années 1980. Cette décoration n'ajoutait pas de charme à la pièce, mais même avant, celle-ci devait être assez ordinaire.

Il buta sur ce mot : ordinaire. Après les récits de Lorentz, il s'attendait à tout sauf à de l'ordinaire. Il s'était imaginé un château romantique, tout en remparts, en donjons et en passages secrets, sur le parvis duquel la statue du comte accueillerait les visiteurs. Or, il avait atterri dans un palais quelconque où tout était normal et ennuyeux. Et ce n'était pas dû à la restructuration de l'époque communiste. Comment était-il possible que ce comte fantasque eût ordonné qu'on lui construisît une demeure aussi banale ?

Le maître imposant de la douleur, du tourment et de la violence jeta un coup d'œil insistant à sa montre, leur faisant comprendre que l'audience touchait à sa fin.

— Tant pis, dit Lisa, nous tenterons peut-être effectivement notre chance au village.

— Charlie, on y va.

Wendy tendit la main en direction du garçon qui s'enfuit aussitôt dans l'autre sens. Il se donnait du cœur à l'ouvrage, en prévision d'une course effrénée, en poussant des cris guerriers.

— Pas là, ouétil, pas là, ouétil ! répétait Charlie en boucle, se cachant en alternance les yeux et tapant de sa petite main la surface du miroir qui recouvrait l'un des murs.

Le Croate cria quelque chose en direction du garçon, probablement ce que crient tous les parents à leurs enfants : laisse ça !

— À quoi il joue ? demanda Lisa. Il veut se cacher dans le miroir ?

— Il veut jouer à « pas là, pas là », c'est sa version de cache-cache. Il se fourre dans un coin et nous faisons semblant de ne pas le voir. Nous le cherchons et l'appelons. Il adore ça.

— Mais pourquoi fait-il ça devant un miroir ?

— C'est la porte d'un petit théâtre. Il y a un rideau de scène, c'est son endroit préféré.

— Pas là, pas là… est là ! cria Charlie, très excité, en pointant du doigt l'immense miroir.

Lisa et Anatol échangèrent un regard.

12

Olga Bortnik tentait peut-être de donner le change avec ses blagues au sujet d'une quatrième jeunesse, mais à chaque minute qui passait, Zofia et Karol étaient plus convaincus que nul ne pouvait tromper la nature. La vieille femme était capable de dévier d'un sujet à l'autre de manière totalement inattendue, de sombrer soudain dans le trou noir de l'oubli, puis de s'en rendre parfaitement compte, même si les autres faisaient semblant de ne pas y prêter attention.

Les tentatives d'extraire de sa mémoire ne serait-ce que la description des œuvres accrochées au palais d'Aszkenazy à Pidhirtsi avaient fait long feu. Elle se rappelait ce qu'Henryk et elle avaient mangé (de l'oie), ce qu'ils avaient bu (du cognac de Crimée), où ils avaient fait l'amour (et où ne l'avaient-ils pas fait ?) et quel temps il avait fait. Mais les tableaux ? C'était d'un ennui ! Rien que des hommes en costumes. À l'inverse de Heine, car c'est ainsi qu'elle surnommait Henryk, elle ne croyait pas que le sens de la vie fût contenu dans des toiles badigeonnées de couleurs à l'effigie de quelques messieurs qui regardaient dans le vague sans aucune raison.

— L'un d'eux m'est resté en mémoire, je l'aimais bien, dit-elle avant de s'interrompre, tandis que son regard vitreux glissait sur le côté. Il était différent des autres. Pas seulement différent des autres tableaux d'Henryk, mais aussi de tous ceux que j'avais vus dans des palais. Je n'en avais peut-être pas vu beaucoup, d'autres choses m'intéressaient en ce temps-là, mais je savais quand même qu'il était différent.

Puis, ce fut le trou noir : cinq minutes de silence.

— En quoi était-il différent ? s'enquit gentiment Karol au bout d'un moment.

— C'était comme s'il était mû par un *perpetuum mobile*. Il n'avait pas besoin de carburant, il se poussait sans cesse à l'action. Il se couchait tard et à contrecœur, comme un enfant qui ne veut pas perdre son temps à dormir. Il se levait tôt, toujours frais comme un gardon. Jamais las, jamais découragé, toujours avec un objectif, avec un nouveau sommet à conquérir. C'est pour ça qu'il était si doué en affaires.

Et ça aurait été à peu près tout quant à l'histoire du tableau différent des autres.

— Pourquoi est-ce que vous l'appelez Heine ? demanda Zofia. C'est le diminutif allemand de Heinrich, n'est-ce pas ?

— C'est vrai. Mais… avant que le pire n'arrive, il adorait la culture allemande. Il maniait leur langue et imitait leurs accents si habilement qu'il pouvait passer pour Bavarois, Tyrolien ou Suisse. Ils se faisaient toujours avoir. Ses amis allemands adoraient ça.

— Ses amis allemands ? demanda Karol.

— Oui, il travaillait pour… je ne sais plus, pour une entreprise de chimie, je crois. Il y a eu une période pendant laquelle je ne le voyais pratiquement pas. Je ne recevais que des cartes postales, il m'envoyait toujours des cartes postales de chaque endroit où il séjournait, des cartes avec des poèmes. De Varsovie, de Vienne, de Paris, de Zürich. Il passait si souvent par Francfort qu'il y possédait son propre appartement.

— Joli ?

— Je ne sais pas, dit la vieille femme, devenue soudainement triste. Ils ne me l'ont jamais montré. D'un autre côté, à quoi bon montrer un enfant mort à quelqu'un, pas vrai ? C'est bien assez que la mère soit obligée d'accoucher. À quoi bon lui faire constater, en plus, s'il est joli ou non ? Il est mort, ça suffit.

Ils ne relevèrent pas la digression. Olga Bortnik avait puisé soudain dans un de ses traumatismes personnels et ils n'avaient aucune idée du comportement à adopter.

— Vous prendrez peut-être du gâteau au pavot ? demanda Natalia. Je l'ai fait selon la recette de mamie, c'est le meilleur de la ville.

Le visage de la vieille femme s'illumina au son de ces mots et ils goûtèrent tous avec plaisir à un morceau de la pâtisserie.

— Et que sont devenus ces tableaux durant la guerre ? demanda Zofia.

Karol était surpris de constater avec quelle aisance celle-ci avait endossé le rôle d'enquêtrice. Elle ne laissait à leur hôte pas une seconde de répit.

— Heine était un homme intelligent. Il les a décrochés et les a cachés bien avant le début de la guerre. Il avait laissé un peu d'or bien en évidence, pour que les Russes s'en emparent et le laissent tranquille. Mais les tableaux, il les a bien dissimulés, il avait des techniques spéciales de conservation, des toiles imbibées... je ne sais plus... de paraffine peut-être, ou de naphte... Il me l'a expliqué, mais je lui ai dit d'arrêter et de m'imbiber moi, à la place.

La vieille dame ricana lubriquement, ce qui fut d'un effet assez cauchemardesque.

— Et puis, une chose étrange est arrivée...

Il y eut un autre trou noir. Ils mangèrent un peu de gâteau au pavot, véritablement délicieux, craignant de rompre le silence. Mais ils ne pouvaient pas attendre éternellement.

— Quelle chose étrange ?

— Les gens ont commencé à paniquer, ils abandonnaient leurs maisons, cherchaient des abris pour se cacher des Martiens. Alors que ce n'était qu'une émission de radio. De nos jours, la télé ne dispose pas du pouvoir dont disposait la radio à l'époque.

Les rouages tournèrent au point mort un bon moment dans la tête de Karol, avant qu'il ne comprenne qu'Olga Bortnik parlait de *La Guerre des mondes*.

— Que sont devenus les tableaux de Henryk ? Où sont-ils ? demanda Zofia Lorentz.

Elle avait cessé de prendre soin des apparences et de donner à son interrogatoire des allures de conversation cordiale. Aussi étrange que ça puisse paraître, cette méthode sembla fonctionner avec la vieille dame.

— Ce qui était bizarre, c'est que les tableaux avaient vraiment été très bien cachés. Heine ne pouvait pas me dire où, mais il se vantait qu'ils pouvaient rester à l'abri un siècle ou deux sans que personne ne les découvre. Et puis, quelque chose a changé, il s'est mis à disparaître sans un mot. Un jour, il est revenu en très piteux état. Il avait la mort dans les yeux. Nous avons fait l'amour et j'ai su que c'était un adieu. Je suis devenue hystérique. Mais il m'a seulement dit de me calmer, qu'il m'aimait et qu'il devait y aller. Et il est parti. C'est l'avant-dernière fois que nous nous sommes vus.

Zofia et Karol échangèrent un regard intrigué.

— Et quand l'avez-vous vu pour la dernière fois ?

La grand-mère Bortnik dériva dans son monde. Elle semblait partie très loin d'eux. Ils attendirent patiemment son retour.

— Quand avez-vous vu Henryk pour la dernière fois ? répéta finalement Lorentz, agacée.

Olga la fusilla de ses yeux violets.

— Chérie, je suis vieille, c'est vrai, mais ni totalement sourde ni totalement sotte, alors je te prie de maîtriser la manière dont tu t'adresses à moi. Parfois, je garde le silence parce qu'il faut simplement que je pisse un coup. Et parfois, je me tais parce que je n'ai pas envie de me remémorer certains souvenirs. Tu n'as pas de souvenirs dont tu ne veux pas te rappeler ? Tu n'es pas assez jeune pour ne pas en avoir.

— J'en ai, répondit Zofia tout bas.

— Donc tu sais de quoi je parle. Je vais vous répondre et vous vous en irez après, d'accord ? Il faudra déjà que je reste ici avec les démons que vous avez éveillés.

Ils hochèrent poliment la tête.

— J'ai vu Heine pour la dernière fois quelques mois après qu'il est parti sans un mot cette nuit de juin, peu avant la Saint-Jean, reprit-elle. Quelques jours plus tard, l'enfer s'est déchaîné, personne ne savait ce qui se passait. D'un côté, les Russes semblaient partis, mais quelques jours plus tard, les Allemands sont arrivés à leur place. Il paraît que des exactions horribles ont eu lieu à Lviv, mais j'étais restée à Pidhirtsi. Les villageois nous aimaient bien, je me sentais à peu près en sécurité. Les Allemands ont débarqué à l'automne. En fin de soirée, deux automobiles et un camion se sont immobilisés devant le palais, des hommes en uniforme noir de SS en sont descendus. J'ai paniqué, je ne savais pas quoi faire, je me suis cachée derrière un rideau au salon comme une gourde.

La grand-mère Bortnik se tut à nouveau, mais cette fois, personne ne la brusqua.

— Ils sont entrés au palais comme s'ils étaient chez eux, reprit-elle après un instant. Je n'ai jamais eu aussi peur de ma vie. J'avais décidé que s'ils m'attrapaient, j'allais faire semblant d'être juive. Je connaissais un peu le yiddish. Je m'étais bêtement persuadée qu'alors, ils répugneraient à me toucher, qu'ils me tueraient sur place ou, qui sait, m'enverraient peut-être dans un ghetto. Et à cet instant-là, j'ai entendu un officier. Il aboyait ses ordres comme s'il dressait des chiens indociles. D'une voix calme, mais puissante, ne tolérant

477

aucun refus. C'était la voix si familière de Henryk Aszkenazy. Je ne comprenais pas ce qui se passait. La voix qui, tant de fois, m'avait raconté des plaisanteries entre ces murs ou susurré des mots doux à l'oreille commandait maintenant une horde d'Allemands. Je pensais que c'était une banale coïncidence, mais je craignais de bouger, et je ne parle même pas de jeter un coup d'œil pour vérifier si c'était bien lui.

— Tu ne m'as jamais raconté ça, dit Natalia, une rancune profonde perceptible dans la voix. Nous habitons ensemble depuis trente ans et tu ne me l'as jamais raconté.

Mais Olga ne jugea visiblement pas opportun de relever les paroles de sa petite-fille.

— L'officier et sa clique sont partis. J'ai hésité à m'enfuir, mais je craignais de tomber sur eux dans le vestibule ou devant la maison. Je m'étais bêtement persuadé que puisqu'ils ne m'avaient pas retrouvée derrière le rideau jusque-là, alors j'étais hors de danger. Du coup, j'ai attendu. Qu'ils s'en aillent, qu'ils s'endorment, ou le moment où je serais certaine de pouvoir sortir. Ils sont revenus quelques minutes plus tard, ils haletaient, ils devaient avoir porté quelque chose de lourd.

— Las tableaux, suggéra Lorentz.

— Exact. Quand ils sont à nouveau sortis, j'ai eu le courage d'écarter légèrement le rideau. Les rouleaux des toiles étaient alignés au salon, appuyés contre le mur à côté de la cheminée. Ma première pensée a été que ce n'était pas possible, qu'Heine les avait dissimulés du mieux qu'il avait pu, il n'y avait donc aucune chance pour que les Boches aient mis la main dessus au bout de cinq minutes. Le mystère s'est dissipé lorsqu'ils sont revenus avec le lot suivant. C'était bien lui. Il portait un uniforme noir orné de têtes de mort, une moustache délicate et des lunettes rondes ridicules. C'était horrible et risible à la fois. J'ai cru à un déguisement de bal masqué.

Olga Bortnik disparut une fois de plus dans les méandres de ses pensées.

— Bien, dit-elle après un soupir si lourd qu'on aurait cru son dernier. À un moment, ils m'ont trouvée. Je ruais et je leur donnais des coups de pied, mais ils riaient comme dans un cabaret bavarois. J'étais sûre que c'en était fini de moi, mais Heine les a fait taire et puis... c'était horrible... il m'a mise sur mes pieds et m'a frappée au visage. Il criait en allemand, me demandait ce que je fichais là et où était le propriétaire. Je ne comprenais vraiment plus rien. Je pleurais et je répétais en boucle en polonais que c'était un traître. Il m'a traînée de force devant le palais. J'étais persuadée qu'il allait me tirer une balle dans la tête. Mais il continuait à me hurler dessus en allemand, il hurlait sans cesse. Et puis il m'a parlé en polonais, tout bas. Il m'a dit de m'enfuir, qu'il m'aimait et qu'il me retrouverait un jour... C'est la dernière fois que j'ai vu Henryk.

13

En s'approchant du mur, ils purent constater que la salle aux miroirs n'était pas intégralement le fruit de l'industrie touristique yougoslave. Les miroirs qu'ils avaient devant eux étaient très anciens, la couche d'argent sous la vitre de cristal avait perdu de son éclat et s'était écaillée par endroits, créant un effet étrange, des trous semblaient s'être formés dans la réalité.

Wendy posa la main sur la poignée de porte.

— C'était censé être une surprise pour ce soir, dit l'écrivain en anglais sur un ton affligé.

La Britannique poussa la porte et ils pénétrèrent dans une grande pièce où l'obscurité régnait ; la lumière du jour ne parvenait ici que via la salle aux miroirs et à travers de rares interstices entre les rideaux épais qui masquaient les fenêtres.

La pièce était vaste, ronde, haute de plafond et elle sentait la poussière ; c'est l'unique chose qu'Anatol pût établir tant que ses yeux ne s'étaient pas habitués à la pénombre.

De petits pieds tambourinèrent le parquet.

— Ouétil ?

Cette question enthousiaste leur parvint de l'autre bout de la salle.

Et c'est alors que Željko tira sur un rideau d'un coup sec.

Lorsque la lumière se fit, Anatol put enfin croire que le palais avait été construit par le comte Ignace Korwin-Milewski.

L'amphithéâtre ressemblait à la miniature du Panthéon de Rome. Il était parfaitement rond, couronné d'une coupole aplatie ornée de caissons. Mais à la place de l'oculus central, une fresque fermait la voûte et un lustre y était suspendu par un long câble : une monstruosité chinoise composée de petites ampoules qui pointaient dans toutes les directions.

L'axe principal de la salle était défini par une modeste scène d'un côté et par de gigantesques fenêtres obscurcies de rideaux de l'autre. Cette partie du palais était située au bout de la colline, au bord de la falaise, donc, à travers les vitres, on ne voyait d'ici que le ciel et la mer qui miroitait au soleil. La vue était époustouflante ; ils pouvaient croire qu'ils ne se trouvaient pas dans une demeure, mais que cette salle étrange faisait partie d'un vaisseau fantastique, conçu au XIXe siècle, et qu'ils planaient au-dessus de l'Adriatique.

Les flancs de la pièce abritaient une quinzaine d'alcôves, vides aujourd'hui, mais qui, du temps de sa splendeur, devaient certainement faire office de loges.

La surprise trônait au milieu : un immense sapin de Noël décoré de feuilles tapées à la machine et pliées en animaux d'origami. Wendy l'observa un instant, bouche bée, puis sauta au cou de son mari.

Bien que délaissée, la salle avait conservé sa beauté d'antan ; même les quelques chaises en plastique turquoise alignées dans le public n'arrivaient pas à la lui ôter.

— Ouétil ?

Charlie était visiblement irrité que personne ne le cherche.

Wendy et Željko mirent fin à leur étreinte et commencèrent à appeler l'enfant, à traîner les chaises sur le parquet, prétendant que leur fiston avait disparu. Le garçonnet trépignait d'impatience et passait sa tête hirsute par l'interstice du rideau, persuadé qu'il restait invisible.

— Voyez-vous ça, dit Anatol à Lisa. Il semblerait que notre comte soit un vrai amateur de culture, au final.

Des tableaux par-ci, un théâtre par-là, sa bibliothèque était probablement bien garnie aussi.

— Il est là !

Le géant croate avait hurlé si fort qu'Anatol et Lisa sursautèrent de surprise.

Željko tira de toutes ses forces sur la corde qui écarta les pans du rideau de scène, dévoilant le garçonnet extatique en train de sautiller et de crier de joie. L'estrade était étrange : plate, dépourvue de coulisses, plus propice à l'installation d'un écran de cinéma.

Lisa fit le tour de la salle, marmonnant dans sa barbe des phrases en suédois. Elle s'arrêta devant les fenêtres, observa la mer, puis elle se retourna brusquement. Sur ce fond de lumière vive, on ne pouvait distinguer ses traits, Lisa n'était qu'une ombre.

— Ce n'est pas un théâtre, dit-elle.

— Pardon ?

— C'est une salle d'exposition. Regarde, la scène est trop plate, les loges aussi. Et puis, à quoi bon d'aussi grandes fenêtres dans un théâtre ? C'est une galerie, un musée. C'est là que le comte devait garder sa collection ou, du moins, sa partie la plus importante.

— Les autoportraits.

— Exactement. Tu te rappelles ce que disait Zofia ? Que c'étaient de grandes toiles. Un mètre sur un mètre et demi, si je me souviens bien, et toutes de la même taille.

Anatol contempla les niches qu'il avait prises pour des loges. Il estima leurs dimensions.

— Ça correspond parfaitement.

— Ce n'est pas tout. Observe bien les détails, là-haut.

Il leva les yeux. Les cavités étaient surmontées d'arches dont le point culminant était occupé par une sorte de blason en relief. De prime abord, il était difficile de distinguer ce qui se cachait sous les couches de peinture. Mais avec un minimum de concentration, Anatol vit que les cartouches ne contenaient pas de symboles héraldiques. Ils contenaient des lettres.

— AG par ici, lut-il.

— CM chez moi.

— Ça te dit quelque chose ?

Lisa haussa les épaules.

— CM, c'est probablement neuf cents, écrit en chiffres romains.

Il balaya l'air de la main ; on ne pouvait expliquer les autres symboles de la sorte. Son esprit de militaire commença à voguer vers des codes et des messages secrets, mais il se rappela à l'ordre. Il perdait les pédales à cause de tous ces mystères, alors qu'il fallait chercher les solutions les plus simples. Au cœur de son palais, le comte avait fait construire une salle spéciale pour sa collection la plus importante, probablement des autoportraits qu'il avait commandés auprès de divers peintres. Il ne les aurait pas affublés d'un code, ça n'avait aucun sens.

Il regarda une fois de plus le cartouche au-dessus de lui.

— Aleksander Gierymski, dit-il.

Lisa se tourna vers lui.

— Claude Monet.

Ils s'élancèrent simultanément le long des murs, se défiant à coups de noms. La vaste salle contenait une vingtaine de niches et ils n'arrivèrent pas à les assigner toutes, ils manquaient probablement de connaissances en histoire de la peinture polonaise, mais l'assortiment des Français et consorts était absolument galactique : en dehors de Monet, il y avait aussi Auguste Renoir, Paul Gauguin, Vincent Van Gogh, Camille Pissarro et Édouard Manet. Pour finir, ils s'arrêtèrent devant la « scène », c'est-à-dire devant la niche principale, bien plus vaste que les autres.

Non loin d'eux, Charlie exécutait avec Željko une sorte de danse folklorique croate qui faisait trembler le palais dans ses fondements.

Sur le cartouche au-dessus de la scène, ils déchif-frèrent difficilement trois lettres, et non deux : TLM.

— Ça te parle ? demanda Anatol.

Lisa acquiesça.

— Toulouse-Lautrec-Monfa, le nom complet de Toulouse-Lautrec. Les dates pourraient coller. Dans les années 1890, il passait son temps à Paris et peignait comme un fou, quand il ne baisait pas les catins du Moulin-Rouge ou ne se pintait pas à l'absinthe. Il aimait les grandes toiles, ça pourrait également convenir. Mais pourquoi devrait-il être indiqué autrement que les autres ? On devrait avoir HTL, Henri de Toulouse-Lautrec.

Anatol saisit son téléphone pour photographier la salle en détail. Midi était passé et le soleil, vif même en décembre à cette latitude, illuminait ardemment chaque parcelle de la pièce.

Qu'est-ce que tu gardais là, cher comte ? Tu fai-sais entrer les gens par une porte en miroirs, tu tirais les rideaux et tu les charmais avec tes trésors. Puis tu levais le rideau principal pour dévoiler le trésor des trésors, ton butin le plus précieux.

C'est-à-dire quoi ?

14

Ils mirent leurs manteaux, mais revinrent encore sur leurs pas pour dire au revoir à mamie Bortnik qui, pendant ce temps-là, s'était assoupie dans son fauteuil. Ils s'apprêtaient déjà à sortir sur la pointe des pieds quand la vieille dame s'éveilla, juste à temps pour recevoir leurs remerciements empressés et permettre à Karol de lui baiser la main.

Karol caressa aussi Falkor avant de sortir, ce qui lui valut un regard empreint de dégoût de la part de Lorentz.

— Quand avez-vous reçu la dernière carte postale de Henryk ? demanda soudainement Zofia.

— Ce n'était pas notre accord, répliqua Mme Olga en la toisant avec hargne.

Mais Zofia resta inflexible.

— Je suis désolée, mais je n'ai signé aucun contrat. Et cette information ne nous est pas nécessaire pour une thèse de doctorat, mais pour découvrir ce que ces tableaux sont devenus. Et nous en avons besoin... pour des raisons extrêmement importantes. Je sais que ça paraît dingue, mais c'est vrai. C'est réellement une question de vie ou de mort. Nous devons en savoir le plus possible.

— Je vous ai déjà tout dit.

La vieillarde avait pris la voix boudeuse d'une élève de maternelle. Combinée à son apparence, cela offrait une vision des plus surréalistes.

— Vous êtes sûre ?

Olga Bortnik tourna la tête vers la fenêtre, faisant comprendre à son invitée que la visite était terminée.

— Vous êtes sûre ? répéta Lorentz.

— Zofia…, dit Karol, s'efforçant de la modérer.

— Laisse-moi tranquille. La vieillesse n'implique pas que l'on puisse gouverner son monde comme bon nous semble.

Natalia, la petite-fille, hocha la tête pour indiquer qu'elle était entièrement d'accord. Zofia le prit pour une permission ; elle s'approcha du fauteuil roulant, saisit ses accoudoirs et s'agenouilla devant Mme Bortnik de façon à ce que leurs visages fussent à la même hauteur.

— Madame Olga, nous n'avons vraiment pas le temps pour ce cirque et pour ces susceptibilités.

— Je suis fatiguée…

— Je m'en fiche. Et puis, à votre place, je ne gâcherais pas le peu de temps qu'il me reste à me reposer.

— Zofia !

— Ne me crie pas dessus ! Tu sais que je déteste ça. Je refuse de sortir d'ici avec une autre énigme ! J'ai besoin qu'on me fournisse des réponses, pas de nouvelles questions. Tu comprends ça ?

— Je voulais simplement dire qu'on pouvait régler ça plus calmement, chère docteur Lorentz.

Figée jusque-là comme si elle venait de rendre l'âme à l'instant, Olga Bortnik posa ses yeux sur Zofia.

— Comment tu t'appelles, chérie ?

— Zofia Lorentz.

Les deux femmes se jaugèrent un instant.

— Natalia, donne-moi la boîte métallique de biscuits suédois, celle qui est posée près de la queue.

La petite-fille longea Falkor et arriva à son bout, probablement la partie la plus grise et la plus affligeante de cet animal en peluche. Elle ouvrit le meuble disposé sous la pointe et revint vers eux un coffret en étain à la main.

Olga Bortnik fouilla son contenu un instant et leur tendit deux cartes postales. La première aurait pu concourir pour le titre de la photo la plus typique de Pologne. Elle représentait le château royal du Wawel, mais avec une légende en allemand : *Krakau. Burg von der Weichsel ausgesehen.* Zofia retourna la carte : la lettre était destinée à Olga Bortnik, résidant à Lemberg. La même adresse que celle où ils se trouvaient à présent. Sur le timbre, un aigle nazi côtoyait l'inscription *Generalgouvernemement*. Prix : 60 quelque chose.

En lieu et place d'un message, un poème érotique :

Quand sur ses iris saphir et argent
Glissent ses paupières et qu'elle tombe sur le dos
Pour s'offrir languissante, molle, les yeux clos
Penchée sur l'épaule d'un geste négligent
Et quand la flamme du gaz qui brûle au-dessus de nous
Pare d'étincelles et d'ombres son corps dénudé,
Sa poitrine blanche expire un soupir discret,
Brillante sous le voile translucide des dessous.
Alors, elle porte en elle un tel charme divin,
De si étonnantes beautés et de telles féeries,
Qu'elle semble peinte par un vieux maître italien
Qui portait des anges dans son âme démunie.

Pas de signature, mais un ajout tout en bas : *P.-S. Passe le bonjour à Robert !*

Lorentz regarda Karol. Point besoin de paroles, ils songeaient tous les deux à la même chose. Au maître italien. Et à son œuvre. Au Jeune homme qui avait justement passé toute la guerre auprès de Hans Frank dans le monument représenté sur la photo. Après quoi, il avait disparu sans laisser de traces.

— Quand est-ce que ça a été envoyé ? demanda Karol.

Zofia scruta le cachet délavé.

— Cracovie, novembre 1944.

La deuxième carte était elle aussi adressée à Olga Bortnik. Cette fois-ci, Zofia commença par le cachet, mais il était totalement brouillé, aucune lettre du nom du bureau de poste ni aucun chiffre de la date n'étaient lisibles.

En lieu et place du message, un autre poème.

Evviva l'arte ! En nos poitrines brûlèrent
Des flammes placées là par Dieu en personne,
Car dans le néant nous gardâmes le front fier
Sans troquer nos lauriers contre aucune couronne.
Et bien que nos vies soient écourtées,
Evviva l'arte !

Et ce post-scriptum : *Je t'en prie, salue absolument Robert de ma part !!!*

Elle retourna la carte postale : un classique des paysages de montagne. Au premier plan, la cabine d'un téléphérique ; au second, un vaste refuge. Et une légende en allemand : *Tatra. Berghaus Krakau.*

Soudain, elle comprit.

— Vous avez eu le temps de saluer Robert de sa part ? demanda-t-elle tout bas.

La concentration de la vieille femme se dissipa complètement. Mme Bortnik semblait dériver si loin que Zofia fut persuadée d'assister à son décès. Au bout du compte, la centenaire revint à elle, mais au lieu de répondre, elle posa une question :

— Et pour vous, c'est... ?

— Mon grand-père, avoua Lorentz d'une voix encore plus frêle.

— Comment va-t-il ?

Moyennement. Il était mort en 1946, bien avant la naissance de sa petite-fille et, par malheur, aussi avant celle de son fils, venu au monde deux mois après le mystérieux décès de Robert Lorentz.

— Fort bien, compte tenu de son âge, dit Zofia. Il vit avec mes parents à Przemyśl.

— Embrassez-le pour moi. De la part de la panthère des neiges. Il saura de qui il s'agit.

Zofia hocha poliment la tête.

Un frisson la parcourut et elle sentit qu'elle n'avait pas, mais alors pas du tout envie de retourner en Pologne. Elle venait d'acquérir la certitude que l'énigmatique raison pour laquelle un tueur à gages sans nom la poursuivait ne résidait pas, comme elle l'avait cru jusqu'ici, dans son travail et dans ses connaissances.

Elle ne pouvait plus prétendre qu'il s'agissait d'un concours de circonstances. La clé du mystère se cachait dans son histoire familiale.

Partie IV

Le secret

CHAPITRE 7

CRACOVIE

1

La veille de Noël est l'une de ces journées où, le soir venu, chacun devrait rester à la maison et se sentir en sécurité. Pourtant, le docteur Zofia Lorentz marchait sur le quai d'une gare déserte à Lviv et tremblait de peur. Elle contemplait le train polonais qui devait les emmener à Cracovie, entendait les conducteurs discuter dans sa langue, lisait les noms familiers des villes sur la pancarte du trajet. D'ordinaire, elle aurait souri, elle aurait ressenti de la joie à l'idée de retourner vers sa langue maternelle, vers des lieux connus, vers les odeurs de son enfance. Mais rien n'était plus ordinaire depuis un bon bout de temps déjà. Sa patrie n'était plus un havre de paix, elle représentait une menace. Là-bas, leurs ennemis pourraient les pister, ils pourraient les atteindre.

Elle ne voulait pas y aller. Elle voulait fuir dans l'autre sens, à Kiev peut-être, en Crimée, ou encore plus loin, derrière l'Oural, quitter l'Europe, se terrer quelque part en Inde ou en Chine et y mener la vie d'une émigrée lettone enseignante en langues étrangères pour les enfants. Mais alors, elle devrait regarder avec crainte par-dessus son épaule pendant le reste de son existence.

Elle n'avait pas le choix.

Elle saisit la main offerte par Karol et monta dans le train.

2

Hermod en revanche était d'humeur paisible. Noël ne le concernait pas, à l'instar du reste des fêtes religieuses et autres superstitions si répandues sur la planète. Durant de longues années, il s'était étonné que, ni au temps de sa carrière militaire ni en tant que mercenaire, aucune cible religieuse ne lui ait été désignée. Il n'avait jamais eu à abattre un archevêque, un rabbin, un imam, un prophète autoproclamé ou un de ces innombrables prédicateurs saisonniers et autres fondateurs de nouvelles religions qui pullulaient de par le globe. Plus tard, il avait compris que ces gens ne constituaient pas une menace pour le monde de la grande politique et de la grande finance. Au contraire, les prêtres cyniques qui manipulaient les indigents étaient très utiles ; grâce à leur travail, les masses acceptaient mieux leur position subalterne et leur misère. Ces masses étaient moins enclines à poser des questions ou à exprimer leur mécontentement, sans parler de faire la révolution, lorsqu'elles croyaient que leur sort dépendait d'on ne sait quel dieu.

C'était clair comme de l'eau de roche.

Allongé sur le lit du Grand Hôtel de Cracovie – hôtel qui, par ses prétentions au luxe, était touchant à sa manière, comme un mendiant déguisé en prince de bal, persuadé que s'il portait son front suffisamment haut, personne ne remarquerait qu'il puait –, Hermod était ravi de passer le soir de Noël avec une bonne bouteille de vin et une lecture intéressante. Dommage qu'il ait fallu que ce soit dans ce village paumé sentant le moisi qui se prenait pour une belle cité, mais on ne pouvait pas tout avoir.

Depuis qu'il était capable de suivre chaque mouvement des quatre fantastiques, il était totalement apaisé. Au fond, il aurait pu exécuter sa commande depuis belle lurette, mais il savait que ses cibles s'étaient séparées, or il tenait, pour des raisons purement personnelles et une question d'honneur, à ce qu'elles fussent réunies lorsqu'il mettrait un terme à cette triste affaire. Après quoi, il comptait prendre sa retraite.

Par ailleurs, depuis sa discussion à Washington, il était curieux de savoir, bien qu'il admît que ce n'était pas très professionnel de sa part, quel horrible secret faisait pisser les Américains dans leurs frocs. Il avait donc décidé de laisser encore un peu de temps au docteur Lorentz pour le découvrir avant de la soustraire de l'équation globale.

À moins que quelque chose ne se déroule pas comme prévu. Auquel cas, il la supprimerait sans attendre.

Le train était vide, exception faite de deux contre-bandiers qui voyageaient apparemment avec l'espoir qu'aucun douanier polonais ne fît du zèle un soir de Noël. Zofia et Karol avaient un compartiment couchette à leur entière disposition et le contrôleur, un homme qui pesait probablement un quart de tonne, se réjouit en les voyant de ne pas avoir à passer cette soirée seul. Même si la solitude n'était rompue dans ce cas que par le fait de savoir deux personnes inconnues endormies à quelques cloisons en carton de lui.

Il était vingt-trois heures, heure ukrainienne. Ils n'avaient pas eu le temps d'enlever leurs manteaux que le contrôleur frappait déjà à leur porte, une bouilloire fumante à la main, et leur demandait sur un ton suppliant s'ils n'avaient pas envie d'un peu de thé. Ils échangèrent un regard et l'invitèrent à entrer. Après avoir bu une tasse, et faute de l'hostie qu'aurait exigé la tradition, ils partagèrent entre eux un croissant rassis, produit de la pâtisserie de la gare, se souhaitèrent tout ce qu'il y avait de meilleur et, en guise de dessert, se jetèrent dans le gosier de petits verres d'une eau-de-vie au piment, incroyablement délicieuse, que le contrôleur avait repêchée dans les plis de son uniforme d'un geste de prestidigitateur.

À peine les avait-il quittés que Karol tirait le verrou et passait à l'attaque :

— Et maintenant, tu peux m'expliquer ce qui se passe, bordel ? Depuis quand sais-tu que cette affaire pourrait avoir un lien avec ta famille ?

Elle soupira.

— Je ne voulais pas en parler devant les autres. Je n'étais pas sûre de pouvoir leur faire confiance.

— Et moi ? Je suis pareil qu'eux ?

Elle fit un geste de la main qui, en réalité, ne voulait rien dire ; c'était à la fois une tentative de justification et une esquive.

— Je vais tout t'expliquer maintenant, d'accord ?

— Ça nous changerait.

— D'abord, ce que je sais depuis longtemps, c'est que mon père est né en juillet 1946, déjà à moitié orphelin. Son père, mon grand-père, était mort deux mois plus tôt. Mais je te donnerai les détails plus tard. Ce qui est plus intéressant, c'est ce que mon aïeul faisait avant-guerre. En l'occurrence, il était historien d'art, professeur à l'université de Lviv. Il travaillait également dans le musée de la ville, c'était un ami du prince Czartoryski et il faisait partie des gens qui l'avaient aidé à cacher des œuvres d'art, dont le Raphaël, dès le début des combats. Je n'ai aucune idée de ce qui a foiré, mais quand les Allemands les ont retrouvées, ils ont aussi mis mon grand-père sous les verrous. Il a été l'un des premiers incarcérés à Auschwitz, quand ce n'était encore qu'un camp pour prisonniers politiques.

— Il y est resté jusqu'au bout ?

— Non, sa famille l'a racheté. À l'époque, c'était encore possible. Il a immédiatement rejoint le maquis. Je crois qu'il devait être sous le choc de ne pas avoir réussi à éviter le pillage. Mon Dieu, comme tout se met en place tout d'un coup...

— Zofia, qu'est-ce qui se met en place ? Je ne comprends toujours rien.

— Tu as vu la photo des trois potes au ski ?

— Bah oui.

— Trois amis, trois amateurs d'art. Le premier d'entre eux, c'est Karol Estreicher. Durant la guerre, il se réfugie à Londres, puis revient sur le continent avec les Américains, récupère l'héritage polonais volé et retourne au pays avec ces trésors. Tu me suis ?

— Oui.

— Le deuxième, c'est Robert Lorentz, mon grand-père.

— C'est pour ça que sa tête me disait quelque chose ! Tu lui ressembles. Vous avez le même air d'acharnement et d'intransigeance…

— Arrête. Robert Lorentz aide à cacher les œuvres au début de la guerre, mais il se plante, se retrouve à Auschwitz, en réchappe et se terre dans la forêt, puis se fait assassiner peu après la fin des combats. Tu suis toujours ?

— Assassiner ?

— Tu suis ou pas ?

— Oui.

— Le troisième, ce beau gosse divin, c'est Henryk Aszkenazy. Quand il ne s'envoie pas en l'air de toutes les façons possibles et imaginables avec sa maîtresse Olga Bortnik, il gagne un fric fou dans les entreprises nationales et collectionne des tableaux. Supposons que les toiles du comte Milewski entrent en sa possession dans les années 1920. Je parle de tous ces autoportraits de grands maîtres de la peinture polonaise et mondiale. Ce n'est pas rien. La guerre éclate. Aszkenazy met à l'abri sa maîtresse, il met à l'abri ses tableaux et disparaît. Pourquoi ?

Karol observa un instant les lampadaires d'une gare défiler derrière leur fenêtre.

— Pourquoi réapparaît-il peu après portant l'uniforme des SS…, s'interrogea-t-il. Pourquoi gifle-t-il sa maîtresse et emporte-t-il les tableaux qu'il avait si soigneusement dissimulés un peu plus tôt… C'est une bonne question.

— J'extrapole maintenant, mais plus j'y pense et plus ça forme un ensemble cohérent. Aszkenazy est un patriote. D'un autre côté, il fait des affaires en Allemagne, il connaît la culture de ce pays, il maîtrise parfaitement la langue, il peut passer pour plus allemand que bon nombre d'Allemands.

— Je vois où tu veux en venir. L'homme idéal pour en faire un agent secret. Surtout lorsqu'on a un ami qui travaille à Londres pour les Alliés. Avoir quelqu'un là-haut aux côtés de Hans Frank… pour les Anglais, un tel agent vaudrait de l'or.

— Précisément. Et, à ton avis, quelle est la meilleure manière d'entrer dans les bonnes grâces d'un boucher et d'un pilleur de palais qui se prend pour un grand connaisseur d'art ? Lui fournir un trésor extraordinaire. Il est vrai que le boucher ne peut pas l'afficher, parce que certains à Berlin seraient devenus fous en le voyant, mais le boucher sait ce qui est bon. Il garde son trésor auprès de lui jusqu'au bout et il garde aussi auprès de lui son fidèle compagnon, ne se doutant pas que ce dernier travaille en réalité pour les Polonais et pour les Anglais.

Karol tendit la main vers son sac à dos posé sur l'étagère, puis fouilla dedans. À la fin, il en retira un minuscule ballot. Il s'assit auprès de Lorentz.

— Tu es en train de me dire qu'Aszkenazy est resté auprès de Frank jusqu'à la fin de la guerre, qu'il l'a berné si bien qu'il a caché en personne toute la police d'assurance du monstre : le Raphaël, la collection de Milewski et de mystérieux documents pour lesquels tout l'OTAN est aujourd'hui prêt à nous exploser le crâne ? À ceci près que l'opération n'a fonctionné qu'à moitié. Hans Frank a, il est vrai, perdu ses meilleurs atouts et a fini pendu, mais tout ça n'a malheureusement pas servi la Pologne, car Aszkenazy a si soigneusement dissimulé ses trésors que personne ne les a retrouvés en soixante-dix ans. C'est ça ?

— Oui.

— Ça ne change rien, Zofia. Au bout du compte, la seule chose qu'on sait, c'est qu'on cherche un truc sans savoir où le chercher.

— Et c'est là que tu te trompes, mon cher, dit Zofia en souriant radieusement, parce que cette fois-ci, je sais précisément où chercher. Mon grand-père a perdu le Raphaël. Puis il est mort avant de réussir à le retrouver. Mais durant ces fêtes de fin d'année, je vais laver l'honneur de ma famille.

4

Ils avaient réussi à dénicher un vol intéressant de Trieste à Cracovie, avec escale à Francfort, et mangeaient maintenant leur dîner de Noël dans l'un des rares cafés ouverts sur la grande place du Marché, au cœur de la vieille ville, s'offrant, en guise de cadeau, la promesse de multiples orgasmes une fois revenus à l'hôtel. Le repas était simple : une salade au canard pour lui, une salade grecque pour elle, et un peu de vin rouge ; le tenancier ne fêtait visiblement pas Noël. Anatol se dit que l'homme n'avait probablement pas eu de chance dans la vie, puisqu'il préférait rester dans son bistrot, un jour comme celui-ci, à diffuser des morceaux de rock qui parlaient de la mort et du temps qui passait. Le major décida d'ajouter dix zlotys au pourboire rien que pour le remercier du remède qu'il leur offrait contre les chants de Noël omniprésents.

Lisa finit de manger, but une gorgée de vin et commença à écrire les lettres L, M et T sur la nappe dans diverses configurations.

— Elle t'a dit quelque chose de plus ? demanda-t-elle.

Ils discutaient en suédois, considérant que c'était le plus sûr.

— Non. Elle a dit qu'ils en avaient appris beaucoup et qu'elle nous expliquerait ça quand on se reverrait. Elle m'a juste assuré que l'affaire était en bonne voie.

— Ce n'est pas très malin. Elle aurait dû t'en dévoiler assez pour qu'on puisse agir au cas où.

— C'est ce que je lui ai dit.

— Et ?

— Et elle s'est excusée de ne pas être une militaire niaise et paranoïaque qui voit le danger partout. Elle m'a promis de se soigner.

— Adorable, comme toujours. J'en déduis qu'ils n'ont pas encore baisé.

Il hocha la tête et réclama d'un geste un peu plus de vin.

— Qui était cette femme à la radio ? demanda Lisa de façon inattendue.

Il jugea qu'après ces quelques jours d'une liaison sans engagement, ils étaient néanmoins devenus trop intimes pour qu'il lui mente.

— Mon ex-femme, Sylwia. Nous avons été ensemble durant quinze ans. Elle m'a quitté il y a quelques mois après avoir appris qu'elle souffrait d'un cancer. Elle m'a annoncé vouloir vivre un peu avant de mourir.

— D'après ce que j'ai entendu, elle a changé ses plans. Concernant sa mort.

Il haussa les épaules.

— Tu vas faire un versement sur son compte ?

— Je pense, oui.

— Beaucoup ?

Il garda le silence un long moment.

— Tout ce que je pourrai.

— Quand tout ça sera fini, tu m'enverras le lien. Je lui ferai un virement moi aussi.

Il sourit.

— Tu es la deuxième à le proposer. Il semblerait que Sylwia trouvera rapidement de quoi s'offrir une nouvelle vie, dit-il sans réfléchir.

Lisa ne fit pas attention à ses paroles, mais hocha machinalement la tête en cherchant dans la salade encore un morceau de feta.

— Qui est Martin ? lança-t-il inopinément, désireux de changer de sujet au plus vite.

— Pardon ?

— Tu as bien entendu. Qui est Martin ? Sten t'a parlé de lui quand on attendait les résultats d'analyse du spectrographe. Il a dit que Martin lui avait rendu visite et posé des questions à ton sujet.

— Martin, c'est un homme de mon passé. Et avec lequel j'ai un passé.

— Un Suédois ?

— Oui. Un lointain voisin du nord. Quand j'étais jeune et naïve, je croyais aux partenariats et aux associations. Martin m'a guérie de cette croyance-là.

— Comment ?

— C'est un homme très mauvais. Extrêmement mauvais. J'avais cru que… que puisque je faisais ce que je faisais, je n'arriverais pas à éviter ce type d'individus, que c'était le prix à payer. Puis, il s'est avéré que j'étais plus importante pour lui qu'il n'a été pour moi. Nos chemins se sont séparés.

— Qu'est-il devenu ?

— Pire, à ce qu'il paraît. Impitoyable, sans cœur. Il a encore essayé de rester en contact avec moi et de m'entraîner dans sa vie et, pendant un long moment, j'ai cru que je devais me sacrifier pour le sauver, lui et les autres. Mais un ami très sage m'a expliqué que je n'avais rien à voir avec ça. Martin était attiré par le mal et voulait s'y consacrer entièrement. Le reste d'humanité qui sommeillait en lui avait besoin d'un prétexte et j'étais censée le lui fournir.

— C'était un ami très sage.

— Sten. Le seul que j'aie jamais eu. Tu seras le second, si on ne se met pas des idées en tête.

— Ça m'étonnerait.

— Tant mieux.

Il hocha la tête, compréhensif. Il n'était pas sûr de savoir si cette réponse lui plaisait ou non.

Soudain, sans aucune raison apparente, le major Anatol Gmitruk, pourtant confortablement installé dans cet intérieur qui sentait le feu de bois, en cette calme soirée de Noël, ressentit une inquiétude étrange et dénuée de fondements. C'était la prémonition inopinée et poignante d'une mort prochaine, on aurait juré que la providence avait décidé de le prévenir suffisamment tôt pour qu'il eût le temps de passer un dernier coup de fil, de faire ses prières ou de payer l'ultime mensualité pour l'acquisition de sa télé. Pendant un instant, il n'arriva pas à reprendre son souffle.

Il estima que c'était à cause du rock qu'ils avaient écouté et demanda à Lisa de terminer son café. Il paya et ils sortirent sur la place du Marché recouverte de neige.

Alors qu'ils s'éloignaient, ils entendirent l'une des chansons les plus accablantes qui fût. Dave Mustaine les salua par la lettre d'un mourant à ses amis : « *These are the last words I'll ever speak and they'll set me free...* »

5

Il était vingt-trois heures, heure polonaise, lorsque leur conversation fut interrompue. Leur train s'immobilisa à Mostyska, ville distante d'une douzaine de kilomètres de la frontière polonaise, ils présentèrent sagement leurs passeports et attendirent qu'on changeât les bogies des wagons afin qu'ils puissent rouler sur les rails de l'Ouest, plus étroits de quatre-vingt-cinq millimètres que leurs homologues ukrainiens. Karol songea avec une certaine causticité que la largeur des chemins de fer était peut-être l'unique caractéristique que la République polonaise partageait avec la civilisation occidentale.

Il entrouvrit la fenêtre et inspira l'air frais qui sentait l'hiver et la locomotive. Il adorait les trains couchettes ; pour lui, c'était l'essence même du voyage. S'il avait pu, il se serait toujours déplacé de la sorte. Il estimait qu'un véritable voyage devait comprendre un coucher et un lever du soleil. Un temps de trajet plus court, ce n'était pas un voyage, mais un transfert d'un endroit à un autre.

Lorentz restait immobile sur la couchette du bas, les genoux tirés sous le menton, plongée dans ses pensées.

— Joyeux Noël, dit-il, lui offrant le petit ballot qu'il avait auparavant sorti de son sac à dos. Mes meilleurs vœux.

— C'est quoi ?

— Un cadeau.

— Pour moi ?

— Non, pour moi. Je veux juste que tu l'ouvres parce que je fatigue des doigts.

Zofia déplia le ballot. À l'intérieur, il y avait une boîte et, dans la boîte, des boucles d'oreille en or que madame le docteur ès histoire de l'art reconnut, grâce à leurs ornements fleuris et leur éclat terni, comme de l'authentique bijouterie Art nouveau, probablement dénichée chez un antiquaire de Lviv.

— Merci, dit-elle sans lever les yeux vers Karol.

— Dis merci à Vassili, c'est son cash.

En guise de réponse, Zofia Lorentz commença à sangloter tout bas, ravalant ses larmes telle une enfant qui faisait son possible, mais n'arrivait pas à s'arrêter de chouiner.

— Je... je n'ai pas de cadeau pour toi.

Karol s'assit à côté d'elle.

— Chuut... nous trouverons bien une idée. Et puisque nous sommes seuls, tous les deux, dans ce compartiment douillet...

S'il avait voulu la faire rire, il échoua sur toute la ligne. Zofia se mit à trembler et à larmoyer de plus belle.

— Excuse-moi, lança-t-elle finalement entre deux sanglots. Je suis vraiment désolée, je regrette d'avoir dit tout ça, à l'époque. Je ne voulais pas... je ne voulais pas te dire que je n'avais pas envie d'avoir des enfants avec toi et que je ne voulais pas me marier avec toi et que tu pouvais aller au diable avec tes rêves de petit-bourgeois et ton envie de faire de moi une femme au foyer. Même si c'est ce que j'ai dit, ce n'est pas ça que je voulais dire, tu comprends ?

Par prudence, il hocha la tête.

— Et je suis très triste et je te demande pardon, je te demande vraiment pardon. Me pardonneras-tu ?

Il sourit.

— Bien sûr. Après tout, tu es l'amour de ma vie. Et pour dire la vérité, je n'ai jamais été véritablement fâché.

— Avec toi, je pourrais même avoir des enfants.

— Avec toi, je pourrais même ne pas avoir d'enfants. Tu veux te marier avec moi ?

— Mais on couche ensemble avant ?

— Je ne gâcherais pour rien au monde ce moment de réconciliation romantique.

— Dieu merci. Moi aussi, j'ai eu une longue pause.

Ils se regardèrent et songèrent simultanément qu'il ne valait peut-être mieux pas tenter d'établir avec précision la durée de leur pause respective. Ils commencèrent à s'embrasser au moment précis où le train se remit en marche. Dehors, les lumières se mirent à défiler de plus en plus vite, puis ils pénétrèrent dans l'obscurité la plus totale.

6

Les quatre touristes lettons se réunirent le jour de Noël dans un hôtel sans personnalité de Cracovie, le Chopin, près du rond-point Mogilski.

Lisa et Anatol racontèrent en détail ce qu'ils avaient découvert sur l'île Sainte-Catherine, appelée ces temps-ci Sveta Katarina, ils leur montrèrent les photographies de la « salle de théâtre » avec ses niches pour les toiles et les cartouches avec les initiales des artistes – en supposant qu'ils aient correctement deviné l'intention du comte. Zofia égrena sans mal la majorité des noms, y compris ceux d'artistes polonais dont Lisa n'avait jamais entendu parler, mais en arrivant à TLM, elle fut tout aussi démunie qu'eux. À l'instar de la Suédoise, elle ne trouva rien de plus probant que Toulouse-Lautrec et, tout comme la voleuse un peu plus tôt, elle estima cette solution fortement tirée par les cheveux.

— Ça doit être quelque chose d'évident, dit-elle. Pas un code, pas un secret. Inutile de perdre notre temps avec ça, c'est comme s'acharner sans fin sur une définition de mots croisés. Il faut la laisser de côté. L'un d'entre nous découvrira la réponse d'un instant à l'autre et nous rigolerons un bon coup, voyant à quel point c'était facile.

Zofia et Karol narrèrent leur rencontre avec Olga Bortnik, la centenaire, et l'épisode où Henryk Aszkenazy, déguisé en officier SS, volait ses propres tableaux. Ils leur confièrent également la théorie selon laquelle le millionnaire aurait gagné la confiance de Hans Frank grâce à ses peintures, ce qui lui aurait ensuite permis de rester auprès de lui jusqu'à la fin de la guerre, sans cesser d'être l'agent des Alliés, puis de l'envoyer à l'échafaud en cachant, par malheur bien trop soigneusement, les trésors du gouverneur.

Une fois que tous eurent expliqué ce qu'ils avaient à expliquer, un lourd silence s'installa dans la petite chambre d'hôtel, entrecoupé seulement par la rumeur des voitures et des tramways qui roulaient sur l'artère urbaine derrière la fenêtre.

Anatol se cacha le visage dans les mains.

— Génial, dit-il après un instant. Est-ce que c'est juste moi ou, une fois de plus, au lieu d'obtenir des réponses, nous avons juste réussi à accumuler de nouvelles questions ? Je ne sais pas vous, mais moi, je commence à en avoir ras le bol. Si on continue comme ça, on passera les cinq prochaines années dans des trains et des hôtels pourris à courir derrière des ragots.

Est-ce qu'on va à nouveau se diviser en groupes pour chercher des agents secrets de la Deuxième Guerre mondiale ? Ou des indices codés dans des cercueils ? Ou des coffres d'argent ? Il ne manquerait plus que la Chambre d'ambre débarque dans cette histoire. D'après ce que je comprends, la seule chose qui confirme ta théorie, c'est le récit de votre centenaire à propos de son compagnon en uniforme SS ?

— Non, mon cher. Ma théorie est confirmée par cette petite enveloppe, dit-elle en sortant un objet de son sac et en l'agitant sous leur nez.

Ses trois camarades la regardèrent avec méfiance.

— Premièrement, j'ai ici les cartes postales que j'ai piquées à la vieille…

— Tu n'as pas fait ça !

— Bien sûr que si. Il faut avancer avec les vivants et cætera et cætera. Donc, premièrement, j'ai ici les cartes postales, mais j'y reviendrai. Deuxièmement, j'ai la capture d'écran d'une page Internet, mais j'y reviendrai aussi. Troisièmement, j'ai la photocopie d'un article d'un journal de Cracovie, le *Dziennik Polski*, de 1946. Un des originaux de cette édition se trouve chez mes parents, mais pour des raisons évidentes, je ne pouvais pas les contacter, c'est notre pote de Lviv qui l'a déniché pour moi dans une bibliothèque.

— Et c'est quoi ?

— C'est ce que, dans ma famille, on a toujours pris pour de la propagande communiste stupide et mensongère. La description du jour où un héros de guerre et ancien prisonnier d'Auschwitz, Robert Lorentz, s'est fait abattre lors d'une excursion en montagne. Il y a dans ces lignes beaucoup d'indignation sacrée parce que mon grand-père a été tué un premier mai, ce n'était donc pas seulement un attentat contre une victime tourmentée du nazisme, mais aussi une profanation symbolique du peuple des travailleurs. On le sait, l'époque voulait ça. La symbolique supplémentaire vient du fait que le meurtrier était...

Zofia suspendit la voix, les encourageant à deviner. Anatol trouva aussitôt la bonne réponse :

— ... un Américain.

— Très bien, cher major. Plus loin, ça devient encore plus intéressant. L'Américain en question, un certain Timothy Beagley, était venu en Pologne avec l'escorte du convoi des vingt-six wagons remplis à ras bord de nos trésors nationaux que les Alliés nous ont renvoyés d'Allemagne. Je rajouterai en passant que le train a emprunté un trajet Nuremberg-Cracovie et que, pour le pouvoir communiste fraîchement établi, c'était une situation très inconfortable. Les gens faisaient le pied de grue le long des rails, applaudissaient et criaient des hourras à la gloire des Américains, en leur lançant des fleurs. À bord, il y avait des soldats, des journalistes occidentaux et quelques femmes qualifiées sommairement de « dames de compagnie » dans les documents de l'époque. Je crois que c'était là un ramassis d'assez joyeux lurons. Le train est entré en Pologne clandestinement, dans la mesure où personne n'avait de visa, mais qui se serait soucié de contrôler des documents en présence d'un tel chargement ?

— Très pratique pour les services de renseignement ou pour des commandos d'élite, remarqua Gmitruk. Combien de temps sont-ils restés en Pologne ?

— Cinq jours.

— Soit bien assez pour jeter un coup d'œil aux alentours et fouiller plusieurs cachettes.

Karol émit un sifflement enthousiaste.

— Ça colle. Écoutez ça. La guerre touche à sa fin, chacun veut s'assurer une place au soleil. En fuyant l'Armée rouge, Hans Frank dissimule donc ses trésors : le Raphaël, les impressionnistes et un secret politique. Il espère ainsi négocier avec les Alliés. Les Américains profitent de la couverture que leur fournit le transport d'œuvres d'art pour envoyer leurs hommes récupérer les bidules et les rapatrier dans une de leurs bases en Allemagne. Mais leurs soldats ne trouvent pas ce qu'ils viennent chercher. Pourquoi ? Parce que, entre-temps, le trésor a été déplacé par l'agent polonais Henryk Aszkenazy. Cependant, au cours de leurs fouilles, ils tombent nez à nez avec l'un des amis de l'agent, en l'occurrence le grand-père Lorentz.

— Qui se prend une balle. Nous ne saurons jamais si c'est parce qu'ils cherchaient simultanément la même chose ou si c'est parce que les Yankees ont estimé devoir liquider un homme capable de mettre la main sur leur secret. J'opte pour la première hypothèse parce qu'ils l'ont abattu en montagne, or cette région joue ici un rôle clé. Mais j'y reviendrai.

— Arrête avec ce « j'y reviendrai », j'ai l'impression de suivre un cours magistral à la fac. Qu'est devenu l'Américain ?

— Je n'en sais rien. Aucun procès n'a jamais eu lieu, c'est sûr. J'imagine qu'ils ont passé un accord secret avec les Russes pour échanger des espions. C'est comme ça que ça se règle d'ordinaire, pas vrai ?

Gmitruk acquiesça.

— D'accord, dit-il sur un ton qui suggérait une entrée en matière, une introduction annonciatrice d'un discours plus long, mais il s'interrompit et devint pensif.

Ils attendirent patiemment qu'il reprenne.

— D'accord, poursuivit-il. Je n'ai qu'une seule question pour vous, bande d'intellos. Qu'est-ce que ça pourrait bien être, dans le genre bombe, qui était déjà si important il y a soixante-dix ans, et l'est encore aujourd'hui ?

7

Karol releva le défi :

— Premièrement, nous pouvons parier que cette information concerne tant les États-Unis que l'Allemagne nazie et que la dévoiler serait préjudiciable aux deux.

— Pourquoi ? s'enquit Anatol.

— Parce que les historiens s'interrogent depuis soixante-dix ans pour savoir ce que Hans Frank avait de si particulier. Son arrogance sautait aux yeux, mais aussi son manque de soutiens et son avidité sans précédent. Il s'est compromis aux yeux de la majorité des gros poissons de Berlin. Et pourtant, il était intouchable. L'explication qui s'impose, c'est que Frank avait de quoi faire chanter un gros bonnet du régime. Il avait connaissance d'un secret, grand ou petit, qui lui permettait de rester hors d'atteinte.

Ils acquiescèrent. Son analyse tenait la route.

— Et côté États-Unis ? demanda Anatol. Est-ce qu'il pourrait s'agir de la preuve que la guerre a profité aux Américains ?

— La guerre profite à tous les empires, c'est une loi immuable de l'Histoire. Les milieux d'affaires et les industriels trépignaient d'impatience à l'idée que les États-Unis s'engagent dans le conflit mondial. Pour eux, cela équivalait à une pluie de dollars, à des milliards en commandes gouvernementales. Une guerre mondiale engrangeait des profits pour tous, à l'exception des soldats envoyés au front et de leurs familles. Tout le monde y trouvait son compte, depuis l'économie nationale, en passant par les fabricants de chars d'assaut et les laboratoires scientifiques, jusqu'aux couturières qui cousaient les lanières des casques. Sans parler des banques, les banques gagnent toujours, et au cours d'une guerre, elles gagnent sur tous les fronts parce qu'elles financent d'ordinaire l'ensemble des belligérants. Pour les États-Unis d'Amérique, aucun investissement n'a jamais été aussi rentable que la Seconde Guerre mondiale. Bien sûr, personne ne le crie sur les toits, il vaut mieux chanter les louanges des héros tombés sous les drapeaux, mais les mécanismes qui relient la guerre, l'économie et le monde des affaires ont été décrits des millions de fois.

— Une preuve que les Américains ont activement soutenu les nazis durant les années 1930 pour mener l'Europe à la guerre, alors ?

— Et qu'ils ont voulu de cette manière-là sortir leur pays de la crise ? Ça pourrait marcher, mais il faudrait que ce soit quelque chose de politique.

Que les compagnies américaines aient collaboré avec les allemandes ou que les banques new-yorkaises aient prêté de l'argent aux nazis, ça intéresserait les médias pendant une semaine, pas plus. Les banques sont mauvaises et les multinationales encore pires, chacun le sait. Mais la preuve d'une collaboration politique, ce serait une bombe. Les Américains misent beaucoup sur leur réputation de gendarme des nations, cela pourrait leur faire énormément de tort sur la scène internationale. Mais, comme je l'ai dit, il faudrait que ce soit quelque chose de très concret. Je ne sais pas, moi, un haut gradé de l'US Army qui conseille Göring sur la manière la plus efficace d'attaquer la Pologne ? Quelque chose du genre.

— Est-ce que ça pourrait nuire aux Américains encore aujourd'hui ?

— Bien sûr. Premièrement, ils perdraient la légitimité morale de leurs agissements de par le globe. Autour de n'importe quelle table de négociations, on leur sortirait sans cesse qu'en tant que pays qui a soutenu Hitler et mis le monde à feu et à sang, ils n'ont rien à dire. Et puis, si on réussissait à prouver que leurs actions ont mené à des torts réels subis par des personnes réelles, les victimes ou leurs descendants leur feraient vivre un véritable enfer juridique. Les dédommagements pourraient s'élever à des centaines de milliards de dollars.

— Mais pourquoi maintenant ? demanda Anatol.

Ils l'interrogèrent du regard.

— Nous avons raté quelque chose. Le trésor de Hans Frank, ou le trésor d'Aszkenazy, appelez-le comme vous voulez, est resté dans sa cachette durant soixante-dix ans. Et soudain, quelque chose pousse les Américains à organiser une embuscade en agitant le Raphaël sous le nez des Polonais. Ils ont été jusqu'à arranger le guet-apens à New Rochelle, puis envoyer leurs sbires nous traquer jusqu'en Suède. Ça me pousse à croire qu'un événement a eu lieu. Un truc qu'ils ont vu et pas nous. C'est pourquoi, ils ont frappé. Ils supposaient que nous l'avions vu aussi et que, d'ici peu, nous nous empresserions de nous saisir de leurs documents si secrets.

Zofia sourit triomphalement.

— Et nous voilà arrivés au moment que vous attendiez tous. J'y ai réfléchi dans le train…

Karol se racla la gorge.

— … j'y ai réfléchi dans le train, reprit-elle, et je me suis posé la même question. Pourquoi maintenant ? Un espion n'en sait rien. Une spécialiste en histoire de l'art n'en sait rien. Un spécialiste du marché de l'art n'en sait rien non plus. Une voleuse et experte du marché noir ne voit rien venir. Il manque peut-être quelqu'un ? Existe-t-il seulement une autre catégorie de gens qui s'enthousiasment pour ces vieilleries ? Vous avez des idées ?

Elle les toisa d'un air d'institutrice.

— Quelqu'un ? Karol ? demanda-t-elle.

— Bah, il y a ces dingues avec leurs détecteurs de métaux et tout, répondit-il. Les passionnés du train d'or de Wałbrzych et des autres légendes, persuadés que la Chambre d'ambre est enterrée sous le buisson à côté de chez eux.

— Exactement ! C'est un milieu très dynamique, mais surtout très international. Ses membres échangent des informations, multiplient les théories du complot, noircissent des tonnes de papier avec leurs fantasmes de trésors perdus, comme si la première idée qui passait par la tête de tous ceux qui ont gagné de l'argent un jour était de planquer leurs richesses dans une grotte sous-marine. C'est totalement absurde, mais au fond, c'est un passe-temps inoffensif. Et voilà, il y a une quinzaine de mois de ça, le magazine américain *Lost Treasure* a publié l'article d'un chercheur polonais. Celui-ci y détaillait différentes hypothèses quant à la cachette possible de la Chambre d'ambre.

— À ce propos, je ne sais pas si vous saviez que bon nombre de pistes mènent aux États-Unis, intervint Karol. Il y avait un journaliste américain qui avait consacré sa vie à la recherche de la Chambre d'ambre. Dans les années 1970, il a écrit une lettre à un ami dans laquelle il lui confiait être persuadé qu'elle était cachée sur le territoire américain. Une semaine plus tard, il s'est suicidé. Il n'était pas dépressif ni rien. Pas mal, non ?

Les trois autres lui adressèrent des regards tels qu'il n'osa plus piper mot.

— … Bien sûr, il y avait dans son article tout l'assortiment classique des emplacements potentiels, reprit Zofia. Kaliningrad, les châteaux de Mazurie, l'épave du Gustloff, les tunnels sous la ville de Wałbrzych. Mais un nouvel élément y est mentionné. L'auteur soumet l'hypothèse selon laquelle la Chambre d'ambre aurait été amenée à Hans Frank et cachée par une unité spéciale de haute montagne des SS… Ne me regardez pas comme ça, je ne fais que répéter… Ils l'auraient dissimulée dans les Tatras, au massif du Giewont très précisément, dans une grotte camouflée, celle-là même qui a donné naissance à la légende des chevaliers endormis.

— Quelle légende ? demanda Lisa, ne sachant visiblement pas de quoi ils parlaient.

— Une légende polonaise selon laquelle, dans une caverne des Tatras, une brigade de chevaliers en armures est plongée dans le sommeil. Lorsque le moment viendra, ils s'éveilleront pour sauver la patrie.

Lisa pouffa de rire.

— Vous connaissez sûr histoire Pologne mieux que moi. Est-ce qu'il y a pas avoir beaucoup moments grands besoins souvent dans le passé ?

Zofia Lorentz préféra ne pas commenter cette remarque.

— Vous serez certainement intéressés d'apprendre d'où lui est venue cette hypothèse, poursuivit-elle comme si de rien n'était. En l'occurrence, au printemps d'il y a deux ans, un touriste en quête de fraîcheur a trouvé un thermos entre les pierres d'un ruisseau près de Zakopane. Un thermos d'avant-guerre, de la marque Thermos. Cependant, il ne contenait ni du café d'avant-guerre, ni du thé d'avant-guerre, mais un morceau d'ambre. C'était le fragment d'un ensemble plus grand, mais orné d'une croix gammée. Le touriste en question a publié la photo de sa trouvaille sur son blog, nos chasseurs de trésors l'y ont découverte et ont rempli des pages entières avec le récit de la façon dont Hans Frank s'y serait pris pour cacher la Chambre d'ambre dans une grotte des Tatras.

— Peut-être qu'il l'a fait ? s'interrogea Karol.

— Arrête. Les Russes ont fait partir la Chambre d'ambre en fumée par erreur en incendiant le château de Kaliningrad, mais ils ont eu honte de l'admettre et depuis, ils font courir ce bruit stupide de sa disparition mystérieuse. Il n'y a aucune Chambre d'ambre nulle part. Mais peu importe. Ce qui m'intéresse, moi, c'est que le milieu mondial des chasseurs de trésors s'est emballé à l'idée que Hans Frank aurait dissimulé ce magot dans les montagnes polonaises. Et maintenant, supposons que quelqu'un aux États-Unis ait lu cet article. Ce quelqu'un aurait estimé que les probabilités étaient fortes pour que les Polonais prennent cette histoire au sérieux, mettent en place une grande exploration, découvrent la planque, découvrent les tableaux et mettent surtout la main sur le secret.

— Oh putain ! jura soudainement Anatol.

Ils se tournèrent vers lui.

— Le drame du mont Kasprowy cet automne ! L'attentat terroriste, le téléphérique en miettes, les deux victimes…

Zofia ouvrit la bouche pour préciser un aspect, mais le major la fit taire d'un regard. Elle seule connaissait le rôle que Gmitruk avait joué dans ces événements. Il souhaitait visiblement que ça reste ainsi.

— Il faut que vous sachiez qui est mort, dit-il. Deux personnes étaient présentes dans la cabine qui descendait, le conducteur et un passager : Jan Hauptmann, professeur de géologie à l'École des mines et de la métallurgie de Cracovie, le plus grand spécialiste d'Europe dans l'étude des phénomènes karstiques et de la cartographie des cavités par filtrage dans les cours d'eau souterrains. Quelques semaines plus tôt, son équipe avait décroché un financement et commencé un projet dans les Tatras de l'Ouest.

— Pardon ? Mais c'est quoi la cartographie des cours d'eau souterrains ? demanda Karol, perdu.

— Cela consiste à verser dans des cavités à différents endroits de la montagne certains composés chimiques qui interagissent entre eux de manière préétablie et qui, de plus, se dégradent progressivement avec le temps. On analyse ensuite l'eau à l'intérieur de la montagne, via des forages, mais aussi celle qui jaillit dans les vallées. De cette façon, on peut découvrir quel chemin ces composés ont emprunté et l'ordinateur trace la carte des rivières souterraines. Par extension, en connaissant l'endroit où le thermos a été repêché, on pourrait remonter jusqu'à l'endroit de la montagne d'où il est parti. Vous comprenez ?

Ils acquiescèrent.

— Jusque-là, je croyais que Hauptmann était mort par hasard, qu'il s'était simplement retrouvé au mauvais endroit au mauvais moment et que personne n'avait réussi à le sauver...

Une note d'amertume résonna dans la voix d'Anatol, une note que seule Zofia déchiffra.

— Maintenant, je pense qu'on l'a tué pour l'empêcher d'étudier les cavités de cette montagne. Et pourquoi de cette manière-là et pas abattu dans une ruelle sombre ? Pour déstabiliser le fonctionnement des Tatras. Rappelez-vous, l'accès au parc naturel a été interdit durant deux mois. Si quelqu'un voulait jeter un œil aux environs sans avoir les touristes sur le dos, sans même avoir quiconque dans les parages, il a eu l'opportunité idéale de le faire. Ou plutôt, il s'est créé cette opportunité. Je le sais parce que je faisais partie des enquêteurs. Et vous souvenez-vous quel pays nous a envoyé ses experts ?

— Les États-Unis…, dit Karol.

— Exact. Nos chers alliés nous ont proposé leur aide dès le jour de l'attentat. Ils se sont déclarés prêts à nous épauler dans l'étude de la catastrophe et à nous envoyer leurs meilleurs spécialistes. Et, en effet, ils ont dépêché des gens qui, durant deux mois, ont pu fouiller sans encombre une zone fermée au public. Ils pouvaient regarder sous chaque feuille, sous chaque caillou.

— Mais ils n'ont rien trouvé, dit Zofia. C'est pourquoi, ils ont décidé d'éliminer les gens qui pourraient le faire, juste au cas où. C'est-à-dire nous.

Le constat était limpide, personne ne se donna la peine de confirmer.

— Nous devons y retourner, dit Lorentz. Le plus vite possible.

— Mais où ? demanda Karol. Les Tatras, ce n'est peut-être pas l'Himalaya, mais ce n'est pas non plus un square. Tu as l'intention de déplacer des rochers ou de descendre dans les grottes ? Si c'était aussi simple, les Américains l'auraient fait.

Elle sourit.

— Où ? Là où Henryk Aszkenazy a dit à mon grand-père d'aller. Regardez ça.

Elle sortit les deux cartes postales et les disposa sur la table.

— La première représente le château du Wawel où Hans Frank et le Jeune ont résidé durant la guerre.

D'ailleurs, il est question d'un « maître italien » dans le poème. Mais la clé, c'est de savoir qui en est l'auteur. Et il s'agit de Tetmajer. Celui-ci écrivait d'excellents vers érotiques, mais il a composé surtout de grandes odes à la montagne, à propos des Tatras, justement. Cette carte postale nous dit : le Jeune homme s'en va dans les Tatras. L'autre, en revanche, celle du téléphérique…

Elle suspendit sa voix, jeta un coup d'œil à Gmitruk, mais pas un muscle de son visage n'avait frémi.

— … nous dit où il se trouve très exactement. Au Berghaus Krakau. Et écoutez ce poème : « *Evviva l'arte !* En nos poitrines brûlèrent des flammes placées là par Dieu en personne, car dans le néant nous gardâmes le front fier, sans troquer nos lauriers contre aucune couronne. Et bien que nos vies soient écourtées, *Evviva l'arte !* » L'expéditeur a choisi un extrait où coexistent l'art et un précipice, donc la montagne. En tout cas, c'est comme ça que je le comprends.

— Il ne l'a pas seulement choisi, il l'a aussi modifié, remarqua Anatol.

— Comment ça ?

— Ça a été réécrit. L'original dit : « En nos poitrines brûlèrent des flammes placées là par Dieu en personne, alors nous toisons le peuple le front fier, sans troquer nos lauriers contre aucune couronne. Et bien que nos vies n'aient d'utilité, *Evviva l'arte !* »

Gmitruk avait une belle voix, très profonde, et ce qui avait sonné comme une récitation d'école primaire dans la bouche de Zofia était devenu dans celle du major une véritable déclamation.

Aucun d'entre eux ne savait qu'en écoutant, puis en récitant du Tetmajer, le major était en proie au même pressentiment que celui qui l'avait envahi le matin même, au café. Le pressentiment qu'il ne vivrait pas jusqu'au Jour de l'an. « Et bien que nos vies soient écourtées, *Evviva l'arte.* » Était-ce une prophétie lugubre ? Allait-il mourir pour une œuvre d'art ?

— Donc, tout est clair. Trouvons le « néant » en dessous du Berghaus Krakau et l'affaire sera réglée.

— Attends. C'est où, ça ? demanda Karol qui n'avait jamais été un amateur des randonnées en montagne.

— C'est l'auberge des Kalatówki. Aujourd'hui, c'est un refuge du parc naturel, on ne peut y accéder qu'à pied, mais avant la guerre, c'était l'hôtel le plus chic des environs de Zakopane. C'était un club privé, en altitude, avec un restaurant, un café et une salle de bridge. De ses fenêtres, on voyait le mont Kasprowy et le téléphérique tout juste construit. Des limousines arrivaient jusqu'à ses portes, des invités prestigieux s'amusaient sur le parquet de son dancing. Les dames portaient des robes de cocktail, ces messieurs des queues-de-pie. Ils se jetaient des fourrures ou des manteaux sur le dos pour sortir sur la terrasse et savourer du champagne sous les étoiles. Vous imaginez ça ?

Ils hochèrent la tête.

— Durant la guerre, l'hôtel des Kalatówki a été rebaptisé Berghaus Krakau et est devenu une des résidences de Hans Frank. La troisième après le château du Wawel et le château de Przegorzały. Il paraît qu'il adorait ce lieu parce qu'il lui rappelait les Alpes.

Poursuivre la discussion n'avait plus vraiment d'intérêt. Lisa et Anatol sortirent. En partant, le major fredonna la mélodie entendue au café le matin, celle-là même qui avait éveillé ses inquiétudes. La lettre d'adieu d'un mourant. Pourquoi cette satanée chanson tournait-elle en boucle dans sa tête ?

8

— Tu connais cette chanson ? demanda Karol, en imitant assez bien la mélodie fredonnée par Anatol.

Il se trouvait présentement sous la douche où Zofia Lorentz et lui se savonnaient mutuellement. C'était une façon agréable de terminer la journée.

— Quoi ?

— Cet air qu'Anatol chantonnait ? Je l'ai dans la tête et je ne me souviens plus ce que c'est. Ça ne me laisse pas tranquille.

— Ça sonne comme *La Danse des canards*, mais faux.

— Très drôle.

— Ne le prends pas mal, tu siffles très bien, on dirait un virtuose de la flûte. C'est certainement la cabine qui a une mauvaise acoustique.

— Je t'ai vraiment demandée en mariage ?

— Sans bague, ça ne compte pas.

Il rêva d'une promenade. Il marchait en montagne, la nuit, mais les reflets de la pleine lune sur la neige éclaircissaient la contrée. La balade aurait été assez agréable sans cet étrange homme maigre en uniforme bleu qui avançait devant lui. Ce type ne lui plaisait guère et Karol aurait voulu faire demi-tour, mais n'y arrivait pas, comme c'est souvent le cas dans les rêves. Il poursuivit donc son chemin jusqu'à ce qu'ils débouchent sur une vaste clairière avec vue sur les sommets. La lune pendait haut au-dessus de sa tête et éclairait le dos de l'homme maigre devant lui. Leurs longues ombres sur la neige ressemblaient à des taches d'encre sur une nappe.

Et c'est alors que la silhouette se retourna. Ce n'était pas un homme mais un squelette souriant qui portait des lunettes sombres.

Karol se réveilla brusquement et se demanda un instant où il se trouvait. La forme de Zofia sous la couette et la rumeur des tramways qui lui parvenait de la ville le ramenèrent à la réalité.

Un squelette souriant avec des lunettes sombres… il connaissait ce personnage, découvert sur les pochettes d'albums du groupe Megadeth. Pourquoi venait-il de rêver de lui ? Bien sûr ! Toute la soirée, il avait tenté en vain de se rappeler le titre de la chanson entonnée par Anatol. Un joli morceau, partiellement chanté en français.

Il commença à fredonner dans sa barbe, de plus en plus fort à chaque seconde qui passait.

— À tout le monde ! À tous mes amis ! Je vous aime… je dois partir… *these are the last words, I'll ever speak…*

— T'as perdu les pédales ?

— Je viens de me rappeler la chanson. C'est du Megadeth. *À tout le monde.*

— Ah oui ? Parfait. Demain matin, c'est toi qui apportes le café.

Il alla pisser un coup, sans cesser de fredonner. Il fixait le miroir, les paupières à demi ouvertes, quand il fit le lien.

À tout le monde.

Tout le monde.

TLM.

CHAPITRE 8

LES KALATÓWKI

1

Elle n'arrivait pas à croire qu'elle était revenue par ici.

Joanna Banaszek avait choisi une table à côté de la fenêtre et se chauffait les mains avec une tasse de café soluble, attendant ses saucisses de Francfort préférées. Le principe de fonctionnement des petits-déjeuners au refuge des Kalatówki était si étrange qu'il en devenait touchant. Au début du séjour, on obtenait autant de bouts de papier mal photocopiés, estampillés du logo de l'hôtel, que de matinées prévues dans la réservation. Puis, une fois installé au réfectoire, on transmettait le feuillet à la serveuse qui inscrivait au dos le résultat d'un interrogatoire assez méticuleux. Voulons-nous un café ou un thé ? Du miel ou de la confiture ? Un yaourt nature ou aux fruits ? Et la question principale était : quelle formule ? Il y en avait plusieurs, mais Joanna prenait toujours la cinq (des œufs brouillés au jambon) ou la quatre (des saucisses de Francfort). Ces saucisses, appelées « francs » par les habitués, étaient si bonnes que Joanna avait failli demander plusieurs fois aux employés où ils les achetaient, mais y avait finalement renoncé. À la maison, elles n'auraient probablement pas eu la même saveur.

Ici, la nourriture avait toujours meilleur goût parce qu'elle venait en supplément d'un endroit fabuleux, et l'endroit en lui-même n'était que le supplément d'une magnifique vue – une immense baie vitrée occupait en effet tout un pan du restaurant. Situé dans une vallée de montagne qui descendait le long de la rivière Bystra jusqu'à une forêt de conifères, l'hôtel surplombait un ruisseau, une piste de ski et un sentier de randonnée. Au-dessus des arbres, les cabines du téléphérique filaient jusqu'à récemment vers le mont Kasprowy. De sa place, Joanna voyait les pylônes et les câbles qui transportaient d'ordinaire en cette saison des milliers de skieurs. Elle distinguait également la station de transfert et, plus loin, là-haut sur la crête, la station d'arrivée du second téléphérique ainsi que l'observatoire météorologique au sommet. Sur cette partie-là, on ne voyait plus les câbles, non pas parce que la distance était trop grande, mais parce que de câbles, il n'y avait point. Joanna voyait seulement que l'un des pylônes – celui qui avait sauvé la vie à soixante et une personnes – était toujours tordu selon un angle étrange.

Malheureusement, il n'y aurait pas de ski cette année sur la sacro-sainte montagne polonaise, et c'était bien dommage, car les conditions météo étaient idéales. La neige était là depuis novembre et, les trois derniers jours, il en était tombé encore cinquante centimètres. En journée, aucun nuage n'obscurcissait le ciel, les rayons de soleil se reflétaient sur la neige fraîche, le paysage ressemblait à une scénographie douceâtre pour comédie romantique.

Joanna adorait ce panorama et se sentait bien, mais son regard finissait toujours par retourner au pylône tordu sur le versant du Kasprowy.

Tomasz qui, depuis leur escapade traumatisante, était passé du grade d'amant à celui de mari, lui avait demandé cent fois si elle était certaine de vouloir revenir ici pour les fêtes et elle lui avait cent fois répondu oui, de la même manière qu'elle aurait souhaité remonter sur un cheval après en être tombée. C'est à ça que devait ressembler la vie, d'après elle. Remonter en selle après une chute, s'asseoir au volant après un accrochage, passer Noël à l'endroit où on avait failli mourir avec toute sa famille au cours de la première véritable attaque terroriste de l'histoire du pays.

À présent, Tomasz jouait dans la neige avec les garçons et elle dégustait un petit-déjeuner copieux, regardant encore et encore le pylône tordu comme une langue revient sans cesse vers une dent douloureuse.

Malgré tout, elle avait du mal à croire qu'elle était revenue ici.

2

Il n'arrivait pas à croire qu'il était revenu ici.

Hermod occupait avec réticence une chambre individuelle de la taille d'une modeste garde-robe ou d'un grand placard. Par la fenêtre, il fixait le pylône tordu au loin sur la montagne et se demandait comment il était possible, bordel de merde, que dans ce pays de sauvages on appelle hôtel un taudis impossible à atteindre en taxi et dont les chambres possédaient certes un lavabo, mais où les chiottes et les douches étaient situés sur le palier.

Pas besoin d'être grand clerc pour savoir ce qui se déroulait ici durant la nuit. Un gars se lève de son lit et ressent une envie pressante. Est-ce l'envie irrépressible de se laver les mains ? Est-ce le besoin impérieux de se brosser les dents ? Non, non, loin de là. À moins de souffrir d'un trouble obsessionnel compulsif, le gars se réveille la nuit, comme tous les gars, avec une seule idée en tête : vider sa vessie. Et c'est d'autant plus vrai lors d'un séjour en montagne, après avoir sifflé trois bières au dîner. Il s'extrait péniblement de sa couche et se retrouve devant un choix cornélien. Allumer la lumière, chercher ses fringues puis errer dans le froid, la nuit, dans les couloirs de l'hôtel en quête de toilettes ? Ou alors uriner dans le lavabo et retourner vingt secondes plus tard sous sa couette chaude ?

La réponse à cette question n'était pas compliquée. C'est pourquoi Hermod n'arrivait pas à se résoudre à se laver les dents et les mains dans son appartement. Chaque fois qu'il s'approchait du robinet, il voyait par les yeux de l'âme les fantômes des centaines de pénis qui s'étaient posés sur le rebord en porcelaine avant son arrivée.

Il soupira et se promit qu'il n'y en aurait plus pour longtemps. Encore un peu et il pourrait quitter ce trou paumé qui se faisait passer pour un pays civilisé et occidental. Il pourrait fuir ce village puant la friture qui se revendiquait station de ski. Il pourrait oublier cet espace bondé, ce parc étriqué qui se voulait région de montagne. Et surtout, il pourrait quitter ce camp de transit pour réfugiés qui se prétendait hôtel.

Il regarda une nouvelle fois le pylône et songea qu'au moins, cet épisode de sa vie serait clos par une belle boucle de composition : c'était ici qu'il avait commencé et c'est ici qu'il prendrait fin. C'était amusant.

Malgré tout, il avait du mal à croire qu'il était revenu ici.

3

Il n'arrivait pas à croire qu'il était revenu ici.

D'ordinaire, à la descente du bus ou du train à Zakopane, Anatol ressentait une agréable crispation au sternum provoquée par la vue des sommets à l'horizon. Toujours différents. Cachés derrière un rideau de pluie ou de brume, baignés de soleil ou enneigés. Ou pratiquement invisibles, menaçantes formes noires sur fond d'un ciel de nuit. À chaque fois, les cimes inventaient une nouvelle manière de promettre l'aventure.

Aujourd'hui, Anatol ne ressentait que du vide. Il ne songeait ni à l'aventure, ni à la montagne, ni aux personnes qu'il avait sauvées non loin d'ici. Il songeait à ceux qui étaient morts ce jour-là. Il songeait à tous ceux qui étaient morts à cause de lui durant ces vingt années à l'armée. Dix ans de service actif, dont la plupart en mission. Combien de fois avait-il exécuté un ordre qui aboutissait au choix du moindre mal ? Combien de fois avait-il lui-même donné un tel ordre ? Quand avait-il cessé de remarquer que le choix du moindre mal se basait souvent sur des renseignements douteux, mais signifiait la mort certaine de personnes concrètes ? Il ne jeta pas un regard aux sommets. Il mena ses compagnons au taxi et demanda au chauffeur de les conduire à la gare basse du téléphérique.

En cette saison, avec ce temps et avec cette quantité de neige, des nuées de skieurs, de snowboardeurs et de simples touristes auraient dû s'ébattre ici, attendant leur tour pour grimper jusqu'en haut. D'ordinaire, les minibus se garaient les uns à côté des autres, les traîneaux embarquaient sans arrêt de nouveaux clients, les vendeurs de bonnets ridicules et de souvenirs régionaux se faisaient un paquet de fric, tandis que les fromages oscypek et les morceaux d'échine de porc quittaient les barbecues à une telle vitesse qu'on aurait juré que les visiteurs n'avaient rien mangé depuis une semaine.

Mais ces temps-ci, l'endroit sentait l'abandon. La gare du téléphérique hors service restait vide, lumières éteintes. Un ruban de plastique rouge et blanc avait été déployé sur les tourniquets et virevoltait au vent de manière lugubre. Même le tableau électronique affichant la température en haut et en bas des pistes qui fonctionnait d'habitude vingt-quatre heures sur vingt-quatre durant toute l'année avait été éteint, preuve, s'il en était, du trépas programmé de ce lieu. Personne ne pouvait annoncer quand les cabines reprendraient leur ballet ni si elles le feraient un jour.

Les quatre fugitifs longèrent la gare, passèrent sous les câbles et s'engagèrent sur le chemin de la montée entre deux rangées de sapins saupoudrés de neige. Les amoncellements blancs sur les branches ressemblaient tant à un décor de cinéma qu'on aurait pu croire à des gadgets en plastique si la neige ne se détachait pas de temps à autre des aiguilles, formant en l'air des nuages de poussière glacée qui miroitaient au soleil.

Ils dépassèrent le couvent des Sœurs Albertines dissimulé entre les arbres et tournèrent vers un sentier plus étroit qui serpentait par la vallée jusqu'à l'hôtel. La journée était fabuleuse et le major Gmitruk l'aurait probablement savourée à pleines dents sans le pressentiment persistant de sa mort.

Qu'on en finisse, pensait-il. Trouvons quelque chose ici ou ne trouvons rien, mais que cette histoire prenne fin une bonne fois pour toutes.

— Anatol, excuse-moi, je voulais te poser la question plus tôt, mais…

Ils étaient déjà très près du refuge quand Karol le rattrapa, haletant un peu à cause de la montée.

— … c'est qui cette Sylwia ?

Anatol s'arrêta.

— Pardon ?

— Ne réponds pas si tu n'en as pas envie. Mais je me souviens que tu as eu une réaction bizarre quand cette femme a parlé de son cancer à la radio. Ça m'a marqué. Pardon, si je suis indiscret…

— Oui, répondit le major et il reprit la marche.

— Oui quoi ? insista Karol.

— Oui, tu es indiscret.

— Mais de quoi s'agit-il ? demanda encore Karol, ne comprenant pas ou ne voulant pas comprendre un message pourtant limpide. Tu es malade toi aussi ? Vous vous êtes rencontrés lors d'une séance de soutien psychologique ? Tu as un cancer du cœur ?

Anatol sourit. Oui, c'était bien formulé. D'une certaine façon, il avait un cancer du cœur. Sylwia le lui avait transmis, tout concordait, c'était la tumeur la plus contagieuse de l'histoire de la médecine.

— J'ai été très proche de cette femme. C'est tout.

— Ah d'accord...

Anatol croyait avoir mis fin à la conversation, mais il se trompait.

— Tu sais qu'elle a tout réuni ?

Il s'immobilisa à nouveau. Il aurait dû continuer à marcher comme si de rien était, éviter le sujet, ignorer Karol. Il n'en était plus capable.

— C'est-à-dire ? demanda-t-il pour briser le silence.

— Elle a réuni toute la somme pour l'opération. Elle avait besoin de deux cent cinquante mille dollars. Hier, il y en avait même plus que ça sur son compte. Or, quelques jours plus tôt, elle ne disposait que d'une quinzaine de milliers. Tu lui as versé quelque chose ?

Durant ses quarante années de vie, il n'avait jamais été déloyal. Ni envers sa femme, ni plus tôt, envers ses autres copines, ni envers l'armée, ni envers la République. Il venait de trahir pour la première fois et savait que par ce seul geste, il avait rayé celui qu'il avait été et celui qu'il aurait voulu et pu devenir.

À partir d'aujourd'hui, il serait toujours un homme sans honneur.

— Mes économies..., répondit-il finalement.

Il aurait pu mentir, mais était trop fatigué par ce petit jeu. D'une part, il n'en avait plus l'envie, de l'autre, ses compagnons méritaient un peu d'honnêteté. Trop peu, trop tard, mais ils méritaient au moins cela. Enfin, il en avait assez de cette vie sous couverture, de ce rôle « d'espion polonais », de la poursuite de secrets vieux de soixante-dix ans et de la recherche de quelques croûtes qui faisaient fantasmer des crétins désœuvrés et corrompus par un trop-plein de richesses. Quelle importance ça avait face à une femme que son propre cœur avait décidé d'assassiner ? Franchement ?

— Quand t'ont-ils retrouvé ? demanda Lisa de derrière eux.

Dans le silence de la montagne, leur respiration semblait artificiellement lourde.

— J'ai fait un virement depuis un cybercafé près de notre hôtel à Göteborg. J'ai transféré toutes mes économies sur son compte. J'avais peur de ne plus en avoir l'occasion. Le soir, ils m'attendaient. Je veux dire, un homme m'attendait. Il m'a proposé de payer pour les soins de Sylwia et de rajouter un bonus pour les dépenses courantes.

— Tu nous as trahis ?

Dans la voix de Zofia, il y avait tant d'étonnement sincère et tant de rancœur qu'il le ressentit comme un coup physique. C'est Zofia qui le peinait le plus. Lisa était une voleuse du milieu, Karol un voleur qui ne disait pas son nom, mais Zofia ? La fille aux yeux noirs qui avait décidé de rendre le monde meilleur à tout prix. Il était fort possible qu'à cause de lui, elle allait le payer.

— Qu'est-ce que tu devais faire en échange ? demanda Karol.

— Porter un mouchard qui lui permettait de suivre nos déplacements. Bien sûr, il était plein de grandes phrases à propos de la hiérarchisation des priorités, de la stabilité internationale, ce genre de trucs.

— Et qu'est-ce que tu as fait ?

— Je l'ai pris. Je l'ai porté sur moi jusqu'à hier. Quand j'ai vu qu'ils avaient transféré la somme à Sylwia, j'ai laissé le mouchard dans notre hôtel à Cracovie. Je suis désolé.

Il sentait qu'il perdait ses moyens. Trahir était la pire chose qu'il ait jamais faite. S'il possédait un pistolet, il se serait tiré une balle dans la tête à l'instant sans hésiter. Mais il n'en possédait pas. Avant que quiconque pût réagir, il reprit l'ascension. Et eux derrière lui.

Après quelques pas, ils arrivèrent sur une clairière ; le soleil se réfléchissait si intensément sur la neige qu'ils devaient détourner le regard. Leurs yeux mirent un temps à s'habituer à la luminosité.

L'hôtel surplombait la colline tel un château de conte de fées. Les façades rectangulaires posées sur un socle de blocs de granit étaient recouvertes d'un toit presque plat, ancré dans les murs par de subtiles poutres. Alpin dans son caractère, simple, ce bâtiment sans décorations superflues faisait l'effet d'un gîte solide, d'un refuge qui assurait calme et tranquillité.

— Il ressemblait à quoi, cet homme ? demanda Zofia en se plantant devant Gmitruk.

— C'était l'ombre que j'ai blessée à New York.

Lorentz ne bougea plus, les yeux dans le vague, avec l'air d'avoir vu tous ses ancêtres morts debout sur le pré derrière lui.

— Jasper Leong…, chuchota-t-elle.

— T'as raison et tu as tort, la corrigea Lisa. C'était Jasper Leong, mais aussi Martin Meller. Un homme mauvais. Nous devons fuir.

— Comment ça, quel Martin Meller ? répliqua Lorentz.

— Il semblerait que nous ayons tous nos secrets. Par un extraordinaire concours de circonstances, M. Leong, qui est passé à deux doigts d'assassiner Zofia à New Rochelle, n'est autre que Martin Meller, ex-amant de notre chère cambrioleuse.

La voix glaciale du major Gmitruk collait parfaitement au décor hivernal.

— Un homme connu dans le milieu de l'élite criminelle sous le pseudonyme Hermod, tueur à gages, continua Anatol sans quitter Lisa des yeux. Un intouchable, car il travaille souvent pour les grandes puissances qui assurent sa protection de toutes les manières possibles et imaginables.

Lisa recula d'un pas.

— Je sais quoi vous penser, dit-elle, mais moi rien liaison avec lui. Vérité.

Personne ne commenta.

— Nous devons fuir, répéta-t-elle. S'il trouver Anatol et pister à hier, il trouver et nous. Nous devons fuir, se séparer, oublier.

Lisa s'approcha du major. C'était un homme assez petit, leurs nez se touchaient presque.

— T'es peut-être con. T'es peut-être mauvais.
Ou peut-être que t'es traître, lézard ?

Il ne répondit pas. Il n'avait rien à dire.

— Tu veux tant sauver ex que tu veux peut-être
niquer autre ?

— Lisa…

— Va te faire foutre. Nous tous à cause de toi morts.

Anatol frémit. « Toi mort », l'étrange construction
grammaticale de Lisa Tolgfors résonna comme un
présage.

Ils gardèrent le silence un moment, un silence seulement perturbé par l'agitation des environs du refuge.
Plus haut, des enfants jouaient dans la neige, les touristes prenaient des photos, un tire-fesses ronronnait.
La vie quotidienne suivait son cours, une vie paisible
et ordinaire, de sorte que leur situation paraissait surréaliste.

— Je n'attends pas que vous compreniez, dit Anatol,
mais c'est la vie…

Il s'interrompit, voyant que personne ne l'écoutait.
Lorentz s'assit par terre, Lisa leur tournait le dos et
fixait la forêt. Karol faisait nerveusement les cent pas
sur le chemin enneigé.

— Nous devons prendre une décision, dit Boznański
au bout du compte. La solution évidente serait de faire
demi-tour et, comme le suggère Lisa, de se disperser
aux quatre coins de la planète.

— Pas question, répliqua Zofia, mais sa voix tremblait. Pas question de faire demi-tour maintenant.
Tarder nous désavantage et arrange ceux qui veulent
nous mettre des bâtons dans les roues. Ils ne cesse-
ront jamais de nous traquer, tu le sais, Karol. L'unique

possibilité de l'emporter, c'est de terminer cette affaire aujourd'hui. Sinon, nous sommes foutus. Nous devons poursuivre.

— Et s'ils attendraient nous ? demanda Lisa.

— Ici, nous pouvons en finir ou nous pouvons mourir. Si nous fuyons maintenant, nous ne pouvons que mourir. Moi, je ne fuis pas.

Karol s'approcha d'Anatol.

— Est-ce que c'est vrai que depuis hier, ils ne nous suivent plus ?

— C'est vrai.

Lisa pouffa de rire et leur tourna ostensiblement le dos.

— Quelles sont les probabilités qu'ils nous attendent ? Ou qu'ils soient juste derrière nous ?

C'était une question simple et Anatol n'attendit pas une seconde pour répondre :

— Qu'ils nous attendent, les probabilités sont fortes, voire très fortes. Qu'ils soient juste derrière nous, la probabilité est de cent pour cent.

La docteur Zofia Lorentz se leva et chassa la neige de ses habits.

— Nous n'avons pas une minute à perdre, dit-elle. Moi, je continue, c'est sûr. Anatol aussi. Sa femme a déjà reçu l'argent. À part ta vie, ils ne peuvent rien te prendre et tu me dois bien ça, n'est-ce pas, major ?

Il hocha la tête.

— Vous, vous faites comme vous voulez.

Et elle reprit l'ascension. Après un instant, Lisa la suivit, sans un regard pour les deux hommes. Karol et Anatol se faisaient toujours face.

— Tu nous as tués, lézard, dit Karol tout bas en regardant le militaire droit dans les yeux.

Au même instant, une détonation retentit. Elle roula par la montagne comme un tonnerre, résonnant au sein des versants et des sommets, un long moment s'écoula avant que ses échos ne s'éteignent. Les quatre compagnons se regardèrent les uns les autres ; chacun s'attendait à voir un petit trou apparaître dans les vêtements de quelqu'un, un trou qui semblerait innocent de prime abord, puis les tissus qui l'entouraient deviendraient rouge sang.

Mais aucun trou n'apparut.

Ce qui apparut, en revanche, c'est un ricanement de mômes leur parvenant d'une petite cabane construite à quelques dizaines de mètres d'eux. Anatol y arriva en quatre bonds, regarda à l'intérieur et en sortit deux garçons en plein fou rire, l'un d'eux devait avoir sept ans, l'autre probablement une douzaine.

— Donne, dit le major d'une voix telle que le ricanement cessa aussitôt. Donne.

Le plus grand des deux garçons plongea avec réticence la main dans sa poche, puis disposa sur la paume du major une poignée de pétards, probablement préparés pour accueillir la nouvelle année.

— Nom de famille.

Des larmes perlèrent dans les yeux des enfants, le plus jeune se mit à sangloter.

— Adam et Alojzy Banaszek, monsieur, marmonna le plus âgé.

Anatol ne répondit rien. Il pointa simplement l'hôtel du doigt et les garçons s'élancèrent en courant. Il resta seul dans son coin, fixant les explosifs enfantins comme si son destin en dépendait. Ensuite, il les rangea dans une poche.

— Ce qui est fait est fait, dit-il sans oser lever les yeux vers ses compagnons. Il y a une chance qu'ils ne sachent pas que nous sommes là. Et maintenant, j'en ai assez d'analyser en boucle ce qui peut arriver ou non. Finissons-en.

Il se dirigea vers les Kalatówki après avoir jeté un coup d'œil au pylône tordu sur le flanc de la montagne.

Il n'arrivait pas à croire qu'il était revenu ici.

4

Lorsqu'il entendit une détonation, Hermod haussa légèrement les sourcils ; ses sens de tueur profession-nel se mirent modérément aux aguets. Modérément, parce qu'il savait distinguer le bruit d'un tir de celui produit par un pétard. Il regarda par la fenêtre, mais rien d'intéressant ne se passait : des gamins faisaient de la luge, des gens attendaient en file pour prendre le tire-fesses et, au cœur de la clairière, un couple de jeunes mariés se laissait photographier dans ce magni-fique décor naturel.

Tranquille, se dit-il, ce ne sont que des gamins qui jouent avec des feux d'artifice.

Cependant, l'événement l'avait tiré de sa rêverie. Il repensa donc à son mouchard qui avait cessé de fonctionner la veille. Soit la batterie était morte, soit le Polonais avait eu une crise de conscience tardive.

Ça compliquait un peu son action parce que, au bout du compte, il ne savait même pas si les quatre fantastiques allaient arriver dans ce lieu ou à un autre endroit de la montagne, mais ça rajoutait aussi un peu de saveur à la situation. Quelle sorte de chasse ce serait, si la proie se plantait au milieu d'un pré avec un bonnet rouge sur la tête et une pancarte « Visez ici » ?

5

Joanna Banaszek n'éprouva aucune frayeur en entendant la détonation parce qu'elle comprit d'emblée que ses enfants étaient à l'origine de cette bêtise. Lorsqu'ils étaient encore à Wroclaw, elle avait découvert les fusées et les pétards que ses fils avaient reçus de la part de leur nouveau beau-père – Tomasz avait visiblement été contaminé par l'imbécillité sans borne de ses garçons – et elle avait immédiatement su que ces jouets allaient créer des problèmes.

Elle soupira : au temps pour son petit-déjeuner consommé en toute tranquillité.

Elle engloutit le dernier morceau de saucisse, avala la dernière gorgée de café et alla s'habiller avec l'idée de traquer ses fistons chéris, de leur arracher leurs caboches stupides et de les jeter en pâture aux ours.

De loin, l'hôtel des Kalatówki semblait massif ; de près, il ressemblait carrément à une forteresse conçue pour résister aux vents violents de la montagne, aux avalanches, aux tremblements de terre, voire à une guerre nucléaire. Les blocs de roche taillée lui donnaient une allure particulièrement saisissante.

Le bâtiment était donc imposant. Côté clairière, il semblait ne posséder que trois étages – le niveau vitré du restaurant et les deux niveaux des chambres. De près et du côté de l'entrée, on découvrait aussi des combles aménagés, probablement destinés à l'hébergement du personnel. En dessous du restaurant, en revanche, on remarquait l'étage de l'accueil et du bar sous lequel se trouvaient encore un niveau pour les stocks et une boutique de ski.

— Vous croyez qu'une grotte existe, quelque part par ici ? demanda Zofia. Est-ce qu'il y a des grottes dans le coin, déjà ?

— Oui, répondit Anatol, alors qu'ils montaient le large escalier de l'hôtel. On est sur des roches calcaires. Mais je doute que quelqu'un y ait caché quoi que ce soit. Vous imaginez sans doute d'immenses salles, des stalactites liées à des stalagmites, des lacs souterrains. Rien de tel. Les grottes des Tatras, ce sont plutôt des boyaux rocheux, un enchevêtrement de canalisations noyées sous l'eau la plus grosse partie de l'année. Donc, même si quelqu'un a réalisé l'exploit d'y cacher quelque chose de plus grand qu'un trognon de pomme, je doute fort que vos barbouillages y aient survécu, à moins qu'ils aient été enfermés dans des sarcophages hermétiques. Mais il n'y a aucune grotte dans les Tatras susceptible d'accueillir une multitude de caisses.

— Ce ne sont pas des caisses, répondit Lorentz. À Lviv, nous avons appris qu'Aszkenazy avait détaché ou découpé les toiles de leurs cadres, il les a roulées comme des tapis et sécurisées sous cette forme. Une quinzaine de caisses aurait effectivement nécessité une salle de bal. Une quinzaine de rouleaux peut rentrer dans une grande armoire, dans un débarras ou un placard à balais. C'est ça qu'on cherche.

Ils s'immobilisèrent devant la porte d'entrée.

— Alors ? demanda Zofia.

Ils se regardèrent. Ils n'avaient pas bonne mine. Il n'y avait en eux ni l'excitation du début de cette aventure, ni la tension qui les avait grisés à New York, ni la peur qui les avait accompagnés durant la course-poursuite sur la Baltique gelée. La joie de découvrir de nouveaux éléments et de les relier entre eux, la satisfaction de suivre la piste d'un grand mystère, tout ça avait également disparu. Ne restaient que l'épuisante sensation de danger, la résignation et la fatigue. Si quelqu'un avait encore été diverti par cette aventure, depuis la trahison d'Anatol, ce n'était plus le cas.

Zofia Lorentz posa la main sur la poignée mais n'ouvrit pas de suite la porte. Elle s'immobilisa, comme si elle attendait qu'un autre prît la décision à sa place et la poussât dans l'entrée.

— Ce ne sont pas les portes des Enfers, mais le hall d'un hôtel rempli de touristes, dit Karol. Alors calme-toi et entre. De toute façon, il y a peu de chances qu'on découvre quoi que ce soit par ici. On poursuit des chimères. Vérifions ça et dégageons au plus vite quelque part où personne ne nous retrouvera jamais. J'en ai marre.

Il écarta Zofia et poussa la lourde porte.

7

Elle adorait l'hiver, mais à chaque fois qu'elle s'habillait pour sortir, l'été lui manquait : elle regrettait la possibilité d'enfiler ses tongs et d'être dehors en un claquement de doigts. À cette saison, Joanna était obligée de traverser un véritable parcours du combattant pour y parvenir. Des sous-vêtements. Un maillot thermique. Des bas. Sur les bas, de hautes chaussettes de ski. Une fine polaire et un pantalon à bretelles. Puis un blouson de ski, des gants dans les poches, à mettre à l'extérieur. Dans les poches intérieures, un bonnet d'un côté et un masque de l'autre. Il fallait encore se jeter sur l'épaule des chaussures de ski réunies par des velcros et c'était bon, on pouvait y aller. Miracle.

Dire que tant d'efforts étaient nécessaires pour batifoler sur cette zone réduite au modeste versant des abords du refuge. D'ordinaire, Joanna s'offrait ici une journée d'échauffement avant d'attaquer la vraie montagne, et maintenant... quelle tristesse !

En fermant la porte à clé, elle avait l'impression de participer à une émission de téléréalité censée faire prendre conscience aux bien portants ce que vivre en surpoids ou avec un handicap voulait dire. Elle avait entendu un jour parler d'un tel programme : des scientifiques y demandaient à des cobayes d'enfiler des combinaisons spéciales pour qu'ils sentent le poids de la vieillesse ou de la maladie.

Joanna Banaszek était persuadée qu'en comparaison de son accoutrement actuel, cette combinaison handicapante s'avérerait aussi confortable qu'un bikini.

8

Ça sentait le refuge : la nourriture, le thé, la neige fondue et les blousons humides.

— J'ai faim, annonça Karol.

Zofia ne jugea pas utile de répondre, bien qu'elle fût elle-même affamée après leur promenade. Elle aurait donné la moitié de son ancien salaire de fonctionnaire pour une bonne tasse de café. Elle estima cependant que c'étaient des envies secondaires face à l'inquiétude, voire la peur qu'elle ressentait.

Nous ne devrions pas être ici, se répétait-elle en son for intérieur. Nous jouons aux aventuriers, alors que des gens ont essayé de nous tuer à plusieurs reprises, rien que pour nous empêcher de trouver ce lieu. Il suffit d'user d'un brin de jugeote pour comprendre que de tous les endroits possibles et imaginables, celui-ci nous est le moins recommandé.

Elle s'engagea dans un escalier qui, à en croire les panneaux, devait la mener au bar, au restaurant et à l'accueil.

Les indications disaient vrai, Zofia déboucha en plein sur la réception, constatant avec étonnement que ce qu'elle avait d'abord pris pour un banal refuge de montagne ressemblait davantage à un hôtel décent à cet étage. Derrière le comptoir, une jeune femme sympathique, vêtue d'un polo de l'établissement, leur souriait avec entrain. L'écran suspendu dans un coin affichait les prévisions météo et des touristes parlant italien admiraient une immense carte des Tatras peinte sur le mur. Bien évidemment, l'emplacement des Kalatówki avait été si soigneusement effacé par des milliers de doigts qu'il était impossible de lire ce nom. Au foyer, décoré d'immondes barbouillages sur lesquels Zofia suspendit néanmoins le regard – découvrir un classique disparu dans un tel endroit, ce serait le pompon –, quatre septuagénaires jouaient au baby-foot en s'y adonnant corps et âme.

Au bout du hall, une porte à battants ouvrait sur le restaurant et le bar, mais surtout sur la baie vitrée face à un paysage à couper le souffle.

Le docteur Zofia Lorentz avança de quelques pas dans cette direction, soupira pesamment et sentit que cet endroit était fait pour elle. Et que le monde avait un sens. Et qu'elle aurait pu s'asseoir à une table, commander un café et rester ici de longues heures, à contempler la montagne se transformer au fil de la journée.

Des sites montagneux plus pittoresques existaient sur cette planète, il y avait aussi des hôtels plus beaux, mais ici, la liberté et l'espace fusionnaient avec une atmosphère chaleureuse et familiale d'une manière très spécifique. D'ordinaire, il fallait choisir entre les deux : trembler de froid, mais dormir sur les sentiers de montagne, ou siroter son thé en pantoufles. Ici, grâce à ces fenêtres, on n'avait pas à choisir. On pouvait vivre en même temps deux des meilleures sensations au monde.

— Tu prends ton petit-déjeuner là pendant une semaine et aucune œuvre d'art ne te paraîtra plus jamais digne d'intérêt, lui chuchota Karol à l'oreille, ayant apparemment lu dans ses pensées.

Elle ne répondit pas, elle n'avait pas envie de lui donner raison. Mais elle se réjouit de voir la journée si belle ; cela lui permettait de se rappeler à quel point le monde était fascinant et combien de choses il lui restait encore à voir. Zofia trouva la main de Karol et la serra fort car, soudain, toute sa vie défila sous ses yeux.

Sa future vie.

Elle les vit tous les deux en train de descendre pour le repas dans ce restaurant. Ils arriveraient parmi les derniers parce qu'ils auraient passé trop de temps au lit.

Elle les vit le soir, au café : le vent précipite les flocons de neige contre les vitres sombres et ils jouent au Scrabble en se chamaillant pour établir si le mot « baisouille » existe. Définition : petit rapport sexuel sans prétention, d'autant plus sympathique que le s est posé sur une case mot compte double.

Elle les vit tentant de déjeuner, tandis qu'une fillette aux grands yeux noirs profite d'un instant d'inattention pour fuir à travers le restaurant à la vitesse de la lumière. Et, bien sûr, Karol la poursuit, parce que Karol est ainsi, et l'instant d'après il revient, la fillette sous le bras. Elle se débat, mais rit comme une dingue et ils sont tous les trois très heureux.

Sa future vie, celle qui défila sous ses yeux en un battement de cils, était la vie d'une personne très chanceuse.

Le docteur Zofia Lorentz accueillit cette vision avec le sourire.

9

Exaspérée à l'idée de ressembler à un bonhomme Michelin, Joanna Banaszek était descendue dans le hall seulement pour constater que sa vessie était pleine. Elle fixait la porte des toilettes et songeait simultanément au pantalon de ski à bretelles, aux bas et à la culotte qui la séparaient d'une activité physiologique des plus banales. Elle était prête à renoncer, mais savait que si la sensation s'intensifiait sur la piste, tout le plaisir de la descente tomberait à l'eau, c'était le cas de le dire.

Elle pénétra donc dans les toilettes, éplucha ses couches successives tel un oignon doué de conscience, urina et s'habilla à nouveau, soupirant et gémissant au passage de façon si théâtrale que l'homme assis dans la cabine d'à côté eut des pensées indécentes.

Après quoi, elle se lava les mains et sortit. Au moment précis où elle refermait derrière elle la porte des commodités, elle remarqua qu'un homme grand et séduisant aux yeux verts, homme qu'elle avait d'ailleurs reluqué le matin au réfectoire, sortait de sa chaussure une lame fine, mais longue, ressemblant davantage à une aiguille à tricoter qu'à un couteau.

L'homme se saisit de l'objet d'un geste ferme, au point que la peau se tendit sur ses phalanges. Et il l'enfonça dans le dos d'une blonde souriante aux yeux très noirs qui serrait la main de son mari ou de son compagnon et qui admirait la vue par la baie vitrée du restaurant.

Joanna Banaszek n'eut pas le temps de crier, elle se jeta sur l'inconnu sans une seconde d'hésitation, le renversa et changea au dernier moment l'angle sous lequel la pointe d'acier perça le corps de Zofia Lorentz.

10

En descendant les escaliers de l'hôtel des Kalatówki, Hermod était prêt à pister et à chasser ses proies. Pourtant, tout comme un chasseur ne s'attend pas à tomber sur un cerf dans l'allée de sa maison, Hermod fut extrêmement surpris de retrouver ses quatre cibles dans le hall d'entrée de l'hôtel. Dans un laps de temps invraisemblablement court, il dut choisir la meilleure attitude à tenir face à cette nouvelle donne.

Il ne pouvait pas s'immobiliser brusquement ni même changer le rythme de sa descente ; des millénaires de lutte pour la survie avaient doté le cerveau humain de certains mécanismes : il réagissait en un claquement de doigts à tout écart de la norme dans son environnement immédiat. Tant qu'Hermod descendait à une allure uniforme, il se fondait dans le paysage.

Hermod était seul et ils étaient quatre. Ce surnombre n'aurait eu aucune importance sans Gmitruk. Même si ce dernier avait été formé au combat par la République polonaise, même si cette formation datait de plusieurs années et même s'il avait été grassement payé pour se tenir à l'écart, le major constituait malgré tout une menace. L'éthique était probablement plus importante pour ce soldat qu'une loyauté financière ; c'était ainsi que les faibles agissaient d'ordinaire. Durant une fraction de seconde, il envisagea donc de supprimer Anatol en premier. Cela augmenterait ses chances de survie et de fuite, mais pas celle de voir sa mission accomplie. Or, sa priorité était simple : avant tout, supprimer Zofia Lorentz, les autres cibles étaient secondaires. Et dans ce lieu, si, après avoir tué Gmitruk, les autres pensionnaires de l'hôtel se jetaient sur lui, ou si ses trois compagnons l'attaquaient, il n'aurait probablement eu aucune chance.

Son unique option était donc d'accomplir sa mission en priorité. Premièrement, il en serait débarrassé et son unique souci serait alors de fuir. Deuxièmement, avec un brin de chance, le meurtre provoquerait suffisamment de grabuge pour qu'il ait la possibilité de disparaître. Les chemins d'évacuation étaient nombreux et la couche de neige dehors était suffisamment épaisse pour qu'il puisse sauter à travers n'importe quelle fenêtre. Or, le premier étage de ce refuge était constitué presque exclusivement de fenêtres.

Entre l'instant où il remarqua le docteur Lorentz et l'instant où il prit sa décision, une seconde s'était écoulée ; c'était le laps de temps qui lui avait été nécessaire pour parcourir la moitié de la hauteur de l'escalier, entre le demi-étage et le hall.

La seconde suivante lui servit à faire deux nouveaux pas, donc à traverser le reste de la distance qui le séparait d'eux, à porter la main d'un geste fluide à la tige de ses lourdes bottes de randonnée et à en sortir la lame qui y était dissimulée.

Lorsqu'il posa le pied sur la moquette près de la réception, il n'était plus qu'à un pas de Lorentz et de Boznański. Au même moment, l'hôtesse d'accueil décrochait le téléphone, un Italien pointait du doigt le lieu de la catastrophe sur la carte du mur et un vieillard qui jouait au baby-foot marquait un but. Une femme irritée en tenue intégrale de skieuse sortait des toilettes ; tandis que Lisa Tolgfors le remarquait, ses yeux s'élargirent de terreur et sa main se posa sur le bras de Gmitruk qui analysait les prévisions météo sur l'écran.

Zofia souriait béatement, elle contemplait le panorama qui s'étendait derrière les vitres du refuge lorsque la lame pénétra avec précision à l'endroit où elle était censée pénétrer, c'est-à-dire légèrement de côté, dans l'axe des deux ventricules d'un cœur qui battait à un rythme de cent trois pulsations-minute parce qu'il ne s'était pas encore apaisé après l'effort de l'ascension. Et c'est alors qu'Hermod sentit un impact puissant faire tourner la lame et l'envoyer par terre, meurtrissant au passage sa main droite mutilée.

Un tumulte sans nom se déchaîna aussitôt autour de lui. La femme qui l'avait poussé se mit à hurler des phrases en polonais qu'il était incapable de comprendre. Lorentz s'effondra au sol et Boznański, désorienté, tomba à genoux pour vérifier ce qui se passait.

Lisa attira Gmitruk d'un geste brusque de la main, celui-ci se retourna et, à la lueur dans ses yeux, Hermod comprit que certaines personnes ne devraient jamais être payées d'avance.

Encore une fois, il dut planifier en une fraction de seconde ses mouvements suivants. À présent, les choses étaient plus simples, il suffisait de vaincre Gmitruk, de sortir de l'hôtel et d'abandonner ces quatre-là une bonne fois pour toutes.

Il roula sur la moquette pour désorienter le Polonais, bondit sur ses pieds près du mur et poussa l'un des Italiens sur le major. Lorsque celui-ci s'écarta pour éviter le projectile humain, perdant partiellement l'équilibre, Hermod fondit sur lui, l'attrapa par la tête et le cogna au visage avec son front, tactique des malfrats de toute la planète à l'efficacité redoutable.

Le coup de boule de Hermod écrasa le nez d'Anatol, l'enfonçant à l'intérieur de son crâne, le sang en gicla comme d'un robinet brusquement ouvert. Ça aurait pu être pire, ses os faciaux et ceux de sa mâchoire auraient également pu se briser, mais le major était parvenu à contracter les muscles de sa nuque et à tirer sa tête en arrière au dernier moment, grâce à quoi il perdit peut-être son nez, mais pas connaissance.

Hermod lâcha le Polonais, sauta par-dessus le baby-foot, sachant qu'avec les vieillards qui l'entouraient, l'obstacle serait suffisant pour ralentir d'éventuels poursuivants, puis il ouvrit la fenêtre qui séparait le foyer du parc national des Tatras. Avant de sauter, il se retourna, croisa les yeux brûlants de haine de son ancien amour, Lisa Tolgfors, et lui envoya un baiser.

Bien fait pour toi, pensa-t-il. Peut-être que dans une prochaine vie, tu apprendras à mieux choisir tes collaborateurs.

Puis il sauta.

Il atterrit dans une congère confortable près des poubelles et s'élança au petit trot vers la montagne.

11

Il s'accrochait à une pensée, au souvenir des prévisions des risques d'avalanche dans les Tatras qu'il avait lues avant l'attaque. Il s'en remplissait l'intégralité du cerveau.

Cette technique lui avait été apprise en formation, elle permettait de supporter les interrogatoires, de tromper un détecteur de mensonges et d'endurer des tortures. Les plus légères des tortures – personne ne tolérait les plus lourdes ; dès les premières séances, on les avait privés de leurs illusions quant à la résistance héroïque face aux interrogatoires musclés. Tout le monde avait son seuil de tolérance à la douleur et tout le monde finissait par craquer.

Une prudence accrue est conseillée sur les versants orientés nord-est, nord et nord-ouest, une prudence accrue est conseillée sur les versants orientés nord-est, nord et nord-ouest, une prudence accrue...

Il se le répétait en boucle, de plus en plus vite, grâce à quoi il réussit à repousser la douleur au second plan de sa conscience. Pourtant, la souffrance était exécrable, comme si une quinzaine de barres d'acier l'avaient cogné au visage, massacrant sa peau et ses os, puis étaient restées à l'intérieur de son crâne, à y vriller tels des serpents métalliques. Il avait envie de lancer un gémissement animal, il voulait hurler jusqu'à ce que le souffle lui vienne à manquer, jusqu'à ce qu'il perde connaissance et cesse de souffrir.

Au lieu de quoi, il marmonnait le communiqué à propos des risques d'avalanches comme une prière.

Et il réussit à se maîtriser assez pour ouvrir les yeux.

Devant lui, il découvrit le visage de Lisa, en larmes. La Suédoise tenait sa tête entre ses mains et lui disait quelque chose. Par un effort surhumain, il repoussa la douleur encore plus loin pour pouvoir entendre de quoi il s'agissait.

— Tue-le, lézard, répétait-elle en boucle.

Il comprit. Il s'obligea à se relever. Un vertige le prit, partiellement à la vue de la grande flaque de sang qui imbibait la moquette à l'endroit où il s'était agenouillé.

Il regarda autour de lui.

Il vit Karol qui portait Zofia dans ses bras.

Et il comprit qu'il devait rattraper l'autre fils de pute à n'importe quel prix.

En titubant, il courut dehors.

12

Il ne comprenait pas ce qui s'était passé. Zofia était à côté de lui, elle l'avait pris par la main et soudain, elle s'était écroulée au sol comme une poupée de chiffon, comme si quelqu'un l'avait débranchée. Allongée dans une torsion peu naturelle, elle était devenue blême, immobile, ses paupières s'étaient refermées. Derrière lui, il y avait du grabuge, les gens criaient, mais il était en dehors du tumulte. Il s'agenouilla à côté de Zofia et ne savait absolument pas quoi faire. Il était paralysé par la certitude que quelque chose de terrible venait d'avoir lieu et que personne ne pouvait plus rien y changer.

Il enlaça Zofia et ses mains plongèrent dans du sang chaud et gluant qui s'écoulait par un minuscule trou dans son dos. Cela le terrifia, il eut l'impression qu'il y avait trop de sang, trop pour une seule personne.

Il ne voulait pas qu'elle meure. Et il ne voulait certainement pas qu'elle meure par terre près des toilettes.

Il la prit dans ses bras et se leva ; le sang de Zofia s'accumulait sur ses mains et gouttait au sol tandis qu'il la portait au foyer. Les gens s'écartaient en silence, comme devant un prêtre antique en plein sacrifice humain.

Une fois au foyer, il déposa Zofia avec une grande tendresse sur un banc en bois près du mur. Une vue des Tatras peinte était accrochée au-dessus de sa tête, à moins que ce ne fût un paysage de montagne imaginaire ; il ne connaissait pas assez la région pour en juger. À voir les barbouillages suspendus tout autour d'eux, cela lui parut être une cruauté du destin que Zofia fût obligée de mourir entourée d'art, certes, mais d'un art immonde.

Un couple fendit brutalement la foule : une jolie blonde à lunettes, vêtue du polo du refuge, et un sympathique rouquin avec une grande trousse de secours à la main. Ils étaient si synchronisés qu'on aurait juré qu'ils faisaient ça tous les jours. Sans hésiter, sans questions ni pudeur, ils arrachèrent les habits imbibés de sang du corps de Zofia, apposèrent un pansement sur son dos et enroulèrent son torse d'un bandage serré. Au cours de l'opération, Zofia perdit connaissance. Couchée inerte sur le banc, elle semblait morte. Karol eut tellement peur qu'elle eût rendu l'âme sans prononcer une dernière parole qu'il tomba à genoux et se mit à vérifier son pouls en panique, à sentir sa respiration. Il avait besoin d'une preuve que ce n'était pas encore fini. Pas maintenant, encore un instant, peu importe quelle durée aurait cet instant. Pourvu qu'il existe.

Et c'est alors que Zofia ouvrit les yeux.

Karol lui sourit, mais elle n'avait plus la force de faire de même.

Elle chuchota une phrase, mais trop bas pour qu'il pût comprendre. Il se pencha vers elle, colla l'oreille à ses lèvres froides.

— Nous devions avoir une fille, tu sais ?

— Nous allons avoir une fille, dit-il. Plus d'une, d'ailleurs. Tu dois encore tenir le coup un instant, les secours ne vont plus tarder.

Elle ne réagit pas, elle était peut-être trop faible, ou alors toute son énergie était passée dans les regards qu'elle lançait aux alentours ; ses yeux erraient sur les murs du foyer, sur les tableaux si kitsch qui représentaient des panoramas de montagne. Soudain, elle s'arrêta sur l'un d'entre eux et dans ses pupilles qui s'éteignaient, il remarqua encore une étincelle de vie. Il suivit son regard. Le paysage contenait un petit refuge, vu à vol d'oiseau, un chalet en bois dans un décor hivernal, paisiblement blotti sur un versant et caché entre deux zones de forêt.

— Nous allons avoir une fille, chuchota-t-il, et ça va être le même genre de petite peste que toi. Je ne sais pas comment je vais vous supporter toutes les deux.

13

Il ne fuyait pas n'importe où. Sa mission dans les Tatras, comme quelques mois plus tôt, avait été soigneusement préparée parce que Hermod haïssait les improvisations et croyait dur comme fer que c'était à cette haine qu'il devait sa renommée. Chaque détail devait être prévu, chaque variante envisagée.

Dès qu'il eut quitté l'hôtel des Kalatówki, il renonça à fuir vers la ville. Trop de gens l'avaient vu et les secours arriveraient obligatoirement de cette direction. Il opta donc, à l'instar de Roman Kłosowicz soixante-dix ans plus tôt, pour l'option slovaque. Il comptait d'abord monter par une piste de ski hors service, puis s'engager dans la forêt et atteindre la crête. À la lisière des arbres, une paire de skis légers était dissimulée pour qu'il puisse descendre rapidement du côté slovaque où, au fond de la Tichá dolina, une Suzuki tout terrain estampillée TANAP, du nom du parc national de l'autre côté de la frontière, l'attendait.

Pour le moment, tout se déroulait selon son plan. En dépit de la neige profonde, Hermod avançait rapidement, les panneaux pour skieurs lui indiquaient le chemin.

14

La scène ressemblait à une toile, une variante de *La Leçon d'anatomie* de Rembrandt. Des personnes silencieuses entouraient le banc sur lequel Zofia était couchée. À côté d'elle, Karol lui tenait la main, à genoux, disposant les siennes comme pour une prière. Au-dessus d'eux, la blonde et le rouquin, toujours avec la trousse de secours dans les bras, semblaient désemparés.

— Va chercher une pelle, chuchota Zofia.

— Quoi ?

— Si tu veux m'enterrer, va chercher une pelle. Sinon, regarde ce paysage.

Il le regarda. Il s'y plongea corps et âme, analysant chaque aplat de couleur avec une dévotion réservée d'ordinaire à un Vermeer. Et plus il l'observait, plus il l'analysait, et plus un aspect l'intriguait.

Le tableau avait des proportions altérées, il était exagérément haut, d'une dimension de plus ou moins cent cinquante centimètres sur cinquante. Le chalet était situé dans la partie basse de la peinture, sur un versant couronné par des sommets rocheux. Tout bien considéré, la contrée ressemblait aux environs des Kalatówki. Au-dessus des cimes, on voyait un ciel avec de rares nuages. À en croire l'ombre portée par le refuge sur la neige et le reflet jaune dans l'une des fenêtres, le soleil devait briller quelque part derrière le dos du peintre.

Pourtant, des choses étranges avaient lieu autour du chalet en question. La bâtisse était posée sur une clairière déserte, mais devant et derrière lui une forêt épaisse s'enfonçait dans la composition telles deux cales ou deux langues verdâtres de monstres biscornus. Et l'étrangeté ne résidait même pas dans le fait que la forêt était absurdement feuillue – les branchages, représentés sous forme de boules serrées les unes contre les autres, semblaient recopiés à partir d'un dessin d'enfant –, mais parce que l'ensemble paraissait familier à Karol. Très familier.

Une pensée moribonde apparut au fond de son esprit. Une pensée si farfelue qu'il la chassa aussitôt. Il ne voulait pas sombrer dans la folie. Mais plus il repoussait l'idée, plus elle s'imposait à lui.

— Pourrais-je utiliser votre portable un instant ? demanda-t-il au rouquin sympathique qui venait de panser Zofia.

Le soigneur regarda sa main noircie par le sang, mais lui céda néanmoins son téléphone.

Karol fouilla un instant sur Internet et trouva rapidement ce qu'il cherchait.

— Regarde ça, dit-il en tendant le téléphone à Lisa.

La Suédoise s'empara du minuscule écran sur lequel s'affichait la reproduction en noir et blanc du *Portrait de jeune homme* de Raphaello Santi.

— T'es devenu dingue ? demanda-t-elle.

— Regarde par la fenêtre.

Elle obtempéra ; derrière la baie vitrée du foyer, la journée d'hiver resplendissait toujours.

— Pas celle-ci. Par la fenêtre sur le tableau.

Elle regarda. La majorité du *Portrait de jeune homme* était occupée, comme il se devait, par le jeune homme. Mais, à droite du visage souriant, Raphaël avait peint un bout de fenêtre et derrière, un bout de paysage. Le panorama haut, allongé, se composait essentiellement d'un ciel bleu, tandis qu'en bas, on distinguait dans la brume les tours d'une ville. Au premier plan, deux espaces forestiers de feuillus s'enfonçaient dans la composition telles deux cales ou deux langues verdâtres de monstres biscornus. Les branchages, représentés sous forme de boules serrées les unes contre les autres, semblaient recopiés à partir d'un dessin d'enfant...

— Il est là, quelque part, marmonna Lorentz. Vous devez le trouver.

Il voulait lui dire d'oublier cette idée ridicule, mais les yeux noirs de la blessée étincelèrent de façon si catégorique qu'il se sentit obligé de s'approcher du mur et d'enlever le tableau. Au dos, il trouva une signature : *HA45*.

Une signature particulièrement facile à déchiffrer : Henryk Aszkenazy, 1945.

Il regarda le rouquin qui attendait toujours calmement dans son maillot de corps moulant, probablement trop moulant, orné du logo de la marque Brubeck.

— Vous connaissez un spécialiste de la région ? demanda Karol en lui rendant son portable.

L'homme sourit.

— Moi, puis ma femme, dit-il en indiquant la blonde à côté de lui. Et puis loin, loin derrière nous, les autres.

15

La neige l'aidait à rester éveillé. Tous les cinquante mètres, il ralentissait sa marche et ramassait une boule de neige fraîche qu'il appliquait ensuite sur son visage massacré. Le froid l'apaisait. Il avançait ainsi tant que la neige n'avait pas fondu, puis jetait la boule rougie par le sang et en formait une nouvelle. De cette manière, après une demi-heure de marche, il s'était suffisamment anesthésié le visage pour rassembler ses idées avec un minimum de clarté.

Après l'avoir fait, il ne se sentit pas beaucoup mieux. Il était affaibli, il saignait. De moins en moins, c'est vrai, mais il saignait encore. Il n'avait pas d'arme, il n'avait ni couteau ni même un trousseau de clés qui pourrait constituer un casse-tête provisoire. Et c'était un tueur expérimenté et bien entraîné qui marchait devant lui. De plus, cet homme était certainement armé. Le poursuivre n'avait aucun sens, le major Gmitruk s'en rendait parfaitement compte. Il n'avait pas de plan, il n'avait plus de forces, tout ce qu'il possédait, c'était une certitude absolue de mourir dans cette montagne.

Il perdrait la vie soit d'épuisement, soit aux mains du tueur.

Mais il n'arrivait pas à renoncer, car c'était son unique chance de rachat. Il préférait encore crever dans cette forêt que revenir sur ses pas seulement pour apprendre que Zofia avait payé l'unique trahison de sa vie, que le prix de l'existence de Sylwia était une autre existence : celle d'une femme innocente. Comme sous hypnose, il fixait les traces laissées par Hermod sur la piste de ski et s'obligeait à y imprimer les siennes.

— Je trouverai bien une idée quand j'y serai, dit-il à voix haute, prouvant par la même occasion qu'il était le digne héritier de la tradition insurrectionnelle polonaise.

Le mouvement de sa mâchoire provoqua une attaque de douleur si brutale qu'il tomba à genoux et mit quelques secondes à reprendre ses esprits avant de repartir à l'assaut.

16

— Réfléchis ! Tu es une voleuse après tout, criait-il à Lisa.

Penchés sur le tableau, ils fixaient bêtement le chalet au cœur de la montagne, comme si la résolution de l'énigme dépendait du temps passé à le faire.

— C'est en cela que ça consiste, non ? On doit découvrir un objet caché par quelqu'un d'autre. À ceci près qu'ici, dit Karol en pointant du doigt l'image couchée

562

sur une table du restaurant, le gentil M. Aszkenazy t'a laissé des indices pour te faciliter la tâche. Alors trouve-le, bordel de merde !

Lisa le toisa avec rage mais ne répondit rien. Elle réfléchissait. Elle réfléchissait aussi vite que possible parce qu'elle sentait également sur elle le regard de Zofia qui luttait pour chaque instant de lucidité.

— On considère que c'est ici que Hans Frank a dissimulé sa collection, n'est-ce pas ? demanda-t-elle en anglais, à l'instar des autres moments de tension où le polonais ne lui suffisait plus.

Karol hocha la tête.

— Et Aszkenazy l'a sortie de sa cachette et l'a planquée ailleurs, mais toujours dans les environs. C'est logique. Alors, nous devons admettre que le premier abri était solide, durable, soigneusement préparé. Et le second provisoire. Est-ce qu'il y a des caves dans le coin ? demanda-t-elle à Jaromir, car ils venaient d'apprendre que c'est ainsi que se prénommait le rouquin.

— Nous les appelons les bunkers, répondit celui-ci. Ils sont situés sous le niveau de la boutique de ski. Mais on parle là de murs nus, en béton armé, et de sols nus, en béton armé aussi. Je mettrais ma main à couper qu'aucun passage secret ne s'y trouve.

— Impossible, confirma Karol. Les cachots auraient pu être le premier lieu de séjour de la collection. Il suffisait de sécuriser et de camoufler l'une des niches latérales pour pouvoir revenir chercher les trésors quand les choses se seraient calmées. La question est donc de savoir vers où ils ont été déplacés.

— L'appartement de Frank ? demanda Lisa.

— La dix-sept, au premier étage, répliqua Jaromir. La seule chambre avec baignoire. Très populaire.

— On élimine aussi, les calma Karol. Aszkenazy n'aurait jamais caché la collection dans une chambre d'hôtel, le risque aurait été trop grand. Il aurait suffi de travaux quelconques, d'un câble à changer par exemple, et le pot aux roses aurait été dévoilé. À part ça, je doute qu'il ait eu le temps de jouer à ce petit jeu. Construire des parois à double fond, les enduire, les peindre. Impossible.

Karol se dit qu'ils s'y prenaient mal. Henryk Aszkenazy n'était pas idiot. Il prévoyait que, tôt ou tard, un malheur pût lui arriver. Il s'était peut-être suicidé pour ne pas trahir son secret. C'est pourquoi il avait envoyé des cartes postales à Olga Bortnik. Et c'est aussi pour ça qu'il avait peint ou avait demandé qu'on peigne pour lui ce tableau. Il était probablement persuadé de laisser là un message. Il croyait qu'un seul coup d'œil suffirait à reconnaître le détail recopié sur l'œuvre de Raphaël. Et après ? Pas plus qu'eux, son ami historien d'art n'aurait su s'il devait creuser la terre autour de l'hôtel, chercher des grottes dans la région ou casser les cloisons entre les chambres.

— Il doit y avoir un autre indice par ici, dit Lisa, après avoir apparemment suivi le même raisonnement que le sien.

— Mais pas pour nous, répliqua Karol. C'est un indice pour eux, pour quelques personnes initiées de leur époque. Des gens qui ont vécu avant la guerre, qui pensaient autrement, qui se référaient à d'autres événements et à d'autres concepts que nous, des gens qui faisaient tout différemment.

— Je peux peut-être vous apporter de vieilles photos ? proposa Jaromir.

Karol faillit répondre qu'il l'accompagnerait, mais il jeta un coup d'œil à Zofia et jugea qu'elle devait les voir elle aussi. C'était elle qui en savait le plus sur le Raphaël, c'était elle qui était rattachée à cette histoire par des liens familiaux. L'assassin l'avait attaquée parce qu'il savait que sans elle, ils ne retrouveraient rien.

— Mais où sont ces putains de pompiers ? grogna-t-il, fusillant du regard Jaromir, comme si c'était sa faute si Zofia n'était pas encore dans un hélico.

— Ils ne vont pas tarder. J'apporte les photos ?

Il hocha la tête et dès que Jaromir sortit de la salle, il se pencha sur Zofia.

— Croix gammée, dit-elle avec difficulté, dès qu'il fut à côté d'elle.

— Oui, oui, bien sûr, dit-il en hochant énergiquement la tête, croyant qu'elle délirait.

— J'ai toute ma tête. Ne... m'achève pas. Les lampes...

Il leva les yeux. Sous le plafond, il découvrit de jolis lustres en fer forgé ornés de signes zodiacaux. Il y en avait quatre, avec quatre symboles chacun. Il était facile de constater qu'il y avait plus de places à embellir que de signes. Les emplacements supplémentaires étaient occupés par des croix gammées tressées dans un entrelacs très esthétique.

Soudain, il comprit. Il bondit, poussa le baby-foot contre le mur et arracha un morceau de la moquette sous laquelle il découvrit un parquet en mosaïque. Les gens le contemplèrent comme un forcené.

— Regarde ! cria-t-il à Lisa. Tu te souviens de votre photo chez Borg ? La fillette avec un chiot sous des lustres avec des croix gammées ? Un Monet et le Raphaël au mur ? C'était ici ! Nous sommes des crétins, nous avons immédiatement présupposé que la croix gammée était un symbole nazi.

— Bah, parce que c'est un symbole nazi…, dit sans conviction un inconnu parmi les badauds.

— Mais seulement depuis les années 1930 ! À l'origine, c'était un symbole de soleil ou de bonheur dans pas mal de pays du monde, y compris chez les Slaves. Les montagnards polonais ont souvent décoré leurs maisons de croix gammées, appelées ici croix inattendues. Le signe était censé apporter la félicité et chasser les mauvais esprits. Les montagnards l'ont utilisé, mais aussi les alpinistes, les amateurs des Tatras et les amoureux de la région du Podhale. Tu comprends ce que ça veut dire ?

Lisa le fixait avec une grande concentration.

— La croix gammée en ambre dans le thermos ne se rattache pas non plus aux nazis ou à la Chambre d'ambre…

— Voilà ! Ça doit être un message, la désignation d'un lieu ancien qui se trouve dans les environs. Le refuge où nous sommes ne convient pas, il est trop récent, on l'a construit peu avant la guerre et la croix gammée était déjà connotée à cette époque-là. Il doit plutôt s'agir d'une vieille construction régionale. Réfléchis, réfléchis, je dois réfléchir.

Jaromir revint avec une serviette pleine de vieilles photos. Elles immortalisaient la construction du refuge, la fête d'ouverture, diverses célébrations, ainsi que des nazis en train d'observer les montagnes depuis la terrasse panoramique. Karol ne les analysa pas en détail, mais les plaça au fur et à mesure sous le nez de Zofia, persuadé qu'elle seule pouvait y découvrir quelque chose.

Et elle le découvrit.

Elle n'eut rien à dire, il le vit dans son regard.

Le cliché représentait un groupe d'une quinzaine d'hommes dans une pièce boisée, basse de plafond. Ils semblaient solennels et déployaient devant eux une banderole en papier décorée d'un dessin de skieur et des mots qu'on réussissait péniblement à lire : *Amicale des skieurs des Carpates*.

Elle pointa du doigt l'un d'entre eux.

— Grand-père, chuchota-t-elle.

Karol, de son côté, reconnut deux autres protagonistes de l'histoire : Karol Estreicher et Henryk Aszkenazy. Pourtant, ce n'était pas ça qui attira son attention, mais le lustre suspendu au-dessus de ces skieurs des années 1930. Les bougies étaient enchâssées dans de gros morceaux d'ambre, le tout décoré du symbole slave du soleil et du bonheur : la croix gammée.

— Tu sais où ça se trouve ? demanda-t-il à Jaromir.

— Dans l'ancien refuge, j'imagine.

— Il y a un ancien refuge par ici ?

— Il y en avait un. Il est parti en fumée à la fin de la guerre. Aujourd'hui, quand on sait où chercher, on peut en trouver des vestiges dans la forêt, de vieilles caves.

— Et tu sais où chercher ?

— Quelle question.

Il regarda Zofia.

— Va, dit-elle. Je te promets de ne pas mourir d'ici le prochain quart d'heure.

17

Hermod retrouva ses skis, ensevelis dans la neige sous l'arbre marqué d'un signe, et il se sentit en sécurité. Une heure d'escalade par un versant modérément pentu le séparait encore de la crête. Puis une descente agréable dans la poudreuse l'attendrait et, si tout allait bien, il monterait le soir même dans un avion pour Stockholm.

C'était une journée d'hiver idéale. Pas trop froide, sans vent, ensoleillée. Aucune trace d'éventuels poursuivants. Ça ne l'étonnait pas ; les autres venaient probablement à peine de panser leurs blessures, d'évacuer le cadavre et se demandaient maintenant quoi faire.

Il inspira à pleins poumons, jeta les skis sur son épaule et sortit sur un pâturage enneigé. Se frayer un chemin n'était pas si difficile : sous la couche de neige fraîche, il y en avait une autre, plus ancienne, suffisamment consolidée pour que ses pieds butent dessus. Il me faudra peut-être moins d'une heure, songea-t-il, quarante-cinq minutes devraient suffire.

18

Il fallait connaître l'endroit au préalable pour réussir à le retrouver, surtout en plein hiver. Le lieu où, jadis, on avait bâti un refuge, avait été depuis longtemps envahi par la forêt ; la petite parcelle de cinq cents mètres carrés environ aurait pu éveiller des soupçons de par sa forme régulière, mais pouvait aussi passer inaperçue.

Lorsque Jaromir leur indiqua l'emplacement recouvert par la neige, Lisa et Karol se sentirent une nouvelle fois découragés. La tâche s'annonçait sans espoir. Même si on avait par le passé dissimulé des objets par ici, ceux-ci devaient certainement avoir moisi et s'être gâtés depuis des décennies. Karol songea avec amertume qu'ainsi la lumière venait d'être faite tant sur la Résistance polonaise que sur la protection des trésors nationaux. Jusqu'au début de la guerre, personne ne s'en était véritablement préoccupé – alors que les Français, par exemple, avaient soigneusement emballé les collections du Louvre et les avaient évacuées vers les châteaux de la Loire – et quand enfin quelqu'un s'en était chargé, c'était pour les planquer dans une maison en bois et y foutre le feu.

— Il y a quelque chose, là-dessous, au moins ? demanda Karol.

— Malgré les apparences, oui, répondit le secouriste. Il y a trois ans, j'ai fouillé un peu dans le coin, j'ai consacré une partie de mes vacances à dégager les décombres, je pensais trouver de vieux skis ou des antiquités. La bâtisse devait faire dans les cent, cent cinquante mètres carrés, si on en juge par le plancher, mais elle n'était pas posée sur des fondations standards. Par ici, on a de la roche calcaire. La cave, c'est une grotte creusée dans la pierre et recouverte d'un plafond de briques. On avait posé le chalet en bois sur cette base-là.

— Et qu'est-ce que tu as trouvé ?

— Rien, les gens ont dû tout emporter après l'incendie. Même la réserve de charbon était vide.

Karol fronça les sourcils. Cela ne lui semblait guère plausible que dans un refuge construit au début du XXe siècle, quelqu'un s'embête à brûler du charbon, ayant du bois à foison aussi loin que le regard puisse porter. Ce n'était pas un hôtel qui nécessiterait de chauffer l'eau en continu pour ces demoiselles de la ville.

— Qu'est-ce qui te fait croire que c'était une réserve de charbon ?

— Les murs étaient goudronnés.

S'il y avait bien une étape qu'une pièce prévue pour accueillir du charbon ne nécessitait pas, c'était le goudronnage des murs. En revanche, si on souhaitait préserver un espace contre l'humidité, c'était une tout autre histoire.

— On peut y accéder ?

La neige miroitait au soleil, ses rayons suintaient entre les branches des sapins recouverts de poudre blanche. Le décor était si fabuleux qu'on avait du mal à croire que des décombres carbonisés puissent se trouver en dessous.

— Bien sûr. La neige, ce n'est pas du béton armé.

Jaromir prit une pelle d'avalanche pliable dans son sac à dos, réfléchit un instant à l'endroit où commencer et se mit à creuser à l'un des coins de la parcelle. Il eut rapidement dégagé assez de neige pour qu'ils puissent se glisser dans les caves de l'ancien refuge.

— J'ai dû créer cette entrée parce que la vraie était bouchée par des gravats, leur expliqua le rouquin en chassant la neige de ses habits.

L'éclat du soleil pénétrait dans ce couloir exigu à travers le trou qu'ils avaient creusé et c'était suffisant pour qu'ils constatent qu'en effet, les murs étaient faits d'une roche calcaire marquée par les coups de pioche, alors que le plafond était constitué de pierres et de briques cimentées. Ils tournèrent le regard vers le fond du tunnel, vers une noirceur insondable.

— Le réduit à charbon, dit Karol.

Il regrettait chaque instant passé ici. Il souhaitait être auprès de Zofia lorsque les sauveteurs l'emporteraient ou lorsque... Non, il ne voulait même pas envisager cette possibilité.

Jaromir prit une lampe frontale dans son sac et les précéda dans cette cave étonnamment vaste qui devait s'étendre sous l'intégralité du refuge, voire davantage. Au bout de l'allée, ils pénétrèrent dans un local vide de trois mètres sur trois environ dont les murs n'étaient pas gris, à l'image des autres cellules, mais recouverts d'une couche de goudron épaisse et immonde qui réfléchissait la lumière de la lampe telle de la lave solidifiée. On se serait cru dans un palais de miroirs déformants à la fête foraine des Enfers.

— Je suis navré, dit Jaromir. Si quelqu'un a stocké des choses par ici, il a dû les emporter il y a bien longtemps.

— Pas forcé, dit Lisa, faisant le tour de la pièce, touchant les parois et tapant dessus. Si tu regardes flacon extérieur et il fermé, ça ne doit pas vouloir dire qu'il vide.

Elle s'arrêta brusquement, tapota une nouvelle fois la paroi noire puis la cogna du poing. Une réverbération creuse lui répondit.

Ils échangèrent un regard.

— Vas-y, dit-elle, on rien perdre.

Karol Boznański inspira profondément, recula jusqu'au couloir de la cave, songea à Zofia, prit son élan et fonça sur la cloison l'épaule en avant. Il mit tant de cœur à l'ouvrage que s'il s'était agi d'un mur calcaire, il se serait brisé la moitié des os, fracassé le crâne et aurait trouvé la mort dans cette cave avant qu'ils aient pu comprendre ce qui venait de se passer. Mais la paroi était constituée de vieilles planches et céda sous l'impact de ce projectile de quatre-vingts kilos. Karol s'affala à l'intérieur d'un modeste cagibi, soulevant un immense nuage de poussière. Souffrant d'allergies depuis sa naissance, il se mit à éternuer et tousser, plié en deux ; ses poumons avaient aspiré tant de cochonneries qu'il crût rendre l'âme, étouffé.

Finalement, il réussit à se calmer, la poussière retomba et ses yeux s'habituèrent assez à l'obscurité pour qu'il distingue les formes cachées dans le noir.

La première qu'il réussit à reconnaître était un grand « R » peint en noir sur une caisse métallique posée au sol.

19

Son aplomb le perdit. Quand il avait imaginé son plan, il n'avait pas pris en compte une variable essentielle, à savoir la possibilité d'être poursuivi par une personne qui connaissait vraiment bien ces montagnes. Une personne qui ne puiserait pas son savoir dans un guide touristique, ou une carte, ou des photos satellite, mais de son expérience, parce qu'elle aurait passé de nombreux étés et de nombreux hivers dans la région, à y apprécier la randonnée, l'escalade et le ski, tout en mémorisant l'ensemble des sentiers, des raccourcis et des pistes, ce qui n'était pas si difficile, après tout, Hermod lui-même avait qualifié les Tatras de square.

Gmitruk avait donc exploité ses connaissances des parages et lorsque Hermod le vit émerger des bois, dans un premier temps, un frisson de crainte lui parcourut l'échine. Pas parce qu'il pouvait être tué, mais parce qu'il pouvait être capturé et enfermé pour le restant de ses jours dans une prison polonaise. Or, dans un pays où les hôtels avaient des chiottes sur le palier, les geôles devaient ressembler à un croisement entre un goulag et une mine africaine.

Puis il réalisa que derrière Anatol, il n'y avait aucune unité de commandos armés de mitraillettes et prêts à faire feu.

Il comprit que l'amant de son ex, ce zombi tenant à peine sur ses jambes, une galette sanguinolente et violacée à la place du nez, était venu ici seul.

Hermod se dit que la naïveté romantique des Polonais était vraiment touchante et il sourit à pleines dents.

20

Karol s'agenouilla à côté de la caisse ; l'émotion et la poussière lui donnaient le vertige. Jaromir et Lisa enjambèrent le trou et la lampe frontale du secouriste chassa l'obscurité. Karol examina les alentours. La cellule exiguë était remplie de cylindres étanchéifiés au goudron ressemblant à une rangée de tapis. Précisément comme Zofia l'avait prédit : il suffisait d'un débarras de la taille d'une garde-robe pour dissimuler ce qui constituait peut-être le trésor le plus précieux de l'histoire de l'art.

Boznański passa le doigt sur la couche de poix qui bouchait les fentes de la caisse estampillée « R ». Aucune méthode pour atteindre son contenu ne lui venait à l'esprit. Le doute n'avait pas encore eu le temps de germer dans son esprit que Jaromir lui tendait déjà un grand couteau militaire, un gadget monstrueux, sorte d'outil pour éviscérer les ours, qu'il avait puisé dans son sac à dos avec un sourire ingénu.

Karol regarda le couteau, il regarda la caisse et les rouleaux alignés le long du mur ; il y avait là aussi un autre coffret, de la taille d'une boîte à chaussures, soigneusement enduit, peut-être plus soigneusement que les autres.

— Vas-y, dit Lisa. Qu'on avons ça derrière nous.

La Suédoise avait raison. Karol découpa la couche de poix comme on découperait une enveloppe noire et souleva très lentement le couvercle marqué du « R », le hissant de chaque côté, juste assez pour extraire les clous de quelques millimètres. Puis il jeta un œil à l'intérieur pour vérifier que ses manœuvres n'abîmaient pas le contenu et, une fois sûr de lui, il tira sur le couvercle d'un geste plus vif. Pour finir, Jaromir tendit sa frontale à Lisa et les deux hommes soulevèrent conjointement la plaque métallique. Les clous glissèrent jusqu'au bout hors de leurs encoches.

À l'intérieur, ils découvrirent un objet plat enroulé dans un drap de lin.

Sous la toile, l'objet était encore enveloppé dans du papier gras, tel un immense sandwich préparé par une maman prévenante pour son enfant avant un long trajet.

Karol enleva une couche, une deuxième et une troisième. Il savait que la suivante serait la dernière, c'est pourquoi il n'arrivait pas à se décider à l'ôter. Tout simplement, il ne se sentait pas prêt, il craignait que son cœur ne tienne pas le coup.

Soudain, il fronça les sourcils parce qu'il entendit au loin une rumeur étrange et croissante. Sans savoir pourquoi, il songea à un tremblement de terre. Mais non, il s'agissait d'un hélicoptère.

Les sapeurs-pompiers de haute montagne ! Ils venaient enfin chercher Zofia.

Karol soupira pesamment, ce qui provoqua une nouvelle quinte de toux mais, lorsque la crise fut passée, il retira l'ultime couche de papier d'un geste franc.

Et il tomba nez à nez avec le Jeune. Le dandy de la Renaissance lui adressait un sourire désinvolte et coquet, comme s'il voulait lui dire : « Coucou ! »

— Bordel, garçon, si tu savais…, piailla Karol de ses cordes vocales poussiéreuses.

— C'est bizarre, dit Jaromir en se redressant brusquement.

La découverte du Jeune ne lui avait fait ni chaud ni froid. En ce qui le concernait, ils auraient tout aussi bien pu avoir trouvé un poster d'un film Disney. Et Karol se dit que c'était une approche très saine.

— Qu'est-ce qui est bizarre ?

— Ce n'est pas un hélico des sapeurs-pompiers, je connais ce bruit. Ça doit être autre chose, une grosse machine, un transporteur ou un bolide militaire.

Karol jeta un coup d'œil inquiet à Lisa. Cela ne présageait rien de bon.

21

Les deux hommes se faisaient face sur un versant pentu, couvert de neige. Quelques dizaines de mètres les séparaient de la lisière de la forêt en dessous d'eux et quelques centaines de la crête rocheuse au-dessus. Le soleil de l'après-midi teintait la neige en orange, leurs silhouettes jetaient de longues ombres qui semblaient ne pas avoir de fin.

— Rends-toi, aurait voulu dire Anatol, mais seule des voyelles imprécises et des bulles de salive sanguinolente sortirent de sa bouche.

Hermod rit de bon cœur.

— Puisqu'une femme exceptionnelle nous lie, dit-il enfin, ainsi que des intérêts communs et le fait que nous soyons tous les deux des assassins, je vais te laisser le choix. Comme ça, entre amis. Tu peux être poignardé, étranglé ou battu à mort. Bien sûr, le troisième choix s'imposerait parce que ce processus a déjà débuté. Ce serait également la solution la plus plaisante pour moi, mais tu n'es pas obligé d'en tenir compte. C'est ta mort, ton choix.

Anatol tenta de remuer les lèvres pour en extraire une phrase compréhensible. La douleur fut si pénétrante qu'elle le jeta à genoux. Une paume géante semblait l'avoir frappé dans le dos.

— Tu vas mourir, chuchota-t-il au prix d'un effort considérable et Hermod comprit ses paroles seulement parce qu'un silence parfait régnait dans la montagne.

— J'en doute, répliqua Hermod, égayé pour de bon. Donc ? Tu choisis ou je choisis pour toi ?

Le soleil s'approchait des cimes et la lumière passait de l'orange au carmin.

22

Avant de sortir, il fendit encore le revêtement goudronné de la seconde boîte, l'ouvrit et en sortit une banale serviette en cuir. Si banale qu'elle aurait pu servir d'attribut au dieu de la bureaucratie et être représentée avec lui sur les icônes saintes. Il jeta le porte-documents à Lisa, prit le Raphaël sous le bras et ils s'élancèrent vers la sortie, puis en sprint à travers la neige jusqu'aux Kalatówki. Le reste du trésor devrait attendre.

Un hélicoptère militaire puissant arrivait du côté de la vallée ; ils distinguèrent sur son flanc le damier rouge et blanc des forces aériennes polonaises.

— Tous conservants musée te zigouiller, dit Lisa, haletante, en indiquant du menton le tableau de Raphaël.

— Arrête. Il a tenu le coup cinq cents ans, une petite course à pied ne peut pas lui faire de mal.

Une ambulance des sapeurs-pompiers – une Land Rover Defender verte – les attendait devant le refuge. Les sauveteurs descendaient l'escalier avec précaution, transportant une civière et un corps recouvert d'une couverture orange. Karol accéléra et atteignit le véhicule au moment précis où les secouristes plaçaient le brancard à l'intérieur.

— T'es en vie ? demanda-t-il, à bout de souffle, en se penchant sur le visage de Zofia qui dépassait de la couverture, un visage si blême qu'il en était presque transparent.

Elle n'avait pas la force de répondre, mais lui sourit délicatement.

— Regarde.

Il leva la planche suffisamment haut pour qu'elle pût bien voir le portrait.

— On tient le salopard.

Durant un instant, elle observa le Jeune homme, puis elle tourna la tête vers Karol et lui chuchota :

— Je te préfère toi.

Par la suite, Karol ne serait jamais certain qu'elle eût effectivement dit cela – il n'y avait aucune chance pour qu'il eût entendu sa voix dans le brouhaha du moteur de l'ambulance et le vacarme de l'hélicoptère en train d'atterrir – ou s'il avait seulement lu sur ses lèvres ce qu'il aurait souhaité être ses dernières paroles.

Quoi qu'il en soit, la suite se passa en un éclair et bien que Karol eût tenté, à de nombreuses reprises, de reproduire en mémoire cette scène qui dura à peine quelques secondes, il n'arriverait jamais à établir, ni lui ni aucun des témoins, à qui incombait véritablement la faute. Un jour, dans l'une de ses interviews, il finirait par lâcher : « À la Pologne. » Et ce serait probablement le constat le plus proche de la vérité.

23

Si Lisa Tolgfors songeait à Zofia Lorentz, elle songeait malgré tout, et avant tout, à Anatol, et songeait également au fait que si la cavalerie mettait la main sur la serviette en cuir, ses amis et elle ne cesseraient jamais d'être des proies en cavale. Et puis, elle était simplement curieuse de découvrir quelle histoire vieille de soixante-dix ans pouvait être importante au point de précipiter la plus grande puissance mondiale dans l'hystérie.

Elle courut à l'intérieur du refuge et lança la serviette sur une table en bois du bar. L'ours en pierre qui soutenait la corniche de la cheminée semblait suivre avec grand intérêt ses mouvements brusques. Elle ouvrit le porte-documents et en sortit un paquet de feuilles jaunies. Elle s'attendait à de l'allemand, or, à son grand étonnement, les textes étaient rédigés en anglais et bon nombre des feuilles portaient des sceaux du département d'État américain. La majorité était classée « Top Secret ».

Elle parcourut du regard les documents successifs en y pêchant les termes clés.

... compte tenu de l'augmentation prévisible des tensions nationales en Europe...

... nom de code « Mauvaise graine »...

... actions préventives d'infiltration...

... dans ce cas de figure, la diplomatie ne sera pas suffisante...

... un accès permanent aux informations...

... une participation éventuelle des États-Unis...

... un développement sans précédent à l'échelle d'un conflit global...

... les coûts ne doivent pas entrer en ligne de compte...

... une cinquantaine d'agents spécialement entraînés...

... dès leur plus jeune âge...

... piloter les événements en Europe...

... il semble que l'Allemagne jouera un rôle clé...

... le remplacement par des figurants de toute une famille à Landshut...

... garantir les moyens et les capacités pratiques à une progression rapide au sein des structures du pouvoir...

Enfin, elle comprit la signification de ce tas de feuilles d'apparence anodine.

— C'est impossible, grommela-t-elle d'une voix rauque et en suédois. Je n'y crois pas.

Pendant un moment, elle fut paralysée par le poids de sa découverte et par la responsabilité qui lui incombait. Elle n'avait aucune idée de la marche à suivre. Elle regarda autour ; Jaromir venait de la rejoindre près du zinc avec son sac à dos plein de gadgets et son sourire d'homme affable. Et soudain, elle acquit la certitude absurde que cet homme et son sac à dos la sauveraient. Elle se souvint que Karol avait emprunté le téléphone du rouquin ici même, au foyer, pour retrouver sur Internet une reproduction du tableau de Raphaël.

— Portable, dit-elle en tendant la main.

Par chance, le secouriste ne posa pas de questions inutiles, mais prit dans sa poche un téléphone équipé d'une solide housse de voyage et l'offrit à Lisa.

La Suédoise connaissait le modèle, elle l'avait utilisé quelques mois plus tôt et l'avait choisi essentiellement pour une seule fonction, très pratique. Toutes les photographies prises avec cet appareil étaient instantanément transmises vers l'ordinateur du propriétaire, ce qui réglait la question des câbles, de la synchronisation et du stockage des clichés à un seul endroit. Dans son cas personnel, c'était également une sécurité supplémentaire. Elle gardait toujours son portable configuré de façon à effacer, en cas de danger, le contenu de sa mémoire en un seul clic. Mais ses images étaient déjà sécurisées sur son ordinateur depuis belle lurette.

Elle ouvrit les préférences, cocha toutes les options nécessaires, choisit la plus haute résolution possible et se mit à photographier les documents, huit feuilles à la fois.

Des bottes de militaires martelèrent les escaliers.

24

Ne pouvant plus attendre la réponse plus longtemps, Hermod secoua la tête, planta ses skis dans la neige et se dirigea vers Anatol pour abréger ses souffrances. Il siffla ce faisant la mélodie du *Pont de la rivière Kwaï* qui, pour des raisons obscures, venait de prendre place dans sa tête. Il avait l'impression qu'elle convenait à la scène.

Quand le major porta la main à sa poche, Hermod cessa de siffler et se figea. Mais quand il vit ce que le militaire polonais tenait dans sa main tremblante, il sourit à nouveau. Quelle blague, pensa-t-il. Il était temps de prendre sa retraite.

— Des pétards ? demanda-t-il sur un ton narquois. Sérieusement ?

Le visage d'Anatol se tordit dans une grimace qui, compte tenu de ses blessures, était impossible à interpréter. Puis il frotta un pétard contre le grattoir d'une boîte d'allumettes et le lança en direction de Hermod.

Il ne vola même pas jusqu'à lui. Il atterrit à deux mètres du tueur et lorsqu'il explosa l'instant d'après avec grand fracas, la fontaine de neige qu'il souleva sembla risible et pitoyable.

Hermod attendit. Il attendit que les échos du tonnerre rebondissent sur tous les versants de la vallée et s'éteignent.

Il attendit longtemps.

— Ça y est ? demanda-t-il en fin de compte. Ou tu as d'autres feux de joie en réserve ?

Anatol écarta les bras pour signifier qu'il n'en avait plus. Désolé.

Hermod hocha la tête et avança dans sa direction, bien décidé à ne pas prolonger inutilement ce moment embarrassant.

C'est alors qu'il entendit le bruit. On aurait dit le craquement d'un biscuit diététique. Crac ! À ceci près que le biscuit devait être long d'un bon kilomètre parce que le « crac ! » en question durait et durait, des secondes entières, semblait ne jamais devoir finir, le bruit nouveau se mêlait aux échos de l'ancien, multipliant et modulant le grondement menaçant et sinistre.

Pourtant, le bruit finit par s'arrêter net et un silence improbable se déploya alors sur la vallée, comme si toute la montagne retenait son souffle.

Puis, le champ enneigé frémit et des centaines de milliers de tonnes de poudre blanche se mirent à dévaler la pente à vitesse croissante.

25

Il ne pouvait pas monter avec elle dans l'ambulance mais voulait lui dire adieu dans les règles parce que, quelque part au fond de lui, il comprenait que c'était probablement leur ultime entrevue. Debout à côté du brancard, il agrippait d'une main la planche du Raphaël et de l'autre les doigts froids de Zofia. Malgré le regard pressant du secouriste, il ne se résolvait pas à la laisser partir.

Il entendait l'hélicoptère qui atterrissait, mais n'avait pas saisi que, avant même que la machine ne touche le sol, quelques soldats avaient déjà bondi de ses entrailles. Deux d'entre eux s'élancèrent vers l'hôtel et deux autres dans la direction de l'ambulance. Ils furent près de Karol à l'instant précis où il lâchait enfin la main de Zofia, la porte se refermait et le véhicule démarrait.

— Monsieur Boznański, affirma l'un des militaires plus qu'il ne posa la question. Le Premier ministre vous attend.

Karol jura de façon très ordurière, mais se dirigea vers l'hélico. Cependant, il se rappela qu'il n'avait pas prévenu les secouristes de l'allergie de Zofia aux barbituriques.

Il courut derrière la Land Rover qui roulait au pas, la rattrapa et tapa à la fenêtre, côté passager. Le sapeur-pompier moustachu à l'allure d'un chasseur d'ours de Sibérie tourna un visage étonné vers ce cinglé qui s'essoufflait, une grande planche sous le bras, mais baissa la vitre.

— La patiente est allergique ! cria Karol et il s'interrompit, car, au même moment, le soldat désireux d'accomplir au mieux la mission de conduire M. Boznański devant le fonctionnaire le plus important du pays, le secoua brutalement par l'épaule.

Karol glissa sur la neige et la planche peinte par Raphaël s'envola en l'air. Le Jeune regarda une dernière fois Karol, le soleil, le ciel d'azur et le pompier moustachu, puis tomba sur les pierres recouvertes de neige.

Pile sous la roue arrière de l'ambulance.

Dans cette confrontation, il n'avait aucune chance. Le puissant Defender pesait trois tonnes et ses pneus faisaient presque trente centimètres de large. De plus, les roues avaient été équipées de chaînes en acier qui permettaient le trajet dans la neige jusqu'au refuge. Lorsque la roue, avec sa chaîne, mordit le bois précisément à l'endroit du sourire du Jeune homme, Karol cria si fort qu'on aurait juré qu'on assassinait sous ses yeux un être cher.

En entendant ce cri, le conducteur du véhicule freina brusquement et passa la marche arrière pour voir ce qu'on lui voulait.

La roue et ses chaînes écrasèrent une nouvelle fois le Jeune ou, plus précisément, ses restes.

— Elle est allergique à quoi ? demanda le sauveteur moustachu plein de sollicitude.

— Barbituriques, balbutia Karol, presque incapable de produire un son.

Le secouriste le regarda étrangement puis fit signe à son collègue de redémarrer.

La roue s'attaqua pour la troisième fois au tableau vieux d'un demi-millénaire, transformant le bois en tas d'échardes colorées mélangées à de la neige.

26

Une prudence accrue est conseillée sur les versants orientés nord-est, nord et nord-ouest, pensa Anatol.

Ils n'avaient pas souffert. La neige propulsée vers le bas, une vague de quelques mètres de hauteur, avait formé devant l'avalanche une puissante onde de choc qui les arracha de leurs chaussures et les jeta contre le mur de la forêt telles des poupées, tandis que leurs colonnes vertébrales craquaient comme des allumettes. Quand, quelques fractions de seconde plus tard, le tsunami de poudreuse fit irruption dans les bois, arrachant les arbres avec leurs racines, labourant la surface du sol et jonglant avec des rochers de plusieurs tonnes comme avec des balles de ping-pong, leurs cadavres avaient été tellement moulinés qu'il fallut avoir recours à des analyses ADN pour les identifier bien des semaines plus tard.

C'était dommage, parce que si on avait réussi à retrouver les corps des deux hommes dans leur intégralité, l'Histoire aurait retenu que le major Anatol Gmitruk, passé à la postériorité en tant qu'« officier souhaitant garder l'anonymat », avait pris sa retraite avec le sourire.

27

L'hélicoptère Mi-8 des forces armées de la République de Pologne était posé sur le pré devant le refuge des Kalatówki. La machine était magistrale, majestueuse et faisait forte impression. Sur tout le monde, sauf sur Lisa Tolgfors et Karol Boznański, que les soldats de la gendarmerie n'avaient pas tant conduits que portés vers l'appareil.

Elle avait été traînée hors du refuge, lui écarté des restes du Jeune homme. Ils avançaient tête basse, elle brisée par le poids du secret qu'elle venait de découvrir et lui par la pensée qu'il venait peut-être de voir pour la dernière fois l'amour de sa vie. Du Raphaël, il n'en avait cure, il aurait sacrifié le contenu de tous les musées du monde pour que Zofia puisse le fusiller encore une fois de ses mirettes noires et irritées.

Ils franchirent flanc contre flanc le dernier tronçon du trajet qui les séparait de l'hélicoptère et Lisa se mit à chuchoter quelque chose comme si elle priait. Une image qui semblait sortie d'un péplum hollywoodien : deux chrétiens de l'antiquité conduits par des soldats romains sur le lieu de leur calvaire.

Le capitaine Clifton Patridge les observait depuis la porte entrouverte de l'hélico et se disait que ces deux-là étaient quand même des durs à cuire s'ils tenaient encore debout. Deux semaines plus tôt, aucune des personnes impliquées dans l'affaire n'aurait misé un malheureux dollar sur eux. Il observa les environs à la recherche d'Anatol Gmitruk. Indépendamment de l'aide qu'il leur avait fournie à New Rochelle – et dont personne ne savait rien – Patridge redoutait cette entrevue. Et ce n'était pas parce qu'il devrait regarder son ami polonais droit dans les yeux. C'était parce que, si une confrontation avait lieu, il devrait probablement le tuer. Depuis la veille, il savait ce que les documents secrets contenaient et il comprenait donc, en tant que soldat et en tant qu'officier du renseignement, ce que cela impliquait pour sa patrie.

Il sortit de la machine et se plaça à côté du Premier ministre polonais et des chefs de son état-major. Il portait un uniforme américain. C'était assez comique de remarquer qu'il arborait ses médailles en endossant le rôle du voleur de l'Histoire.

Le Premier ministre Donald Tusk tendit la main vers Lisa et Karol.

— Vous avez regardé à l'intérieur ?

Karol confirma d'un signe de tête ; Lisa lui avait confié en chemin ce qu'elle avait trouvé dans la serviette.

— Dans ce cas, vous comprenez ce que provoquerait la divulgation de ces documents ?

— Ne surestimez pas un simple brocanteur.

— Une atteinte sérieuse à l'équilibre international, la réécriture de l'Histoire communément admise, une altération des valeurs…

— Mais ne me racontez pas n'importe quoi non plus. Je n'ai pas voté pour vous, je ne suis pas obligé d'écouter ça.

Pendant ce temps, le Premier ministre avait gardé la main tendue vers eux. Pendant ce temps, Lisa avait gardé la serviette contre elle.

— Ne faites pas l'enfant, dit le politicien. Nous ne voulons pas de scène devant tout ce monde.

Karol prit le porte-documents des mains de Lisa, patienta un peu et finit par le jeter aux pieds de Donald Tusk. Personne ne bougea et le chef du gouvernement dut se baisser lui-même pour le ramasser.

Et un merci, ça t'arracherait la gueule ? pensa Karol. Quel crevard.

— Et si on le dit à quelqu'un ? cria-t-il au dos de l'homme qui disparaissait déjà dans l'hélico.

Le Premier ministre ne répondit rien, mais Karol ne s'attendait pas réellement à une réponse. Sans preuves, leur histoire n'était qu'une énième théorie du complot sans queue ni tête pour laquelle quelques tordus allaient s'exciter sur des forums Internet.

Il s'écarta de la machine en train de décoller et s'assit dans la neige, présentant son visage au soleil qui disparaissait derrière la montagne.

Devant ce versant parsemé de sapins blancs, l'hôtel avait fière allure. La fumée s'élevait tranquillement de sa cheminée, la ceinture des fenêtres du premier étage s'illuminait progressivement d'une lueur chaude et accueillante, les derniers touristes s'affairaient autour du bâtiment et, sous le téléphérique, un plaisantin avait assemblé un bonhomme de neige en forme de lapin.

Le disque solaire finit par disparaître derrière les cimes. Les pointes des rochers au-dessus du Suchy Żleb s'embrasèrent une dernière fois et s'éteignirent.

Il soupira, saisit la main de Lisa et se leva. Ils avaient encore beaucoup à faire.

Partie V

Mauvaise graine

Refuge des Kalatówki

Quatre semaines plus tard

1

David Stammers détestait les promenades, la montagne et la nature. Chez lui à New York, il ne se déplaçait qu'en métro ou en taxi ; le plus haut sommet qu'il connaissait, c'était le grenier de son immeuble à Brooklyn ; ce qu'il prenait pour un contact avec la nature, c'étaient les légumes contenus dans ses plats thaïs ; ce qu'il prenait pour un contact avec la nature sauvage, c'était l'observation des rats sur son quai de gare.

C'est pourquoi il était vraiment furieux en grimpant jusqu'au refuge par ce chemin entre deux rangées de sapins. La route semblait ne pas avoir de fin, ses chaussures de ville glissaient sur les cailloux glacés et couverts de neige, il suait comme un cochon et, en plus, la nuit commençait à tomber à une vitesse alarmante. Dans ce trou paumé aux confins de la civilisation, même le soleil se couchait tôt, probablement pressé d'aller survoler des contrées plus attrayantes.

Au fond de lui, David Stammers ne donnait pas tort au soleil, il ne se sentait lui-même pas toujours à l'aise dans ces régions du globe. Pourtant, c'est de cette partie de l'Europe qu'était originaire toute sa famille et, bien qu'il eût du mal à l'admettre, il ressentait par ici une sorte de nostalgie étrange. Ça lui était déjà arrivé une fois, quand il s'était retrouvé en plein mois de septembre à parcourir la campagne polonaise : il avait pris place parmi les gens du cru sur la terrasse d'une maison au milieu des champs, ses hôtes avaient posé une bouteille de vodka sur la table, les brumes s'amassaient doucement à la lisière de la forêt, l'odeur des herbes coupées était enivrante, les grillons crissaient comme des dingues et des lumières jaunes s'allumaient dans les demeures distantes. Durant un instant, il avait éprouvé un étrange sentiment d'appartenance dont il eut immédiatement honte.

Il n'aurait pas dû se sentir bien là, sur cet immense cimetière, où l'ensemble de sa famille avait péri dans les fours de Treblinka, mis à part son grand-père qui avait eu assez de cervelle pour prendre ses jambes à son cou et fuir l'Europe dès les années 1930.

Et bien qu'il se sentît éloigné mentalement de ces Juifs new-yorkais qui préféraient sympathiser avec un Allemand, un Français ou un Hongrois que de serrer la main à un Polonais, il avait tout de même du mal à étouffer une sorte d'amertume en lui. Il n'arrivait pas à se l'expliquer. Il pouvait s'entretenir avec un Autrichien et, après une morsure de répulsion de courte durée, se dire bien vite : tout va bien, c'est un gars normal, son grand-père faisait des choses abominables, mais c'était une époque monstrueuse, une sorte d'amok, des temps qui ne reviendraient jamais. Puis il parlait avec un Polonais et ne pouvait s'empêcher de se demander qui était son grand-père. L'un de ceux qui avaient livré leur famille aux Allemands ? L'un de ceux qui avaient caché des Juifs dans leur grange ? L'un de ceux qui s'étaient approprié les maisons des exterminés ? Ou l'un de ceux qu'on avait pendus pour avoir aidé des Juifs ? Ou encore aucun de ceux-là, mais simplement un homme avec une vie banale ?

David savait que c'était irrationnel, il était furieux contre lui-même et, simultanément, il n'arrivait pas à cesser de réfléchir de la sorte.

C'était peut-être parce que nous sommes mille fois plus blessés, et que cela nous fait mille fois plus mal d'avoir été trahis par notre conjoint que de savoir que, deux rues plus loin, un gars a massacré sa famille.

Maudite proximité.

Après une longue marche, David finit par apercevoir les lumières et arriva devant le refuge. Durant un instant, il calma sa respiration pour ne pas passer pour un gringalet, puis il monta l'escalier. Il se présenta, la réceptionniste lui transmit ses clés et l'informa que son rendez-vous l'attendrait à la chambre 17 dès qu'il serait prêt. Il lui adressa un sourire américain, monta deux étages plus haut pour se débarrasser de son sac et redescendit illico d'un niveau pour frapper à la porte numéro 17.

Karol Boznański lisait un livre, assis dans un fauteuil. Sur la table basse à côté de lui, il y avait un thermos et une assiette avec ce qui ressemblait à de la tarte aux pommes.

— Café ? demanda-t-il.

Stammers hocha la tête, il se versa lui-même une tasse pleine et avala deux parts du gâteau ; il avait une faim de loup après cette balade à l'air frais. La tarte était fabuleuse.

— Tu sais que nous sommes ici dans les appartements de Hans Frank ? demanda Karol. C'était sa résidence d'hiver. Ce barjo venait là pour se remémorer les Alpes. Même sa baignoire est toujours en place. Je me suis dit que ce serait symbolique qu'on se rencontre ici. Ce fou a fourni tant d'efforts pour nous trucider tous, mais il a fini pendu et nous pouvons manger une tarte aux pommes et pisser l'un après l'autre dans sa baignoire, y verser nos urines polono-juives. Plutôt sympa, non ?

Stammers avala difficilement sa dernière bouchée de tarte.

— Je ne sais pas toi, mais moi, par principe, je n'urine pas dans ma baignoire, dit-il. Mais allons droit au but. À commencer par ceci...

Il posa une enveloppe sur la table.

— Tout l'argent est là. Le prix du billet d'avion en première classe, celui des billets de train, de la nuit à Cracovie et de mon séjour ici.

Karol haussa un sourcil.

— Tu es mon invité, déclara-t-il.

— Je ne suis l'invité de personne, bordel. Je voyage où je veux, je dors où je veux, je rencontre qui je veux et, par-dessus tout, j'écris sur ce que je veux et de la façon que je veux. Et je paye toujours pour moi. Ce sont mes règles et il se trouve que ça ne marche pas trop mal depuis quelques années. Donc ne m'énerve pas, petit Polak, et passe aux choses sérieuses.

Karol sourit.

— Dans ce cas, tu me dois encore un café et deux parts de tarte, dit-il.

David fouilla dans sa poche, sortit un billet de cinq dollars et le lança sur la table. Il jeta un coup d'œil lourd de sens à sa montre.

— Très bien, allons-y, dit Boznański.

Il se pencha et ramassa une pochette cartonnée posée par terre qui contenait, à vue de nez, une centaine de feuilles, peut-être un peu moins. Il la posa sur la table.

— Ce sont des documents vieux de quatre-vingts ans qui ne devaient jamais voir la lumière du jour. Ils ont été découverts auprès d'une collection de toiles impressionnistes qui avait été cachée à trois cents mètres d'ici, dans ces montagnes, dit Karol en indiquant d'un geste négligent la noirceur derrière la vitre. Les originaux ont été détruits ou se trouvent dans un coffre-fort à Washington. Nous avons miraculeusement réussi à faire ces copies peu avant que les services de l'OTAN ne nous tombent dessus.

Stammers ne commenta pas, il écoutait paisiblement.

— Faisons comme suit. Moi, je reste ici et je ne bouge pas. Je profite du café et de la tarte. Toi, lis ces pages et si ça t'intéresse, reviens et on discutera. Si ça ne t'intéresse pas, dors bien, profite de l'air frais de la montagne et retourne à New York. Si tu n'as pas envie de lire, je peux le comprendre aussi. Après tout, on ne peut pas « dé-voir » une chose qu'on a vue une fois.

Le journaliste ne prolongea pas l'entretien. Il ramassa la pochette d'un geste calme, se retourna et s'approcha de la porte.

— Pourquoi moi ? demanda-t-il avant de sortir.

— Premièrement, parce que je voulais que ce soit un Américain. Quand t'auras lu, tu comprendras.

Deuxièmement, je voulais que ce soit un journaliste et pas un de ces morveux qui recopient des commérages sur Internet pour les balancer sur Twitter. Et plusieurs personnes m'ont certifié que tu étais la dernière personne sur la planète Terre qui n'écrivait qu'à propos de ce qu'elle avait vu de ses propres yeux et de ce qu'elle avait entendu de la bouche de personnes bien vivantes.

Stammers s'attendait à une telle réponse. Il hocha la tête et retourna dans sa chambre.

Il ne regarda pas tout de suite dans la pochette. Il prit une douche, enfila des vêtements propres, parla au téléphone avec sa femme, prépara un carnet de notes et quelques stylos. Il observa un certain temps les montagnes en hiver, mais finit par s'installer devant ce qui était davantage une petite table en bois qu'un bureau avant de faire glisser le dossier en carton devant lui.

Pourquoi tardait-il ?

Après ses études, il était revenu s'installer dans sa ville natale, dans le North Country, Upstate New York, contrée plus proche de Montréal que de n'importe quelle ville d'importance aux États-Unis, pour enseigner l'anglais aux enfants, mais le métier de journaliste l'attirait toujours. Le matin, il donnait ses cours ; durant ses après-midi et ses soirées, il campait au siège du journal local et espérait qu'enfin, entre les chauffards ivres et les fêtes régionales (une sorte d'Oktoberfest miniature venait justement de prendre fin), il tomberait sur un sujet qui lui permettrait de rendre le monde meilleur. Et il était tombé dessus. C'était au cours d'une soirée sombre et froide, avec un tas de neige dehors, exactement comme ici et maintenant.

Il était resté seul au bureau et s'apprêtait à sortir, il éteignait en fait tous les écrans de la rédaction dans une sorte d'attaque de conscience écologique, lorsqu'un gars était venu le voir. La cinquantaine, soit à peine plus âgé que lui aujourd'hui, mais à l'époque, le bonhomme lui avait semblé archi-vieux. C'était un type ordinaire, l'incarnation de l'Amérique profonde. Dans les séries télé, ce genre de gars interprète toujours le père de l'héroïne principale, un mâle à la barbe blanche, clairsemée, au visage fatigué, un homme qui a transmis sa force et le sens de la justice à sa fille, même s'il ne possédait lui-même qu'un bar et que la vie ne lui avait jamais épargné son lot de malheurs, et cætera, et cætera.

Le type en question était agent de sécurité à la mairie. Il lui avait confié une cassette VHS et lui avait dit que, au fond, il pouvait la remettre à quelqu'un d'autre. Après tout, on ne pouvait pas « dé-voir » une chose qu'on avait vue une fois.

Le jeune David Stammers avait bien évidemment visionné l'enregistrement : dessus, on voyait le suppléant du maire en train de molester une femme de ménage latino. Il l'avait visionné, il l'avait décrit, il s'était senti investi d'une indignation antisexiste et antiraciste, avait remporté deux prix et un peu de renommée parce que le sujet avait été repris tant par les médias de l'État que par ceux du pays. L'affaire avait été simple comme deux et deux font quatre. Enfin presque. Le suppléant du maire n'était autre que son oncle, le frère de sa mère. Deux jours plus tard, David avait été licencié par son école, sa famille l'avait rejeté, des assaillants inconnus lui avaient cassé la figure et avaient saccagé sa voiture, et sa mère ne lui avait plus adressé la parole, ceci jusqu'à sa mort survenue cinq ans plus tard.

Au fond, il ne leur en voulait pas. Il avait fait ce qu'il avait à faire et, obligé de partir pour la grande ville, il avait pris sa carrière en main et était devenu l'un des journalistes de presse les plus réputés des États-Unis, voire le journaliste de presse le plus réputé tout court. Il n'y avait que sa mâchoire qui lui faisait affreusement mal chaque fois que le temps changeait, à l'endroit précis où les assaillants inconnus la lui avaient cassée.

Une seule et unique fois, dans une interview donnée à un journal d'école, cette même école où il enseignait alors, il avait répété cette phrase à la construction grammaticale improbable : « Après tout, on ne peut pas dé-voir une chose qu'on a vue une fois. »

Cela l'inquiétait que ce Polonais à la beauté digne d'un amant de cinéma et célèbre pour avoir retrouvé le trésor le plus connu de l'histoire de la peinture mondiale se soit donné la peine de fouiller dans son passé au point de retrouver cette citation. Le fait qu'il l'ait utilisée l'inquiétait également. C'était à croire qu'il mesurait la portée du choix devant lequel…

— Merde ! dit David à voix haute, interrompant son propre flot de pensées, et il ouvrit la pochette.

2

Il se sentit soulagé. Peu lui importait ce que David Stammers faisait maintenant à l'étage et peu lui importait ce que celui-ci allait décider. Dès le départ, cette affaire était en réalité purement américaine, Karol et les autres s'étaient pris par hasard dans les engrenages de la superpuissance. De plus, les documents étaient américains. Et, à présent, ils se trouvaient entre les mains de l'homme qui, d'après ses renseignements, était le meilleur journaliste de l'autre côté de l'océan. Que celui-ci réfléchisse donc à ce qu'il devait en faire. Parce que Karol Boznański se sentait enfin soulagé et comptait bien le rester, vivre une vie ordinaire et se foutre des problèmes des superpuissances autant que c'était humainement possible.

3

La pochette contenait le rapport de clôture d'une action de renseignement, rédigé par le Bureau des services stratégiques, soit le précurseur de la CIA durant la guerre. Le dossier avait été constitué en 1943 et, bien que préparé par l'OSS, il concernait une opération entamée encore dans les années 1920 par le département d'État. Cela paraissait plausible, à cette époque-là, les États-Unis ne s'étaient pas encore dotés d'une agence de renseignement spécialisée, c'était donc le département d'État, soit l'équivalent d'un ministère des Affaires étrangères, qui s'occupait de ce genre de missions.

L'opération avait pour nom de code « Mauvaise graine », ce que Stammers associa immédiatement à Nick Cave and the Bad Seeds ; il se mit même à fredonner *Into my arms* en parcourant les feuilles.

Au début, il prenait des notes, mais lorsqu'il remarqua qu'il recopiait chaque mot, il cessa.

Très vite, il se rendit compte qu'il tenait entre les mains le matériau d'un prix Pulitzer. L'opération « Mauvaise graine » devait être l'une des actions d'espionnage les plus importantes et les plus géniales jamais menées dans l'histoire de l'humanité. L'échelle de l'entreprise et sa vision au long cours étaient époustouflantes, surtout si on la découvrait aujourd'hui, à une époque où aucun gouvernement au monde ne prenait des initiatives dont les effets ne pourraient être mesurés avant les prochaines élections. À l'inverse, l'opération « Mauvaise graine » avait dès le départ été prévue pour durer des décennies.

La décision de l'entreprendre avait été prise dès la présidence Wilson. Après la Première Guerre mondiale, les États-Unis avaient toutes les raisons de craindre de nouvelles échauffourées en Europe. L'Allemagne humiliée, de nouveaux pays, dont la Pologne, luttant sans relâche pour leur survie, la menace de la révolution bolchevique... pour les États-Unis, suivre les événements sur le Vieux Continent équivalait à regarder un film à suspense : on savait que quelque chose allait exploser d'ici peu, la question était de savoir quand et pourquoi. Allait-on à nouveau être mêlés à cette histoire ? Et si oui, allait-on en profiter ? De ce point de vue, l'opération « Mauvaise graine » était donc logique et justifiée.

L'affaire avait débuté par la création d'un bureau d'analyse spécial, rattaché au département d'État, qui rassemblait les renseignements provenant de divers pays d'Europe et se basait dessus pour formuler des pronostics. Cependant, dès la guerre soviéto-polonaise de 1920, on s'était vite aperçu que ce bureau en savait trop peu, qu'il découvrait les choses trop tard et que ses prévisions équivalaient à des lectures dans le marc de café. Des sources plus fiables étaient nécessaires. On a donc décidé de créer ces sources en exploitant la base des immigrés américains. La période était idéale pour cela. Au tournant du XIXᵉ et du XXᵉ siècle, plus de vingt millions d'Européens avaient débarqué dans les ports des États-Unis ; dans les années 1920, c'est donc la première génération d'Américains de double culture qui entamait sa vie d'adulte. Ces hommes et ces femmes étaient nés et avaient grandi aux États-Unis, mais leurs parents et leurs familles demeuraient encore attachés au pays de leurs ancêtres, ils enseignaient à leurs enfants la langue et les traditions. C'est au sein de ces lignées qu'on avait décidé de recruter les « graines ». Une cinquantaine de jeunes gens avaient été formés au métier d'agent et avaient été placés en tant qu'activistes dans divers pays d'Europe et familles politiques. Le bureau devait les aider à avancer au sein de ces structures afin de disposer à terme d'excellentes sources d'information et de s'assurer la possibilité d'influencer les orientations de certains pays du Vieux Continent.

D'après les documents, une équipe d'analystes dédiés qui disposaient de tous les renseignements nécessaires aidait les Graines dans leur carrière. Ainsi, ces gens avaient accès à un vaste savoir grâce auquel, aux yeux de leurs supérieurs européens, ils apparaissaient comme des génies : ils étaient perspicaces, efficients, prévoyants, à l'aise dans les méandres des relations internationales, au fait des plans et des intentions des autres pays. Guère étonnant qu'ils aient gravi les échelons des partis à une allure stupéfiante. Une portion des Graines ne tint pas le coup, une autre rompit le contact, mais dans les années 1930, quand la température en Europe recommençait à grimper, les États-Unis avaient mis en place un réseau d'une quinzaine d'agents d'un âge idéal et dotés d'une certaine expérience, qui étaient ou pouvaient à tout moment devenir influents.

Stammers interrompit sa lecture et se leva pour s'étirer. La lecture était fascinante, mais il ressentit soudainement la fatigue d'un voyage de vingt-quatre heures, le manque de sommeil et, avant tout, son âge. Les gens disaient que la cinquantaine, c'était une nouvelle quarantaine. Lui l'aurait plutôt appelée une quarantaine rafraîchie. Ça ressemblait peut-être au neuf, mais ce n'était pas pareil.

Il cessa de songer au Pulitzer, persuadé qu'il l'avait déjà en poche, et commença à se demander à quel point ce qu'il lisait pouvait modifier les manuels d'Histoire. Le contenu de la pochette résonnait de manière inquiétante avec les événements connus de cette période-là. Adolf Hitler était devenu chancelier en 1933, il avait dissous le parlement et privé la planète de ses illusions quant à la direction que l'Allemagne allait prendre. Un mois plus tard, Franklin Delano Roosevelt prêtait serment en tant que trente-deuxième président des États-Unis. Pure coïncidence du calendrier, mais les deux dirigeants nouvellement élus devaient faire face à une immense crise économique, à la déception et à la fureur de leurs concitoyens. Hitler avait une méthode simple pour y remédier : la guerre. Il ne s'en était jamais caché, c'était le but qu'il visait, le développement de l'industrie de l'armement et les investissements qui l'accompagnaient sortaient efficacement un pays de la crise.

Roosevelt observait probablement cela avec envie. Son *New Deal*, avec son lot de réformes et son programme de travaux publics, aidait partiellement à relever le pays, mais c'était sans commune mesure avec le réveil économique qu'une guerre garantirait. C'est pourquoi, rien n'arrangeait autant les affaires des Américains qu'une immense rixe en Europe. L'industrie américaine pouvait gagner de l'argent en approvisionnant, en finançant et en supportant chaque belligérant. La situation était vraiment idéale : on n'avait pas à tirer un seul coup de feu soi-même, on pouvait observer le carnage de l'autre côté de l'océan avec indifférence, comme un film au cinéma, tandis que l'argent coulait à flots, que le chômage baissait et que la crise se dissipait.

Si les Européens veulent se tailler en pièces, grand bien leur fasse, nous resterons à bonne distance et, au moins, notre économie va recouvrer la santé. Nous avons des gens à nous sur place, donnons-leur donc un coup de pouce dans la bonne direction, aidons-les à ouvrir les portes des Enfers, grâce à ça, les familles américaines pourront à nouveau goûter à la prospérité.

Si c'est vrai, songea Stammers, alors « le pays des libres et des braves » a participé au déclenchement d'un conflit qui allait coûter la vie à plus de soixante-dix millions d'êtres humains, dont près de cinquante millions de civils.

Était-ce suffisant pour réécrire les manuels d'Histoire ? Pas forcément. Les puissances économiques et le milieu des affaires avaient toujours profité de la guerre, plus d'un livre sur le sujet avait déjà été écrit par les historiens. Aujourd'hui, il était même permis de dire à voix haute que l'engagement des États-Unis dans la Deuxième Guerre mondiale avait été davantage motivé par des enjeux économiques que par l'envie de faire régner la paix sur la planète. Les dirigeants américains avaient estimé – et à juste titre, bien que ça puisse paraître cynique – que seule une telle action allait sortir le pays de la crise pour de bon. Ils avaient jugé que sacrifier trois cent mille soldats valait bien le bonheur de plus de cent millions de citoyens américains.

C'était un autre temps, une autre morale, une autre perception d'un conflit armé.

David avait sommeil, il enfila donc son blouson et ouvrit grand la fenêtre afin de laisser entrer un peu d'air frais de la montagne. Il frémit : le premier souffle était vraiment glacial. À présent, il aurait bien besoin de ce thermos de café, mais il n'avait pas envie de retourner chez Boznański avant d'avoir fini de lire.

Il reprit donc la lecture.

La suite était le dossier personnel de l'une des Graines. L'agent s'appelait Clive Lebrecht, était né à Beaverton dans l'État de l'Oregon en 1900 et avait été recruté par le département d'État dans le cadre de l'opération « Mauvaise graine » en 1920. Sur la photographie de l'acte d'enrôlement, on découvrait un jeune binoclard souriant, peut-être pas particulièrement beau, mais sympathique, un brun qui faisait penser aux héros des films de Woody Allen. Moins d'un an après son embauche, il était déjà en Allemagne. En 1923, et ce n'était pas une surprise, il avait intégré les rangs de la NSDAP et, peu après, il avait pris part au putsch de la Brasserie…

David Stammers bâilla à s'en décrocher la mâchoire, se rappela ses heures de révisions pour l'examen d'Histoire à la fac. Il avait passé des nuits entières au-dessus des livres, éreinté, il y avait là toutes ces dates, ces noms, ces personnages morts depuis si long-temps… Il balança la tête sur les côtés pour supprimer l'engourdissement de sa nuque.

Il tourna la page, se demanda un instant ce qu'il était en train de regarder, puis regretta d'être venu dans cet hôtel. Peu après, il photographia toutes les pages avec son téléphone – inconscient de répéter les gestes de Lisa vieux de quelques semaines – avant de s'habiller à la va-vite et de quitter sa chambre.

Devant la porte de Boznański, il hésita. Il prit dans sa poche un bloc-notes Moleskine, griffonna quelques phrases à la hâte, arracha la feuille et la glissa sous la porte.

Une demi-heure et quelques chutes sur les pierres verglacées plus tard, il roulait déjà dans un taxi et véri-fiait les liaisons aériennes sur son portable. S'il réus-sissait à atteindre l'aéroport de Cracovie avant l'aube, il pourrait se retrouver à New York pour le déjeuner.

4

Karol Boznański se réveilla au petit matin dans son fauteuil, perclus, endolori et avec la langue pâteuse après avoir bu du café toute la soirée. Il se leva et gémit bruyamment : l'ensemble de son organisme lui hurlait dessus, indigné d'avoir été traité de la sorte.

David Stammers ne s'était pas montré, ce qui signifiait qu'il avait décidé de ne pas profiter du cadeau offert. C'était peut-être pour le mieux, peut-être pour le pire, quoi qu'il en fût, Karol comptait s'en tenir à la décision prise la veille, à savoir ne plus jamais s'occuper de cette histoire et n'en avoir rien à cirer. Il avait tenté de devenir le dernier des justes, il allait à présent se composer une vie calme au possible, sans dangers et dépourvue d'aventures.

En chemin vers la salle de bains, il remarqua devant la porte une petite feuille noircie de quelques phrases en anglais :

Putain, merci beaucoup, petit Polak, de m'avoir mis ce fardeau sur le dos. L'article, si jamais personne ne me bute avant, débutera comme suit :

Nous avons cru que le 11 septembre 2001 était le symbole de la fin du XXᵉ siècle. Nous avons cru que l'écroulement de deux tours annonçait le début d'une nouvelle ère, d'une époque de guerres de civilisation et de révolutions transnationales, une époque de nouvelles tensions, de nouveaux conflits et de nouvelles façons de les résoudre. Nous nous sommes trompés. Le XXᵉ siècle prend fin aujourd'hui, le jour où on dévoile le plus grand secret du siècle passé.

Va te faire foutre et bonne chance. DS

Siège du *New York Times*

Une quinzaine d'heures plus tard

Le *New York Times* est un très bon journal et une société très étrange. La première de ces affirmations n'a pas besoin d'être expliquée. Le journal est bon parce que de bons journalistes y écrivent de bons articles. Un point, c'est tout. La seconde nécessite déjà une note. En l'occurrence le *Times*, l'un des plus grands journaux et certainement l'un des plus célèbres du monde, est une entreprise familiale. Depuis la fin du XIXe siècle, ses rédacteurs en chef, soit dans les faits les seigneurs de ce royaume de la presse, sont les héritiers successifs de la famille Ochs.

Depuis une vingtaine d'années, le seigneur du *Times* n'est autre qu'Arthur Ochs Salzburger Jr. Agé d'une soixantaine d'années, il est doté du sourire radieux et des traits sympathiques d'un bonhomme que tout le monde apprécie, mais que personne ne suivrait pour autant dans le feu de la révolution et dont personne ne guetterait l'arrivée à une soirée mondaine en trépignant d'impatience. Voilà, c'était un garçon de bonne famille qui avait bien grandi et était devenu le chef de la boîte à papa.

L'Amérique des médias était divisée au sujet d'Ochs Jr. Pour les technocrates et autres hommes d'affaires à tête dure, c'était l'archétype du gentil imbécile. Ils estimaient qu'Ochs ne comprenait pas l'économie du XXIe siècle, qu'il ne savait pas optimiser ses profits, réduire ses coûts et que, de manière générale, il ne saisissait pas que l'époque du journalisme était révolue, remplacée par le temps des ragots produits à bas coût, repérés et recopiés à tort et à travers à partir de Facebook et autres Twitter, des ragots auxquels on donnait un semblant de noblesse en les imprimant sous le logo du *Washington Post* ou du *Wall Street Journal*. Ces hommes estimaient – à juste titre peut-être – que n'importe quel autre modèle de fonctionnement était voué à la faillite et que c'était vers cette faillite qu'Ochs conduisait son *Times*.

Les journalistes en revanche, même s'ils se moquaient d'Arthur, de ses plaisanteries gauches, de son manque de perspicacité et de sa manière de masquer sa gêne par un ton candide de premier de la classe, l'adoraient. Parce qu'à une époque où leurs collègues cherchaient du travail ou s'occupaient de recopier ce que leur soumettaient des politiciens ou des lobbyistes de grandes corporations, Ochs junior répétait : « Je crois au journalisme. Je crois qu'une bonne information objective se défendra quoi qu'il arrive, que les gens en auront toujours besoin et qu'ils voudront payer pour elle. » Un chevalier errant ? Peut-être. Ce qui ne changeait rien au fait qu'au *Times*, les journalistes faisaient du journalisme. Combien de rédactions sur la planète peuvent aujourd'hui prétendre la même chose ?

C'est pourquoi David Stammers avait rejoint Arthur Ochs Salzburger Jr. dans son bureau. Ce dernier était l'unique personne qui pouvait publier un article sur les « Mauvaises graines ».

— Laisse-moi résumer ça encore une fois, dit Arthur en prononçant soigneusement chaque mot, comme s'il s'adressait à un enfant un peu niais. Tu possèdes la preuve qu'Heinrich Himmler était un espion américain ?

Stammers acquiesça.

— Himmler ? Le bras droit d'Adolf ? L'idéologue en chef du Troisième Reich ? Le dingue à l'origine de tout ce mambo-jambo mystique ?

Stammers acquiesça.

— Himmler. Le gars qui a inventé le *Lebensborn*, cette espèce de procréation entre Aryens purs, c'est ça ? Et l'idée d'éradiquer les Juifs, les Tziganes, les Polonais et tous ces autres peuples de l'Est dont personne ne sait jamais comment qu'ils s'appellent ?

Stammers acquiesça.

— Himmler. Le gars qui a inventé la Shoah, la solution finale, les fours ? Le gars qui a ordonné la construction d'Auschwitz et tutti quanti ?

Stammers acquiesça.

— Oh bordel d'enfoiré de sa mère.

Stammers acquiesça une nouvelle fois. Il ne l'aurait pas mieux formulé.

— Tout le temps ? Jusqu'au bout ? Il chantait *La Bannière étoilée* quand on le pendait ? Je t'en supplie, dis-moi qu'il y a une lueur au fond de ce tunnel de merde.

— Petite, mais il y en a bien une. J'ai analysé ses rapports et tout porte à croire…, dit Stammers, mais il suspendit sa voix. Bon, tout ne porte peut-être pas à le croire, mais je veux croire, moi, que Clive Lebrecht exécutait les ordres de Washington seulement jusqu'à un certain point. Je veux croire qu'à un moment donné, il a cessé d'être un agent américain et qu'il a changé de bord pour de bon, que sa loyauté fanatique a cessé d'être un jeu d'espion, pour devenir authentique. Le fait que les derniers documents datent de l'été 1941 tendrait à le prouver. C'était avant la déclaration de guerre aux États-Unis et bien avant la conférence de Wannsee en janvier 1942. Et puis, les analystes et les décideurs de l'opération « Mauvaise graine » ont été actifs surtout dans les années 1930, quand ils avaient intérêt à renforcer le climat nationaliste et xénophobe sur le Vieux Continent.

— Wannsee ?

— Une conférence à Berlin lors de laquelle les dirigeants allemands ont planifié les détails de la solution finale. Himmler n'y était pas, mais la conférence a été organisée à son initiative. Je ne peux pas croire qu'en donnant cet ordre, Lebrecht exécutait encore les directives de ses supérieurs américains. Je ne suis pas en mesure de le croire, je ne le croirai jamais.

Stammers se frotta les yeux. Il aurait besoin d'un peu de sommeil dans un lit et non dans le fauteuil d'un avion.

— Sérieusement, je pense que Clive Lebrecht n'existait plus à ce moment-là. Il a rendu l'âme, il a été enfoui bien profondément dans la psyché meurtrie d'un agent double. Il s'est soumis à l'idéologie nazie, il a intégré les mensonges qu'il avait auparavant fabriqués pour manipuler ses compagnons. Je pense, j'espère qu'aux alentours de 1940, le corps de Clive Lebrecht, un garçon de l'Oregon, a été irrémédiablement colonisé par le forcené Reichsführer-SS Heinrich Himmler.

— Tu penses ?

— Je n'en ai pas la certitude mais, soyons francs, autant je n'ai aucun doute quant au cynisme des politiciens, autant ça, ce serait pousser le bouchon un peu trop loin. La guerre en Europe nous arrangeait, d'accord. Notre milieu d'affaires frétillait de joie lorsque les Allemands ont commencé à envoyer du lourd. Sans la Standard Oil, les bombardiers allemands n'auraient jamais décollé du sol. Pourtant, même en prenant ces données en compte et même si, soyons honnêtes, les idées antisémites n'étaient pas étrangères à tous, de ce côté de l'Atlantique, le soutien d'un génocide n'avait aucun sens, ni sur le plan économique, ni politique.

— David, tu me fais peur. Tu mesures un carnage à l'aune de bénéfices politiques et financiers.

— Je ne mesure rien, j'analyse des faits historiques.

Le rédacteur en chef devint songeur.

— Et y a-t-il une chance qu'il ait rompu sa laisse plus tôt ? Qu'il ait été un brave nazi dès le départ, lié à l'Amérique seulement par son lieu de naissance ?

— Crois-moi, Arthur, j'avais très envie de trouver des preuves en ce sens. Malheureusement, dans l'un de ses derniers rapports, daté de la fin de 1938, Clive écrit, je cite, « je devais rester persuadé que je faisais ça pour ma patrie. Sinon, je serais devenu fou ».

— Il songeait peut-être à…

— Non.

— Bordel.

Durant un instant, les deux hommes gardèrent le silence.

— OK, disons que nous le publions. Je ne dis pas que nous le ferons, je réfléchis tout haut. Techniquement, ça ne sera pas simple. Nous devrions faire un supplément spécial avec une équipe de confiance, la plus restreinte possible. Toi, moi, quelqu'un de la compo, tu feras ta propre correction. Si quiconque en a vent avant que l'imprimerie ne démarre, tous les services de sécurité du pays vont débarquer chez nous en hélico, les militaires idem. D'ailleurs, ils le feront plus tard, je n'ai même pas envie d'y songer. Mais disons que nous mettons ça sous presse. Et après ?

Stammers haussa les épaules. Il était journaliste, pas politicien ni stratège financier. Seuls les faits l'intéressaient, seule la vérité l'intéressait.

— Va savoir. Il y aura un peu d'hystérie, des gens vont hurler pour dire que le monde tel que nous le connaissions est fini, que cela nous prive du mandat moral de jouer au shérif sur la planète, qu'il faut réécrire l'Histoire depuis le départ. Mais bon, n'exagérons pas, on parle d'événements vieux de soixante-dix ans. Il y aura beaucoup de bruit, un peu de tensions diplomatiques avec les peuples qui ont morflé à cause de Hitler. Mais qu'est-ce qui va changer en réalité ? Les Russes ne nous aiment pas de toute façon. Les Polonais et consorts doivent nous lécher les bottes parce qu'on est les seuls à avoir envie de les défendre contre Poutine.

— À en avoir envie ?

— Non, mais c'est ce qu'on leur dit. Passons.

— Et les Juifs ?

— Ouais... c'est déjà plus compliqué. Personnellement, je ne crois pas en cette sorte de justice où un peuple entier doit expier la faute de quelques personnes plusieurs décennies plus tard. Mais l'administration devra imaginer un dédommagement symbolique, c'est certain, sinon les Juifs vont les dévorer tout crus.

— Nous pourrions leur céder l'Oregon, par exemple. Il y a des gens qui vivent là-bas ?

La plaisanterie n'était pas très fine, cas typique chez Ochs Jr., mais Stammers rit malgré tout. Il lui devait bien ça. Dans n'importe quelle autre rédaction, la conversation serait terminée depuis belle lurette.

— Certains annonceurs vont suspendre les publicités chez nous, considérant que nous sommes des traîtres à la patrie..., dit Salzburger.

Mais il décida de prouver qu'il n'était pas mauvais en affaires, au contraire de ce qu'on lui reprochait souvent, parce qu'il ajouta aussitôt :

— Et pour les autres, nous serons tout simplement le journal le plus cité et le plus vendu au monde. Bon...

— Arthur, nous devons prendre une décision. Au plus vite. Ces documents existent et n'ont pas atterri entre mes mains par hasard...

— À ce propos, comme ça, par curiosité...

— Déconne pas, tu sais que je ne peux pas t'en dire davantage. Mais ces feuilles ont atterri entre mes mains parce que celui qui les a découvertes a considéré que c'était à nous d'en parler au monde. Pas à Al-Jazeera, pas à Russia Today, pas à une télé chinoise ni à une émission de gauchos sur le câble spécialisée dans les théories du complot. Bien sûr, on va nous qualifier de renégats prêts à saper les fondements de l'Occident pour cinq minutes de gloire. Mais tu sais quoi ? J'en ai rien à foutre de fondements pareils. Je sais pas toi, mais moi, je ne crois pas en la force des nations et d'une civilisation qui découle d'une menace, d'armes à feu ou du fait de balayer ses secrets honteux sous le tapis au nom d'un impératif supérieur bien commode. Je crois en la vérité, aux actions menées à visage découvert, je crois à la fierté puisée dans les accomplissements majeurs seulement lorsqu'elle est doublée par la honte des comportements vils.

— Alors, la vérité ?
— La vérité.

La ferme à Mszczonów

Deux semaines plus tard

Un mois et demi s'était écoulé depuis les événements des Kalatówki et le docteur Zofia Lorentz n'était pas encore totalement rétablie. On l'avait autorisée à quitter l'hôpital depuis peu, mais c'était seulement parce que Karol avait transformé sa maison à Mszczonów en petit centre de réhabilitation, ou en petit sanatorium plutôt. Bien qu'elle n'ait pas eu de crise cardiaque mais un trou dans le cœur, un minuscule trou en fait, ces exercices, ces tests de résistance à l'effort et ces régimes lui donnaient malgré tout l'impression d'être une vieille de quatre-vingts ans après un infarctus.

Elle avait hâte de quitter son lit de soin installé au salon pour regagner leur chambre à coucher avec vue sur les champs de Mazovie.

Elle avait hâte de pouvoir faire davantage dans un lit que d'y dormir, d'y lire ou d'y regarder des films. Comme le lui avait récemment annoncé son médecin : « Chère Zofia, d'une chirurgie du cœur à la reprise d'une activité sexuelle, un délai de huit semaines au moins devrait être respecté. Et même alors, je suggérerais plutôt de commencer par des caresses que par des acrobaties de plusieurs heures. Vous me comprenez ? D'ordinaire, mes patients ont plus de quatre-vingts ans et je n'ai pas à le leur rappeler, mais je vous mets en garde. Il vaut mieux vivre un temps sans orgasmes que de ne pas vivre du tout. »

C'est pourquoi elle observait Karol qui s'affairait autour d'elle et comptait les jours jusqu'à la fin de cette maudite période de huit semaines comme si elle attendait sa sortie de prison. Karol connaissait les recommandations du médecin et, au cas où, il la traitait comme il aurait traité sa sœur ou sa mère. Pour Zofia, ce célibat était énervant et excitant à la fois, elle fantasmait également beaucoup par désœuvrement et il suffisait donc que Karol vienne s'asseoir à côté d'elle et lui lise le journal pour que sa tension se mette à grimper. M'enfin… il restait encore treize jours.

Cependant, Karol n'était pas auprès d'elle ce jour-là parce qu'il s'était rendu à Varsovie pour assister à une énième réunion autour du chantier du « Korwinarium », comme on appelait la nouvelle aile du musée national de Varsovie construite spécialement pour accueillir la collection du comte Korwin-Milewski.

Sur la table de chevet à ses côtés, Zofia découvrit le numéro de la veille du *New York Times* avec l'article de David Stammers au sujet des Graines et la phrase qui venait déjà de passer à la postérité : « Le XXᵉ siècle se termine aujourd'hui. » Pour Zofia, la publication de ce texte ne constituait nullement la fin symbolique du XXᵉ siècle. Premièrement, peu lui importaient les fins et les débuts symboliques. Deuxièmement, l'indignation de la planète la faisait doucement rigoler. Elle était d'avis que l'histoire de l'humanité était une histoire de guerres, de bassesses, de cynisme et de cruauté. À ceci près que les vainqueurs présentaient leurs crimes sous les traits de l'héroïsme, d'un changement nécessaire et de lutte pour des lendemains qui chantent. Un certain temps s'écoulait, les vainqueurs changeaient et l'Histoire changeait également. C'était ainsi depuis des millénaires. Quel ennui !

Personnellement, elle se sentait surtout soulagée de constater qu'avec la publication de ce texte, Karol, Lisa et elle avaient cessé d'être les seuls dépositaires de ce qu'on avait exagérément nommé « le plus grand secret du XXe siècle ». Un seul article et voilà : ce qui était son problème jusque-là était soudain devenu le problème de la planète entière. Tant mieux.

Elle saisit néanmoins le *Times*, mais pas pour lire les aventures de Clive Lebrecht, auquel on avait consacré un supplément spécial de seize pages. C'était pour relire un court encadré dans les pages culture :

« La locomotive disparue n° 23.

Le monde de l'art ne peut visiblement pas se passer d'énigmes, puisqu'en lieu et place de celles qu'on résout, plusieurs autres apparaissent. Cette fois-ci, les rumeurs sont alimentées par l'analyse détaillée des documents allemands qui accompagnaient la collection de tableaux récemment découverts dans les montagnes polonaises. Un inventaire très précis se trouve parmi ces feuilles, avec la description des toiles, les noms des auteurs et la date de la création. En l'occurrence, à la ligne numéro 23, on peut lire : L'Arrivée de nuit d'une locomotive en gare *de Claude Monet, huile sur toile,*

110*70 centimètres, 1896. Fait intéressant, c'est cette même année que les frères Lumière ont projeté à Paris le célèbre film d'une minute L'Arrivée d'un train en gare de La Ciotat. *Sur la base de la date et du titre, on peut donc supposer que par cette toile, le grand peintre avait relevé le gant jeté par les réalisateurs. Monet souhaitait-il prouver qu'en usant de couleurs et d'un pinceau, il obtiendrait un meilleur effet que les frères à l'aide de leurs images mobiles si réalistes ?*

"J'ai frémi en voyant cette description pour la première fois", nous confie Nadège Agullo, experte française en peinture de cette époque. "Monet et les impressionnistes évoquent toujours la lumière, le soleil et la couleur. Le tableau d'un maître de l'impression représentant une locomotive qui se déplace en pleine nuit et qui lutte pour vaincre la noirceur... ça doit être incroyable. Sans conteste, ce tableau aurait été la pièce maîtresse de la collection du comte Milewski, il aurait été la pièce maîtresse de n'importe quelle collection, d'ailleurs, Musée d'Orsay y compris."

Il l'aurait été si on l'avait trouvé. Cependant, l'œuvre ne figure pas parmi celles découvertes dans les Tatras. Depuis, les questions se multiplient. La toile n'était-elle déjà plus là lorsqu'on les cachait en 1945 ? A-t-elle disparu au cours du transfert du nouveau refuge vers l'ancien ? Ou a-t-elle été volée de nos jours, après la découverte du trésor ? Le musée national de Varsovie ne fait aucun commentaire à ce propos, mais des sources sur place nous apprennent qu'une enquête a bien été ouverte.

Pour l'heure, tout porte à croire qu'après les retrouvailles du Portrait de jeune homme *de Raphaël, la place du tableau perdu le plus célèbre de la planète n'est pas restée vacante bien longtemps. Le dandy souriant vient d'être remplacé par une locomotive. »*

La docteur Zofia Lorentz reposa le *Times*. Et, une nouvelle fois, elle se demanda pourquoi Karol ne lui avait pas montré cet article. Et pourquoi n'avait-il pas fait allusion à cette disparition plus tôt ? Impossible qu'il n'ait pas appris la nouvelle. Impossible aussi qu'il ait cru que cela ne l'intéresserait pas.

C'était curieux. Très curieux même.

VARSOVIE

SEIZE MOIS PLUS TARD

Quelques minutes seulement les séparaient de l'ouverture du musée et Lisa Tolgfors savait que, dans quelques instants, elle allait être engloutie par une vague de badauds trépignant d'impatience depuis trois heures à l'idée de voir la nouvelle plus grande attraction touristique d'Europe. Ça ne la dérangeait pas, bien au contraire, elle voulait sentir l'odeur de la foule, entendre les « oh ! » et les « ah ! », voir l'admiration bovine dans le regard de ces personnes qui d'ordinaire ne différencieraient pas un Giotto d'un Pollock. Elle voulait se convaincre un instant que le contact de ces gens avec un chef-d'œuvre, si bref soit-il, ferait d'eux de meilleures personnes et qu'ils ne se demanderaient pas à peine trente minutes plus tard si on pouvait picoler quelque part dans cette étrange ville soviétique, si on pouvait y manger un bout et tirer son coup, le tout si possible pour un prix modéré typique d'Europe centrale.

Pour le moment, elle était seule. Par un effort surhumain, Karol avait réussi l'exploit de lui garantir l'accès durant un quart d'heure à l'endroit le plus surveillé de Pologne, plus fortifié et mieux sécurisé que la salle des coffres à la Banque nationale, à en croire les communiqués officiels. Lisa songea d'une part qu'une telle annonce n'était pas de bon augure pour la Banque nationale, et que d'autre part – et c'est là qu'elle sourit en faisant un clin d'œil à l'une des caméras – qu'elle pouvait aussi représenter un défi pour certains.

Le pavillon du comte Milewski, appelé également « Korwinarium », avait été construit dans le parc à l'arrière du musée national de Varsovie, selon les plans de la salle d'exposition du palais de l'île Sainte-Catherine. C'était la même salle que les Croates avaient pendant des décennies qualifiée de théâtre et dans laquelle Anatol et elle avaient été menés à travers une porte en miroirs assombris par la patine du temps. Lisa se rappela avec précision cette porte, le soleil vif du bassin méditerranéen, l'Adriatique qui luisait derrière les fenêtres. Elle se rappela les niches ornées de cartouches avec des initiales, la plate-forme avec le sigle mystérieux TLM, Anatol et elle excités comme des minots plongés dans un roman d'aventures, découvrant successivement les noms des peintres. Elle se rappela l'étrange écrivain croate qui les regardait comme des forcenés et qui exécutait avec son fils une danse bizarre pleine d'entrechats. Elle se rappela l'odeur intense de cette vieille bâtisse, les senteurs de la poussière, du sel, de la mer et du vent. Elle se rappela enfin qu'elle était meurtrie par leur folle nuit, par les ébats sous les casseroles qui tintaient au-dessus de leurs têtes dans cette cuisine immense, au cours de ce qui avait été – elle le savait maintenant – la plus belle nuit de sa vie.

Elle soupira.

Le pavillon de Milewski avait été reproduit à l'identique, à une échelle de un pour un. Les cavités pour les tableaux, les plafonds à caissons prouvaient que les architectes et les constructeurs avaient fait du bon travail. Mais à quoi servaient leurs efforts : si l'endroit originel respirait l'authenticité, un amour de l'art qui frôlait la folie, tandis qu'ici, on respirait seulement le plastique ? La salle sur Sainte-Catherine était éclairée par le ciel et la mer, la salle à Varsovie par des halogènes dissimulés derrière de fausses fenêtres.

Lisa se leva d'un bond, en se disant que la pièce en Croatie, malgré l'absence des tableaux, était un sanctuaire, un lieu de culte. Celle-ci, bien que remplie d'œuvres d'art valant des milliards, n'était qu'une crypte. Ce lieu puait le tombeau et la mort, tous ces artistes cachés derrière des vitres pare-balles, si grands, si fiers, leur palette en main, si immortels, mangeaient les pissenlits par la racine depuis plus ou moins cent ans.

Elle regarda son Claude. Âgé alors de cinquante ans, le maître avait refusé de peindre un banal autoportrait sur commande d'un Polonais fou (chose curieuse, cela n'avait pas dérangé Renoir ou Van Gogh, suspendus à ses côtés) et s'était représenté sur un simple tabouret maculé de peinture, sur fond d'un atelier en désordre. Monet avait des traces de couleur dans les cheveux et dans sa barbe foisonnante, déjà poivre et sel. Son regard triste et fatigué semblait demander : « À quoi bon faire ça, au juste, bordel ? »

Cette seconde de doute artistique était bouleversante et Lisa considéra que son Claude s'était comme d'habitude montré à la hauteur de la tâche : son autoportrait était sans conteste le meilleur de la collection.

Elle pivota sur ses talons, balaya du regard les autres cadavres en huile sur toile accrochés tout autour et s'orienta vers la sortie, entendant déjà les pas des premiers visiteurs qui se pressaient sur la passerelle. La porte s'ouvrit avant que Lisa ne touche la poignée : les deux gardiens de musée qui l'attendaient à l'extérieur ne l'avaient certainement pas quittée des yeux un instant.

Elle était sur le point de sortir, mais une urgence interne, un sentiment soudain la retint. Elle prit conscience qu'elle ne reviendrait probablement jamais dans cette salle.

C'est pourquoi elle se retourna et consacra quelques instants supplémentaires à *Tout le monde*, aussi appelé ces temps-ci « tableau le plus célèbre de l'histoire de la peinture ».

Était-ce mérité ?

Probablement oui. Lisa pensa que le comte polonais forcené avait été soit très riche, soit magicien, s'il avait réussi à persuader les artistes séjournant à Paris à la fin du XIXe siècle, fortement fâchés les uns contre les autres à en croire certains biographes, de peindre ensemble un portrait de groupe.

Au fond, ce n'était pas un portrait de groupe *stricto sensu*, plutôt une scène de genre, un ensemble d'amis réunis autour d'une table jonchée de bouteilles de vin dans un jardin à la campagne, probablement celui de la maison de Monet à Giverny. Et ce n'était certainement pas une série d'autoportraits, puisque les artistes ne s'étaient pas représentés eux-mêmes, mais s'étaient peints les uns les autres. Savoir qui avait peint qui était devenu le sujet principal des disputes entre les experts d'art et allait à n'en pas douter le demeurer durant les prochaines années, mais les spécialistes, Lisa y compris, estimaient que personne ne l'avait fait n'importe comment. Ces artistes avaient peut-être pris la commande du comte pour un défi ? Ils avaient peut-être pimenté le jeu avec une récompense ? En espèces sonnantes et trébuchantes ? Ou peut-être qu'ils avaient simplement été grisés par le concours et chacun avait fait son possible pour produire un meilleur portrait que les autres ?

Quoi qu'il en ait été, les portraits étaient excellents, et le meilleur sans conteste celui d'Aleksander Gierymski. Le Polonais était assis un peu en retrait. Vexé ou pensif, il jouait avec un verre de vin et observait le soleil d'été traverser le liquide et jeter des reflets carmin sur la nappe. Au premier plan, Renoir pérorait, Van Gogh et Gaugin trinquaient, Pissarro battait un jeu de cartes, Sisley, avec la mine risible d'un homme dupé par son propre déjeuner, tentait de rattraper la caille farcie qui glissait de son assiette.

Et, malgré tout, le regard était attiré par le Polonais ronchon, isolé, entouré par la tristesse, jouant avec le vin et la lumière.

Qui avait peint Gierymski ? Il y avait autant d'hypothèses que d'experts, mais Lisa n'avait aucun doute là-dessus.

Son Claude.

Elle sortit, croisa les premiers visiteurs en sueur après avoir passé plusieurs heures dans la file d'attente par cette matinée caniculaire, visqueuse et suffocante.

Autant l'année d'avant, l'hiver était arrivé exceptionnellement tôt, autant cette fois-ci, il avait décidé d'attendre : septembre à Varsovie était aussi brûlant que juillet.

À voir les mines des gens qui couraient vers la salle, on pouvait croire qu'une distribution de téléviseurs gratuits y avait lieu, et non qu'on y montrait des taches de pigments dilués dans l'huile.

***

On ne pouvait même pas dire que le groupe de collégiens qui rattrapait une journée libre à l'école par une visite de musée le samedi après-midi s'ennuyait. Des personnes qui s'ennuient peuvent arborer une expression faciale sotte, elles peuvent bâiller, traînasser sans but, faire des mines de martyrs ; toutes ces activités, bien que peu débordantes, prouvent que sous ces mines affligées, la vie suit son cours, que les artères pompent le sang vers les cellules, que les veines évacuent le dioxyde de carbone, que les estomacs digèrent les petits-déjeuners.

Dans cette salle de musée, la quinzaine d'adolescents était plongée dans une sorte de léthargie étrange, on aurait dit qu'ils avaient exploité une nouvelle forme d'hibernation qui ne nécessitait ni azote liquide ni caissons cryogéniques : un seul cachet et toutes les fonctions vitales étaient réduites au strict minimum. Si, à l'intérieur, loin au fond, leur système biologique fonctionnait encore, en surface, ils ressemblaient à un groupe de figures de cire. Karol Boznański songea que si on les transportait dans la salle des sculptures modernes, les visiteurs les prendraient en photo.

Pourtant, la guide ne perdait pas son enthousiasme.

— À votre âge, vous aimez certainement les mystères..., dit-elle, posant sur eux un regard impatient, mais pas une paupière n'avait frémi au son de ces mots. Vous aimerez donc certainement l'histoire de cette salle. C'est celle de la fondation Zofia Lorentz, historienne d'art, qui a retrouvé le tableau de Raphaël et la collection des impressionnistes, vous l'avez certainement lu dans les journaux... je veux dire sur Internet. Eh bien, figurez-vous que quelques mois après ces événements, les représentants d'un cabinet juridique réputé de Zurich ont contacté notre gouvernement pour leur dire qu'un donateur anonyme souhaitait offrir vingt-cinq millions de dollars à une fondation spéciale qui s'occuperait de récupérer pour la Pologne ses œuvres d'art disparues. Et vous devez savoir qu'il y en a toujours plus de soixante mille...

Karol cessa d'écouter lorsque Lisa vint s'asseoir à côté de lui. Dans son tailleur léger en lin, elle était l'incarnation de l'élégance naturelle suédoise.

— Vingt-cinq briques, joli tas de flouze, dit-elle sur un ton jovial. En voilà une énigme, d'où bienfaitrice sortir-t-elle autant de blé ?

— Tu n'as pas peur que cette salle soit truffée de caméras et de micros ?

Lisa se couvrit la bouche d'un geste théâtral et regarda les environs avec crainte.

— Oh, tu cervelles quand même pas qu'on fait lien avec le locomotive mystérieux disparu ? Ou avec mon cher Claude ? chuchota-t-elle. Ou avec toi. Ou avec moi. Non, c'est impossible...

Pendant un instant, ils restèrent assis en silence.

— Je ne peux pas croire que t'aies reçu seulement vingt-cinq grosses briques pour ça, dit Karol.

— Tu veux ta part ?

— Non. Je réfléchissais tout haut.

— J'avais des… obligations ? dit Lisa, incertaine d'utiliser le bon mot.

— Des engagements.

— Voilà. Nos engagements communs, d'ailleurs.

Il hocha la tête. Soudain, une pensée étrange germa dans son esprit.

— Tu te rends compte que c'est l'endroit le mieux surveillé d'Europe, n'est-ce pas, Lisa ?

Elle lui sourit de la plus belle des façons.

— Comme dans les fables, le mystérieux nanti a posé deux conditions que la Pologne devait remplir si elle voulait obtenir les fonds, continuait la guide. Premièrement, on n'a pas le droit de dépenser l'argent pour racheter les œuvres des mains des antiquaires ou des passeurs. Il faut le dépenser seulement pour les recherches et pour payer les avocats qui aideraient la Pologne à récupérer ces œuvres devant un tribunal. Et deuxièmement, chaque œuvre ainsi récupérée devra être accompagnée par une plaque, comme ici, sous le portrait de la sœur de Frédéric Chopin, Isabelle, qui rappelle qu'il a été retrouvé par les soins de la fondation Zofia Lorentz. L'histoire de la naissance de cette toile est intéressante, comme l'est celle de sa quête. En effet, le portrait était considéré détruit, avant que, dans un film de la RDA des années 1970…

Lisa se mit à rire, puis déposa un bisou sur la joue de Karol.

— Mon cher, je voudrais te proposer quelque chose, dit-elle dans un polonais si fluide qu'il ferait rougir les natifs du pays. Si jamais, je ne dis pas que ça arrivera, mais si jamais un beau jour vous sentez que vous en avez assez de faire les fonctionnaires, d'enseigner et d'accomplir ces trucs que vous considérez aujourd'hui comme justes, et si vous voulez récupérer quelque chose avec éclat, le voler, vous jeter dans l'aventure ou vagabonder de par le monde à la recherche de sensations fortes…

Il grimaça.

— Lisa, pitié, la peste a accouché il y a trois jours. Je ne vais même pas lui faire part de ta proposition, je tiens à la vie. Et puis, comment tu imagines…

Elle le fit taire en lui mettant un doigt sur la bouche.

— Vous savez où me trouver. Ciao !

Elle le salua de la main et s'éloigna d'un pas rapide vers le hall d'entrée du musée national de Varsovie. Karol la regarda s'en aller en se disant que beaucoup d'eau devrait couler sous les ponts avant que Zofia et lui n'aient envie de goûter à nouveau à l'aventure, peut-être que ça n'arriverait d'ailleurs jamais, et ce n'est que le son de son propre nom, prononcé par la guide, qui interrompit le cours de ses réflexions.

— … Karol Boznański, docteur en histoire de l'art. Marchand célèbre dans toute l'Europe par le passé, il est aujourd'hui le chef d'une unité spéciale au sein du ministère des Affaires étrangères qui s'occupe de la récupération d'œuvres perdues par la Pologne, il est donc une sorte d'Indiana Jones fonctionnaire d'État. Vous avez vraiment de la chance qu'il soit là aujourd'hui et qu'il ait accepté de vous rencontrer.

À en juger par leurs têtes, aucun des adolescents ne semblait le moins du monde enthousiasmé par cette opportunité. Pour Karol cependant, ce n'était plus une première, il savait que derrière ces masques se cachaient d'ordinaire des gamins formidables qui, après avoir entendu le récit d'une ou deux aventures, allaient le suivre comme un cacique, et qu'il faudrait faire usage de la force pour les faire quitter le musée. Cette fois-ci, il n'eut pas le temps d'ouvrir la bouche avant d'entendre la première question.

— Si ce n'est le Raphaël, alors quoi ?

— Pardon ? demanda la guide, qui n'avait pas compris, au contraire de Karol.

— Vous me demandez quel trésor devrions-nous chercher aujourd'hui ? dit-il. La liste est longue, depuis l'Eldorado jusqu'à la Chambre d'ambre, en passant par les caravelles portugaises au fond des mers. Personnellement, je préfère vous parler d'un vieux prêtre polonais que j'ai eu la chance de rencontrer quelques années avant sa mort. Le vieillard n'était pas seulement un curé ou un simple scientifique, c'était le traducteur du texte le plus énigmatique de l'histoire humaine, à savoir le « rouleau de cuivre ». Oui, je sais, cela ne vous parle pas. Pour résumer, il faut simplement savoir que peu après la guerre, des bergers ont découvert par hasard, non loin de Jérusalem, des manuscrits hébreux vieux de deux mille ans. Un tas de trucs à lire, essentiellement des textes bibliques. Mais, parmi ces textes, un seul n'était pas écrit, mais buriné dans du cuivre. Pourquoi ? Parce que son contenu était lui aussi particulier. Il ne s'agissait pas d'un traité ou de considérations théologiques, mais d'une liste de lieux où était caché de l'or.

— Et on a réussi à retrouver quelque chose ?

Il se rappela New York, quand Zofia lui avait grogné dessus en disant qu'il devrait considérer l'art comme l'émanation d'une beauté que nous portons en nous. Elle lui avait dit qu'il devrait aller voir les gamins dans les musées, à qui cette beauté ouvrait de nouvelles perspectives et montrait de nouveaux chemins. Et il se dit donc qu'il devrait parler à ces enfants de cette beauté, leur dire qu'un peuple sans passé ni mémoire, c'est un peuple sans futur ni espoir, au lieu de quoi, il choisit ce qu'il choisissait toujours : l'aventure.

— Pas du tout. On n'a même pas réussi à le déchiffrer en totalité parce que, comme me l'a expliqué le vieux prêtre, notre connaissance de l'hébreu antique se base exclusivement sur les textes de la Bible. Ce qui veut dire que nous ne connaissons pas d'autres mots que ceux qui apparaissent dans les Saintes Écritures. Vous comprenez ? Il se peut que l'auteur du rouleau de cuivre ait décrit avec précision où et comment trouver une mer d'or, mais puisqu'il a utilisé des mots absents de la Bible, nous n'avons aucune chance de les comprendre. Le vieux curé m'a également confié un autre aspect intrigant, à savoir que ce rouleau était bizarre dans son ensemble. À quoi bon se donner tant de mal à graver dans du cuivre des phrases du genre « cent pas à gauche à partir du puits du forgeron » si, après quelques années, cette description peut devenir caduque ? Hmm ? En l'occurrence, il estimait que ce texte était en réalité une clé, un code qui ne doit pas nous mener à de l'or, mais à un trésor véritable. Un trésor avec un grand T.

LE JEUNE HOMME DU CHESHIRE

Conversation avec Katarzyna Bonda, professeur au Centre de restauration des peintures du musée national de Cracovie, détachée au musée Czartoryski, chef de l'équipe en charge de la reconstruction du *Portrait de jeune homme* de Raphaello Santi.

Est-ce que vous pensez faire face un jour, au cours de votre carrière professionnelle, à un défi plus important ?

Non, jamais. Ni moi, ni aucun autre conservateur d'art.

Combien de pièces y avait-il, précisément ?

Des grosses, quelques centaines. Mais si on inclut les plus petites échardes, près de deux mille. Quand nous les avons toutes numérotées et disposées sur des tables, nous nous sommes aperçus que ces tables mesuraient quatre-vingts mètres de long.

À quoi bon numéroter chaque écharde ?

L'image 3D de ces éléments a été enregistrée dans un ordinateur avec une précision d'un centième de millimètre. Cet exploit a été possible grâce à l'application d'un matériel ultra-moderne utilisé d'ordinaire pour des diagnostics médicaux.

Vous avez fait une IRM des échardes ?

Une IRM et une tomographie. Et ce n'était pas du tout la partie la plus ardue de l'entreprise. Après, nous nous sommes mis en quête d'une société d'informatique susceptible de nous écrire un programme capable de rassembler ce puzzle en trois dimensions. Je suis ravie que nous ayons pu la trouver en Pologne. Sans ces garçons formidables, notre travail n'aurait pas été possible. Quand, après plusieurs semaines de calculs et un nombre vertigineux de tentatives et d'échecs, nous avons enfin obtenu l'image réunie de la planche de bois et nous avons su où placer chaque fragment, nous nous sommes attelés à la tâche.

Quel est l'état d'avancement de vos travaux ?

Nous rassemblons l'œuvre depuis le haut vers le bas, un quart est déjà derrière nous, c'est-à-dire que le visage du jeune homme a été reconstruit. Cela nous a pris deux mois.

Est-ce que des parties manquent ?

Aussi surprenant que ça puisse paraître, nous avons réussi à récupérer pratiquement tous les éléments du tableau et, puisque la catastrophe a eu lieu dans la neige, les morceaux étaient en bien meilleur état que si l'œuvre avait été écrasée sur du béton par exemple. Malheureusement, de petits fragments ont dû partir avec le véhicule à l'origine des dommages.

Quels fragments ?

Bon, ce n'est pas facile d'en parler, mais en dépit des recherches menées à une grande échelle, nous n'avons pas réussi à retrouver le mystérieux sourire du Jeune homme. De sa bouche, il ne reste qu'un morceau de lèvre supérieure. Vous vous souvenez d'*Alice au pays des merveilles* ? Là-bas, on avait un sourire sans chat. Ici, nous avons un chat sans sourire.

Un chat ?

C'est comme ça qu'on le surnomme à l'atelier. À cause de la fourrure qu'il porte sur les épaules.

LE MOT DE L'AUTEUR

Si vous lisez ces mots en français, cela signifie qu'ils n'ont pas réellement été écrits par moi, mais par mon cher ami Kamil Barbarski. Je voudrais le remercier ici pour toutes nos aventures littéraires qui font pâlir celles décrites plus haut dans ces pages. Grâce à lui et à ses remarques malicieuses (que je n'oublierai pas de sitôt !), la version française est probablement meilleure que l'original polonais.

Au début, ce livre devait être une pause agréable entre deux romans policiers, une excursion facile dans le monde de l'art et de l'aventure. C'est ce que je croyais en m'asseyant pour l'écrire. Trois mois plus tard, je n'avais toujours pas franchi l'étape de la première phrase. Il s'est avéré qu'une excursion dans le monde de l'art est en fait une expédition en territoire sauvage et insondable. Ayant rencontré des spécialistes, lu des livres et vu des films, et même si j'aurais eu moins de mal à rédiger une thèse de doctorat sur le pillage des œuvres d'art durant la Seconde Guerre mondiale qu'un roman, je sentais néanmoins que je ne savais rien sur le sujet parce qu'en lieu et place de chaque réponse apparaissaient sans cesse plusieurs nouvelles questions.

Je remercie tous ceux qui m'ont aidé dans ce périple. Je leur présente également mes excuses, à eux comme à mes lecteurs, pour toutes les erreurs involontaires et toutes les transformations très volontaires (qui m'arrangeaient bien) présentes dans cet ouvrage. Pour ceux d'entre vous qui lisent l'anglais et veulent découvrir la vérité scientifique en lien avec les sujets abordés dans ce roman, je vous conseille de vous plonger dans l'essai de Lynn Nicholas, *The Rape of Europa*. Pour les francophones exclusifs, jetez un œil au *Front de l'art : défense des collections françaises, 1939-1945*, de Rose Valland.

Pour finir, je crois sincèrement que le *Portrait de jeune homme* de Raphaël existe toujours. J'espère qu'il reviendra en Pologne et que nous nous rencontrerons à cette occasion à Cracovie.

Au revoir,

Zygmunt Miłoszewski

LE MOT DU TRADUCTEUR

Ils ont des carrières, ils ont des familles, ils ont des responsabilités. Pourtant, dans l'incessante cohue du quotidien, malgré le diktat des heures de transport et des dates butoirs, au milieu des rires des enfants et de leur besoin d'attention, ils ont su s'entourer de compagnes merveilleuses et de collaborateurs compétents, ils ont réussi à trouver l'énergie pour une vie où l'amitié et la littérature ont encore toute leur place.

Ces funambules du quotidien, les voici: Sinicha Mijajlovic, Jérémie Bonfil-Praire, Angelo Solinas et Raphaël Bostsarron. Ce sont eux qui, en premier, traquent dans le texte mes maladresses, mes fautes, mes calques, les plaisanteries intraduisibles qui tombent à plat, les allusions culturelles qui méritent des références.

Les gars, j'espère que vous savez à quel point votre présence à mes côtés me fait chaud au cœur. J'espère que vous savez, aussi, à quel point vous m'inspirez, et pas seulement lorsque vous améliorez nos phrases.

Mille mercis !

Kamil Barbarski

Composition et mise en pages
Nord Compo à Villeneuve-d'Ascq

Imprimé en France par

MAURY IMPRIMEUR
à Malesherbes (Loiret)
en octobre 2018

Visitez le plus grand musée de l'imprimerie d'Europe

POCKET – 12, avenue d'Italie – 75627 Paris Cedex 13

N° d'impression : 231490
S28662/02